这是一
思想火花的
录、响彻
的社会批

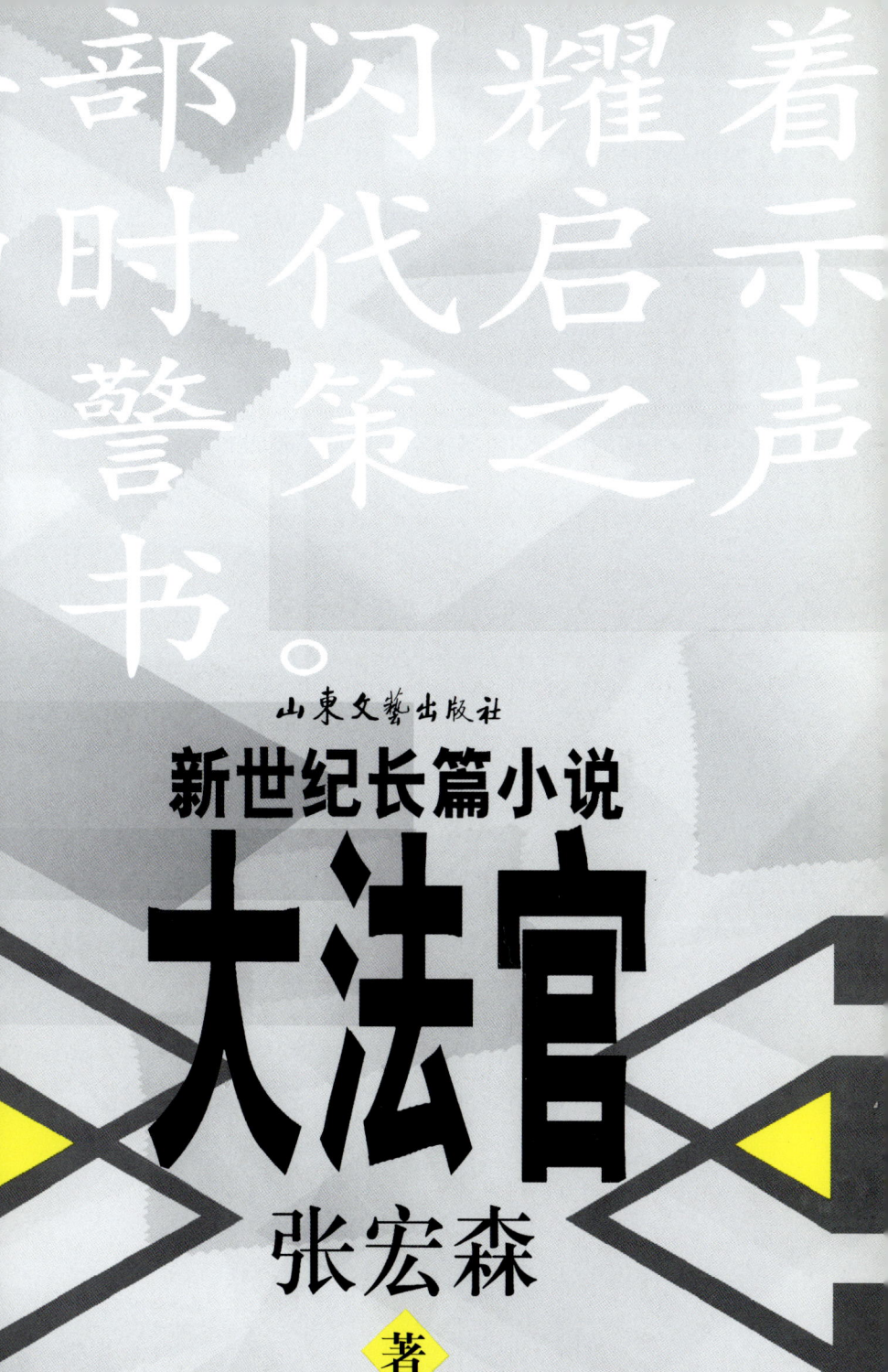

图书在版编目（CIP）数据

大法官/张宏森著．—济南：山东文艺出版社，2000.12
（新世纪长篇小说）
ISBN 7 – 5329 – 1889 – 0

Ⅰ．大... Ⅱ．张... Ⅲ．长篇小说 – 中国 – 当代
Ⅳ．Ⅰ 247.5

中国版本图书馆 CIP 数据核字（2000）第 00260 号

山东文艺出版社出版
（济南经九路胜利大街）
新华书店总店发行
山东新华印刷厂德州厂印刷
*
850×1168 毫米 32 开本 19.875 印张 2 插页 492 千字
2000 年 12 月第 1 版　2001 年 10 月第 8 次印刷
印数 92001–103000
定价 28.00 元

内 容 提 要

这是一部闪耀着思想火花的时代启示录，响彻着警策之声的社会批判书。

春江市是一座拥有八百万人口的现代化城市，为了象征城市的品格与尊严，市中心矗立起一座醒目耀眼的大厦——春江市中级人民法院。在春江市八百万人眼中，大厦成为公平、公正和正义的形象标志。大厦像一个舞台，让时代的悲喜剧依次拉开帷幕。

以法治为理性追求，以公平为情感渴望，以现代文明为未来寄托，作品塑造了杨铁如、陈默雷、林子涵等一系列个性鲜明的法官形象；描摹了上自市委书记下至底层百姓的一系列丰富驳杂的人生形态；揭露了一伙贪官污吏的丑恶灵魂。作品直面社会，直面人生，敢于指陈复杂的时代矛盾，勇于批判冥顽的社会痼疾，并以科学的法理的眼光进行了细致入微的剖析。作品力争以开阔的视野阐述时代，透视历史，从而警醒地提示依法治国是当代中国走向现代化的必由之路。

在光荣与梦想中有一双泪眼
在喧哗与骚动中有一种沉默
它让我把时间攥紧
用诚实劳动报答黑夜灯光

——题记

一

- 我自己去死和你们让我去死，有什么两样？
- 你得到了不该得到的东西，便失去了不该失去的自由。这自由包括，你自己没有选择死的权利。

1

"……十岁的时候，我偷了一块橡皮。那是块白橡皮，方方的，软软的，还有苹果的香味。在此之前，我根本不知道天底下会有这么好的橡皮。从上学第一天起，我怀里只揣一块废旧的自行车轮胎，作业写错了，就用这块又黑又硬的自行车轮胎去擦，擦得作业本乌黑一片，什么也认不出来。因为这，我就想把那块橡皮偷到手。对我来说，那块橡皮就是一切，我不要别的，就要那块橡皮。橡皮偷来了，我攥在手里，脸涨得通红，心脏咚咚狂跳……我觉得我干了一件全世界最不该干却又是一件最了不起的事……放学后，我把偷来的橡皮带回家，刚把它拿到鼻子跟前闻了闻，就被我父亲一棍子把腿打瘸了……那年我十岁，家在大巴山区……连续十几天，我瘸着腿走山路上学。十几天的山路瘸着腿走下来，我似乎什么都明白了。后来，我走出大山，考上大学，几乎都因为那块橡皮和我父亲那一棍子……"

这是春江市中级人民法院刑事审判大法庭。

涉嫌贪污受贿的被告人周士杰正在作法庭陈述。

大法庭内座无虚席。坐在审判长席位上的是春江市中级

人民法院副院长、四十三岁的杨铁如。四名法官分别坐在审判员席位上。法庭气氛庄严肃穆。

"我不知道为什么，鬼使神差，这些年，我把十岁时偷来的那块橡皮忘掉了。刚才，我听到了公诉人的指控，认定我贪污受贿的数额是两百二十万。"他闭上眼睛，轻轻叹出一口气，"两百二十万！我就在公诉人说出这个数字时，忽然，想起了十岁时偷来的橡皮……两百二十万写在纸上，后面要写一长串零……这么大一个数字，我把它弄到手，竟然一点儿也没觉得有什么了不起，也没觉得有多么不应该。它远不如我十岁时偷一块橡皮那样激动和紧张……鬼迷心窍，真的，是鬼迷心窍……刚才在法庭上我走神了，没听见我的辩护人在说什么。我一直在想，现在的周士杰已经不是过去的周士杰，我已经远远不是我了……"周士杰正娓娓道来。

这时，坐在审判席上的女法官林子涵无意识地与审判长杨铁如交流了一下目光。杨铁如的神情含蓄、复杂。

周士杰的陈述仍在继续。

"对于公诉人的指控，我没有更多的话可说。我曾经是春江市八百万人口的财政局长，现在，我的罪孽要用一长串数不清的零来表述，我还能再说什么？"他略一停顿，"后悔？"他又轻轻摇摇头，"后悔这个词已经用滥了。可在这儿，我还想用这个词再说一遍，我真的后悔。后悔没有把小时候偷来的橡皮一直揣在怀里……偷了一块橡皮，我挨了父亲重重的一棍；两百二十万，我知道今天的法庭将会给我什么。"他再次停顿，低下头，片刻又抬起，"其实，我一直在等待今天的宣判。该结束的就让它赶紧结束，该了断的也让它彻底了断，毕竟，等待比死亡更可怕……无论今天的判决将会如何，我不上诉。也许从今天开始，我失去的是锁链，换来的是再生……"

周士杰的目光转向了辩护席上的两位律师。

"感谢两位律师为我辩护。你们尽了努力，是我的罪过让你们理屈词穷。要是把两百二十万比作橡皮的话,我向你们承认,我偷了那块橡皮。"

周士杰的目光又转向审判长杨铁如。

"谢谢法庭给我这次陈述机会。这也许是我在大庭广众之下的最后一次发言。我说完了。"

陈述完毕的周士杰最后闭上了眼睛。

法庭宣布:"全体起立!"

法庭内所有人都站起来。

杨铁如拿起判决书,开始宣读:"现在宣读春江市中级人民法院刑事判决书……"

大法庭外滚过一阵隐隐的、沉闷的雷声。沉闷的雷声带来了连绵不断的雨水。

雨中,位于火车站站台一侧的火车头一而再、再而三地鸣笛。

烟雨中,站台上人头攒动。一位三十多岁的女子在人头攒动之中,拨开众人奔向出站口。长长的站台,拥挤的人流。女子冒着雨水,不停地跑着。她叫邵红,是被告人周士杰的妻子。

美丽而憔悴的邵红,出了站便钻进一辆出租车。出租车穿行在城市之中,雨刮器在邵红的眼前来回摇摆。邵红目光呆滞,雨水顺着她的发梢滴落在胸前。

十字路口,红灯在雨中亮起。出租车停在一长串车后。邵红突然拉开车门,跳下出租车。任凭出租车司机如何呼喊,邵红头也不回地朝前跑去。烟雨之中,她的身影很快消失在前方……

大法庭的门被推开,全身淋湿的邵红站在法庭后方的通道上。

她目光模糊地看着宣读判决书的杨铁如。雨水从她的身上滴落下来,洇湿了脚下的地面。

杨铁如仍在宣读判决书:"本院认为,周士杰身为国家干部,利用手中职权,以权谋私,贪赃枉法,聚敛财富,得寸进尺,置国家法律与人民利益于不顾,实属性质特别严重。且本案事实清楚,证据确凿,为此,本院作出判决如下:以贪污罪判处被告人死刑,剥夺政治权利终身;以受贿罪和家庭财产来源不明罪判处死刑,缓期二年执行,剥夺政治权利终身;以挪用公款罪判处有期徒刑十年;决定执行死刑,剥夺政治权利终身,并没收其全部财产……"

杨铁如话音未落,大法庭突然传来邵红声嘶力竭的呼喊:"不!"

这一呼喊,令法庭秩序哗然。杨铁如抬眼望去,邵红正从法庭后方通道上呼喊着奔向法庭前方,几名法警迅即上前阻拦、扭结……

周士杰的目光转向邵红时,看见正被两名法警架着的妻子在挣扎呼喊:"……不能这样……你们不能……你们不能这样……"

两名法警在众人议论声中将奋力呼喊的邵红架出法庭。

杨铁如努力镇定地望着这突如其来的一切。

周士杰双手抱住了头颅……

2

高高的围墙,密集的铁丝网,威严的哨兵。看守所沉重的铁门在雨中缓缓开启,杨铁如驾驶的桑塔纳轿车开进看守所。

幽暗的看守所长廊内,一扇又一扇的铁门紧闭着。杨铁如和审判员林子涵一前一后在狱警的引导下,来到长廊尽头的提审室。

窗外,雨仍在下,隐隐的雷声依然在远处滚动。林子涵坐在桌前看白纸黑字的判决书,杨铁如站在窗前看连绵不绝的雨水。林子涵回头问一句:"看什么呢?"杨铁如没回头,也没回答。

正在这时,室外的长廊传来一阵哗啦哗啦令人心悸的镣铐声。林子涵的目光刚转向室外,背后的杨铁如说一句:"他来了。"

外面的镣铐声由远及近,愈来愈重的声音令人彻骨寒冷。林子涵不由自主地站了起来。

狱警把屋门推开,手铐、脚镣加身的周士杰站在门口。仿佛一夜之间,周士杰苍老、憔悴了许多。在狱警的押解下,佝偻着身子的周士杰来到屋内。

刹那间,林子涵和周士杰近在咫尺,目光里有一种无声的对峙。她赶紧回头看窗前的杨铁如。杨铁如转过身来,说一句:"坐下吧。"

一阵镣铐声响过之后,周士杰坐下来。

杨铁如也来到桌前坐下。他看一眼身侧站立的林子涵。林子涵赶紧在杨铁如的目光中落座。

杨铁如说:"周士杰,我和审判员林子涵代表春江市中级人民法院,向你送达春江市中级人民法院对你的刑事判决书。"他把桌上摊着的判决书往林子涵跟前推了推。林子涵看他一眼,似乎有瞬间犹豫。转瞬之后,她便拿起判决书,来到镣铐加身的周士杰面前,把判决书递给周士杰。

周士杰没有伸手去接林子涵递来的判决书。

杨铁如说一句:"接过去。"

周士杰伸出戴铐子的双手去接。交接的一刹那,不知是周士杰还是林子涵的手一抖,判决书掉下来,落在周士杰双腿之间的铁镣上。林子涵弯腰捡起,重新把判决书放到周士杰手中,随后,返回自己座位坐好。

杨铁如:"周士杰,在法庭上,不知你听清楚没有,如不服本判决,在接到本判决书十日之内,可向省高级人民法

5

院提起上诉。"

周士杰没回答,只是目光呆滞或者神情专注地盯着判决书的白纸黑字。

杨铁如又追问一句:"听清楚了吗?"

周士杰仍默不作声。

这之间便有了一种短暂的沉默。少顷,杨铁如打破沉默,说:"怎么不说话了?你应该有很多话想说。"

周士杰:"我说过,我不上诉。"说完,他站起来,拖曳着沉重的铁镣向门口走去。刚走到门口,身后的林子涵站起来,喊一声:"等等!"

周士杰在门口转过身来。

林子涵:"你妻子邵红,经过法庭教育,已经回家了。"

周士杰什么也没表示,又默默地转身走。刚走出一步,身后的杨铁如又喊住他:"等等!"

周士杰再次在门口回转身。

杨铁如站起来说:"你能不能告诉我,你妻子为什么在法庭上喊'不'?"

周士杰沉吟少顷,清晰地吐出四个字:"妇人之见!"

周士杰转身走出门外。门外的长廊里再次传来哗啦哗啦令人彻骨寒冷的铁镣声。

冰冷的铁镣声一直在响,直到渐渐消失。

林子涵的目光刚刚与杨铁如的目光对在一起,杨铁如便说一句:"走,我再带你去看个人。"

林子涵脱口而出:"谁呀?"

杨铁如并未作答,带着林子涵来到一间铁皮监舍门前。随着一声凄厉的声响,铁门被打开。映入林子涵和杨铁如视线的是一个头发花白的囚犯。不大的监舍只有囚犯一人,囚犯盘腿坐在地铺上,依然是镣铐加身。囚犯的目光转向杨铁如和林子涵,从目光中看出,似乎跟杨铁如不再陌生。然而,目光只在杨铁如脸上停留了一瞬,他便把头扭向了一边。在扭头的同时,他几乎是自言自语地说一句:"下雨啦。"

杨铁如:"是啊,下了一整天。"

囚犯又说一句:"下雨啦。"

监舍里只有一扇很小的窗户,位置很高。囚犯的目光落定在那扇又小又高的窗户上。

杨铁如喊出了囚犯的名字:"吴西江,你的上诉省高院正在审理。"

囚犯吴西江:"上次来你说过。"

杨铁如:"这些天,怎么样?"

吴西江不说话。

杨铁如:"胃还疼吗?"

吴西江仍然不说话。

杨铁如:"法院派人到你家看了看,老婆上班,孩子也上学了。"

吴西江还是不说话。

在杨铁如的询问中,吴西江只是目不转睛地盯着那扇又高又小的窗户。杨铁如跟林子涵对视一眼,又说一句:"还是那句话,你要相信法律。"

杨铁如话音刚落,囚犯吴西江突然唱起来:"下雪啦/天晴啦/下雪别忘穿棉袄/下雪啦/天晴啦/天晴别忘戴草帽……"

说是唱,也是一种嚎!

林子涵在囚犯吴西江突然的嚎唱之中不由得打个寒颤。

狱警迅即进来,说:"吴西江,不许喧哗!不许唱!"

吴西江我行我素,依旧在嚎唱。狱警和囚犯吴西江之间便有了一些扭结和动作。杨铁如扯一下林子涵,两个人走出监舍。杨铁如顺手带过铁门,在狱警的吼斥中,吴西江的嚎唱渐渐平息。

林子涵:"吓我一跳!"

杨铁如:"走吧。"

两人走在看守所昏暗的长廊里,掠过一扇又一扇铁门。杨铁如疾步在前,林子涵紧紧追上,问:"这人怎么了?"

杨铁如:"故意杀人。"

林子涵:"判了?"

杨铁如:"死刑。"

两人匆匆走下看守所的楼梯。林子涵又问:"什么时候判的?"

杨铁如:"一年半了。那时,你还在法国上学呢。"

林子涵听到这里,一下站住了,惊讶地喊:"十八个月!这么长时间,怎么回事啊?"

杨铁如回头看看林子涵惊讶的神情,摆摆手说:"走吧!"

杨铁如和林子涵走到停在看守所院内的桑塔纳轿车前。林子涵又问:"这人多大了?"

杨铁如:"三十八。"

林子涵再次站住:"三十八?可他,他满头白发呀!"

杨铁如:"判决前,头发还是黑的,等咱们判了,头发一夜间就白了。伍子胥过昭关,真让我见着了。"

杨铁如走到轿车前,回头见林子涵还站在那里,便喊一声:"上车啊!"

雨中的林子涵抬眼便看见了看守所高高的围墙,紧闭的铁门,还有铁丝网、警戒线、哨兵……

桑塔纳轿车里的录音机,放出一曲咏叹调式的美声歌曲。

车窗前的雨刮器富有节奏地摆动,一下又一下,循环往复,永不休止。淅淅沥沥的雨水不停地落在车窗上,又不停地被划拨开来,像斩不断、理还乱的思绪。从看守所返回的路上,林子涵手握方向盘,很专注地开车,杨铁如坐在她的一侧。

美声歌曲不绝于耳。林子涵在音乐中突然说一句："真想不到啊，咱们春江中院杨副院长的车上，竟然能听到意大利歌剧。"

杨铁如："帕瓦罗蒂的《今夜无人入睡》。在法国呆了几年，你应该一耳朵就能听出来。"

林子涵笑了："我当然听得出来。其实，不用听我也知道，这些日子，你是有些睡不着。"

杨铁如："谁呀？"

林子涵："不知道。"

杨铁如："我怎么会睡不着？"

林子涵："不知道啊。"

杨铁如听到这儿笑了。他关掉车上的录音机，问一句："哎，我问你，法院干了十年，上学回来，也快一年了吧？刚才在看守所，你的手怎么还打哆嗦？"

林子涵听到这里，提高了嗓门："谁哆嗦了？"

杨铁如："没哆嗦？那你递给周士杰的判决书怎么掉地下了？"

林子涵："那，那纯粹不知怎么搞的，他，他没接住嘛！还哆嗦，什么样的死刑犯我没见过？抢劫的、放火的、杀人不眨眼的……我哆什么嗦！"

杨铁如听到这儿笑了："嘀，说着说着，脾气上来了！你呀，也就是在我这老学兄跟前，说出句话来就壮志凌云。"说着，他打个哈欠，不自觉地活动一下臂膀，说："子涵，这些日子，也不知怎么搞的，老感觉有点那个。"

林子涵："哪个呀？"

杨铁如："累！"略一沉吟，又说："我这年龄，不至于吧？"

林子涵："太不至于了！"随即，她又说："想知道为什么吗？"

杨铁如:"想啊。"

林子涵:"想让我直接说还是间接说?"

杨铁如:"怎么说都行。"

林子涵突然冒出一句:"你呀,太想当院长了!"

杨铁如故意地反问:"说我?"

林子涵:"不说你说谁!"

杨铁如:"有证据?"

林子涵:"证据之一就是这首歌,《今夜无人入睡》。不想当院长你为什么睡不着觉啊?"

杨铁如:"这算哪门子证据?我不相信法国人就这么判案子。"

林子涵笑了:"你看你,说我的话了,手哆嗦什么呀?这就是咱中国人,明明心里想当官吧,打死也不承认,还故作清高,故作镇定。你看人家外国人,想当总统,公开拉队伍竞选。我想当,我要当,我凭什么当,我当上以后要干什么,人家就那么公开说,到处喊。哪像你这么深沉,心里在想,打死不说。再说了,想当院长有什么不好?不想当元帅的士兵不是好士兵嘛!这话可是法国人说的!"

杨铁如也笑了:"你这么一说,也是。"

林子涵:"那就别说累了。人有多大胆,地有多大产。敢想敢干、敢作敢为才是我们盼望已久的杨铁如院长啊!"

杨铁如:"看你,像组织部长,给我任命。"

林子涵:"我的任命跟组织部长同样重要。"

杨铁如:"给个梯子,你真敢往上爬啊?"

林子涵:"我至少能代表春江中院绝大多数法官的基本意愿。当然,个别人代表不了。"

杨铁如听到这里,再次笑起来:"听你说话这口气,哪像在看守所打哆嗦的样子?"

林子涵:"谁打哆嗦了?瞎说!"说着,撅开录音机开关,"做你的院长梦吧。"

《今夜无人入睡》又扑面而来!

轿车在波浪起伏的意大利歌剧中驶向雨的纵深……

3

黄昏,雨渐渐停歇。朦胧中,一条相对僻静的街道上,一群孩子正窝在一起厮打着,难解难分。等杨铁如驾驶的桑塔纳轿车渐渐靠近时,成群的孩子立刻跑散,街道的水洼里站起一个十二三岁水淋淋的小男孩。男孩的身上、脸上都是泥。

桑塔纳轿车在哇哇大哭的孩子跟前停下。随之,录音机里帕瓦罗蒂的歌声也停下来。杨铁如打开车门,来到孩子跟前,扯起孩子问:"正大,怎么了?"

孩子面对眼前的杨铁如,哭声更加悲切。

杨铁如:"谁把你弄成这样?"

孩子边哭边说:"他们打我,把我摁到水里……"

杨铁如:"谁呀?"

孩子:"……我们班同学……"

杨铁如叹口气:"你也是个男孩,他们把你往水里摁,你就老老实实让他们摁? 还哭,哭有什么用?"

孩子:"……他们人多……我打不过他们……"

杨铁如:"他们为什么打你,把你往水里摁?"

孩子:"我说,我说我爸上电视了,他们就打我。他们说,让你爸牛×,让你爸牛×……"

杨铁如听到这儿站直了身子,退一步,叹口气,有些恼怒地看着孩子:"行了,甭说我也知道了,又跟你同学吹牛了是吧? 你说你……跟你说多少回了,你爸牛……你爸牛什么牛呀? 一会儿你爸有车,一会儿你爸有枪,一会儿你爸管枪毙人……你,你以为你爸是谁啊? 一天到晚瞎吹牛,那还不找着挨打? 我要是你同学,我也揍你!"他说到这里,看

看孩子水淋淋的一副可怜样,又走上前,"瞧这一身水!吹牛有本事,打架没本事了?你说你,放学不回家,到处乱窜什么?"

孩子哭着说:"家里没人……你让我妈回家,让她回来吧……"

杨铁如听到这里,从兜里掏出手机,拨号。手机里传出服务台的声音:"你要的手机已关机或暂时超出服务范围……"杨铁如恼怒地关上手机。

接着,杨铁如又要了传呼。他的传呼内容是:"……不能这样了,千万不能这样了,千千万万不能这样了……姓杨的杨,钢铁的铁,如果的如……"

杨铁如打完传呼冲孩子说:"走,先回家。"

孩子在哭声中一下又一下揩着脸上的泥污。

霓虹灯装潢下的梦巴黎服装超市豪华、考究。典雅、宁静的音乐缓缓流泻着,《昨日情人》的乐曲把环绕立体声送到了店内的每一个角落。

林子涵在一排排女性服装前游动。她不时地拿起一件件服装挑选、比试,然后,又重新放回原处。

她的背后走来一位风韵极好的中年女子。女子从背后猛地拍了一下林子涵的肩膀。林子涵在惊讶中回过头来,看清对方,大喊一声:"赵清华,讨厌!"

赵清华笑了:"从背后看,这女人是谁呀?挑来挑去的,这么难伺候!嘿,果然不是外人。"

林子涵:"瞧瞧你开的这服装店,还超市,还梦巴黎呢。两层楼转下来,没一件衣服有点意思。比……"

林子涵这句话还未吐口,赵清华便接上了:"比人家巴黎差远了,对吧?"

林子涵听到这扑哧笑了。笑过之后,又说:"真的,我在办公室说好几回了,我有个姐们儿开了个服装店,特棒,说得人家那几个女孩都要跟我来。你看看，你这店有法让人来吗？"

赵清华随手扯过一件衣服："你说我的服装没意思？你看看这件，胸口太低，是吧？再看看这件……"她又扯过一件，"裙角太短，对吧？"她把衣服放回去，"知道吧？不是服装没意思，是你没意思。服装可是跟着人走的。这服装让大街上那些女孩一穿，你猜怎么着？新新人类！你从巴黎回来，这名词该听说过吧？这店不是给你开的。你，我，咱们都过期了，快作废了。"

林子涵："这么快，咱就过期了？人家巴黎……"

赵清华："少巴黎啊，烦！"

林子涵："好好，不说了，不说了。陪我再看看吧。"

两人又穿行在一排排的服装前。

赵清华："你看，我这儿哪件衣服不比你们穿的那套制服强？灰不灰、蓝不蓝的，难看死了。"

林子涵："我们早换装了，你不知道我们法院换装了？"

赵清华："不知道。唉，今天我在电视上看见你了，坐在审判席上，一点儿表情没有，跟真事似的。那财政局长不小的官了，真判死刑啊？"

林子涵："开玩笑！电视能哄你玩儿？"

赵清华："从电视上看，那人的面相不像那么黑啊！"

林子涵："废话！谁把什么事都写在脸上？你看看你这店，价格够黑的吧？你不还是一脸微笑，杀人不用刀。"

赵清华捅林子涵一拳："说什么呢！"

正说着，林子涵包里的手机响了。她拿出手机，刚"喂"了一声，突然改变了脸色。随即，她收起手机，说："清华，我得走了。"

赵清华："约什么会呀，这么重色轻友？"

林子涵边跑边摆手："走了走了！"

林子涵疾步跑出服装店，几乎跑到马路中间，横腰拦住急速行驶的出租车。

出租车在紧急制动的刺耳声中停下。林子涵匆匆上车,向司机比比划划指点路线。

4

医院楼前停着许多警车,警灯在黑夜闪烁成红红的一片。

林子涵跳下出租车,穿越一片红红的警灯,奔向医院大厅。

医院急救室前,在警察的护卫下,暂时形成了隔离区。

杨铁如正在听一位看守所负责人介绍情况:"对这样的重刑犯,我们采取了特殊的看护措施,到现在也不清楚,怎么会有一块玻璃眼镜片落在里边。他就用这块玻璃镜片割了手腕,幸亏发现及时……"

林子涵就在这番介绍中跑来。

几位大夫走出急救室。一位大夫说:"没事了,不会有危险。"

杨铁如紧绷着脸,什么也没说,拨开几名警察,走进急救室。林子涵见状,也紧随杨铁如进去。

躺在急救室病床上的是死刑犯周士杰。吊瓶和输血袋挂在床前。一名狱警在床前紧紧盯守。

杨铁如和林子涵来到床前。狱警稍稍让开。杨铁如紧盯着病床上的周士杰。周士杰在输血和输液的同时,一只手仍然铐在病床的栏杆上。杨铁如看到了那副锃亮的手铐,片刻之后,说:"把手铐摘了吧。"

狱警犹豫地看着杨铁如。

杨铁如没说话,只是盯着那副手铐。

狱警把手铐摘下来。杨铁如走了几步,来到床的另一侧。他盯着灯光下的周士杰,口气平缓地问一句:"怎么想的？啊？"

周士杰闭着眼睛不说话。

杨铁如又喊一句："周士杰！"

周士杰的眼睛缓缓睁开，他没有看杨铁如，只是盯着头上的天花板。

杨铁如又问一句："为什么这样？"

周士杰："死是定了的事，只是早晚而已，形式不同。"

杨铁如："这种形式有什么好？"

周士杰不说话。

杨铁如："告诉我！"

周士杰仍然不说话。

杨铁如："告诉我。"

周士杰："自己毁灭自己，可能是我最后惟一保持的一点自尊……死是必然的，我已经不在乎了……死有余辜……我只是怕……"

杨铁如："怕什么？"

周士杰："绑赴刑场、执行枪决的那种场面……"

听到这句话，杨铁如和林子涵的目光有短暂的交流。

周士杰："以前我一直想，死是容易的，活着却很难。可事到临头，我突然发现，死也不是件容易的事。我周士杰怎么会有这样的下场，活着，不是一个人说了算的事；死，也不是一个人说了算……"

杨铁如想了想，便说："道理并不深奥，你得到了不该得到的东西，便失去了不该失去的自由。这自由包括，你自己没有选择死的权利。"

周士杰沉默片刻，说："死是最大的惩罚，是极刑，我自己去死和你们让我去死，有什么两样？"

杨铁如："因为，没有自己对自己的犯罪，所以，也不会有你自己对自己的惩罚。"

周士杰听罢，茫茫然说一句："我明白了，这就是绝路。

绝路就是一切都来不及了。"

杨铁如想了想,说:"你仍然可以上诉。"

林子涵插一句:"我们送达的判决书只是一审判决。"

周士杰摇摇头:"我不上诉,那只是再重复一次折磨,比死更可怕。"说到这里,他忽然欠起身子,急切地表述:"人之将死,其言也善。我恳求你们,快点让我死,早一天是一天,早一会儿是一会儿……"他几乎要从床上坐起来,激动地说:"你们是法官,有生杀予夺的权力,求求你们,我不想做行尸走肉,我实在等不下去了……"

狱警上前制止周士杰:"周士杰,躺下!"

狱警把欠身坐起的周士杰重新按倒在床上。

杨铁如看到重新躺下的周士杰,沉吟片刻,说:"法官并不像你想象的,拥有生杀予夺的权力。这权力不光我没有,谁都不会有。周士杰,你受过正统的高等教育,也做过多年国家干部,有句话不用我解释你也会明白,无论你还是我,都处在一个充满秩序和规则的社会之中。任何事情都有它的规则,生是这样,死也是这样。我相信你能听懂我的话,你好自为之吧。"

杨铁如说完,转身向门外走去。林子涵见状,也转身跟走。

两人刚走到门口,身后的周士杰突然说一声:"谢谢你。"

杨铁如和林子涵回头。

周士杰:"我死了也会记住,今天晚上你摘了我的手铐跟我说话。"

杨铁如和林子涵转身走出门外。

急救室门外的戒备似乎更加森严。警察站立两侧,人数比刚才有所增多。

一位公安局负责人走上前跟杨铁如打招呼:"过来了。"

杨铁如紧绷着脸,简单地"嗯"了一声,与走上前的负责人草草握手。

公安局负责人显然牢骚满腹,对众警察吼着:"怎么搞的?出这么大的乱子!"

杨铁如对林子涵说一句:"你先留下,有事跟我联系。"

杨铁如说完,转身走去。

杨铁如刚走到医院大厅,林子涵匆匆跑来,背后喊一声:"铁如。"

杨铁如回头站住,看见林子涵正跑下楼梯。

林子涵来到杨铁如跟前:"市委孙书记打电话来了,询问情况。"

杨铁如咬咬嘴唇:"让他们谈吧。"

林子涵问一句:"你回单位?"

杨铁如:"我累了,回家睡觉。"

林子涵站在大厅,看杨铁如的背影走出大门。

警车依然密密麻麻停在外面。在闪烁的红色警灯中,林子涵看到杨铁如的背影被红灯照亮,又被黑暗吞噬。

5

这是一幢新楼,看上去很宽敞、富有现代建筑风格。杨铁如来到楼道中自己的家门前,掏出钥匙开门的一刹那,似乎有些踌躇。他把钥匙在手里掂了掂,片刻之后,还是打开了屋门。厅里没有开灯,杨铁如顺手把灯打开的时候,他看到了蜷缩在长沙发上的妻子刘早春。

杨铁如放下包,看看在沙发上蜷缩不动的妻子,来到相邻的沙发上坐下。

屋子静默。只有墙角处鱼缸内游动的鱼显示出一些生机。

杨铁如说一句:"回来了?"

妻子刘早春没说话,也没动。

杨铁如又说一句:"正大睡了?"

妻子刘早春仍然没有应答,也没有表示。

杨铁如在如此氛围中,点上一支烟,然后说:"不能这样了。"

妻子刘早春霍地一下从沙发上坐起:"我知道,不能这样了!千万不能这样了!千千万万不能这样了!我回来就想问你,你想怎么样?"

杨铁如:"我想怎么样?家该怎么样就怎么样!我还能想怎么样?"

刘早春:"这是个家,不是个冰箱。"

杨铁如:"怎么叫冰箱?"

刘早春:"就是结冰!"

杨铁如:"结什么冰?"

刘早春站起来:"寒冷!寒冷你懂吗?杨铁如,你真不明白还是假不明白?女人是水做的,而你,眼睁睁让这水结成了冰!"

杨铁如听到这里,把烟掐灭。他没有面对妻子咄咄逼人的目光,而是缓缓走到房里另外一个角落,突然回转身说:"也许,也许我在哪里做错了什么,我正在想。"他猛然提高了声音,"可我就是不接受你这套无限上纲、夸大其辞的理论!这个家,很正常的一个家,凭什么因为你一番话就变成了冰箱?我没觉得冷,孩子也没觉得,他甚至感到燥热,以至于跑到大街上到处吹牛!就连鱼缸里的鱼,热带鱼,也一直活得自由自在,没有因为温度低而死去!你怎么就结了冰?是这个家让你结冰,还是你自己没事找事、无缘无故地结冰来降低这个家的温度?我实在不明白,你们中文系培养出来的大学生,所有本事就是用来把家庭比喻成冰箱!"

刘早春:"你这是在对我宣判?"

杨铁如:"我在讲道理!"

刘早春:"你以为这是法庭,我是你的审判对象?"

杨铁如："我没那么想。我只想跟你说明，这个家，是个很正常的家庭，跟楼道里所有的家庭，跟千千万万过日子的家庭没什么两样。有吃，有穿，有空气，有温度，有老婆孩子和丈夫，中国人就这样，中国人的家庭都这样！你所说的冰箱，只是放在厨房的角落里，用来冷冻暂时吃不着或者吃剩下的食品！"

刘早春："那我就告诉你，现在，我就是你吃不着或者吃剩下的食品。"

杨铁如在妻子这句话面前有些语塞。停顿片刻，他略显无奈地说："好好的，有什么事说什么事，我们干吗要拿该死的冰箱说话？"

刘早春："因为它用在你身上最准确！"

杨铁如无奈地看一眼鱼缸里优哉游哉的鱼，叹口气，缓缓地来到沙发前坐下，重新把刚才掐灭的半支烟点燃，语气变得平缓下来，说："我很累，真的。我为什么累，我怎么累，我累到什么程度，别人不清楚你该清楚。累极了，撑不住了，我就想回家，回家睡觉。我就不明白，回家睡个觉怎么就这么难？你让我睡不成这个觉，或者睡不着，或者睡不好。睡觉是一个人最基本的权利，你为什么把我这最基本的权利也据为己有？不知从哪天起，我们就不断地争吵，你说一切的一切都是一句话，你爱我。你爱我就得让我回家睡觉，我需要睡觉！"

刘早春听完杨铁如这番话，收拾起自己简单的东西，冷冷地说："杨铁如，我刘早春是个人道主义者，我不会把你的基本权利作为我的私有财产。你睡吧，你需要睡觉！"说完她拿起自己的东西，走出家门。

家门关闭的一刹那，杨铁如的香烟在烟缸里被狠狠地掐灭。

与此同时，电话铃响了。杨铁如看看电话机，迟疑中接起了电话。随即，他的神情便从颓唐中恢复过来："孙书记，

你还没休息？对，我刚从医院回来。我听说你把电话打到了医院。对，情况已经稳定住了。周士杰这种情况过去也遇到过几例。"他听了一会儿，说："好，好，我明白市委的意思……对，目前他还没有提出上诉……不过，法律程序规定的日期是自判决书送达十日之内……好，好的，再见。"

杨铁如放下电话，又拿起一支烟。沉吟片刻，他没有点，把烟放下。他起身，来到儿子正大的卧室。正大已酣然入睡，床头的台灯也没有关上。台灯照耀下，杨铁如看到了椅背上搭着的几件满是泥污的衣服。他把衣服拎起，关掉台灯，走出儿子的卧室。

杨铁如把几件沾满泥污的衣服扔在了卫生间的洗衣机里。

他来到了阳台。这是一幢高层建筑，透过阳台的窗户，杨铁如看到了这个城市的万家灯火。在闪烁的万家灯光中，杨铁如不知道偌大的春江市究竟蕴藏着多少温馨抑或烦恼的故事……

6

春江市中级人民法院巍然屹立、器宇轩昂的大楼，沐浴在晨光里。

陆陆续续到来的法官正拾级而上，走向法院大楼。走在人群中的杨铁如手持公文包，不时地与法官们点头打招呼。

杨铁如走进法院大厅时，看见民事审判庭四十多岁的范伯年正抱着一摞卷宗从楼梯上匆匆走下。范伯年走得急，显然没有看见杨铁如，杨铁如却喊住了他："老范！"

范伯年抬头看见了杨铁如，急忙走过来："杨院长。"

杨铁如："这些日子没怎么见你。"

范伯年："天天开庭。这不，上午一个，下午一个。民事庭人手少，一个个都忙得脚不沾地。"

杨铁如点点头,忽然又说:"抽空,我到你的庭上去听听。"

范伯年一愣:"怎么了?抽查还是考试啊?你院长往那儿一坐,我还不乱了阵脚?"

杨铁如笑了:"你这么说,我还非去不可,我看你乱成什么样!忙吧。"

范伯年笑着,刚要走,突然说:"杨院,你眼圈发黑啊!是不是周士杰那案子闹的?"

杨铁如:"他周士杰有那么大本事,让我眼圈发黑?我倒是看你头发越来越少了,悠着点啊!"

范伯年摸摸头:"我这头发,生下来就这样!"说完,笑着走开。

杨铁如刚上楼梯,碰上了迎面走下楼来的刑事审判厅书记员、年轻姑娘聂小倩。在审判周士杰的案件中,聂小倩就是当庭的书记员。聂小倩与杨铁如打招呼:"杨院你好。"

杨铁如点点头:"对了,你把那天法庭上周士杰的陈述送来我看一下。"

聂小倩答应着:"这个周士杰蛮有意思啊,我整理出来一看,像篇散文。"

杨铁如:"你这书记员才当了几天?有人在法庭上的陈述还像评书呢!"

聂小倩笑笑,刚想往下走,杨铁如又喊住了她:"聂小倩。"

聂小倩站住回头:"怎么了?"

杨铁如:"奇怪,你这头发昨天还是黑的,今天早上怎么就变颜色了?"

聂小倩听到这里,有些紧张地嗫嚅着:"我,刚染了发……院长,不……不合适吗?"

杨铁如稍稍定睛片刻,没说什么,转身而去。

杨铁如径直走上楼梯。聂小倩看看杨铁如的背影,突然

有点不知所措。

　　杨铁如走在通向办公室的走廊时，迎面急急走来四十多岁的办公室主任宋修。他来到杨铁如跟前，说："杨、杨、杨院，有、有、有急事。"

　　杨铁如："你怎么又结巴上了？"

　　宋修拍打一下自己的嘴巴："嗨！这记者，报、报社，电、电台，电、电、电……"

　　杨铁如："电视台！你慢慢说。"

　　宋修："啊对！都要采访你。"

　　杨铁如："采访我什么？"

　　宋修："还不是周、周士杰！"

　　杨铁如："新闻不是都报了吗？现在仅仅是一审判决，你认为这个时候，我作为主审法官、副院长，有可能对记者说更多的话吗？"

　　宋修："我、我明白了。我让、让、让他们走。"

　　办公室主任刚要离开，杨铁如喊住他："老宋，前些日子说话挺利索，着什么急啊？越着急，越是把一句囫囵话拆成八句说了。"

　　宋修笑了："要不，我、我上不了审判席，只能干个办、办、办公室主任啊！"

　　杨铁如走进走廊尽头的办公室。虽然是清晨刚上班时间，杨铁如办公桌的电话就响成一片。

　　他有条不紊地应对着此起彼伏的几台电话机的铃声。"喂，杨铁如。正好，你不找我，我也要找你。事情已经发生了，现在的问题是要把消息最严密地封锁。昨晚，市委孙书记也给我打了电话，孙书记的意思也是这样……是啊，我当然希望你们检察院的配合……好好好，再见！"他又应对另一个电话："我是。"听了一会儿，又说："这个案子，我给你们执行庭说过，不管遇到什么困难，不管是谁从中作梗，我还是四个字，坚决执行！老百姓过日子容易吗？他一个金城公司凭什么让上千个老百姓的日子过不下去？坚决执行，有事找我！"他又接起最后一个电话："嗯……我知道你郑小泉在办公室，可大清早刚上班，你认为我应该抽出专门时间谈你的个人问题？"

电话刚放下，法院的其他几位副院长都来到了杨铁如的办公室。

杨铁如站起来，说："正好，都来了。我把昨天晚上发生的事跟咱们班子成员说一下。"

于是，杨铁如便将昨天晚上他看到的情况，详细地讲了一遍。最后他对众人说："情况就是这样。别小看一个周士杰，这个案子关系重大。不光在咱们春江市八百万人口中有影响，在全省、全国都引起了人们的注意。因此，在这个案子上，任何法律程序和细节，都来不得半点疏漏。"

法院党组副书记张业铭说："是啊，对这样的案子，从审判员到咱们党组成员都得瞪起眼来。"停顿之后，他又说："铁如，还有件事。市委组织部来电话，要到咱们中院考察干部。早该这样了，班子不健全，工作都不好开展。"

杨铁如："什么时候来？"

张业铭："就这两天。"

杨铁如想了想，便说："老张，你是党组副书记，这工作理应你来配合。这两天，周士杰的案子告一段落了，我想借机到各庭转转，旁听一下，看看咱们整顿培训以后的法官队伍有什么起色。"

正说着，林子涵推门进来。她见屋里坐满了领导，便说："冒昧，不知道领导开会。"

杨铁如喊住她："哎，别走，正想找你呢。大伙都在，你说说昨晚后来的情况。"

林子涵坐下来，面对杨铁如说："昨晚你走后，周士杰提出了三个条件。"

杨铁如："什么条件？"

林子涵："第一,他要求行刑时,要穿西服,扎领带;第二,行刑前,他想见一下他的妻子和儿子;第三,是关于你。"

杨铁如:"关于我什么?"

林子涵:"他要求跟你谈一次话。"

杨铁如听完,便说:"周士杰就是周士杰,和别人不一样。"之后,稍作沉吟,又说:"三个条件倒是不难答应。这样吧,我也想不清楚为什么,你带个人到周士杰家里看看,看看他妻子现在什么样。"

7

书记员聂小倩正坐在刑事庭办公室的微机前敲打键盘,林子涵推门而入。她一边找水杯,一边问:"干什么呢?"

聂小倩:"杨院长要周士杰的法庭陈述。"

林子涵突然间发现了聂小倩头发的变化,她围着聂小倩转一圈,说:"哟哟哟,站起来。"

聂小倩站起来,问:"怎么了?"

林子涵:"什么时候染头发了?"

聂小倩:"昨晚。他们,他们非让我去染,说染了好看,还行吗?"

林子涵看看,点点头:"行,我通过了。"

聂小倩:"你通过了?上班时,我碰上杨院,他也一眼看出我这头发了。还问我,问完了,一句话不说扭头就走,吓死我了。"

林子涵:"一句话不说扭头就走,就是同意。你吓死什么?你还不知道杨铁如?他眼里只有审判,哪会审美呀!"

聂小倩笑了笑。

林子涵:"周士杰的法庭陈述还有多少没打?"

聂小倩："马上完了。"

林子涵："那好，杨院叫咱们去看看周士杰的妻子。"

林子涵开车，聂小倩坐在林子涵的一侧。车行驶在春江市繁忙的马路上。

聂小倩说一句："子涵姐，你别说，周士杰的妻子长得还是真漂亮啊！"

林子涵："那是，春江京剧院有名的花旦邵红嘛！"

聂小倩："她这也算是红颜薄命。"

林子涵："那你还把自己收拾得那么红颜？头发都染成那样了。"

聂小倩："我这头发怎么了？你不是说这叫审美吗？"

林子涵："行啊，你就染吧，今天染黄的，明天染红的，没准儿哪天再染个绿的！怪不得你爸你妈给你起名叫聂小倩，《聊斋志异》里的聂小倩一天就变三变。"

聂小倩捅林子涵一拳："讨厌！《聊斋志异》那是鬼，我是九十年代新人类！"

林子涵驾车来到一幢崭新气派的宿舍楼前，把车停下。进楼洞的一刹那，聂小倩说："周士杰住这么好的房子？"

林子涵说："周士杰是谁？财政局长啊！"

两人刚一走进楼洞，便听见楼洞里传来类似哭腔的声音。仔细一听，是京剧。京剧唱腔凄婉伤感，一唱三叹。两人就在这凄婉的唱腔中拾级而上，来到了周士杰的家门前。这时，她们才发现，凄婉的京剧唱腔是从周士杰家中传出的。

聂小倩敲门，没人应答，只有凄婉的唱腔断续传出。林子涵再想敲门的时候，发现门并没关，而是虚掩着。两人会意，推门进入屋内。

屋内的豪华自不必说，而屋内的杂乱无章却出乎林子涵和聂小倩的意料。两人在杂乱的环境中，看到了唱着凄婉京剧的邵红的背影。

　　林子涵和聂小倩交换一下眼神后，林子涵喊一声："邵红。"

　　邵红停止了唱，回转身，一头长发披散着，脸上有十足的憔悴。

　　林子涵："我们是法院的，我是林子涵，她是聂小倩。"

　　邵红神情漠然地看着林子涵和聂小倩。

　　林子涵："你能坐下，我们谈谈吗？"

　　邵红漠然的神情中渐渐现出一丝说不清是苦笑还是冷笑，这种笑最后发展成歇斯底里的笑声。

　　林子涵和聂小倩在这种笑声中有点不知所措。

　　邵红在笑声中重新背转身去。笑声过后，邵红又扯起长腔，唱起了凄婉的京剧。那是京剧《锁麟囊》中一段著名的二黄慢板：

　　　　我只道铁富贵一生铸定
　　　　又谁知人生数顷刻分明
　　　　想当年我也曾撒娇使性
　　　　到今朝哪怕我不信前尘

　　林子涵在邵红的唱腔中高喊一句："邵红！"

　　邵红并没理会，而是边走边唱，从屋里走向了阳台。唱腔依然继续：

　　　　这也是老天爷一番教训
　　　　他教我收余恨免娇嗔
　　　　且自新改性情
　　　　休恋逝水苦海回身
　　　　……

林子涵和聂小倩在邵红凄然的唱腔中，茫茫然四目相对……

二

- 死了只是一把灰烬,活着却需要时时保重。我去死,你们去活吧,谁比谁更好,只有天知道了。
- 既然你把活着说得如此黑暗,为什么又要求你的儿子不准去偷哪怕是一块橡皮?

1

杨铁如坐在办公桌前,拿起手机,拨了一串数字。接着便传来服务员的声音:"你要的手机已关机或已超出服务范围……"随即,是紧随其后的一串英语。他再次拨号,同样的声音再次传来。

杨铁如端详着手中拨不出去的手机,懊恼地把手机扔在办公桌上。

办公室响起了敲门声。杨铁如揉一把脸,振作精神,说:"请进。"

推门而进的是院党组副书记张业铭。他进门后说:"铁如,我跟市委组织部联系过了,带队来咱们这儿考察的是王顺兴副部长。你认识吧?"

杨铁如:"见过几次面。"

张业铭坐下,说:"跟我一样,转业军人,说话直来直去,不兜圈子。"

杨铁如笑了,没说什么。

张业铭:"咱们的组织程序也真有意思,就说你吧,主持工作时间不短了吧？还考察。既然让主持，就名正言顺下文件嘛。我就不信，任命个干部就这么难！"

杨铁如笑笑，站起来说："张书记，还那句话，他们来了，你招呼。"说完，他想往门口走，又对坐在那里的张业铭说："上午有点空，我想到法庭听听咱们的庭审。"

张业铭也站起来，说："去吧去吧，上头的事，咱俩说也白说。"

杨铁如笑笑，说："那我去了。"

两人一前一后走出门外。

作为正规化建设的春江市中级人民法院，不同性质的法庭拥有不同样式的风格。与刑事审判大法庭相比，民事审判庭在庄重的同时，似乎平添了许多和睦与温馨。

审判员范伯年和书记员就座，作为离婚双方的当事人对面相视而坐，跟从而来的双方家人、亲朋坐在了旁听席上。

范伯年："虽然咱们都坐在了法庭上，在开庭之前，我还想说几句话。我所说的话可以理解为庭外调解。一审卷宗我看了许多遍，男方下岗，女方紧跟着也下岗了，按说，双方都不容易。失去了工作就着急，就烦躁，就怨天尤人，看什么什么不顺眼。一来二去，吵、骂、打，闹到最后，就开始离婚。从区法院一直离到市中院。我看了，你们上诉的理由是一审判决实体不公，财产分配不合理，对不对？"

范伯年说到这里的时候，副院长杨铁如悄悄来到了民事审判庭。他选择了旁听席角落里一个偏僻位置坐下。坐在审判席上的范伯年显然看见了杨铁如的到来。但见杨铁如像一个毫无干系的听众那样面无表情，范伯年的话便继续讲下去。

"我先不想说财产问题，孩子抚养权问题。从卷宗中我看出来，你们的婚姻危机是外因不是内因。没有第三者，也没有感情基础问题，导致婚姻的危机是来自生活的压力。常言说,百年修得同船渡,千年修得共枕眠。生活暂时有困难,有压力,正需要夫妻双方同船过渡,共度难关。日子过得不顺心,就把婚姻搭进去,这个账,不知你们算清楚没有?离婚到底算赢还是算输?离婚之后,谁也不考虑对方将来怎样把日子过下去,在财产上你争我夺,都不肯做出丝毫让步。十几年的夫妻感情,完全被这点值不了多少钱的财产撕得粉碎。你们都在做算术,却没想到算术永远算不清人与人之间该怎样互相体谅和关照。开庭之前,我说这么多,仍想劝你们好好想想。"

正说着,执行庭庭长欧阳庆匆匆进来,俯身在杨铁如身边耳语一声,杨铁如起身而出。

审判员范伯年见杨铁如走出去,心里似乎更踏实了些,他清清嗓子,问双方当事人:"说了那么多,我想问一句,你们愿意接受法庭调解吗?"

男女双方几乎异口同声:"不愿意。"

范伯年无奈地叹口气,严肃地说:"那好,现在开庭!"

杨铁如刚走出法庭,欧阳庆便神色匆促地说:"杨院,出事了。"

杨铁如倒是镇定地看着他,没急着追问。

欧阳庆:"金城公司那个案子还是执行不下来,也不知谁下的通知,咱们的人去了,呼啦一下,就围上来上百号人。"

杨铁如:"欧阳庆,你又不是新上任的执行庭庭长,这样的场面你第一次见?"

欧阳庆:"是第一次。法院贴的封条撕了,我们法院执行的工作人员也被他们公司的人扣作人质,还有人动手动脚扔石头,小刘的鼻子、脸上都是血!"

杨铁如听到这里,说一句:"我去!"

杨铁如直奔法院办公室,他一把推开办公室的门,喊一声:"老宋,通知法警队,立即跟我走!"

办公室主任宋修慌慌地来到门口,问:"去、去多少?"

杨铁如头也不回地说:"全部!"

杨铁如和欧阳庆刚刚来到法院大厅,突然从另一侧楼梯上奔下一个三十多岁的行政庭法官郑小泉。郑小泉没有顾及杨铁如的匆忙,疾步上前扯住杨铁如的胳膊,说:"杨院,你得给我十分钟时间。"

杨铁如看一眼郑小泉:"我现在一秒钟也不能给你。"

"我实在没地方住了,我不能老住办公室啊!"

"郑小泉,你现在就收拾行李,搬我家去住,给!"说着,杨铁如把兜里一串钥匙掏出,扔给郑小泉。

郑小泉接过钥匙,丈二和尚摸不着头脑的时候,看见杨铁如和欧阳庆已经上车。一队全副武装的法警正纷纷登车,紧急启动。几辆车很快驶出了郑小泉的视线。

2

金城公司大厦坐落在春江市城郊一个美丽的县城。大厦傍山而建,其坐落位置可鸟瞰郁郁葱葱的绿色林带和远方蜿蜒的江水。杨铁如和法警队的车沿曲折的坡路呼啸而至时,瞬间映入眼帘的是金城公司大厦前嘈杂的人群。

通往大厦门前的道路已被密集的人群堵塞。杨铁如及其紧随其后的法警队的车被迫在人群稍远的地方停下。

透过车窗,杨铁如沉默地看着大厦前的人群。忽然,他问欧阳庆:"人群里怎么还有警察?"

欧阳庆同时也看到了人群中的七八名警察,摇摇头说:"不知道。"随之,他又问:"要不要叫法警队下车?"

杨铁如摇摇头,说:"让他们待命!"随后,打开车门下车。欧阳庆也紧随杨铁如下车,跑到法警队的依维克车前叮嘱着什么。

杨铁如径直走向金城公司大厦前。欧阳庆跑步跟上。站在人群前的那两名法官老薛和小金，见到杨铁如，急忙跑上前来。

欧阳庆问一句："情况怎么样？"

老薛："金城公司的员工都被发动起来了，一二百号人围着不让进大楼，更不让动他们的财产。有人护着车，有人护着仓库，有喊的，有骂的，说什么的都有。"

小金："有人去撕咱们贴在仓库上的封条，小刘他们几个上前制止，被金城公司的保安打了不说，还顺势推到仓库里关了起来。"

欧阳庆听完这话，看着面色冷峻的杨铁如。

杨铁如敏感地问："那几个警察是哪儿的？"

老薛："当地派出所的。名义上来维持秩序，实际上站在金城公司一边。"

杨铁如："金城公司老板在哪儿？"

小金："一直没露面。公司负责人一个也见不着。"

杨铁如听完，大步流星走到大厦前站立的警察面前。很快，杨铁如被人群包围起来。众人虎视眈眈地望着杨铁如，气氛一下显得特别紧张，也特别安静。在这种不祥和的寂静中，清晰地传来远处江面上几声悠长的航船汽笛。

杨铁如镇定地面对一个警察："谁是你们负责人？"

警察指指身边另外一个警察："这是我们派出所所长。"

杨铁如的目光很快转向了派出所所长，说："我是春江中院副院长杨铁如，我想问你，你们怎么也站在大楼前边？"

"我们来维持秩序。"

"既然这样，为什么不把这些妨碍执法的人员解散？"

所长略作嗫嚅地说："他们不走，我，我们只好维持现状。"

"那么，执法人员被殴打，被非法关在仓库里，你怎么履行你的治安职责？"

所长开始语焉不详:"这……这我说不清楚。"

杨铁如的脸色阴沉下来,问:"谁让你们到的现场?"

"上头!"

"哪个上头?"

"就是管我们的上司呗!"

"请你说出他的级别、姓名,他让你们来这里干什么!"

所长看看杨铁如的脸色,摇摇头:"无可奉告!"

"如果你意识到你也是一个执法者,请你告诉我。不告诉我也可以,请你现在就履行一个执法者的责任!"

派出所所长正在踌躇之中,人群中挤进一个中年人。他拨开人群,来到杨铁如身边,说:"杨副院长,你好。我是县委办公室副主任,我们县长想请你去一趟。"

杨铁如看看眼前的中年人,字字分明地说:"我不去,请他到这里来一趟!"

办公室副主任为难地说:"这……"

"请转告县长,我杨铁如站在这儿等他!"

办公室副主任不情愿地转身而去。

几乎在同时,夹在人群中的执行庭庭长欧阳庆和另外几名法官被包围的群众挤到了中间。人们起哄一般,将几名法官推来搡去,令法官们艰难地招架。旁边的几个派出所民警煞有介事地喊:"不要乱来! 不要乱来!"

依维克车内全副武装的法警们,看到那起哄和拥挤的场面,一个个焦急万分。其中一个法警说:"杨院让我们来干吗? 呆在车上干瞪眼看热闹啊?"

法警队长:"没有命令,谁都不准乱动啊!"

不多一会儿,县委办公室副主任又挤进人群,来到杨铁如身边:"杨院长,我们县长来了。"

杨铁如顺着办公室副主任的手势看去,一辆崭新的奥迪轿车已在法警队的依维克汽车前停稳。县长王玉和正打开车门,走下汽车。

杨铁如拨开众人，走向县长王玉和，同他握了握手。

杨铁如："劳你王县长大驾。"

县长："你是越来越请不动了。"

杨铁如："我想让你来看看这场面。"

县长看看金城大厦前密密麻麻的人群，叹口气："现在这人哪！"随即，又拉起杨铁如的手，"你可又瘦了。干革命就不要本钱了？走吧，咱们车上说。"

杨铁如在县长王玉和的热情簇拥下走进那辆崭新的奥迪轿车。

坐在奥迪车里的杨铁如和县长王玉和开始进行一次饶有意味的对话。

杨铁如："一个金城公司，以高息集资的名义骗取了几千个老百姓的钱。那是几千个老百姓过日子的性命钱！你金城公司把钱骗到手了，几千个家庭怎么过？要吃饭、要看病、要买房子、要上学！这还仅仅是一场经济诉讼。进一步讲，公诉机关、检察院完全可以就此对金城公司法人代表提起刑事诉讼！这叫金融诈骗！不错，法院经济庭一审判决后，金城公司不服，上诉了。可省高院的裁决已经下达，驳回上诉，维持原判。你说，在法律最终判决面前，不该对金城公司执行罚没财产？"

县长王玉和："道理不用你讲，我还不明白？可道理是道理，毕竟还有个现实处境嘛。好在，我这也是个一百万人口的大县，这么一个大县，像金城公司这样能够创造效益的企业有几个？说白了，不怕丢丑，光机关干部每月的工资都让我天天挠头皮。如果我这县里没几个像金城公司这样的企业垫底，我这县长还怎么当？我知道，你有你的责任，可我有我的难处，一盘棋嘛，你也好，我也好，咱都不是给自己干的嘛！"

杨铁如："法院只是在执行金城公司非法所得部分，并没有妨碍金城公司去创造效益。你说，把几千个老百姓过日

子的性命钱骗到手也叫创造效益？"

县长王玉和："市场经济嘛，允许多种经济成分、多种经济手段的尝试，对不对？"

杨铁如："你该不会说，市场经济和法律是敌对关系吧？"

县长王玉和："这可是你说的，我没那么说。"

杨铁如："既然这样，我问你，金城公司阻挠法律的公正执行，甚至还殴打、扣留执法人员，我们的法官正在人群里被推来搡去，派出所的警察名为维持秩序，实际在助威和纵容，这一切，你准备怎么办？"

县长王玉和："你说严重了。金城公司毕竟也是国有资产，他们也是担心嘛！"

杨铁如："那我再问你，几千个老百姓是不是国家公民？"

县长王玉和："铁如，你觉得抬杠能解决问题？"

杨铁如："怎么才能解决问题？"

县长王玉和："你得为我这个县长考虑考虑。能不能暂缓执行？或者，部分地、象征性地执行？"

杨铁如听到这里，看看县长王玉和，突然问："你认为咱们原来的财政局长周士杰该不该判死刑？"

县长王玉和在杨铁如突如其来的问话面前愣住了，他愣愣怔怔地说："不是宣判了吗？"

杨铁如："你认为他可以不执行枪决吗？"

县长王玉和："铁如，你什么意思？"

杨铁如："一旦最高人民法院的死刑裁定书下达，周士杰必须枪决。金城公司也一样，法律既然已经判决，必须执行。周士杰的道理就是金城公司的道理。"

县长王玉和听到这里，长长地叹出一口气，说："杨院长，既然你这样说，你看着办吧。"

杨铁如毫不犹豫地拉开车门："那好，我办！"

杨铁如一步跨出汽车。县长王玉和也随之走出车门。

杨铁如径直来到法警聚集的依维克车前，高喊一声："集合！"

只是一瞬间，一队全副武装的法警迅即下车，列队站好。

金城大厦前密密层层起哄的人群，突然被这种威武的阵势所震慑，又重新变得安静下来。

杨铁如刚刚走到列队整齐的法警队伍面前准备布置，突然一辆轿车疾速驶来。车停下，车上走下春江市市委书记孙志。

杨铁如和县长王玉和都被这突然闪现的一幕惊呆了。

市委书记孙志下车以后，先是看了一眼金城大厦前的人群，然后，又把目光转向杨铁如和县长王玉和。

杨铁如和王玉和同时迎向市委书记孙志。县长王玉和有些惶然地："孙书记，我正和杨院长处理这事，你怎么来了？"

孙志没有应答王玉和的话，而是直接面对杨铁如："我正好在县里考察，听说了这事儿，赶过来看看。"

杨铁如点点头。

孙志随即对县长王玉和说："王玉和，我以市委的名义要求你，在最短的时间内，疏散人群，保证法院执法！"

县长王玉和答应着，几乎是跑步来到大厦前的人群中。随即，派出所的警察开始疏导，聚集的人群有的进入大楼，有的朝别处走去。人群在很短的时间内渐渐走散。

杨铁如回头朝法警队长摆手示意，列队整齐的法警队伍立即解散，陆续上车。

孙志对杨铁如说："你带来了全副武装啊！"

杨铁如："我怕事态扩大。"

孙志说一句："小农意识！地方保护主义！"

县长王玉和又跑回来，甚至有点气喘吁吁地说："孙书记……"

孙志:"你想让几千口子老百姓去堵住我市委大门啊?"

县长王玉和唯唯诺诺说不出话。

杨铁如对围拢上来的执行庭庭长欧阳庆和另外几名法官说:"你们去吧。"

欧阳庆和几名法官相继而去。不远处的江面上又传来航船的汽笛声。

孙志对杨铁如说:"走吧,坐我的车。"上车的一刹那,他回头又跟木木讷讷的县长王玉和说:"吕端大事不糊涂,这话怎么讲?一百多万人的县长嘛,处理问题不果断能行?噢,我刚到你那几个推广大棚蔬菜种植的乡镇看了看,不错,该表扬的表扬。走了。"说完,孙志上车。

县长王玉和的脸上这才有了点舒展。

杨铁如上车前,来到王玉和跟前,说:"我当然知道,你有你的难处。"

王玉和叹了口气,说:"知道就行了。"

杨铁如和王玉和握手告别。杨铁如坐上了市委书记孙志的轿车。轿车启动,走出很远,县长王玉和的手好像还招在半空中,久久不能放下……

市委书记孙志的轿车行驶在通往春江市区的沿江公路上。秘书坐在前面,孙志和杨铁如在后。

孙志问杨铁如:"最近怎么样?"

杨铁如:"法院嘛,还不就天天那样,永远是堆积如山的案子,大到周士杰,小到鸡毛蒜皮。"

孙志:"周士杰的问题,让我几天几夜睡不着觉。一个八百万人口大城市的财政局长,级别不算低的干部了,竟然腐化堕落成这个模样。老百姓偷个鸡摸个狗,还觉得理亏呢,一个管财理财的局长,贪污这么多钱还脸不变色心不跳,到处演讲作报告。我睡不着觉,是在想我们这支庞大的干部队伍，再出一个周士杰，老百姓还不指着我们政府的鼻子骂娘？"

杨铁如："在审理周士杰的过程中，我倒是发现，最初的周士杰并没有那么坏。"

孙志："他要从根子上就是个坏人，能当上春江市的财政局长？说句不该说的话，论能力、水平，周士杰算把好手，他还进入了梯队干部的名单呢！所以我说，权力嘛，有人能把它酿成美酒，有人能把它做成毒药。"

杨铁如听到这里没说话。

孙志又问："一审判决之后，周士杰不上诉，省高院和最高人民法院不会再提出什么疑问吧？"

杨铁如："我料定这是个铁案！事实清楚，证据确凿，审判程序和判决实体应该公正无误。"

孙志："现在不讲从重从快了，但周士杰这个案子，八百万春江市老百姓的眼睛在盯着呢。"

杨铁如："我们在等省高院和最高法院的最终裁定。"

孙志沉默片刻，又说："顺便说一句，市委组织部已派出工作组，考察你们市中院的领导班子。"

杨铁如："我知道了。"

孙志："作为一个干部，特别是年轻干部，要经得起组织的考察和考验。"

杨铁如："我明白。"

孙志："你今年四十几？"

杨铁如："四十三。"

孙志："四十三。我这个年龄的时候，还在乡镇干党委书记呢，一眨眼，这把年纪了。年轻就是本钱啊，得好好珍惜。"说完，忽然对前座的秘书说："小唐，把包里那支钢笔给我。"

秘书唐学风从包里掏出一个精致的盒子，递给市委书记孙志。

孙志把装有钢笔的精致的盒子递给杨铁如:"我有个老战友,从美国回来,送我一支派克笔,送给你吧!"

杨铁如:"这……"

孙志:"你这当法官的,下手落笔,可就一字定乾坤啊!"

杨铁如接过那个精致的盒子,说:"那就谢谢孙书记。"

孙志对司机说:"跑一天了,小王,听听音乐。"

司机小王把车上的CD机打开。激光唱盘中传来金属般音质的音乐。那是带有怀旧情绪且又永恒不衰的美国歌曲《当我们正年轻》。

市委书记在抒情的歌曲中仰靠后背,闭上了眼睛。

杨铁如小心翼翼打开那个精致的盒子,在黑色丝绒衬托下,他看到一支金光灿灿的美国派克钢笔。

是的,当我们正年轻,这是一个多么富有魅力的题目。无论对哪个年龄层次的人来说,这个富有魅力的题目都会激起心海中的层层波澜。此时,杨铁如的心潮,正随着音乐的旋律,涌向久远的过去……

那是二十年前的往事。作为大学生的杨铁如和刘早春在富有校园情调的舞会上翩翩起舞……他们踩着的舞曲就是那首金属音质的美国歌曲《当我们正年轻》。

刘早春在舞步中问杨铁如:"你们法律系的学生都绷着脸不会笑?"

杨铁如笑了:"没有啊!"

刘早春:"你笑得真不像。你的名字应该改一下,不叫杨铁如,叫杨如铁。"

杨铁如和刘早春都笑了……

3

中午,放学了,花团锦簇的孩子们拥出小学校园。

校园外有许多家长等候。背着书包的孩子杨正大在走出校门时,听到有人喊他的名字:"正大!"

杨正大看到了站在一侧的妈妈刘早春。

孩子杨正大奔向妈妈,快乐地喊:"妈!"

刘早春挽起孩子的手:"正大,妈妈中午请你吃什么,猜到了吗?"

孩子摇摇头。

刘早春:"肯德基。"

孩子高呼:"哇塞!"随即快乐地跳起来。

刘早春对孩子说:"正大,妈不是跟你说过,别整天'哇塞'、'哇塞'的,什么话啊!中国孩子就该说中国话。"

孩子杨正大:"那你怎么逼着我学外语?妈,咱们怎么走?"

刘早春:"打的吧。"

母子二人开始在熙来攘往的校园门口招手打的。一辆红色的夏利开到他们面前。刘早春和杨正大上了车。车慢慢地向前方驶去。

孩子杨正大忽然问妈妈:"妈,你怎么不回家?"

刘早春:"妈在外面忙着写论文。"

孩子:"不,爸爸说,你不回家,是因为家里结冰了。"

刘早春:"别听你爸的。妈写论文是为了当教授。你不希望妈妈早一天当上教授?"

孩子:"教授比我爸还牛吗?"

刘早春面对孩子这句问话,突然间不知道该怎么应对。她想了想,便问孩子:"正大,你觉得你爸怎么牛?"

说到这里,出租车正好驶过春江市中级人民法院巍峨屹立的大楼。

孩子指着气派的法院大楼说:"你看,这大楼多棒!我爸管着这个大楼,这大楼就是我爸盖的!"

刘早春:"正大,不许这么说话!这大楼和你爸有什么关系？你爸在家里连个炉灶都修不好，他哪会盖大楼？"

孩子杨正大趴在车后座上，看着大楼说："就是我爸盖的嘛！"

刘早春也回过头来，看着法院巍然耸立的大楼。大楼在母子二人的视线中渐渐远去……

4

郑小泉走进法院办公室，将一串钥匙哗啦一声扔在宋修的办公桌上。

宋修在懵懂中抬起头，看见了站在面前的行政庭审判员郑小泉。没等宋修反应过来，郑小泉便说："主任，我有房子了。"

宋修听完这话，笑了："好事啊！可去了我一块心病！"

郑小泉："去了你一块心病？我说出来，你立马就犯心脏病！"

宋修听到这里，真以为发生了什么事，下意识地捂住胸口："别、别、别吓唬我，怎、怎、怎么回事？"

郑小泉："我又跟杨院要房子，刚说了一句，杨院二话没说，掏出钥匙就扔给我，让我搬他家去住！"

宋修："开什么国、国际玩、玩、玩……"

郑小泉接过宋修结巴的碴儿："玩笑！"说着，坐下来："老宋，帮个忙，你得帮我把钥匙送回去。杨院这一将军可把我给将死了。这钥匙要攥我手里，那不就跟克林顿与莱温斯基似的，既说不清楚又下不了台。"

宋修拿起桌上那串钥匙掂了掂，说："你个郑小泉，闲、闲着没事，打、打、打什么离婚。"

"打离婚又不是打保龄球，谁打着上瘾啊？"说着，郑小泉站起来，"算了，我还等着开庭呢，拜托了啊！"说着，走出屋门，刚走出去，又回头，"哎，老宋，别老让我住办公室啊！我可是行政庭的，你要不给我想办法，急了，我也递个状子，给你来个民告官！"

办公室主任宋修苦笑着摇摇头，把手里的钥匙掂得哗啦作响。

郑小泉刚一走出法院办公室的门，便在走廊上看见林子涵匆匆行走的背影。

郑小泉在背后喊："姐！"

林子涵回头，看见了正向她跑来的郑小泉。

林子涵冲跑上前的郑小泉来一句："闲得难受了？"

郑小泉："再过半小时，开庭。有意思啊，十五个居民联合状告自来水公司，告他们事先不通知就停水三天。"

林子涵："这有什么不正常？法国还有人告他的邻居踢了他的狗一脚呢！"

郑小泉："那是，依法治国嘛！哎，聂小倩最近干吗呢？"

林子涵神态诡秘面带微笑地看了郑小泉一眼。

郑小泉连连摆手："哎哎哎，人家法国人可讲文明，不兴用这种眼光看人啊！"说到这里，他赶紧打岔，"对了，今儿一大早，我把咱们杨院给惹了！"

林子涵："我正到处找他呢！他在哪儿？"

5

法院会议室正在召开审判委员会会议。审判委员会的组成人员是法院领导班子、各庭庭长及资深法官。

坐在主持人位置上的杨铁如说："今天我们召开的审判委员会会议，还是关于周士杰的案子。"他示意一下坐在一侧的林子涵，"林子涵，你先把情况通报一下。"

林子涵："关于周士杰的贪污受贿案，一审判决后，省高院经过复核，认为一审判决事实清楚，证据确凿，审判程序合法，判决实体公正。今天下午，省高院已经下达了对周士杰案的死刑复核裁定书，同时，最高人民法院也下达了复核裁定和执行死刑的命令。到现在可以说，周士杰贪污受贿案的审判工作已全部完成。"

林子涵通报完毕后，杨铁如看了看众人说："关于周士杰的贪污受贿案，到今天画上了句号。这个案件，是对我们春江市中级人民法院执法水平和法官素质的一次考试！在座的每个人，都不会忘记我们曾在高达一米半的卷宗面前进行的所有认证和分析，也不会忘记我们在认证、调查过程中所面对的形形色色百多号证人，更不会忘记来自市内市外、省内省外，乃至于来自北京的各种说情、疏通、伪证和压力。案子结束了，我们通过了这次考试。作为主持工作的副院长，在此，我向在座的各位，向为这案子付出艰巨努力的法官们表示感谢。"

沉吟片刻，杨铁如又说："关于周士杰死刑的执行问题，他向法庭提出了要求。我想跟大家通报一下，有些想法，我也想提交咱们审判委员会研究。"

杨铁如刚说到这里，会议室的门被推开，随之传来一声："爸！"

众人的目光齐刷刷转向门口，看见站在门口的是背着书包的杨铁如的儿子杨正大。

杨铁如站起来，有些掩饰不住的恼怒，他呵斥道："你怎么到这儿来了？"

孩子杨正大："家里发水了！"

由于水龙头的什么缘故，杨铁如家的地面上浸满了水。恶劣的水龙头已经得到控制，法院办公室主任宋修以及郑小泉、聂小倩还有另外几名年轻法官正在用各种工具打扫地面上的积水。孩子杨正大背着书包，双手抄在兜里，嚼着口香糖，站在一个角落看着忙忙碌碌的人们。

郑小泉抱着一摞书，从一间屋里走出，说："你看看，你看看，杨院把书扔在地上，都泡成纸浆了。"

聂小倩好奇地凑过来，扒拉着郑小泉手里的书，说一句："我看看杨院在家里看什么书？"

郑小泉看了半天，说："《唐·璜》。什么意思？还不如叫荒唐呢！"

聂小倩听郑小泉说完这话，不屑地说："亏你还是大学本科毕业，好意思说，《唐·璜》都不知道？那是拜伦写的长诗，写爱情的。"

郑小泉："我不知道什么是《唐·璜》，可我知道什么是爱情。亏你还是个窈窕淑女，光知道《唐·璜》，就是不知道君子好逑。"

嚼着口香糖的孩子接上一句："那不是我爸看的书，是我妈！"

聂小倩问孩子："正大，你怎么不给你妈打电话，闯办公室找你爸？"

孩子："我妈没回电话。"

两脚都是水的办公室主任宋修从屋里走出来，冲站在那里的郑小泉和聂小倩说："叫、叫、叫你们来干、干吗？不、不、不动手，光、光、光……"

郑小泉面对结巴的办公室主任，应声而答："光动嘴啊！"

宋修："啊对！光、光、光动嘴啊！"

郑小泉把怀里的书放下，重新拿起工具，对宋修说："老宋，你哪儿都好，就这说话急死人。人家说，治你这病有办法，阴天下雨打雷的时候，猛不丁扇一嘴巴，立马治好！赶哪天，打雷下雨的时候，我给你试试，扇一嘴巴治好了病不说，我还有理由，为什么不给我找间房子！"

聂小倩边往桶里倒水，边说："主任，就他这没大没小的样，你现在就该扇他一嘴巴，让他知道什么叫尊老爱幼。"

"我只想爱幼。"郑小泉对聂小倩悄声说:"你年龄比我小,算幼吧?"

宋修:"干活吧!嘴上没毛的熊、熊孩子,懂啥?"老宋边拧拖把里的水边说:"你、你、你以为我没挨耳光子,小、小时候,一、一、一下雨,我爸就扇、扇我,到底也没管、管用。到、到现在,一听打、打雷,我心里就发、发怵。"

这一番话,把郑小泉、聂小倩和几个年轻人都说笑了。

宋修:"笑、笑啥?干、干活!"

郑小泉边干边说:"还不如我装着杨院的钥匙,搬他家来住呢。我真来了,也发不了水啊!"随即,他抬起头,对嚼着口香糖抄着双手的孩子说:"正大,也不能光在那儿嚼口香糖啊,去,倒水!"

6

杨铁如拿起电话:"请呼54321,姓杨,请告诉她,家里没有结冰,家里发水了!"

传呼小姐似乎没有听懂杨铁如的意思,杨铁如又重复一遍:"对,就这么打上,家里没有结冰,家里发水了!"

杨铁如说完,忿忿然把电话扣下。

随之,林子涵来到了杨铁如办公室。杨铁如看见进门的林子涵说:"这么快就回来了?"

林子涵:"周士杰家里没人,门锁着。我找到了他妻子邵红的单位,他们京剧院领导说,邵红前天已经送进了精神病医院。"

杨铁如诧异地问:"精神病?"

林子涵:"他们单位说,邵红突然间就神经错乱,砸烂了京剧院办公室,还点了一把火,把她过去上台演出的行头都烧了。单位打了110,警察来了,邵红答非所问,一派胡言乱语。"

杨铁如听到这里，不由自主地点上一支烟，陷入沉思。

林子涵："哎，你可明文规定，法院大楼是禁烟区啊！"

杨铁如根本没搭她的茬，问一句："他儿子呢？"

林子涵："周士杰出事不久，孩子就被送回老家大巴山区了。"

杨铁如听到这里，沉思不语。

片刻的沉默之后，杨铁如说："你还得再跑趟精神病医院，看看情况到底怎么回事。既然周士杰提出了见妻子的要求，我们又答应了，应该尽量满足他的要求。"

林子涵想了想，便说："我去可以。不过，这事，玄！"

杨铁如："去看看吧。"

林子涵答应着转身刚走出几步，突然回头问："你家不是发水了吗？"

杨铁如："还到不了抗洪抢险的地步，走你的吧！"

林子涵面对杨铁如摇摇头，走出办公室……

当天晚上，林子涵和另外一名法官来到精神病院某处，与身着病号服装的邵红面对面坐着。邵红精神茫然，目光恍惚。

林子涵对邵红说："邵红，作为周士杰的妻子，他想最后见你一面。法院已经答应了他的要求，我们来征求你的意见。"

邵红一副茫茫然的模样，似乎对林子涵的话置若罔闻。

林子涵显示出特别的耐心，说："他提这个要求的时候，我在场。我看得出，他很真诚，提出这个要求，他眼睛都湿了。"

茫茫然的邵红缓缓站起身来，又缓缓把身子背转过去。随之，林子涵和另外一名法官便听到了邵红的声音。

那是一种惊人的京剧练声吊嗓子的声音！

"咿——"

"呀——!"

长长的、重复的、一声又一声的咿呀声。林子涵和另外一名法官在这重复而又令人毛骨悚然的咿呀声中,不由自主地站起身来。

这时,进来一个大夫,面对室内如此境况,向林子涵摆摆手。

林子涵无奈地摇摇头。之后,便同另一位法官共同走出。

走出很远很远,林子涵依然能够听到邵红的咿呀长腔。那声嘶力竭的嗓音,刺透了整个精神病院,也刺透了茫茫的黑夜……

7

这是一个平常的日子,上班的法官们依然是陆陆续续拾级而上走进大楼。与往日稍有不同的是,杨铁如和一队法官正从大楼走出,走下台阶。

杨铁如刚走下台阶,党组副书记张业铭匆匆从楼里跑出,喊住杨铁如:"铁如!"

杨铁如站住。

张业铭:"市委组织部的考察组今天就到中院来。"

杨铁如:"今天来?"

张业铭:"谁说不是呢!偏偏跟周士杰执行死刑赶在一天。"

杨铁如:"你就在家组织吧。人家有人家的程序,该找谁谈找谁谈就是了。"

张业铭:"好吧。现在就去?"

杨铁如抬腕看看表,说:"该走了。"

杨铁如和一队法官陆续上车,一队警车闪着警灯,鸣着警笛,依次开出。警车穿过长街,一直开进看守所黑色的铁

门里面。

此时,提前到达的全副武装的法警队,已经列队站立在看守所长廊两侧。法警队员们在持枪的同时,每个人都增加了钢盔和白手套。

杨铁如、林子涵和一队法官以及检察院的人员穿越法警列队的看守所长廊,走向走廊尽头的提审室。

杨铁如和一行人来到提审室时,死刑犯周士杰已经端坐在提审室的坐位上。依然是镣铐加身,不同的是,周士杰穿上了崭新的西服,并系上了领带。两名全副武装的法警一左一右站在周士杰两侧。

杨铁如和一行人面对周士杰站定之后,杨铁如看一眼林子涵。

林子涵拿出一页纸,念道:"周士杰,省高级人民法院已经下达了对你的死刑复核裁定书,最高人民法院也已下达了对你的死刑复核裁定,并于本月十八日下达了执行死刑的命令。按照法律程序,今天上午十点,春江市中级人民法院决定执行对你的死刑,现在对你验明正身。"

检察院的人员上前拍照,在闪光灯的照耀下,周士杰神情木然。

林子涵问:"临终前,你还有什么话要说?"

周士杰想了想,说:"我儿子十岁,已经回到大巴山区。如果有可能的话,请法庭转告他,即使是一块橡皮,也不能向别人伸手。"

书记员聂小倩把周士杰的话一一记录在案。

林子涵:"还有吗?"

周士杰摇摇头。

林子涵:"签字。"

两名法警提起周士杰,周士杰拖曳着沉重的镣铐走到桌前签字。

签字的一刹那,没有人及时递给他笔。杨铁如下意识地从西服口袋里掏出那支市委书记刚刚赠送的金灿灿的钢笔，想了想，又收回去，对书记员聂小倩说一句："笔！"

聂小倩把笔和印盒同时推到周士杰面前。周士杰戴铐子的手签上了自己的名字，按上了血红的手印。随之，又被两名法警架着回到原来的座位。

这时候，杨铁如对众人说一句："好，你们先出去吧。"

众人互相看看，纷纷走出提审室。

霎时，拥挤的提审室只剩下杨铁如和镣铐加身的周士杰。

杨铁如始终站着，在瞬间形成的静默中，说："我知道，你想跟我谈一次话。"

周士杰："我说过。"

杨铁如："很遗憾，这次谈话，我不能摘掉你的镣铐。"

周士杰："无所谓，瞬间之后，我将失去全部枷锁。"

杨铁如听到这里，从口袋掏出一支烟，递给周士杰："抽支烟吧。"

周士杰："我不抽烟。"

杨铁如自己把烟点上，想了想，突然又把点燃的烟递给周士杰，说："抽吧。"

周士杰双手接过，猛地抽一口，吐出浓浓的烟雾说："这也算是我最后一次享受人间烟火了。"

杨铁如自己又点上一支烟，抽一口说："你想跟我谈什么？"

周士杰："你是七七级大学生吧？"

杨铁如："对，七七级。"

周士杰："我想象得没错，七七级的大学生都这样。"

杨铁如："什么样？"

周士杰："你以前审判我那样，和你现在这样。"

杨铁如不明白周士杰要说什么，目光困惑地看着他，问："你想表达什么意思？"

周士杰:"我也是七七级大学生,只不过是一个验明正身、等待枪决的七七级学生。你,很多人,春江市八百万人口,乃至更多,可能会把我看成凶神恶煞,从我这张脸上读出邪恶和狰狞。其实,我脸上这种东西过去是没有的。刚毕业,走出大学校门的时候,我跟你此时此刻脸上的表情一样,充满了自信和自豪。我又是从大巴山区走出的大学生,来到八百万人口的春江市,我内心涌动的奋斗欲望可能比你更强。我那时常常照镜子,红光焕发,神采奕奕,我发誓要成为春江市八百万人口的骄傲。只是后来……后来……也不知从哪天起,我再照镜子时,发现我脸上的东西变了。它不再青春,不再生动,我甚至能从镜子中看见我脸上游动着魔鬼的阴影。以至于到今天,魔鬼公开跳出来,让我成为七七级的败类,于是,也就有了今天这样的局面:一个七七级的大学生在对另一个七七级的大学生宣布和执行死刑。"

杨铁如:"为什么会有这样的局面?"

周士杰:"从宣布死刑那天起,我就一直在想为什么。我想明白了,不是我周士杰先天生下来就黑暗,是活着,是活着的漫长过程让我黑暗起来。你想活出风度,活出尊严,活得不自卑,活得不失败,你不得不去跟活着的黑暗搏斗。这种搏斗又是持久战,你在黑暗里厮杀、碰撞,你总有力不能支不能招架的时候,这时候,你就疲倦,你就妥协,作出让步,跟黑暗谈判。这种谈判一经交手,你也就黑暗起来了。魔鬼也是有魅力的,一经黑暗,就会越来越黑。这就是我周士杰。我就是一个活着黑暗的证明。"

杨铁如:"我听明白了你的意思。你是想说,并不是你自己让你自己走向了今天的地步,而是另外的因素,其他的因素,比如社会,比如人生,比如其他人把你推向了悬崖?"

周士杰:"你可以自由发挥,随便理解。"

杨铁如:"芸芸众生都在天地间活着,活得正大光明,如果像你说的这样,不用说更远,就说春江市八百万人口,为什么像你周士杰这样的情况仅仅是极少数,极个别,是一个非常独特的黑暗的个例?"

周士杰:"那是你的理解。豪情壮志的七七级学生都会这样理解生活。我也曾这样理解过。不过,到头来,我把我的理解推翻了。死,只是一次性的失败,对此时此刻的我已经没有什么;活着,却是一次又一次不断重复、永不停止的失败。这就是我此时此刻想送给你的说法。"

杨铁如:"时间不允许你我把辩论进行到底了。我只想问你一句话,既然你把活着说得如此黑暗,为什么在刚才,你又要求你回到大巴山区的儿子不准去偷哪怕是一块橡皮?"

周士杰:"那仅仅是一句话,可怜天下父母心。"

杨铁如:"这就是你要跟我交谈的全部内容?"

周士杰:"死了只是一把灰烬,活着却需要时时保重。我去死,你们去活吧,谁比谁更好,只有天知道了。"

杨铁如:"周士杰,我不想再驳斥你,不过你让我从根本上理解了你死亡的证据和理由。就这样吧。"

周士杰摇摇头,说:"一切都结束了,给我上绳子吧。"

杨铁如:"你又错了,我们没有给你准备绳子。"说完,杨铁如走到门口,打开屋门,低沉地说一句:"来人吧。"

随即,四名全副武装的法警进入提审室。

四名法警前后左右押解着周士杰走出提审室,走在看守所的长廊里。周士杰目视前方,面无表情,从列队两侧的法警队伍中间穿过。随着周士杰走过,列队两侧的法警队伍相继跟上。

杨铁如和林子涵站在走廊尽头的提审室门前,从背影凝视良久,才缓缓跟上。

杨铁如和林子涵刚走到走廊一扇铁门前,铁门内传来了疯狂的擂击铁门的声音。随即,传出一个人歇斯底里的狂呼:"开门!开门啊!开门!"

杨铁如和林子涵在这扇铁门前站定。狱警对杨铁如说:

"又是吴西江!"

杨铁如对狱警说:"开门吧。"

狱警把门打开。花白头发、镣铐加身的吴西江看见站在门口的杨铁如,突然跪在地上:"求求你们,把我也枪毙了吧,求求你们,我要死,我想死!"

林子涵惊诧地看着跪倒在地的吴西江。

杨铁如说一句:"吴西江,你要冷静。我给你说过多少回,还要再说一遍,四个字,相信法律!"

吴西江声泪俱下:"我想死……你们为什么不让我死……为什么不把我一块毙了……"

狱警上前制止吴西江。

杨铁如和林子涵默默走开……

执行周士杰死刑的警车车队呼啸着穿越春江市区。路上的行人困惑而好奇地张望着。

刑场设在一个可鸟瞰整个春江市区的山坡上。警车呼啸着来到刑场,依次停在武警和公安组成的警戒线前。

杨铁如走下汽车,来到押解周士杰的面包车前。车门打开,杨铁如看一眼周士杰,对法警说:"去掉镣铐。"

法警在杨铁如的指挥下解除了周士杰的手铐、脚镣。

杨铁如又说:"下车!"

四名法警架着周士杰走下面包车。

周士杰回头看去,最后又看见了他曾经生活和奋斗过许多年的春江市。这一眼他凝视了许久许久,他知道,他所看到的一切一切都将永远地不再属于他了。

周士杰回过头来,对身边的杨铁如说:"我还有句话,如果我爹和我的兄弟姐妹还记得有我这个人,请他们把我的骨灰扔回大巴山区。"

杨铁如默默地点头。然后,他向法警示意。法警架着周士杰一步一步走进警戒线。

全副武装的法警队伍把警戒线围得密不透风。

检察院的人员也走向警戒线。

杨铁如最后缓缓走向警戒线。

林子涵站在原地没动。她站在离警戒线很远的位置，背向刑场，鸟瞰着庞大的春江城。城市在林子涵的眼前横向掠过，层林尽染的绿色环境、蜿蜒前行的默默江水、楼房、桥梁、电视塔……在目光的缓缓游移中，林子涵最后闭上了眼睛。

就在林子涵闭上眼睛的同时，枪响了。

那是空旷山野一声尖厉而悠长的颤音！

三

- 我睡不着了，就像你所说的，今夜无人入睡。
- 人，不能光学会前进，他还要学会逃跑。

1

法院行政庭庭长李乾坤已接近退休年龄，这从他头上稀疏的头发即可得到证明。李乾坤手抱一摞卷宗，推开审判员郑小泉办公室的门时，郑小泉正面对卷宗，拖着长长的尾音，念念有词："老把自己比作珍珠，就会有被埋没的痛苦；把自己比作泥土吧，让人们踩成一条路……"

这是一种怪诞的腔调，既像在读卷宗，又像在自抒感慨，但腔调之怪诞是超常的、匪夷所思的。

李乾坤手抱卷宗，愣愣怔怔地站在念念有词的郑小泉面前。

郑小泉抬头看见了李乾坤，迅即恢复了常态："哟，庭长，你过来了。"

李乾坤懵懵懂懂地问："你没事吧？"

郑小泉："没有啊。"

李乾坤："进门吓我一跳！好好的，一个人在那儿莫名其妙自言自语，还大声！"

郑小泉："我这不正看卷宗嘛。"郑小泉拿起卷宗，看着说："你听，这诉讼状写得有点意思。公路局，咱还有个公路局吗？公路局有个技术员，状告春江市规划局不作为——我也不知道咱还有个规划局。理由是，三年间，他十一次向规划局提出了春江市公路改造的整体方案,可规划局三年内三任领导班子置若罔闻,既不答复也不实施,以至于偌大春江市,至今解决不了上下班时间塞车现象日趋严重的问题。按春江市日车流量三万八千辆次计算,以每辆次每天塞车三分钟为底限,春江市每天将造成十一万四千分钟的时间浪费。而鲁迅先生早就说过,浪费别人时间无异于图财害命。于是,这位公路局技术员便愤然诉讼规划局,名为不作为,实为图财害命。"随之,他把卷宗展示给庭长李乾坤看,"你看,他还把十一次递交的方案复印件,以及春江市公路改造的技术图纸附录于后。你听我念啊,这位技术员最后写道:当官不为民做主,不如回家卖红薯;政府甩手不作为,不如关门洗洗睡。也许我一个中专毕业的小小技术员,会以这次民告官的形式,迎来我人生的第十二次失败,但我坚信真理会始终伴我勇往直前。我坚信这样一首诗:老把自己比作珍珠,就会有被埋没的痛苦;把自己比作泥土吧……"

没等郑小泉念完,庭长李乾坤就严厉制止道:"行了!看卷宗你就看卷宗,油腔滑调地干什么?你以为你临时住在办公室,办公室就成你家了?办公室就是办公室,法院就是法院,有你这德性?离了一次婚,我看你还就不是你了!"

郑小泉看到庭长这脸色,赶紧收拾卷宗,正襟危坐,说:"这不是没人吗?"

李乾坤:"快六十了,我站你跟前,我不是人?"

郑小泉赶紧起身,安抚庭长坐下,说:"你又不是外人。你不是常说,行政庭是个大家庭嘛!你是家长,家里人嘛!坐,坐!"

庭长李乾坤面对郑小泉的嬉皮笑脸,无奈地坐下来,说:"熊孩子,三天不浇水你就上火!"

郑小泉:"庭长大人,听我说,我没上火。我只是想告诉你,我是全心全意爱上咱们行政庭了!市委考察干部的人,要是找我谈话,立马让我当院长,我就会字正腔圆地告诉他们，我不干，我干行政庭审判员！你信不信？"

李乾坤听到这里，说："少来！你不提这个我还不想多说话呢。我自己都没想到，干了一辈子法院，最后让我干这个行政庭。你说这一天到晚乱七八糟都是些什么事？就你刚才念的那一套，那也叫诉讼？也叫案子？搁过去，我就给这人提个司法建议，建议他去精神病医院作个鉴定。"

郑小泉听到这里，正色道："庭长，这话可不能从你嘴里说出来！这诉讼状写得是有毛病，不该添油加醋，借题发挥，还写什么诗；但你能说他状告的事实不成立？一个想干点事业的中专生，知道用法律武器来维护自己的事业，这不叫社会进步？"郑小泉讲到这里，故作一本正经而又摇头晃脑地发挥说："人民，只有人民，才是创造世界历史的动力。所以，我热爱咱们行政庭！"

李乾坤看着摇头晃脑的郑小泉，瞪起眼睛，吼道："你坐下，正儿八经说句话行不行？"

郑小泉坐下，说："行！"

李乾坤："就算这案子成立，还没审呢，你先站到一边去了，这是法官的立场？"

郑小泉笑了，说："你这句话，才是庭长说的话，我服。"

李乾坤沉默片刻，又说："自来水公司那案子，就是没下通知停水三天那个，判完了？"

郑小泉："你不都签字了吗？"

李乾坤："我是签字了。可你前脚判完了，今儿一早，自来水公司精简机构，就把我大女儿精简下来了。这就是行政庭，你说我这庭长当什么当？有什么意思？难不难？"

郑小泉听到这里，挠挠头皮，说："我说你今天这么大火气呢。"想了想，他又说："不过，这跟我判案子有必然联系吗？如果有必然联系，这就更充分说明，在我们十二亿人口的泱泱大国，普法教育还任重道远，决非一日之功……"

李乾坤打断他的话："行了！干了一辈子法院，我用得着你给我上课？我这也就关起门来发发牢骚，你的话了，家里人，啊！"

　　郑小泉："这你放心，就当你自言自语。"

　　说到这里的时候，屋门推开。杨铁如踩着郑小泉话语的尾音走进来。

　　两人见到突兀而至的杨铁如，都下意识地站起来。庭长李乾坤问："杨院长，你怎么过来了？"

　　杨铁如："正好路过门口，我就推门进来了。自来水公司那案子我看了，这案子立得有意思，判得也有意思。我想，你郑小泉不是北大高材生嘛，大到周士杰死刑案，小到自来水公司停水案，你能不能归拢起来做点文章，从法理学意义上写篇论文？"

　　李乾坤听到这里，莫名其妙地说："杨院长，一个是刑事庭的大案，一个是行政庭的小案，这文章可怎么做？能扯到一块儿去？"

　　杨铁如："这就看做文章的本事了。"又看一眼郑小泉，"也看看北大高材生的水平。"

　　郑小泉："从法理学意义上，应该说，殊途同归。"

　　杨铁如："既然你这么说，我就等着看这篇文章。你可以找刑事庭聂小倩，调周士杰的卷宗，就说我同意的。"

　　郑小泉点头答应着。

　　李乾坤接上说："好不容易来一次，坐坐吧。"

　　"不坐了。"杨铁如忽然想起什么，又说："对了，我还想看看咱们的高材生在办公室怎么住。"

　　郑小泉嘿嘿笑，指指办公椅后面一张折叠床，说："反正打死我也不敢住你家里。喏，折叠床。"

　　李乾坤："熊孩子，好好的，非要闹离婚，让人家扫地出门。"

　　杨铁如关切地问："离婚多长时间了？"

郑小泉:"半年。"

杨铁如:"为什么离?"

郑小泉挠挠头,说:"她说,跟我在一块儿觉得冷,老感冒,于是,又找了个比我暖和的。她说跟那人在一起特别热,冬天过日子都不用开空调。"

李乾坤听到这里,呵斥郑小泉:"郑小泉,跟院长也不会说正经话?"

郑小泉认真地说:"她就那么说的嘛!"

杨铁如笑了:"你们忙,我走了。"

杨铁如说完,朝门外走去。李乾坤赶紧追上:"哎,杨院长,我还有点事。"

李乾坤追逐着杨铁如来到办公室外的走廊上,说:"到我屋里坐会儿?"

杨铁如:"坐不住。"

李乾坤:"市委考察组找我谈话了,该谈的我都谈了,不多说了,你放心。"

杨铁如不置可否地笑笑。这之间,他突然想起什么,说:"对了,吴西江的故意杀人案,是你在刑事庭的时候判的吧?"

李乾坤:"对啊,那时,你还在党校上学,老院长退休前特别嘱咐,说案情复杂,让我老将出马。"

杨铁如:"你得有个思想准备,这案子省高院发回,要求我们重新审理。"

李乾坤一愣,道:"发回重审?"

杨铁如面无表情地说:"我先走了,还有事。"

杨铁如扭头走去。站在那里的李乾坤如坠云里雾里。

2

神采飞扬的郑小泉坐到办公桌前,搓搓手,清清嗓子,拿起电话,拨通了一个内部号码。

正在刑事庭办公室的林子涵听到电话铃声,顺手抓起话筒:"喂?"

郑小泉显然没有听清对方林子涵的声音,一本正经地面对话筒说:"聂小倩同志,按照首长的意见,杨铁如院长的具体指示,请你立即上楼,接受行政庭法官郑小泉同志的接见。"

林子涵听完郑小泉的话,立即说:"郑小泉法官,很对不起,我不是聂小倩,是你亲爱的姐姐,请你换一种口吻跟我说话。"

郑小泉一听林子涵的声音,便笑了,说:"姐,怎么是你啊!聂小倩呢?"

林子涵说:"不在!"

郑小泉:"姐,请你以一个单身女人的清苦心境,来体谅一个孤独男性对聂小倩同志的苦苦追求吧!"

林子涵:"我正忙着,没事我挂了啊!"

郑小泉赶紧恢复常态,说:"别别别!姐,杨院长给我布置了一个任务,你得帮我……"

郑小泉来到刑事庭办公室。

在高达一米半的卷宗面前,聂小倩伸手往卷宗上狠狠一拍,对站立一侧的郑小泉说:"这就是周士杰的全部卷宗,读吧!"

郑小泉面对高达一米半的卷宗,喊道:"妈哟!真是个周士杰,该毙!他就跟早知道杨院要考我似的,送给我这么一大堆复习资料!"

聂小倩:"那就好好复习吧。"

郑小泉围绕高达一米半的卷宗转一圈,说:"攻城不怕坚,攻书莫畏难,科学有险阻,苦战能过关。我高考的时候,老师就把这话给我们写在黑板上。"

聂小倩没有顾及郑小泉的嬉皮笑脸，反而正色道："郑小泉，先把周士杰放下，我问你个事儿。我听子涵姐说，你准备大胆地、公开地追求我，有这回事儿吗？"

郑小泉："胆子倒是有了，但事实形成之前，不准备在更大范围内公开。"

聂小倩："那我就很悲伤地告诉你，今天上午，我们去做婚前检查了。"

郑小泉一愣，问："跟谁啊？"

聂小倩："我男朋友郑伟秋，也就是登记之后可以称之为丈夫的人。"

郑小泉："是个男的吗？"

聂小倩："废话！"

郑小泉："你们没检查出什么毛病吧？"

聂小倩："你才有毛病呢！"

郑小泉听完这话，有点小小的痴呆模样。

聂小倩笑着说："怎么着？法官郑小泉同志，不再追求了吧？"

郑小泉有点不自然地说："追还是要追，我只是把追求变成追忆就是了。"

聂小倩笑着说："那就好好忆吧，忆苦才能思甜。"

郑小泉像突然醒过神来，正色道："聂小倩，请你把周士杰这一米半的卷宗分批次搬上楼，送给法官郑小泉同志认真阅读！计算机软盘里的我不读，我要读原件！"

郑小泉说着，走出刑事庭聂小倩所在的办公室。

聂小倩冲郑小泉的背影喊："美的你！自己看卷宗自己搬！"

林子涵刚放下郑小泉的电话，埋头于眼前的卷宗之中，电话铃又响了。她抓起电话就来一句："上班时间，你有完没完啊？"然而，只是转瞬之间，她又笑了："赵清华啊！我以为谁呢,说,什么事?别提你那服装超市了,我懒得听。我现在忙啊……好,好好,要不,晚上你再呼我,到时候再说,好吗?行,挂了啊!"

林子涵刚放下电话,办公室主任宋修进来了。他对林子涵说:"子涵,市委考、考、考察组找你谈话。"

林子涵:"现在?"

宋修:"啊对!"

林子涵:"在哪儿?"

宋修:"六、六、六……"他着急地用手指着上边。

林子涵站起来,说:"六楼会议室,我知道了。"

林子涵起身刚要往门外走,办公室主任宋修喊住她:"哎,稳、稳、稳住!"

林子涵:"有什么稳不稳啊?又不是让我当院长!"随即,她又笑道:"老宋,你放心,我一定稳得住!"

宋修跟林子涵一起往外走。宋修边走边说:"那就好!那、那就好!"

3

午后,春江市中级人民法院大楼在铜质般的阳光中熠熠生辉。

阳光下,一队身穿校服的孩子在教师的带领下,正列队走在春江中院大楼坐落的街道上。孩子杨正大走在队伍中间,骄傲地看一眼熠熠生辉的大楼,然后,情不自禁地捅捅前边的孩子:"你看,我爸就在这个大楼上。"

前边的孩子回过头来,看看大楼,问:"你爸真管着枪毙人?"

杨正大:"那当然。前几天,我爸刚毙了一个,叫周什么来着?对,周士杰!"

前边回头的孩子说:"你爸真牛×。"

杨正大:"我见过我爸的枪。"

孩子刚说到这里,教师在后面喊道:"杨正大,不许说话!"

前边的孩子赶紧回过头去。杨正大不敢再吱声,默默地随队伍前行。在前行的过程中,他还是忍不住再次回头,看一眼那充满神秘色彩的骄傲的大楼。

杨铁如推门来到六楼会议室时,市委考察组几个负责人都站起来,一位负责人起身握住杨铁如的手,说:"铁如,来,坐。"

杨铁如握住对方的手,说:"王部长,不好意思,你们来了几天,我还没来得及认认真真打个照面。"

市委组织部副部长王顺兴说:"你忙嘛,这还不理解?"

杨铁如:"一是忙;二是,我在这位置上,也不方便。"

王部长笑着说:"法官嘛,最懂得避嫌!来来来,坐,坐下说。"

杨铁如和市委组织部考察组的同志都坐下。

王部长:"市委让我这副部长带队考察,工作进行得很顺利。毕竟是法官队伍,素质、水平都很高,政策意识强,判断能力好,和有些部门不太一样。"

杨铁如笑笑说:"说起来,和真正的法官队伍要求相比,这支队伍还有距离。严格说,距离还不算小。"

"还是铁如会说话啊。"随即,王顺兴打开笔记本,拿起钢笔,对杨铁如说:"铁如,我们叫你来,想请你谈谈现任党组副书记张业铭同志的情况。实事求是,有什么说什么。"

杨铁如喝口水,问:"接着就说?"

王部长:"说吧,反正你们也不陌生。"

杨铁如想了想,便说:"总体评价,张业铭同志还是一名好干部。政治素质比较高,工作也很努力,从部队下来的干部,有一种敢于负责的精神,为人也很好。应该说,我是主持工作的副院长,他是党组副书记,我们之间的工作配合得很默契,既互通有无又各司其职。"

考察组的同志在认真记录。王部长问一句:"不足呢?说说不足,别一边倒。"

杨铁如:"业铭同志的不足也很明显。最重要的一点,因为他是部队转业干部,毕竟没有经过系统严格的法律教育,法律知识和法律水平一般。虽然业铭同志在中院工作了许多年,但并没有随时间的推移提高自己的法律水平。法院也好,法官也好,它的素质要求里有很重要的一条,就是专业素质,这正是张业铭同志所欠缺的。"

王部长听到这里点了点头,接着又说:"铁如,我们找你谈话,是代表市委的郑重谈话,纪律和严肃性我就不必多说了。我想代表组织部门,代表市委,征求一下你的个人意见,假如让张业铭同志担任市人民检察院检察长职务,你认为是否合适?"

杨铁如在单刀直入的问题面前显然没有准备,有些发愣。

王部长:"只是表达个人意见嘛,可以开门见山。"

杨铁如略作沉吟,便说:"不合适!"

王部长:"为什么?"

杨铁如:"无论公诉机关,还是审判机关,它们是中国司法体系的重要组成部分。依法治国不是一句空话,依法治国的推进过程也是极其艰巨、极其复杂的过程,它确实需要法律意识和法律水平很高的人来担当重任。也许,依法治国,这个题目我说大了,但春江市的司法实践是中国司法实践的一部分,依法治国这个大题目需要得到每一个省、每一个市,哪怕是每一个区县和乡镇的具体落实。张业铭同志担任春江市中院的党组副书记,我说不出什么;但主持八百万人口春江市公诉机关和司法监督机关的全局性工作,业铭同志不合适。"

王部长:"还有吗?"

杨铁如:"还有。我们的审判工作正在一步步推进改革,朝着规范的道路迈进。但审判工作的改革不是孤立的,它需要整个司法体系改革的整体性配合。在这样一种推进改革的形势面前,业铭同志一是能力达不到,二是观念上不去。我们春江中院老院长离休之后,我在党校学习,业铭同志曾一度主持过春江中院的工作。实事求是地讲,我们的审判工作进行得很不理想。"

王部长听到这里,便问:"那,你有没有合适推荐的人选呢?"

杨铁如微笑着摇摇头,说:"我不能提出合适人选,但有一个前提是重要的,形势和任务需要那些致力于中国法治建设的高素质的优秀青年干部!"

杨铁如把最后一句话说得斩钉截铁、字字分明。

杨铁如若有所思地走出六楼会议室,沿楼梯缓缓走下,来到五楼的走廊时,恰巧碰上了党组副书记张业铭。张业铭喊住了他:"铁如。"

杨铁如抬头看见了眼前的张业铭,不自然地笑着说:"嗯,没,没看见你。"

张业铭:"谈完了?"

杨铁如:"啊。"

张业铭凑上前来,悄悄地说:"你我之间,说句悄悄话。你这事,等着就是了,也就是个程序问题。"

杨铁如:"我?"

张业铭拍拍杨铁如的肩膀,笑着说:"咱俩有什么说不开的话!我先下去了,有人找我呢!"

张业铭说完,走下楼梯。

站在楼梯口的杨铁如望着稳步走下楼梯的张业铭,许久没能移动脚步。也不知是一种复杂的心绪,还是一种沉思,杨铁如在张业铭的背影消失之后,依然在那儿伫立良久……

4

夜色降临,酒吧里传出一首忧郁的外国歌曲——

深深的海洋
你为何不平静
不平静就像我爱人
那一颗动摇的心
……

一个风度翩翩的中年男子正在酒吧里深情地演唱。酒吧内的萨克斯手为他即兴伴奏。

林子涵和赵清华坐在一个角落,听着男子演唱《深深的海洋》。

这就是日益发育和成熟起来的当代中国城市。不仅在八百万人口的春江市,在中国任何一个城市,夜晚降临的时候,已经拥有了各种不同类型、不同档次的酒吧、陶吧、网吧……这些舶来词构成的空间,正组成中国当代城市夜生活的一道风景线。现在,赵清华约请林子涵来到的这所酒吧,是属于典雅的、宁静的、有欧洲风格和怀旧情绪的那一种。酒吧有一个古怪的名字:种子酒吧。

赵清华同时约请来的还有那个正在酒吧中演唱的风度翩翩的男人。

《深深的海洋》,它的每一个段落都扣人心弦,再加上男人投入、准确而又富有专业水准的演唱,这一切,同样让赵清华和林子涵专注地听,专注地看着那个男人。

赵清华看着神情专注的林子涵,问:"他唱得怎么样?"

林子涵:"这首歌是你让他唱的吧?"

赵清华:"你还是那么敏感!我哪知道他要唱歌?怎么着,一下子就找到知音了?"

两人在说话间,《深深的海洋》唱完了。不知哪个角落有掌声响起,林子涵便也跟着鼓了掌。唱歌的男人向萨克斯手致谢。随即,萨克斯手开始了他自由的吹奏。

男人向赵清华与林子涵的座位前款款走来。

男人刚落座,赵清华便冲男人说:"方正,你唱的这首歌,林子涵在高中时就爱听,爱唱。不过,那时候是偷着听,偷着唱。"

方正笑着说:"我也是很小就爱听这首歌。那时候,我家里有一台老式留声机,放木纹唱片的那种。"

林子涵听到这里,便说:"有些好歌是让人记一辈子的。"

方正:"不仅能让人记一辈子,真正的好歌还能跟着人一起成长。你长成什么样,成熟到什么程度,那首歌也就会跟着你变成什么模样。"

赵清华听到这里,打断方正的谈话说:"哎哎哎,这儿可坐着三个人啊!你们把话说成那样,我开始听不懂了。说点普通话好吗?"

林子涵和方正在赵清华的率直面前会心一笑。

酒吧内的服务生过来,谦恭地俯身向方正询问:"先生,你需要点什么?"

方正:"一杯白开水。"

看到服务生懵懵懂懂的样子,方正又重复一遍:"凉白开就行了。"

服务生应声而去。赵清华对林子涵说:"别看人家方正方老板算个人物了,不喝酒,不喝茶,不喝任何饮料,只喝白开水。"

方正随和地说:"酒精过敏,喝茶睡不着,所有饮料都含有糖分,胃受不了。没什么可喝的了,那不就剩下白开水了?"

说话间,服务生送来一杯白开水。方正雅致地呷一口。

林子涵问方正:"听清华说,你是学哲学的?"

方正:"是啊,七七级学哲学,还枉读了一个硕士研究生呢。到头来,依然是背着一个哲学的虚名。"

林子涵:"都读到硕士了,你怎么又离开了你的哲学呢?"

方正笑笑,说:"突然有一天,我就读不下去了。东方,西方,那么多哲学,最后,我只读懂了一点,所有的哲学思维无非就是,或者让人前进,或者让人逃跑。人活着也无非两种模式,有时候特别需要前进,有时候特别需要逃跑。这也许是哲学给予一个学哲学的人最大的启示。你说,这是哲学的幸运,还是哲学的悲哀?"

赵清华听到这里,又嚷:"怎么就说不成普通话了?方正,我可是头一回听一个房地产商说这个!"

林子涵却似乎对方正的谈话很感兴趣,在赵清华的叫嚷声中,她只是冲服务生摆摆手,说一句:"来杯葡萄酒。"

赵清华看看林子涵的神情,有一丝神秘微笑,随即缄口不语。

方正继续说:"辩证法,相对论,维特根斯坦,海德格尔……最后我发现,他们只跟我说了一句话:人活着,要有弹性,有柔韧性。选择前进和逃跑是一种弹性,选择有张有弛、能屈能伸就算是人生的柔韧性了。"

林子涵:"说真的,在此之前,我对咱们中国的商人一直有另外的评价。"

方正笑了笑,说:"那是你的保守,或者是误解。我算不了什么,你到北京中关村去看看,那批比我小十几岁的年轻商人可以操着几国外语,一边跟你谈价格,一边跟你谈法兰克福学派。从他们身上我更加感受到,当代中国最需要的,还不是象牙塔里的哲学。知识分子应该走出庙堂,走向广场,甚至走向市场。"

林子涵听到这里,说一句:"这让我想到在法国读到的一个概念,叫做有机知识分子。"

方正又笑了笑,说:"你看,我们越说越不是普通话了。不过,你可不像个法官。清华一说,有个法官朋友要来,我就想到了那身制服和那身制服下的那张面孔。"

林子涵:"在这方面,你又保守,或者是误解了。如今的法官,可不像你所说的。他们也可以用不同的语言从孟德斯鸠、卢梭,一直说到法兰克福学派。"

赵清华听到这里,有点忍无可忍的样子,冲服务生喊一句:"服务生!"

服务生应声而来。

赵清华:"给我来杯助消化的饮料吧,苏打水!"

林子涵和方正看到赵清华的样子,都应声而笑。

同样的夜晚,杨铁如走进家门时,电视开着,孩子却蜷缩在沙发上睡着了。

杨铁如放下自己的东西,悄悄地关掉电视。他来到孩子跟前,轻轻地推搡孩子,喊:"正大,正大。"

孩子睁开惺忪的双眼,嘟哝一声:"爸……"

杨铁如问:"吃了吗?"

孩子随便点点头,又闭上眼睛。杨铁如看着沙发上睡意正酣的孩子,不忍心再打扰他,便将他抱起,送进卧室。

片刻之后,他从卧室出来。看着屋内凌乱的一切,他叹口气,一下坐到沙发上,抄起电话:"请呼 54321。"

传来对方小姐的问话:"请留下你的传呼内容。"

杨铁如在这句问话前,突然不知如何措辞,沉默下来。

传呼小姐传来同样的问话:"先生,请问你的传呼内容?"

杨铁如叹口气,说一声:"算了吧。"说完,扣下电话。

与此同时，门铃响了。

杨铁如赶紧起身开门。只见门口站着年近退休的行政庭庭长李乾坤。

杨铁如："老李？你怎么这么晚过来了？"

李乾坤："我知道你回家晚，没影响你休息吧？"

杨铁如："哪里，哪里。坐，坐！"

李乾坤在杨铁如的招呼下来到沙发上坐下。杨铁如给他递烟，李乾坤急忙摆手，说："不吸了，戒了。你在办公楼下了道禁烟令，把我几十年的老毛病给根治了。"

杨铁如坐下，笑笑，却自己点上一支烟，说："我都能猜出来，你为什么找我。"

李乾坤："说实话，本来我都躺下了，可翻来覆去睡不着。干脆，我跳下床就奔你家来了。"

杨铁如一面不停地抽烟，一面跟李乾坤交谈。

杨铁如："老李，吴西江的故意杀人案，在我们的司法实践中，是个失败的案例。先不说吴西江故意杀人案重审的结果会是如何，我只单说一点，从一审判决到现在，吴西江镣铐加身，在监狱度过了漫长的十八个月！公正合理的审判制度会是这样吗？周士杰——又说到周士杰了，周士杰在法庭陈述中说过一句话，等待比死亡更可怕。这是句真话。执行周士杰死刑那天，吴西江呼天抢地，要求把他一块毙了！不讲判决实体，我们就说审判程序，十八个月的死亡等待，就算一个钢筋铁骨的人，谁又消受得了？十八个月足以让吴西江彻底崩溃。这样的活着和死亡有什么区别？他每天死一次，十八个月他死了多少次？我们在这里不讲人道主义，我们就讲公正。如果我们的审判是公正的，法律对一个故意杀人犯还犹豫什么？中国的任何一本法律教科书上，都找不到这样一条吧？为了更大的惩罚，可以无限期延长对一个人的折磨？所以，这次，省高院把吴西江的案子发回重审，它不仅在说吴西江故意杀人案，它还在对我们春江中院的审判提

出警告!"

李乾坤:"这个案子当时是我的审判长,可案子毕竟从合议庭一直走到了审判委员会。这可是咱们老院长离休前主持的最后一次审判委员会会议。"

杨铁如:"我当然知道其中的程序。死刑嘛,这是极刑,谁敢在极刑面前丢掉它的严肃性?问题是,省高院发回重审的理由,就是要我们把牵涉本案的所有证据重新认定、核实。在重审判决未作出之前,我不敢说一审判决实体不公,也不敢说吴西江会怎么样,但重审是必然的。它不会因为是老院长最后一次主持的审判委员会会议所作出的一审判决而搁浅。老李,你想想,十八个月了,吴西江还能再等吗?无论生,还是死,吴西江多等一秒钟,就给我们的法律多带来一秒钟的污辱!"

李乾坤:"这也是我在刑事庭干庭长时,判的最后一个案子。干了一辈子法院,这个吴西江案发回重审,让我睡不着觉了。"

杨铁如:"老李,这就是你的不对了。我经常发现我们的法官缺少自信。如果你的一审判决公正无误,重审十次、百次又有何妨?我们的法官睡不着觉了,这里边可能就有问题了。当然,我这样说可能太武断,我希望你能睡个好觉。"

李乾坤:"你准备把这个案子交给谁?"

杨铁如:"林子涵!下午刚刚讨论过。"

杨铁如送行政庭庭长李乾坤走到门口的时候,李乾坤突然站住说:"杨院长,还有句话。这次市委考察干部,找我谈话时,我投了你的票。也许,你会听到些风言风语,不同意见,但我向你保证,不会是我。"

杨铁如:"老李,你怎么跟我说这个?"

李乾坤:"我想避嫌。都知道你把我调到行政庭,我意见最大。"

杨铁如不置可否地笑笑,把李乾坤送出门外。

走廊上，杨铁如说一句："不送了，回去好好睡觉。"

李乾坤回头问一句："你爱人出差了？"

杨铁如听到这里，懵懵懂懂地说："啊，出差了。"

杨铁如再回到屋，把门关上时，脸上的表情显得疲惫而沉重。

林子涵、赵清华和方正走出种子酒吧。在霓虹灯的闪烁中，林子涵向方正伸出手，说："谢谢你今晚给我们买单。"

方正握住林子涵的手，说："我总是被许多女性朋友理解成是个买单的。"

林子涵笑了笑，说："再见。"

方正突然说："我送你吧。"

站在一侧的赵清华又嚷起来："光送她，我呢？"

方正："当然一起走啊！"

林子涵："那也好！我来开车怎么样？"

赵清华却突然改变了主意，叫过一辆出租车，对林子涵和方正说："我还是躲远点，留给你们点私人空间吧。我走了，你俩可以在车上说外语。"

不由分说，赵清华搭上出租车便驶去了。

林子涵看一眼方正。方正把明晃晃的车钥匙递给她："给，你开车！"

林子涵开车，穿过一条条马路，和方正一起来到自己的宿舍楼前。

林子涵对方正说："谢谢你的车。"

方正："我可以留一个你的电话号码吗？"

林子涵想了想，便说："我家里电话是5332321。"

林子涵下车，方正也跟着来到车前，说一句："你的电话号码一下就能让人记住。"

林子涵脱口而出："怎么会！"

方正："用简谱唱出来，正好是《深深的海洋》。不信，你听听——"方正用简谱旋律轻轻哼出《深深的海洋》，简谱数字与林子涵的电话号码正相吻合。

林子涵："这么巧！你都用这种方式记电话号码？"

方正："第一次！你一说，我突然就想到了。"

林子涵笑道："再见。"

她没有伸手与方正握别。在背身而走之后，只听身后的方正轻轻说一句："再见。"

林子涵进门就打开了客厅的灯。随之，她依次进入屋内的各个房间，打开所有房间的灯。每一个房间，每一个区域，都有不同的灯光设计。林子涵在不同的灯光环境中，游遍了她的每一个居室。在灯光的照耀下，让人看到一个单身女性清净整洁而又匠心独运的家居设计。

林子涵在灯光的辉映下，开始宽衣解带，显示出成熟女性的魅力和生机。她在宽衣解带中，走向卫生间……

林子涵刚刚淋浴完毕，穿着睡衣走出卫生间，卧室床头上的电话铃声响了。她拿起电话，刚"喂"了一声，便传来对方的声音："我是方正。"

林子涵突然有些手足无措地道："啊……你好！"

话筒里传来方正的声音："我没走，一直站你楼下。我只想跟你说一句话，你是一个表面平静，而内心渴望丰富的人。你渴望丰富的生活，也渴望丰富的夜晚。我说的对吗？"

林子涵："你，你为什么这么说？"

对方话筒里方正的声音："我在看你屋里的灯光。客厅、书房、卧室，每个房间的灯光都是不一样的。所以，我知道你的内心不像你的表面那么平静。"

林子涵拿着话筒，突然不知该怎么回答。

对方话筒里传来方正的声音："好了，我说完了。祝你晚安。再见！"

林子涵嗫嚅着说出一声："再见！"

只愣了一会儿，林子涵赤着脚，拿着无线话筒，来到窗帘前。她撩开窗帘一角，悄悄看去，只见楼下方正的轿车正启动前行。轿车的尾灯一明一暗地闪烁，似乎在跟林子涵以另一种方式无声地对话。

林子涵撩起窗帘一角，看了许久，直至轿车不见踪影。

刚放下窗帘，她回过身来，手里的无绳电话又响了。她充满期盼又充满紧张地拿起话筒："喂……是你吗？"

话筒里传来另一个声音："我，铁如。"

林子涵如释重负般地说："讨厌！深更半夜，还这么深沉，吓我一跳！"

杨铁如躺在卧室的床上，给林子涵打电话："我又睡不着了。就像你说的，今夜无人入睡。我想问你，在咱们春江中院，有人，有人可能会向市委考察组给我提出什么不同意见？"

手拿话筒的林子涵已经放松地躺在了卧室的床上，她说："我说你太想当院长了吧，你还笑而不答。这回认真起来了？我告诉你，提不同意见的，我想，只是个别人，极个别人。你还在乎极个别人的意见啊？再说，你又不是神，还不允许人家个别人有不同意见？"

杨铁如认真地说："你帮我分析分析，极个别人的不同意见会是什么呢？"

林子涵在话筒前笑着说："我又不是极个别人，我怎么会知道他们说什么。不过，今晚，我刚听一个朋友说了句话，挺有意思。他说，人，不能光学会前进，他还要学会逃跑。你可能就属于不会逃跑的人。你老想前进，就免不了碰倒了这个，撞翻了那个。那，人家倒在地上了，不能前进了，极个别人的不同意见不就出来了？"

杨铁如问："你这是在肯定我，还是在批评我？"

林子涵："不是表扬，也不是批评，只是一种分析。"

杨铁如："并不是我非当这个院长不可，可我又不忍心

让那些不该当的人来当。我说不清楚，我很矛盾。你可能在电话那边嘲笑我。但我知道，共事这么多年，也只有你能理解我的心情。当不当院长，可能是我事业上很重要的一部分，很重要。"

林子涵："我说得没错，你真是属于那种不会逃跑的人，不仅不会逃跑，连逃跑的想法和准备都没有。不过，凭我的直觉，这回，你想跑也跑不了。还是安心睡觉吧，熬垮了身体，怎么给我们当院长啊？"

杨铁如在电话上说一句："那好，睡吧。"

他放下电话，点起一支烟。此时此刻，我们可以看出杨铁如内心的焦虑和不宁静。他渴望倾诉，但他身边的另一只枕头却是空的。他不自觉地看一眼空空的枕头，凝视片刻，又拿起了电话。他只按了个重拨键。

立刻传来林子涵"喂"、"喂"的声音。

杨铁如突然片刻无语。

林子涵的声音又响在话筒边："铁如，是你吗？"

杨铁如："是我。"随之，他似乎一下又陷入失语状态，在难堪的沉默中，他才想起什么，说："噢，是这样，下午经过讨论，吴西江故意杀人案的重审工作决定交给你，由你来组成合议庭。明天，你就可以去看守所找吴西江面谈。"

林子涵面对话筒说："我知道了。就这事儿？"

杨铁如扣下了电话。林子涵手拿话机，有点茫然。她放下电话，在关闭床前灯的一刹那，突然又起身开灯。她赤脚跑到一个抽屉前，翻来找去，找出了一盒磁带和一个小小的录音机。她把磁带放进录音机，置于床头柜上。

室内响起了轻轻的音乐，是《深深的海洋》——

> 深深的海洋
> 你为何不平静
> 不平静就像我爱人

那一颗动摇的心
……

林子涵在音乐中关闭了灯光……

5

看守所监室的一扇铁门打开,吴西江站到了铁门前。憔悴的吴西江面对长廊里昏暗的光线似乎也觉得刺目,他微微眯起了眼睛。

戴着镣铐、头发花白的吴西江看起来身体十分虚弱。以至于走在看守所的长廊时,他明显地表现出步履蹒跚、跌跌撞撞的样子。押解他的狱警看此状况,不得不上前搀扶一把。

吴西江在狱警的押解下,来到提审室,看到迎面坐着以林子涵为首新组成的合议庭成员。林子涵居中,一名戴眼镜的老法官刘兴魁和一名比林子涵尚显年轻的法官潘军右分别坐在她的两侧。书记员聂小倩坐在一个靠边的位置。

吴西江走进提审室时,几个人同时站了起来。

吴西江看着这阵势,脸上突然现出一丝狰狞,他用镣铐加身的身体扭曲着倾力呼喊:"我要死了!我要死了!我要见我爹娘,见我老婆孩子……"

狱警强行按住吴西江,喊着:"吴西江,不要嚷,不要叫!"

吴西江在狱警的制止下,强制性地坐在了板凳上。他不再叫嚷,眼泪汪汪地说:"你们……来给我……验明正身,是吗?"

林子涵示意身边的几个法官坐下,然后说:"吴西江,你必须冷静,听我把话说完。"

吴西江:"我要见我爹娘,见我老婆孩子,你们得让我见一面……"

林子涵:"请你冷静,听我把话说完。"

吴西江不再说话。

林子涵:"吴西江,关于你故意杀人案的一审判决,省高级人民法院已经发回重审。现在,春江市中级人民法院依法组成合议庭,对你的故意杀人案进行重审。合议庭的组成人员有我——林子涵,法官刘兴魁和潘军右。你认为,在新组成的审判成员中,有没有你提出应该回避的?"

吴西江在林子涵一番话语面前,懵懵懂懂地摇了摇头。

林子涵:"在重审结果没有宣判之前,春江市中级人民法院十八个月前对你作出的一审死刑判决不予成立。也就是说,到目前为止,你不再是一审判决中因故意杀人罪而认定的死刑犯,而只是公诉机关指控的一名犯有故意杀人罪的犯罪嫌疑人。你听明白我的意思了吗?"

吴西江抬起头,茫然、疑惑地望着林子涵。

林子涵对狱警说:"请去掉吴西江的械具。"

狱警走上前来,一一摘除掉附着在吴西江身上长达十八个月的手铐、脚镣。卸掉的手铐、脚镣被狱警扔在吴西江脚下,发出冰冷的金属撞击声。

摘掉手铐之后的吴西江,似乎仍然保持着长期被束缚所形成的习惯姿势,双手兜在胸前,不敢有丝毫伸展。片刻之后,他突然扑通一下,跪倒在地,呜咽着说:"我没有杀人,我没有杀人,我没有杀人哪……"

林子涵说:"吴西江,你站起来。如果真像你说的,你没有杀人,你更应该站起身来,直着腰板说话。"

吴西江仍跪地不起,说:"我真的没有杀人,你们是青天大老爷……"

林子涵站起来,说:"吴西江,起来!"

狱警把吴西江扶起来,重新坐到板凳上。

林子涵:"吴西江,你听清我的话。这是一个法治社会,没有什么青天大老爷。你的故意杀人罪成立与否,你说了不算,我说了也不算,惟一能够做出证明的,只是能够使事实得以确立的证据。"停顿少顷,林子涵又说:"从现在起,你享有申请调取新的证据的权利;申请新的证人到庭作证的权利;也享有要求对原有证据重新鉴定、勘验和检查的权利;还享有要求辩护的权利。法庭调查结束后,你仍然享有最后的陈述权。以上权利从现在起都属于你,你记住了吗?"

吴西江不说话。

林子涵:"吴西江,你听懂我的话了吗?"

吴西江双手捂住了脸。他的肩膀耸动起来,先是无声的抽搐,继而是压抑的抽泣,随之,便是沉重的、长长的、嚎啕一般的大哭……

在吴西江的嚎啕哭声中,狱警向林子涵示意是否要予以制止。

林子涵轻轻摇摇头。

6

杨铁如正在主持召开审判委员会扩大会议。

杨铁如说:"刚才林子涵介绍过了,大家也都听见了,面对重新审理,吴西江嚎啕大哭。当然,哭,眼泪,都说明不了什么。我们当法官的,见过形形色色、各种各样的眼泪。悔恨的泪,欺骗性的泪,在证据面前想蒙混过关狡诈性的泪……但我提醒大家注意,合议庭成员提供的四个字是:嚎啕大哭!当然,身为法官,要从根本上服从于法律所必然要求的理性;但有时,来自情感和直觉的因素,可以对我们准确的理性判断提供帮助。没有绝对的理性,这就是辩证法。吴西江为什么会嚎啕大哭?省高院为什么会发回重审?这之间,有没有必然联系,请大家考虑。我不敢说,吴西江没有杀人。但事到如今,在座的每一位,又有谁敢斩钉截铁地说，吴西江的一审判决公正无误？敢说这话，或者想说这话的人，请站起来。"

杨铁如巡视四周，没有人站起来。

杨铁如却站了起来，来回走动着说："没有人站起来。当年参加一审的合议庭成员没人站起来，当年参加案情定罪的审判委员会委员也没人站起来。这就是我们的判决？这就是我们每天都在承诺要公正无私、誓死捍卫的法律？我们这座新建的法院大楼，非常醒目也非常耀眼地矗立在春江市市中心，过往的行人走到这里，都会驻足观望。他们知道，这不仅是一座堂堂正正的大楼，这是公平、公正和正义的所在！而就在这座楼里，为了一个重大的一审判决，我们的法官却没人敢堂堂正正站起来说，是这样，肯定是这样！为什么？如果我们的判决是铁一样不容动摇的事实，如果我们是一个恪尽职守、公正无私的法官，有什么理由能够阻挡你站起来，对即将进行的重审大声说一个'不'！死刑是什么？死刑是极刑，是一个国家对一个公民所宣判的最大惩处，是对天地间一个活生生的生命给予承认与否定！如果省高院不发回重审，吴西江会怎样？"他想了想，又说："我其实不仅仅在说吴西江的故意杀人案。大家都知道，金城公司殴打、扣押了我们的执法人员，我们感觉到了，这是对法律的污辱。现在我想说，法官是法律的执行者和捍卫者，如果法律在我们手中得出荒谬的结论，公正而尊贵的法律将会迎来它最大的耻辱！"

杨铁如说到这里，抑制一下情绪，坐下来，喝口水，又说："我这番话，不是在给吴西江翻案。也许最终认定，他的故意杀人罪是成立的。我说这么多，是因为没有人敢于在我们曾经作出的判决面前挺身而出。我也不是推卸责任，不是因为这个案子是我在党校学习没有参加而借题发挥。请大家相信，我杨铁如还不是那样的人。"

林子涵似乎是为了扭转会场过于僵硬的气氛，便说：

"还是回到吴西江的故意杀人案上来吧。到目前为止,公诉机关还没有新的举证。"

杨铁如:"既然这样,我们只好在吴西江案的原有证据上重新认证!"

杨铁如话音刚落,一阵急救车尖锐的呼啸声传了过来。

一辆急救车鸣叫着警笛风驰电掣般开到了春江中院大楼前。

几个医护人员抬着担架车疾速跑进楼内。几名早已等待在此的法官簇拥而入。

不一会儿,医护人员和几名簇拥的法官抬着担架车,呼呼隆隆跑出法院大厅。急救车前渐渐围满了人。

担架车上车之后,急救车一路鸣笛,又急驰而去。

杨铁如和张业铭等人跑出大厅,来到大楼前,只见急救车已驶出很远。

杨铁如问:"怎么回事儿?"

一名法官答道:"老范的心脏病犯了。"

杨铁如:"哪个老范?"

法官说:"民事庭范伯年。"

杨铁如惊异地问:"老范有心脏病?"

党组副书记张业铭长长地叹出一口气,说:"铁如,你这弦绷得太紧。不瞒你说,我都快得心脏病了。"

杨铁如用困惑的目光看着张业铭。

四

- 咱们这个民族需要用理性之光来照亮很多东西。我看到,这光有了,但它仍然很弱,不能把很多地方彻底照亮。
- 我坐在轮椅上站不起来了,但你能说春江中院大楼里没有人能站起来,就你站得直、挺得住?

1

已度过心脏危机的范伯年在床头上捧起一摞厚厚的卷宗。他刚把卷宗打开,守在一侧的妻子上前抢夺,同时唠叨着:"还看!命都差点搭进去,还看什么看!"

范伯年执拗地守护着卷宗,不让妻子夺走。他一边躲闪着一边说:"你说这算怎么回事!开庭那天,人家双方当事人都在场,我这主审法官却一头扎地下了。本来该结案了,这倒好,让汽车给拉到医院里来了。"

范伯年的妻子叹口气,说:"一头扎地下算你命大。你以为你死在法庭上还是多光荣的事儿?咱家墙上不缺那块烈士牌子,可咱家饭桌上不能少了一副碗筷。我觉悟不高,就这么说话。你想甩甩手走了,把儿子闺女上学就业结婚生孩子的事都交给我啊?你这叫自私!"说到这里,她又抢夺范伯年手里的卷宗,"快点,给我。"

范伯年死死攥着卷宗,就是不撒手。平时和蔼可亲的范伯年,此时此刻变得异常严厉:"我告诉你啊,你也听着。

不是我范伯年觉悟高，我加班加点卖命地干，说白了，也是为了你，为了这个家。现在的法院不是过去的法院了，不是光拉下个脸子来吓唬人。你没看连法院的制服都换了嘛！你以为换身衣服是为了好看？你也不是不知道我的文化底子，就我心口窝这点墨水，早就不赶趟了。听说，下一步主审法官还要竞争上岗，现在是领导忙，还没腾出手来干这事。我要是不凭着笨功夫，扎扎实实多办几个案子，真到了竞争上岗，我被人家淘汰下来，你日子好过？我是不愿让咱家有这么一天，小的就不了业，临了，老的又下岗回家了。真到了那一天，你让我上街拉板车，还是卖馄饨？你说吧！"

范妻听到这里，迷茫地问："这改革改的，连法院也不是铁饭碗了？"

范伯年又抱起卷宗，说："跟你说不明白，你就别说了。"

范妻只好无奈地坐在一边叹气。范伯年斜靠着床头，又看起了厚厚的卷宗。

正这时，法院办公室主任宋修悄悄地探头进来。随之，他推门而入，身后跟随而来的是杨铁如和党组副书记张业铭。宋修进门就喊："嫂子，老、老范。"

范妻赶紧起身打招呼："哟，领导来了。"

范伯年赶紧掩藏着手中正在捧读的卷宗，连忙说："哟，杨院长，张书记，怎么又过来了？不是跟你们说没事了吗？"

办公室主任宋修说："张、张书记说了，心脏病不是一、一般毛病，属于大、大案要案。"

宋修的话让几个人都笑了。

范伯年忙说："真没事了。这么忙，还给领导添乱。"

杨铁如说："你说没事可不算数，咱干法院的，就认两个字：证据。我们得看到医生给的证据。"

张业铭说："老范，进门我看见你藏藏掖掖的，藏什么呢？又在看卷宗吧？"

范伯年含糊其辞地说:"没有,看什么卷宗。"

宋修从范伯年的枕头底下抽出那摞卷宗,对范伯年说:"不是卷宗,是、是啥?"

范伯年无言以对。范妻说:"你们进门前,我还跟他抢呢,抢不过他。"

张业铭说:"老范,咱不能光要模范不要命。去年一年,你一人结了二百六十多个案子,你这心脏病就是在民事庭累出来的毛病。好好地开着庭,一头就扎到地上,这教训还不深刻?"

宋修插上一句:"也怪了。这年头,日、日子越、越过越好,官司却越、越打越多。"

张业铭对办公室主任宋修说:"老宋,你把老范手里的卷宗没收带走。"

范伯年急了,说:"别别别!反正在这躺着也是躺着,我看一点是一点,就当看小说还不行?"

张业铭看一眼杨铁如,征求杨铁如的意见。杨铁如笑笑说:"真把卷宗带走了,他在这儿躺都躺不住了。留下归留下,老范,你自己得心里有数。咱这身体,还早着呢。"

范伯年笑着答应:"我会,我会。"

杨铁如笑笑,对张业铭说:"那咱就走吧。咱们在这儿一说起来,老范就跟着兴奋。"

张业铭与范伯年的妻子握握手,说:"我得叫你弟妹了。弟妹,我们也就是来走走看看,谁也代替不了你,你就多操心受累了。"

范伯年想起身送行,张业铭又按住了他的身子,说:"你别动,别忘了自己是心脏病啊。"

随之,杨铁如和张业铭走出病房。宋修走到门口时,回头说一句:"老、老范,明天,我让那帮熊孩子给你送、送花,咱也赶、赶个时髦。"

范伯年的妻子送一行人走到门口。张业铭又握住范妻的手说:"弟妹,你也得多保重,啊!"

送走了客人,折回病房时,范妻随口说:"你们杨院长挺像个当领导的,那个张书记倒更像一家人。"

范伯年说:"你懂什么?长个病又不是多么了不起的事,还非得让人家都拉住你的手,说上一箩筐过年话?"

说着,范伯年又斜靠床头,捧读起他手中厚厚的卷宗。

杨铁如几个人走在医院走廊时,突然从一间医务办公室走出一个女医生。女医生神情冷淡,双手抄在兜里,拦住了几个人的去路。

女医生:"你们是法院的吧?"随即,她的目光又转向杨铁如,"我认识你。"

杨铁如:"你是……"

女医生:"我是邵红的姐姐。就是被你们枪毙掉的那个贪污犯周士杰的大姨子。"

几个人听到这里,都互相看看。杨铁如问:"你有什么事?"

女医生:"谁把我妹妹邵红送进了精神病院?"

几个人看看杨铁如。杨铁如沉默不语。

女医生:"凭什么把她送进精神病院?她是我妹妹,她有没有精神病,我最清楚。告诉你,谁把她送进精神病院,谁才有精神病!"

女医生说完,掉头要走进医务室。

杨铁如喊住她:"哎,你叫什么名字?"

女医生在屋门口站住,不卑不亢地说:"我叫邵芳,春江市人民医院内科主任医师,家住本院宿舍楼六号楼三单元二〇五室,怎么了?"

杨铁如面无表情,望着女医生冷漠地甩手关掉了医务室的门。

几个人又互相看看。宋修说:"这周、周士杰,还有、有完没完?"

杨铁如说:"走吧。"

几个人来到医院大厅。大厅许多角落的坐椅上有许多坐着打吊瓶的病人。宋修指着那些坐在椅子上打吊瓶的病人说:"别说咱法院办公经费少、少了,你看看这医、医院,打个吊瓶都没地方躺。"

张业铭没接宋修的话茬,对宋修说:"老宋,你和司机先回去吧,我想跟铁如散散步,说说话。"他又转向杨铁如,问:"铁如,你觉得怎么样?"

杨铁如:"行。"

杨铁如和张业铭散步走在沿江的道路上。江面上有闪烁的渔火,江对岸是璀璨的夜景。江水默默无语,路上凉风习习。

张业铭突然说一句:"铁如,你冷吗?"

杨铁如:"不冷啊。这天气怎么会冷?"

张业铭:"一份年龄一份心啊。到我这岁数,一阵风吹过来,弄不好就着凉。"

杨铁如:"还你这岁数,你这岁数能大到哪儿去?"

张业铭:"五十二了,差不多比你大十岁。你想想吧,光我转业来到咱们中院有多少年了?"他看杨铁如没表态,便说:"想不起来了?我来的那年,你刚刚破格提拔为刑事庭副庭长,不多不少,十二年整了。"

杨铁如:"十二年了?这么快!"

张业铭:"那时候,你三十一岁干副庭长,弄得中院上下风声可不算小;现如今怎么样,不是已经主持春江中院的工作了?咱是一起走过来的,这变化,我看得最清楚。所以,这次市委考察组找我谈话,谈到你的问题,我的回答很干脆也很简单:我跟铁如一起工作了十几年,大小事、任何事我都看在眼里,不推荐他干一把手,我推荐谁?"

两人说到这里的时候，渐渐来到一个江边码头。码头上映现出更加密集的渔火。大小船只停泊有序，百舸待发。边走边说的两人渐渐在这里站住。

杨铁如首先停住了脚步，不知他是被张业铭的话触动，还是码头本身就是停靠的驿站。他站住，看着张业铭说："张书记，你找我散步，肯定有话想说。"

张业铭也站住，俯在码头的栏杆上，说："铁如，有句俗话叫船到码头车到站。我这个年龄，也差不多是快到码头了。不像你年轻，别说没什么挡头，就是有点阻拦，抬抬腿也就迈过去了。我就不一样了，再往前走，特别是到了关键时刻，真要遇到点障碍，我这腿脚可是想抬也抬不起来了。"

杨铁如点上一支烟，没说话。

张业铭："铁如，你是副院长主持工作，我是专职党组副书记，你觉得咱俩之间，工作配合得怎么样？"

杨铁如："很默契。"

张业铭："部队嘛，养成了一些习惯。这习惯可能一辈子也改不了。我总觉得，可能是部队养成的作风，不知在什么时候，我可能有对不住你的地方，是不是？"

杨铁如："我曾在许多场合，包括在考察组面前，认真地肯定过你的为人。"

张业铭笑笑，从栏杆上站起身，更加和蔼地面对杨铁如，说："铁如，你在考察组面前不止说了这些吧？"

杨铁如想了想，坦诚地说："不止这些。"

张业铭更加友善地笑，还拍了拍杨铁如的肩膀，说："你放心，我知道组织原则，不会去追问你在考察组跟前怎么评价我。一起共事十几年，我还不了解你？你从来都是有什么说什么，怎么想怎么说，这一点，也是我最佩服，在考察组面前最先肯定的。我找你来江边散步，其实就是想说，我张业铭虽然是快到码头的人了，但毕竟离码头还有段距离嘛。党的干部还不都这样？哪怕离码头还有一步，只要不让

你靠岸,咱就得开足马力往前走。你我共事十几年,不小的缘分了。这缘分,往后咱还得继续修下去,保持到底才是啊。"

至此,杨铁如完全听明白了张业铭的弦外之音。他把烟头在地上踩灭,说:"张书记,你放心,如果仅仅是你所说的这种缘分,我不仅会保持好,还会加倍珍惜。"

张业铭笑了,又拍了拍杨铁如的肩膀,转身面向江面,用手指着大小停泊的船只,说:"铁如,你看看这码头,大船小船都在这儿靠岸停着,可谁都说不准什么时候,哪只船就神不知鬼不觉地开走了。"

码头和江面上的事实恰巧应验了张业铭这句话。就在张业铭用手指向江面的同时,一艘汽轮已经发动起来,鸣着沉闷的笛声,离开码头,驶向江心。

离开码头的汽轮在江面上行驶时,一而再、再而三地拉响汽笛。

两人都没说话,而是看着鸣笛的汽轮在江面的盏盏渔火和对岸的璀璨夜景中越驶越远……

2

夜色降临的春江中院大楼,依然有许多办公室的窗口亮着灯光。

在刑事庭办公室,林子涵和戴眼镜的老法官刘兴魁以及年轻法官潘军右,正在桌子上堆积如山的卷宗前分析研究吴西江的故意杀人案。

林子涵说:"潘军右,你说说看法。"

潘军右说:"让老刘先说,老刘资格老。"

刘兴魁推却道:"让你先说你就先说嘛,什么资格老不老的。"

潘军右似乎还想推让,林子涵站起来,瞪他一眼,道:

"你个潘军右也是,该谦虚的谦虚,不该谦虚的也谦虚。这是合议庭,又不是开会,哪有什么发言顺序啊?快说!"

潘军右嚷道:"子涵,我可是饿了,再撑下去,又出一条人命。"

"说完了再吃。"然后,林子涵问一句刘兴魁:"老刘,你怎么样?"

刘兴魁:"我这把年纪,早就不知道什么是饿了。过去办案子,条件更差,饿急了,我就跑到水龙头上灌一肚子凉水。"

林子涵对潘军右说:"要不,你先去灌肚子凉水?"

潘军右:"饶了我,我还是先说吧,只要你保证请客就行。"

林子涵:"说吧。"

潘军右:"从卷宗上,我可以把案情这么简要归拢。被害人潘天天三十一岁,与吴西江保持暧昧关系长达三年之久。卷宗上说是暧昧关系啊,不过以我这个年龄,也可以称之为情感关系,对不对?"

林子涵:"说那么多废话干吗?不饿了?"

潘军右:"饿。我接着说啊。案发的前一天晚上,吴西江的爱人似乎觉察到吴西江有外遇,两人争吵了半夜,吴西江一怒之下还摔了家里的大彩电。这些,有证人证词。第二天晚上,也就是案发的当天晚上,吴西江又到了潘天天宿舍,什么时候去的,不清楚,但晚上九点三十分左右离开了潘天天宿舍,这也有证人证词。之后,就发生了潘天天被杀案。警方现场发现,潘天天双手反绑,赤身裸体,身上被连砍二十几刀,警方还证实案发前潘天天有过性行为。警方从现场提取了如下证据:反绑被害者双手的一根三毫米的普通细麻绳;凶手行凶后留下的凶器,一把不新不旧的普通切菜刀,王麻子牌的;最后,警方从被害人体内提取了残留的精液。"

林子涵:"说啊?"

潘军右:"完了。"

林子涵把自己喝水的杯子递给他,说:"你先喝口热水,再坚持一会儿啊。"

潘军右接过杯子,喝一口又喷出来,说:"这么浓的茶!我都饿成这样了,还让我喝浓茶!"

"爱喝不喝。老刘,你再说。"林子涵忽然想起什么,在抽屉里翻了半天,找出一块巧克力,扔给潘军右,"忘了,还有块巧克力,给!"

潘军右急不可耐地把巧克力塞进嘴里,说:"这还差不多,像个姐姐。要不,你太像领导干部了。"

林子涵瞪他一眼,说:"领导干部是你随便说着玩的?"随即,又对刘兴魁说:"老刘,你说。"

刘兴魁摘下眼镜,拿起卷宗刚要开口,潘军右打断说:"老刘,你怎么平时戴眼镜,一看东西就摘下来,什么意思,戴着玩啊?"

林子涵制止他:"潘军右!"

刘兴魁嘟哝一句:"熊孩子,老了你就知道了。"他又拿起卷宗,一板一眼认真地说:"公诉机关指控吴西江故意杀人,有如下证据:一,案发的当天晚上,吴西江的确到了被害人宿舍,这有证人证词;二,从被害人身上提取的精液,经化验分析,与吴西江血型相吻合,可以证明吴西江与被害人发生了性行为;三,凶器上,就是那把普通的王麻子牌菜刀,留下了吴西江明显的指纹,不止一处;四,警方在搜查吴西江家时,发现了一捆麻绳,与反绑被害人双手的三毫米细麻绳系同一规格,同一产品;再有就是,案发前一天的晚上,吴西江夫妻吵架至半夜,导火索是吴妻怀疑吴西江与被害人的暧昧关系,这也有旁证。最后,也是最致命的是,吴西江招供认罪。十八个月前,一审判决就是在吴西江的供词和以上的证据链中作出的。"

林子涵听到这里，便问："吴西江什么时候又推翻了供词？"

刘兴魁："一审判决当庭宣布之后。"

林子涵想了想，又问："案发当晚，吴西江到过被害人宿舍。什么时候去的，什么时候离开的？潘军右，巧克力你也吃了，查卷宗，念证人证词。"

刘兴魁在放下卷宗的同时，又戴上了眼镜。

潘军右翻找着卷宗，找出一摞说："我念了啊，你们听。证人叫肖，肖……"他招呼林子涵，"你看看这个字念什么？我不认识。"

林子涵过去看了一眼，说："我也不认识，念。"

潘军右："肖，肖什么说：'我在那天晚上九点三十分左右，看到吴西江走出了潘天天的宿舍门，我刚从街上回来，正好迎面碰上他。他看见我好像挺紧张，又转回身，敲开了潘天天的宿舍门。我在包里找钥匙，还没把门打开，吴西江又很快从潘天天宿舍里出来了。我边开门边回头看了他一眼，他头也不回地下楼梯，鬼鬼祟祟的。'"

林子涵："完了？"

潘军右："就这么多。"

林子涵："之后呢？吴西江去了哪里？"

刘兴魁接着说："之后就是吴西江的供述了。他说，因为跟妻子吵架，又摔了电视机，他没好意思回家，就去了他的一个叔伯大爷家。老头孤身一人，案发后没几天，老头突然车祸身亡。"

林子涵："就是说，没有人能够证明吴西江离开潘天天家之后去了哪里？"

刘兴魁肯定地说："死无对证。不过，吴西江的辩护律师对法庭有新的举证。"

"先说到这儿吧？我要真饿死在现场，咱院里可得专门再成立个合议庭，审理你们故意把人饿死罪。"潘军右已经沉不住气了。

　　林子涵看看潘军右，叹口气，说："那就走吧，咱别饿死个跨世纪的法官。说吧，想吃什么？"

　　潘军右："生猛海鲜。"

　　林子涵向潘军右伸出手，说："好啊，拿钱来！"

　　潘军右："那你想请我们吃什么？"

　　林子涵对刘兴魁说："老刘，你说。"

　　刘兴魁："要我说，咱就热热乎乎去吃碗馄饨。"

　　林子涵拍手称快，道："对嘛！还是老同志有想法。走，我请客，吃馄饨！"

　　几个人站起身，开始收拾卷宗。潘右军边走边说："你说老刘这么一把年纪了，想象力仅仅局限于一碗馄饨，还振振有词，什么热热乎乎。要不就说老同志思想僵化，得赶紧提拔年轻干部呢。哎，说起来了，咱们杨院什么时候能当上院长啊？"

　　林子涵说："当不当关你什么事？"

　　潘军右拖着长腔说："杨铁如给咱们当院长，肯定不是一碗馄饨！"

　　正说着，杨铁如推门，与正要出门的三人差点撞个满怀。

　　杨铁如说："背后说我什么呢？"

　　三个人都笑了。潘军右说："杨院，你放心，反正背后没有说人好话的。"

　　杨铁如拍一下潘军右的头。

　　林子涵对杨铁如说："我们正想去吃馄饨，如果你有另外的想法，可以请我们吃别的。"

　　杨铁如："正好我也没吃，那就馄饨吧，走。"

　　春江市的夜生活丰富多彩。虽然已经很晚，大排档里的食客依然络绎不绝。

四碗热气腾腾的馄饨端到杨铁如他们的桌子上。潘军右唏嘘着热气，开始狼吞虎咽起来。

杨铁如问林子涵："理出点头绪了吗？"

林子涵："你说吴西江啊？哪那么快！"

刘兴魁："难度不小啊。"

杨铁如："难度小，也不让你这老将上阵了。"

"也老了，不是当年了。"刘兴魁指着潘军右，"这小子刚糟践完了我，说我的水平啊，就一碗馄饨。"

杨铁如对狼吞虎咽的潘军右说："就老刘这碗馄饨，你还得端起碗来好好吃它几年。"

潘军右抬头朝店主喊一声："再来一碗！"随即，对杨铁如和刘兴魁笑笑说："我那是饿急了才说的，你以为我真觉得馄饨不好啊？你们吃一碗，我吃两碗。"

正说着，林子涵的手机响了。她接听手机，随即脸上便有了另外的表情："啊，是，是你啊。你怎么又知道我手机号码了？"她说着，放下手中的汤匙，拿着电话，走到一边接听。似乎怕人声嘈杂，还是怕别人听见，她一直走到了大排档外。

当又一碗馄饨端上来的时候，潘军右猛不丁问一句："杨院，快了吧？"

杨铁如："什么快了慢了？"

潘军右："当院长啊！"

杨铁如："怎么着，我现在还管不了你？"

潘军右："管我算什么？我不是想让你更好地管点依法治国的大事嘛！"

杨铁如笑了，点着他说："一个你潘军右，一个行政庭郑小泉，我就没听见你们有什么不敢说的话！是不是北京毕业的大学生都这么个风格？"

潘军右："郑小泉那小子可比我厉害多了。他告诉我，知道什么叫北大吗？北回归线以内，最大的，就是北大。我说,操,北回归线在哪儿啊,你以为在长安街上?"

潘军右这句话让杨铁如和刘兴魁都笑了。

林子涵正走到大排档外接听手机:"办案子嘛,加班,我们正在吃饭。"

手机里传来方正的声音:"吃馄饨对吗?"

林子涵惊讶地问:"你怎么知道我们吃馄饨?"

方正的声音:"你抬头,往前看,三十米,马路斜对面,我的车亮着尾灯。看见了吗?"

林子涵抬起头来,果然看见了不远处停在那里的轿车是方正的。轿车的尾灯一闪一灭。

方正又问:"看见了吗?"

林子涵:"啊,好像是,看见了。"

方正的声音:"看见就好。我就想让你看见我。"

林子涵:"你,你在这儿干吗?"

方正的声音:"想知道你吃什么。"

林子涵一时无语。

方正接着说:"回去吃饭吧,别让馄饨凉了,再见。"

林子涵看到那辆车的尾灯亮起,随即启动,消失在车流之中。她站在那里,看着汽车尾灯,片刻瞩目,片刻愣神。

回到桌前时,林子涵似乎有点不好意思。她只是默默地拿起汤匙,默默地吃馄饨。

潘军右冲她说:"什么见不得人的电话,还躲到外边去接?"

林子涵没搭他的话茬,面对杨铁如说:"明天,我们就想对吴西江的原有证据和辩护人新的举证进行一些纵深调查。"

杨铁如已经吃完,说:"人手不够,可以再找帮手,你定就行了。"

林子涵点点头,又低头吃馄饨。

杨铁如点上烟,说:"我吃饱了,还不知我儿子在家吃的什么。"

潘军右问:"嫂子呢?"

杨铁如长叹一口气,说:"你嫂子……"他稍稍停顿,"不在家,出差了。"

林子涵听到这里,抬头看一眼杨铁如。

潘军右冲林子涵说:"还是我姐姐活得有个性,一人吃饱,全家不饿。这也算笑傲江湖吧?"

林子涵抬头说:"你等着吧,真让我碰上一个能做你姐夫的人,我就按那部电视剧说的去做,将爱情进行到底。"

潘军右似乎还想接这个话茬说下去,杨铁如却站起来说:"吃完了吗?吃完了,走!"

一行人纷纷起身,离开饭桌。刚走出没几步,杨铁如的手机响了。杨铁如接听电话,随即喊道:"喂!哟,老院长,您还没休息?"

一听到"老院长"三个字,林子涵和其他两人都警觉地站住。

杨铁如对着手机说:"什么事这么急?"稍微一停,又说:"好吧,我马上就去。"

杨铁如放下电话,愣神片刻,随后对几个人说:"咱们的老院长,肖亦白院长找我,我先走了。"

杨铁如匆匆走去,林子涵背后喊一声:"哎,你怎么走?"

杨铁如摆摆手,头也不回地走出大排档。

站在大排档内的刘兴魁皱起眉头,说:"老肖这么晚找铁如去,会不会是为吴西江的案子?"

林子涵说:"咱就管不了那么多了。春江中院的工作现在由杨铁如主持,吴西江的案子该怎么审还怎么审。"

潘军右听到这里来一句:"这么一说,我还来劲了。走,回去干活!"

林子涵问刘兴魁:"老刘,要不,你先回去休息?"

刘兴魁摆摆手,说:"人老了,觉少了。走吧走吧。"
几个人陆陆续续走出大排档。

3

杨铁如按响老院长肖亦白家的门铃,应声开门的是老院长神情矍铄的妻子。杨铁如在门口热情地喊:"伯母。"肖妻说:"这么快就来了。"随即,肖妻对着客厅喊道:"老头子,铁如来了。"

杨铁如来到客厅,发现坐在轮椅上的老院长肖亦白并没有被他的到来和妻子的喊话所动。老院长正目不转睛地盯着电视,背向进门的杨铁如。

其实,电视上并没有什么重要而新鲜的内容,无非是一个过时的歌星在一种称之为 MTV 的节目中重复地演唱。老院长肖亦白似乎被画面和歌曲吸引,沉浸其中,许久没有转过身来。如此情形之下,站在肖亦白轮椅背后的杨铁如便显得有些尴尬。

肖妻招呼杨铁如落座:"铁如,快坐下。"随之,又跑到轮椅前再次重复,"铁如过来了。"

杨铁如坐下来。肖亦白仍然背向杨铁如,对着电视说:"给他上茶。"

肖妻忙着端水沏茶。与此同时,肖亦白又说:"上清茶,清茶败火!"

那首冗长的歌曲似乎就那么永不止歇。杨铁如面对肖亦白的背影,略作沉吟,摸索着掏出一根烟点上。肖妻把沏好的茶水端到杨铁如跟前,杨铁如说:"谢谢伯母。"

杨铁如话音未落,肖亦白便传来一声咳嗽。随即,又传来肖亦白的话:"谁抽烟了?"

刚点上烟的杨铁如只好更加尴尬地把烟掐灭。

肖妻似乎有些看不下去,她冲肖亦白的背影抢白一句:

"从十四岁就抽烟,抽了一辈子,铁如抽支烟就把你熏着了?真是!"

肖亦白说:"我是病人,是个废人嘛!"

肖妻上前关掉电视,说:"有什么好看的?没日子看了?这么晚,你把铁如叫过来,你还在这儿看什么看?"说着,肖妻转动一下轮椅,老院长肖亦白终于与杨铁如正面相对。杨铁如这时发现老院长的手里正来回转动着两个铁球。

肖亦白盯着杨铁如。杨铁如赶紧说:"老院长身体还好吧?"

肖亦白:"人老了,废了,一口烟都觉得呛。"

肖妻对杨铁如说:"铁如,你们说话。"说完,冲杨铁如使个眼色,走到另外的房间。

杨铁如在短暂的沉默中,赶紧敷衍:"我忘了,老院长把烟戒了。快一年了吧?"

肖亦白:"我前脚离开大楼,你不紧接着就在法院大楼下了道禁烟令?你那道禁烟令,是说给我听的,还是说给谁听的?光说给别人听,你自己可以不听啊?"

杨铁如在这句话面前只有摇头苦笑。

肖亦白:"这么晚,你自己开车来的?"

杨铁如:"没有,打的。"

肖亦白:"我听说你会开车了,经常一个人开车到处跑,司机也不用了。"

杨铁如:"有时候,图个方便。"

肖亦白:"你方便了,别人怎么办?你一个副院长亲自开车,司机干什么?你让司机坐法庭上断案子?"稍稍停顿片刻,他紧接着说:"自己开车,图个方便不要紧,院里的工作可不是一辆车。一千多号法官,大大小小十几个领导班子成员,他们一个个都摆在那里,这辆车,能由着你的性子想往哪儿开就往哪儿开?"

杨铁如听到这里,便说:"肖院长,你找我来,肯定有话想说。"

肖亦白："我刚才说的不是话？"

杨铁如只好沉默不语，看着老院长手里的铁球不厌其烦地转来转去。

短暂的沉默过后，肖亦白又说："周士杰的案子，我看电视，也看报纸了。这么大的案子判下来，不是你一个人的功劳吧？"

杨铁如："我从没那么想过。"

肖亦白："周士杰也算个年轻干部，岁数跟你差多少？"

杨铁如："我俩同岁，都是七七级大学生。"

肖亦白："那你没从周士杰身上找找教训，想想自己的不足？"

杨铁如略作沉吟，便说："这阵子忙，还真没来得及仔细想。"

肖亦白："你忙，来不及想自己，怎么有工夫去想别人？"

杨铁如："你是说……"

肖亦白："对张业铭，你在市委考察组跟前怎么说的？"

杨铁如听到这里一怔。他抬起头，充满警觉又充满疑惑地看着面前的老院长肖亦白说："肖院长，那，那不是组织谈话吗？"

肖亦白："革命了一辈子，离了休，坐上了轮椅，我就不在组织了？别忘了，我还是春江市人大常委会常委，我这把轮椅，三天两头还被推到会议上，该投票投票，该表决表决。你跟我谈话，还有什么组织不组织的？"

杨铁如想了想，便说："既然这样，我就算跟你汇报。让张业铭担任市检察院检察长职务，我跟考察组谈了我的个人看法，认为他不合适。我的理由是……"

没等杨铁如说下去，肖亦白就打断了他的话："你不用跟我解释。你和张业铭都是我一手培养、提拔起来的干部，谁单眼皮、高鼻梁，不用你说，我比你更清楚。我找你来是想说，那么大一个春江中院，工作不是你杨铁如一个人干的。你浑身是铁，能打几个钉？就你在干工作，就你能干工作，就你会干工作，别人都抄着手上班闲溜达？是这样吗？我看不是。"

杨铁如再次沉默下来，无言以对。

肖亦白："要是有人说，你杨铁如不适合当春江中院院长，不能当，也当不了，你会怎么想？"

杨铁如："只要说得有道理，我想……"

肖亦白："只要想说，就会有道理。"

杨铁如又一次陷入沉默。他在沉默中再次摸起那根烟，瞬间想起什么，又尴尬地放下。

肖亦白："我还听说，吴西江的故意杀人案省高院发回重审了？"

杨铁如："是。"

肖亦白："重审又怎么样？这样的事情以前也有过，还不止一次。我听说你火气不小，里里外外、上上下下都骂了个遍！是，我坐在轮椅上站不起来了，但你能说春江中院大楼里没有人能站起来？就你杨铁如站得直、挺得住？那么大一个楼，是给你杨铁如一个人盖的？"

杨铁如听到这里，抬起头，惊讶地看着老院长肖亦白，一时不知从何说起，有辩解的欲望却找不到说话的头绪。

"你也别这么看着我。人一老，就说些废话，你要不想听，就当你没到我这儿来。"说着，老院长肖亦白自己转动轮椅，缓缓转身，离开客厅，进入寝室。

杨铁如坐在那里，看着老院长肖亦白的背影，心里一片茫然。

4

"啪"的一声,杨铁如用火机点燃了一支烟。他长长地、浓浓地吐出一口烟雾。与此同时,有人敲门。他皱皱眉头,喊一声:"进!"

林子涵走进来。看着大清早点燃香烟的杨铁如,她随口说一句:"哟,大清早就开始污染环境。"

杨铁如没吱声,用手指指办公桌对面的椅子。

林子涵坐下来,看看杨铁如的表情,便说:"又没睡着?"

杨铁如摇摇头,说:"昨晚,真想给你打个电话。"

林子涵看看杨铁如,便说:"那怎么不打?"

杨铁如抽烟不语。

林子涵:"是为吴西江的案子重审吧?"

杨铁如仍然沉默不语。

林子涵:"那,吴西江这案子怎么办?"

杨铁如突然斩钉截铁地说:"该怎么办就怎么办!这是合议庭的事,你来安排。"

林子涵:"有你这句话就行。"

刚说完,又有人敲门。杨铁如掐掉手中的烟,说:"进。"

聂小倩抱着一束鲜花推门而入。杨铁如和林子涵都被聂小倩捧在胸前的一束鲜花弄得莫名其妙。聂小倩喊一声:"杨院。"林子涵随之站起,看着聂小倩说:"小倩,不至于吧?杨院的任命还没下呢,送什么花!拍早了吧?"

聂小倩:"什么呀,办公室宋主任让我们到医院看看民事庭老范,一定让我们带上鲜花。"说着,聂小倩从鲜花丛中抽出一张精致的卡片,递给杨铁如说:"杨院,你签个名。"

杨铁如:"签什么名?"

聂小倩:"领导干部都要签名。你看,都签了,就差你。"

杨铁如拿起卡片看了看,随即又扔给她,说:"我不签了。再说,下了班,你们什么时间不能去看老范,还非得上班时间去?"

聂小倩为难地说:"老宋说,这是张书记的意思。"

杨铁如往坐椅后靠背上一仰,叹出口气,冲聂小倩摆摆手说:"那,你们去吧。"

聂小倩冲林子涵使个眼色,刚要走,林子涵喊住她:"哎,小倩,不是领导干部的能签个名吗?"

聂小倩:"当然。你看,好多人都签了。"

林子涵接过卡片:"我也签一个。这日子忙得,也没空去医院看看老范。"随之,她伸手对杨铁如说:"借一下笔。"

杨铁如掏出钢笔递给她。

林子涵在卡片上填写上自己的名字,把笔还给杨铁如的一刹那,她突然端详起钢笔,说:"哟,你用这么好的派克笔?"

杨铁如接过钢笔没说话,随手扔进包里。聂小倩说:"那我去了。"

聂小倩刚走出门,林子涵冲杨铁如说:"这就是你,签个名有什么了不起?都签了,非得把自己闪下。"

杨铁如:"我刚从医院回来。老范好好的,搞这些形式主义有什么用?"

林子涵摇摇头,说:"我搞不懂你们领导之间的事。我走了,我们合议庭几个人得分头行动。"

刚走到门口,杨铁如又喊住她:"哎,吴西江的事到底怎么样?"

林子涵站住,说:"现在还不敢说。"

杨铁如:"我要的是铁案。铁,知道吗?"

林子涵笑笑说:"知道,杨铁如的铁。"

聂小倩走下楼梯时,恰巧与抱着卷宗走上楼梯的郑小泉撞个对面。郑小泉看着手捧鲜花的聂小倩,问:"你干吗?"

聂小倩嫣然一笑,说:"你说干吗?"

郑小泉:"结……结婚?"

聂小倩:"啊!"

郑小泉:"什么时候?今天?现在?"

聂小倩:"对啊!"

郑小泉几步跨上楼梯,来到聂小倩跟前,说:"小倩,跟我说实话。不说实话,我可就当场哭了。"

聂小倩:"那就哭吧,让我看看。"

郑小泉:"我可真哭了啊。"

说话间,林子涵和潘军右的身影同时出现在楼梯口。林子涵接着郑小泉的话说:"阳光灿烂的,哭什么?"

郑小泉指着聂小倩说:"她,她说她要结婚!"

聂小倩抿着嘴笑,林子涵也跟着笑。

潘军右煞有介事地问:"人家结婚,你哭什么?馋哭了?"

郑小泉忙答:"她怎么能说结婚就结婚呢!她不知道婚姻是爱情的坟墓啊?"

聂小倩说:"我只知道,我的婚姻是你的坟墓。"

林子涵上前揽一把聂小倩,说:"小倩,咱们走,让他一个人找地方哭去。"

几个人纷纷下楼梯。潘军右拍一下郑小泉的脑袋,说:"瞧你那点出息,还好意思说是北大的。以后出门别说认识我啊,我怕跟着你丢人。"

站在楼梯上的郑小泉看着几个人的背影,突然喊道:"哎,你们听着,为什么我的眼里常含泪水,因为我对聂小倩爱得深沉!"

几个人嘻嘻哈哈走下楼梯。

郑小泉还没回过头来，身后有人喊："郑小泉！"

郑小泉回头看见了正站在楼梯口的行政庭庭长李乾坤。李乾坤问一句："咋咋唬唬的，发什么神经？"

郑小泉走上楼梯，边走边说："没发神经，朗诵了两句诗。"

李乾坤："有人找你。"

郑小泉："谁呀？"

李乾坤："正好，也是个写诗的，公路局那个技术员。"

郑小泉慨叹一声："一点儿不错，愤怒出诗人啊！"

郑小泉刚走出几步，身后的李乾坤又喊住了他："哎，等等，急什么？"

郑小泉回头站住，说："你不是说有人找我吗？"

李乾坤走近郑小泉问："我问你，杨院长，杨铁如交给你的论文写完了？"

郑小泉："哪那么快啊？又不是写诗。"

李乾坤拍拍郑小泉的肩膀，说："抓紧点。再不抓紧，来不及了啊！"

李乾坤说完从容走去。郑小泉站在那里，望着李乾坤的背影，不知所云。

5

杨铁如走进民事法庭小法庭的时候，正听见民事庭主审法官宣布："现在散庭。"

一行人纷纷走出法庭。主审法官忙着收拾桌子上的卷宗。走出法庭的人嘟嘟囔囔还在互相诉说着什么。

空落落的法庭里，党组副书记张业铭坐在旁听席上没动。杨铁如径直来到张业铭身边。张业铭看见杨铁如说："铁如也过来了。"

杨铁如:"到处找你,没想到你在这儿。"

张业铭:"过去那话怎么说来着?一天不学习,赶不上刘少奇。当领导的,很重要的素质就是专业素质嘛!我来听听,很受启发。"

收拾完卷宗的法官走过来,说:"书记,院长,你们都过来了。"

张业铭起身握住法官的手,说:"不错,有理有节。我来上了一课。"

法官:"哪儿呀!领导往这儿一坐,我手心里都是汗。不信你瞧!"法官向杨铁如和张业铭伸出手。

杨铁如说:"你先走吧,我跟张书记有点事。"

法官答应着,抱着卷宗走出法庭。张业铭追着法官的背影喊:"回去先喝口水,我听着你嗓子都哑了。"

法官回头笑笑,说:"谢谢张书记。"

法官的身影闪出法庭之后,张业铭说:"这案子也真有意思。亲兄弟俩,为了一点房产,差点动了真家伙。这人哪,只要碰上利益,哪怕是一奶同胞的手足兄弟,也都谁也不认识谁了。真应验了那句老话,本是同根生,相煎何太急啊。"

杨铁如听到这里,便说:"张书记,我到处找你,是想认认真真地跟你谈谈,放开谈,彻底谈。"

张业铭:"那好,我也有这个想法。"

杨铁如说:"咱开门见山地说吧。我一直认为,那次考察组找我谈话,是一次严肃的谈话。考察组代表市委,代表组织嘛。可自从那天你约我到江边散步,还有之后,以至于到今天,我发现那次谈话正在越来越失去它的严肃性。"

张业铭:"铁如,咱俩在江边散步,我没说什么吧?"

杨铁如:"你是没说什么,可你什么都说了。"

张业铭:"我究竟说了什么?"

杨铁如停止了他在张业铭身边的踱步,站住说:"张书记，其实你什么都知道了。我在考察组面前说的每一句话，可能我自己都记不太清楚了，可你，一字一句都知道，你甚至能把它背出来，对不对？"

张业铭："铁如，我不明白你在说什么。你在考察组跟前说了什么，是你主动跟我说过，还是我逼着你让你说过？你刚才那番话，是不是太武断，太不负责任了？"

杨铁如："张书记，你说过，你我之间，没有说不开的话。既然你这样说，那我现在就告诉你我在考察组面前说了什么。不是你逼我说的，是我自己主动要说。"

于是，杨铁如原原本本地说了出来。

张业铭："我哪儿也不去。我也去不了。别说检察长，就是在春江中院担任党组副书记，我有时还感到力不从心。铁如，你要是以为你说我一句不合适，我就会怎么样，那我就得说，你小看我了。"

杨铁如也坐下来，叹口气说："也许我违背了组织原则，把不该说的话说了。我只想让你知道，我所以那样说，不是冲着你张业铭来的。从七七年考进大学，我就学法律。我知道咱们这个民族需要用法律、用理性之光来照亮很多东西。毕业这些年，我也看到了，这光有了，但它仍然很弱，仍然不能把很多地方彻底照亮。法治的道路还很漫长，我惟恐在这漫长的道路上，我们再人为地去走一些弯路。"

杨铁如说到这里，张业铭却站起来，说："铁如，我欣赏你的理论，可我不同意你的偏见。在考察组面前，我极力推荐你干春江中院院长，我觉得理所当然，理应如此；假如，我只是说假如啊，假如让我去干检察院的检察长，在没有事实形成之前，凭什么你就说我会让法治走上弯路？谁能证明？你能证明吗？你说的话，敢负责吗？"

杨铁如也从座位上站起，面对张业铭："我敢说这话，我就敢负责任！"稍停片刻，他又说："我说过，你是一个好干部，我没有否定你。我只是认为，一个没有经过专业法律训练的干部，不可能承担日益繁重的司法实践。我这样理解，有错误吗？"

张业铭："我没说你错。从江边散步到现在，我没说过你一个错字。可谁都不能忘了，实践是检验真理的惟一标准。这句话，我忘不了，你也不会忘吧？"

杨铁如："我当然忘不了。"

张业铭忽然笑了笑，拍拍杨铁如的肩膀，说："铁如，咱什么也不说了。我五十二岁的人了，什么我都看在眼里。但我看在眼里，不一定就是记在心里。法院也好，检察院也好，这都是组织上来安排的事情。你，我，说也白说，急也白急。反正我这把年纪，能沉得住气。我劝你一句，你也不要太着急。"说完慢慢地坐到了座位上。

杨铁如："我着急？"

铃声响起。张业铭说："咱俩真有意思，把这场对话放在了法庭上。多亏是民事法庭，即便有矛盾，也算是人民内部矛盾，对不对？"

张业铭说完站起来，哈哈大笑。随即又说："铃响了，吃饭吧。"

杨铁如坐着没动。

张业铭："那我先走一步。我这肚子，熬不过你们年轻人了，晚吃一会儿都受不了。"

张业铭说完，走出民事法庭。

杨铁如坐在那里久久没动。抬起头，他看见了法庭正上方熠熠闪光的国徽。

6

一座普通宿舍楼内，一位青年妇女瞪大困惑的眼睛问："谈什么？"

林子涵坐在青年妇女的对面，说："吴西江的故意杀人案，法院正在重新审理。作为一审出庭作证的证人，有些细节我们还想具体核实一下。"

青年妇女："我不说。该说的我都说了，有完没完啊？"

林子涵耐心地说："这是法律程序，还得请你配合我们的工作。"

青年妇女不说话，心烦地从茶几上抓过一个闹钟，开始一扭一扭地给闹钟上弦。

林子涵笑笑说："对不起，你的名字叫什么？那字我们都不认识，也没来得及查字典。"

青年妇女："肖筱。"

说话间，肖筱手中的闹钟滴答滴答响了起来。林子涵见状，便说："肖筱，你先把闹钟放下吧，我们进行的是一次严肃的谈话。"

肖筱见林子涵神色庄重，只得软了下来。林子涵怎样问，她就怎样回答。

说完了情况，肖筱把林子涵送到了宿舍楼外。肖筱边走边说："那晚的事，不光我能证明，还有人也能证明。有人在那天晚上听到了潘天天的大声吵闹。"

林子涵警觉地站住，问："谁？"

肖筱说出了新兴百货商场一位售货员小姐的名字。

林子涵穿街走巷，经过拥挤的行人，来到新兴百货商场。然后在柜台前找到了肖筱提到的售货员。

林子涵亮出了身份，说明了来意。售货员小姐有些急。林子涵对售货员说："别着急。你听我说，既然那天晚上你听到了潘天天的声音，你就有义务到法庭作证。"

售货员小姐："这跟我有什么关系啊？"

林子涵："法庭需要你的证词。"

……

法官潘军右正在街头跟一帮闲坐的老头打听着什么。一个老头说："说来说去，这吴老头子就一个爱好，钓鱼。一扛起钓鱼竿，上来那股子迷怔劲儿，亲娘老子在跟前他都看不见。要不是这么迷迷怔怔地钓鱼，他也不会大白天睁着眼让汽车给撞死。人死了，那一兜鱼还活蹦乱跳，一个劲儿在老头身上扑腾。"

潘军右："他都是一个人钓鱼？"

老头："一个人？光围着老头子迷钓鱼的就不下七八十来个。那街头上王五松，见老头子就像见了爷，恨不能一天到晚往吴老头家去八趟，比亲儿子还亲。"

潘军右："王五松住在哪儿？"

老头："现在不会在家，准到江边钓鱼去了。"

潘军右："那好，谢谢。"

说完，潘军右转身而去。还真让老头说对了，王五松正在江边垂钓。

潘军右同王五松打完招呼，便认真交谈起来。

手持钓竿的王五松说："我怎么会忘？第二天是星期天，我想钓鱼，晚上去借老爷子的鱼竿和鱼饵。老爷子的鱼饵是自己配的，春江市找不出第二份。第二天，我就拿老爷子的鱼竿鱼饵在这儿钓。鱼没钓着，钓上来一个二斤多的大王八。你说这事我能忘了吗？不信你到我家去看，那王八我还养着呢。"

潘军右："你能不能跟我详细说说，那晚你到吴老爷子家看到了什么？"

王五松："那晚……"

……

傍晚时分，一辆车停在了一条巷道口。坐在驾驶副座上的潘军右摇下车玻璃，看看巷道说："车开不进去了，停这儿吧。"

车上下来林子涵、潘军右和老法官刘兴魁。

三人依次走进狭窄的巷道,一直走进巷道深处。

林子涵指着一个破旧的院落说:"就这儿吧?"

潘军右看看手上的门牌号码,说:"就这儿,没错。"

三人走进破旧的院落,屋内,吴西江的父母妻儿正围坐在桌前默默地吃饭,没人言语。透过屋门的玻璃,让人看到的是凋敝的屋子,沧桑的老人,憔悴的妻子,胆怯的孩子。

林子涵敲了敲屋门的玻璃,吴父紧张地起身,前去把门打开。开门的同时,林子涵等三人进入屋内。林子涵问:"这是吴西江的家吧?"

吴父:"你们是……"

林子涵:"我们是法院的。"

林子涵话音未落,手端饭碗的孩子"啪"地一声把饭碗跌落在地,一把抱住吴妻,哆嗦着哭喊:"妈!"

孩子嘤嘤地哭道:"妈……妈……"在哭喊中,孩子抱住吴妻不住地发抖。

吴父颤抖着问:"你们,还要抄家……"

吴母扑通一声跪在地上,哀求道:"求求你们,他一人作孽一人当,别再抄俺家了,俺一家老小都吓破胆了……过不下去了……求求你们……"

孩子的哭声渐渐大起来,他颤抖着不停地哭喊:"妈……妈……"随之,吴父、吴妻以及孩子都相继跪倒在地。

在哇哇大哭的孩子和跪倒一片的家人面前,林子涵和潘军右、刘兴魁一下蒙在那里……

五

- 我当时就那么想的,为了拉兹和丽达,我要当法官。
- 你知道周士杰临枪毙前跟我说了什么?他告诉我,活着是一次又一次的失败。

1

吴西江故意杀人案的重审工作正式开庭。

公诉人和辩护人各自坐在相应位置。以林子涵为审判长、刘兴魁和潘军右为审判员组成的合议庭端坐于审判席上。聂小倩坐在书记员席位。他们面对的是坐在被告席上的犯罪嫌疑人吴西江。

大法庭内坐了不少人旁听此案的审理。

审判长林子涵庄严地说:"传证人吴玉妹到庭。"

到庭的证人是曾经接受过林子涵调查的新兴百货商场售货员吴玉妹。

吴玉妹在法警的引导下,来到指定的证人席位。

林子涵:"请向法庭证明你的姓名、身份。"

吴玉妹:"我叫吴玉妹,是新兴百货商场售货员,家住凤凰小区三号楼五〇二室。"

林子涵:"请向法庭提供你的证词。"

吴玉妹:"我与潘天天住一个楼层,潘天天案发的当天晚上,我在十一点钟左右听到了潘天天与一个男人的争吵,声音很大。当时,我刚下班,路过潘天天门口,我听得挺清楚。我听见潘天天喊了一声:'滚!'随后,我还听见了一个男人的声音。男人说什么，我记不清楚了，但那男人操的是东北口音。我站在门口稍稍停了一会儿，觉得听人家吵架不礼貌，就回自己家了。"

　　林子涵："还有吗？"

　　吴玉妹："没有了。"

　　一位公诉人举手："审判长，我要向证人提问。"

　　林子涵："同意。"

　　公诉人站起，问："你凭什么确定，你是在晚上十一点钟听到了潘天天与男人的争吵？"

　　辩护人举手，道："反对这种提问。"

　　林子涵："反对无效。"

　　吴玉妹回答："因为我们商场是晚上十点钟下班。下班后，商场有二十分钟的班后会。我每天十点半离开商场，从商场骑自行车回家，需要半小时。所以，当时的时间应该是晚上十一点。"

　　公诉人："你听到男女对方都说了些什么？"

　　吴玉妹："我记不清了。我只记得潘天天喊了一声：'滚！'那男的说什么，我记不清了。"

　　公诉人对林子涵说："我问完了。"

　　辩护人举手，说："审判长，我有问题向证人提问。"

　　林子涵："同意。"

　　辩护人站起，问吴玉妹："请问，你能否肯定那个男人是东北口音？"

　　吴玉妹："能。"

　　辩护人："为什么？"

　　吴玉妹："我父母都是东北人，到现在他们还在说东北话。"

　　行政庭法官郑小泉猛然推开杨铁如办公室的门，喊一声："杨院。"

杨铁如看一眼冒冒失失的郑小泉，便说："从我做起，从现在做起，是从你们北大提出的口号吧？"

杨铁如的问话让郑小泉摸不着头脑。他随口答道："不是，是清华提出的。当时，北大的口号是振兴中华。杨院，怎么了？"

杨铁如："进谁的办公室都要先敲门，这点常识不知道？还振兴中华呢！振兴中华就是光喊口号？"

郑小泉听到这里，挠头笑了："嗨，我以为什么大不了的事呢！要不，我，我出去再敲一次？"

杨铁如："说吧，什么事？"

郑小泉："你交给我的论文，我把提纲写完了，请你过目。"

杨铁如："我先不看。你要有时间，去刑事法庭旁听一下，一个故意杀人案的重新审理。可能，对你的论文会有帮助。"

郑小泉："不是说，这论文再不抓紧，就来不及了吗？"

杨铁如："来不及什么？"

郑小泉："我也不知道啊。好像是你急用，说，我不抓紧，就来不及了。"

杨铁如："谁说的？"

郑小泉："我们行政庭庭长李乾坤啊！"

杨铁如听到这里，一下子眉头紧锁。

坐在审判长席位上的林子涵说一句："传证人王五松到庭。"

曾被法官潘军右在江边调查过的王五松，在法警的引导下，来到证人席。

林子涵："请向法庭证明你的姓名、身份。"

王五松："我叫王五松，春江机械厂下岗工人。家住东八巷五十三号。"

林子涵:"请向法庭提供你的证词。"

王五松:"去年三月十六日晚上,我到吴有恒老人家去借钓鱼竿和鱼饵,第二天我想一大早到江边钓鱼。老人一辈子没结婚,就一个人住。可那天晚上,我去的时候,老人的床上横躺着一个人,满嘴酒气,仰着脸睡觉,还打呼噜。我问老人,这人是谁啊?老人说,是他的一个叔伯侄子。他们俩喝了点酒,他的侄子就睡过去了。我看了那人一眼,借了鱼竿和鱼饵就走。老人还在那儿自斟自饮,临走时跟我说了一句:现在的年轻人不顶用了,三两酒没喝完,就醉成了烂泥。"

林子涵:"还有吗?"

王五松:"没了。"

辩护人举手,说:"审判长,我要向证人提问。"

林子涵:"同意。"

辩护人:"请问,你那天晚上到吴有恒老人家借钓鱼竿,是几点钟?"

王五松:"十一点左右。"

辩护人:"你能确定吗?"

王五松:"能。因为我发现自己的鱼竿坏了,才想起去借老爷子的。当时我看了看表,心想,老爷子不会睡了吧?我敢保证,我看表的时间是十一点。"

辩护人:"你说,你当时看了一眼躺在老人床上喝醉了酒的叔伯侄子。你能确定那人是他吗?"辩护人说着,用手指向坐在被告席上的吴西江。

公诉人举手,说:"反对这种提问!"

林子涵:"反对无效。"

辩护人面对王五松:"是不是他?"

王五松盯紧了被告席上的吴西江,看了半天,摇摇头说:"我不敢确定。"

辩护人:"为什么?"

王五松:"模样是像,但那人的头发是黑的,这人的头发是白的。"
辩护人面对林子涵:"我问完了。"
公诉人举手,说:"我要向证人提问。"
林子涵:"同意。"
公诉人站起来,问:"请问,时隔这么长时间,你怎么会把三月十六日这个数字记得如此清楚?"
辩护人说:"反对。"
林子涵:"反对无效。"
王五松:"说起来很简单。第二天,我到江边钓鱼,鱼没钓着,钓上一个二斤多的大王八。我一高兴,就在王八背上用钉子刻上了一九九九年三月十七日。那王八到现在还活着呢!不信,你去看。"
法庭的旁听者在王五松的证词面前有了笑声。
法官郑小泉就在此时来到了刑事法庭,他找到一个前排位置坐下,对抬头看见他的书记员聂小倩使了个滑稽的眼色……

杨铁如来到行政庭庭长办公室门口,敲门之后,推门而入。
正在看报纸的行政庭庭长李乾坤看见进门而来的杨铁如,赶紧站起身,说:"杨院。"
杨铁如:"你没去旁听吴西江案的庭审?"
李乾坤:"本来想去,走出门口,想想又回来了。一是怕去了不方便,再说,毕竟老了嘛,现如今,是年轻人的天下。"
杨铁如示意李乾坤坐下,自己也坐下来,说:"我还是头回听说,法律还有新旧老少之分。"
李乾坤:"我给你倒杯水?"
杨铁如摆摆手,随后又说:"老李,你跟我说过,从刑事庭调到行政庭,你意见不小。我今天来是想听听,你到底是什么意见?"

李乾坤听到这里先是一愣,随即笑笑,便说:"要说有意见嘛,已经过去一年多了,也差不多想通了。咱是革命一块砖,哪里需要往哪搬嘛。说没意见,也不现实。我毕竟干了一辈子刑事庭,业务熟,感情深,突然让换个地方,就觉得没着没落的。打个比方,我打个比方说,你是干法院的,突然让你不干法院了,去干别的,你能一下子就那么适应,那么痛快?将心比心嘛。"

杨铁如直截了当地说:"你这比方打得有意思。你不会是听说了什么吧?"

李乾坤在杨铁如直截了当的发问面前又有点愣怔:"杨院,你,你怎么这么问我?你不会是听说了什么吧?"

杨铁如看到李乾坤的神情,微微一笑,说:"你这法官当得还行,滴水不漏!"

法庭内的审判仍在进行之中。辩护人正在向被告人吴西江发问:"吴西江,一审判决后,你当庭推翻了自己的供词,对吗?"

吴西江嗫嚅道:"对。"

辩护人:"你为什么要推翻自己的供词?"

吴西江:"我,我没有杀人,不是我杀的……"

辩护人:"那你为什么曾经招供,说你杀害了潘天天?"

公诉人:"反对!"

林子涵:"反对无效。"

辩护人面对吴西江再次询问:"为什么?"

吴西江胆怯地说:"他们……他们……"

辩护人:"他们是谁?"

吴西江抬头看着辩护人。辩护人面无表情:"他们是谁?他们怎么了?"

吴西江："公安局……公安局抓我之后，三天三夜不让我睡觉。他们……他们轮着番问我……我……我当时，一是害怕，二是，我实在是受不了了。我当时想，哪怕……哪怕就是死了，只要赶紧让我睡觉就行……我当时，实在是太想睡觉了……"

吴西江的话，使法庭旁听席上一片嗡嗡的议论声。郑小泉不自觉地瞥一眼公诉人，几个公诉人也在低声言语着什么。

辩护人对林子涵说："审判长，我的提问完了。"

林子涵随之宣布："现在休庭。"

吴西江从被告席上缓缓站起，法警给他戴上手铐。随之，吴西江在两名法警的押解和众目睽睽之下，踽踽而行，离开大法庭。

2

梦巴黎服装超市响着典雅的音乐《昨日重现》。

这里是形形色色的服装的丛林。风度翩翩的方正在一排排、一件件高档新款的女装前缓缓行走。他走到一套雅致的服装面前，驻足停立，不由得伸手抚摸服装的质地。

店主赵清华倒背双手，悄悄跟在方正身后。在方正伸手触摸服装的一刹那，赵清华在背后咳嗽一声。等方正回头看见赵清华，刚刚现出微笑时，赵清华说："方老板，你看错了吧？这是套女装。"

方正："清华，你这价格挺黑啊。"

赵清华："我这价格就是专门为你这号人准备的。不黑你黑谁啊？怎么着，你对我那位法官朋友，是有想法了，还是快出事了？"

方正："说什么呢！什么话从你嘴里说出来，怎么都显得那么不正派？"

赵清华："行了，甭说了。你一张嘴我就知道，要出事了。怎么着，这套衣服看中了？"

方正："你觉得呢？搭眼一看，我觉得行。"

赵清华："我觉得行不行有什么用啊？你又不是买给我的，你觉得行就行。到我这里，你是上帝。"

方正认真地说："你看你，我很认真地征求你的意见，你就说个行还是不行嘛！"

赵清华："她要说不行，行也不行；她要说行，不行也行。哎，说了半天，你给谁买啊？还不知道那人是谁，我怎么给你当参谋，当媒人？"

方正听到这里又笑了，用手点着赵清华说："你这人，没劲了啊！"

赵清华："借我手机用一下。"

方正把手机递给赵清华。赵清华在拨号的同时，对方正说一句："我没劲，我给找个有劲的。"随后，她便面对手机说起来："喂，子涵吗？我，清华。我这服装超市里，来了一个有头有脸的大老板，他想买一套特别高档的女装，你说，我是收他的人民币啊，还是收他的美金？"

尽管方正试图上前劝阻赵清华，赵清华仍然拨开他，边走边对着手机说："自由诚可贵，爱情价更高。这么说来，我就应该往死里宰他，把他的血全放出来，对不对？"

正在办公室里接听电话的林子涵笑道："赵清华，你总是这么讨厌！没头没脑地说些什么呀？我听不懂。"随之，倾听片刻，她又说："他在你那儿？给我买？别别别，千万别，那多不好意思……出事？出什么事？"一会儿，林子涵笑了："你才要出事呢！我这儿合议庭正讨论案子呢，不能再聊了，再见啊。"

林子涵放下电话，不好意思地冲法官刘兴魁和潘军右笑笑，说："一个朋友，讨厌。"

潘军右却对林子涵嘿嘿地使出一个坏笑。

林子涵："笑什么笑？你不笑还不能证明你是个坏人呢！"

潘军右："姐姐，你是要出事了。"

林子涵："出什么事？"

潘军右："好人好事！你可瞒不了我啊，我搭眼一看，顺耳朵一听，有个幽灵，一个像我姐夫一样的幽灵，正在春江大地上徘徊，对不对？"

刘兴魁说："这话，我怎么听得耳熟？"

潘军右像在背诵："一个幽灵，共产主义的幽灵，正在欧洲大陆上徘徊。"

刘兴魁："对对对，想起来了。"

林子涵抓起桌子上的一个小零碎，扔到潘军右身上，说："你个潘军右，说你坏，你还头上长疮，脚下流脓了你！"

潘军右躲闪着说："姐姐，我们真的需要一个五讲四美三热爱的姐夫，真的。"

刘兴魁也接上一句："子涵，也真是，老一个人单身过，不是个办法。"

林子涵站起来，说："怎么回事啊？咱这合议庭是在合议吴西江啊，还是在讨论你们说的这事？"

刘兴魁笑着说："赶紧赶紧，书归正传，书归正传。"

3

法院会议室正在召开审判委员会全体会议。会议室的一面墙上已经打上了幻灯，林子涵一边敲打着手提电脑的键盘，一边向众人讲解。幻灯在林子涵不断敲击的键盘下，不断变换出不同的内容。所有人的目光都集中在幻灯所显示出的内容上。

幻灯上显现出如下字样：绳索。三毫米。细麻绳。

林子涵:"关于吴西江案中,三毫米细麻绳这个证据,经过我们深入调查,这是一种在春江市普遍使用的捆扎物品的绳索。警方在吴西江家中搜出的三毫米细麻绳,虽然与被害人反绑双手的绳子系同一规格、同一产品,但由于麻绳使用的普及性之高,因此,不能确切构成吴西江的犯罪证据。"

林子涵又敲打键盘,幻灯上显示出如下字样:凶器。王麻子菜刀。指纹。

林子涵:"关于凶器。控方指出,凶器是一把不新不旧的普通的王麻子菜刀。据被害人潘天天家人质证,这把菜刀就是潘天天用来做饭的菜刀。因为没有人证明,吴西江何时到了潘天天家,这便给我们留下了无限推理的假定空间。我们可以假定,吴西江晚饭前到了潘天天宿舍,就用这把王麻子菜刀在潘天天家做了晚饭,从而留下了大量指纹印痕。这是推论之一。而这推论与吴西江的供述完全吻合。虽然单方供述不能构成坚实的证据,但在没有新的举证出现之前,吴西江的供述有作为证据的合理性。这里,还出现了这样一个反问,如果是吴西江蓄意杀人,那么,明显留有指纹的凶器为何弃置在现场?犯罪者应该不会给警方人为地留下现成的证据。"

林子涵的手又敲打键盘,幻灯上显示出如下字样:体液。血型。

林子涵:"警方从潘天天身上提取的精液,与吴西江的血型相吻合。这可以证明吴西江与潘天天在案发当晚发生过性行为。但性行为的证据不足以充当杀人的证据。"

林子涵的手再敲击键盘,幻灯上显示出如下字样:作案时间。

林子涵:"法医鉴定,被害人潘天天的死亡时间是案发当晚的十一点左右。而第一证人肖筱所证明的是,吴西江九点三十分左右离开了潘天天宿舍;第二证人吴玉妹证明,晚上十一点左右,她听到了潘天天与一个东北口音的男人有过争吵，吴西江显然不会在争吵中使用东北口音；第三证人王五松证明，当晚十一点左右，他看到了吴有恒老人家里的床上躺着一个喝醉酒的人，这与吴西江的供述有一致的地方。虽然证人不敢确定那人就是吴西江，但不敢确定的原因是黑头发和白头发的区别。我们都知道，吴西江的一头黑发是在一审判决之后，一夜之间变白的。所谓伍子胥过昭关，一夜白了头。因此，我们认为，证人王五松的证词可以采纳。就是说，在发案时间晚上十一点左右，吴西江不在作案现场。"

幻灯机上又显示如下字样：作案动机。

林子涵："吴西江与潘天天的关系保持了三年，据吴西江供述，他深深地爱着潘天天。案发前夜，吴西江的妻子猜疑吴西江可能会有外遇，于是发生了争吵。这种争吵，可能会使吴西江与潘天天之间的关系拥有了压力和阴影，但，这不能构成吴西江杀人的动机；在法庭调查中，吴西江的妻子证明，案发前，她只是猜测吴西江会有外遇，但对方是谁，她根本无从知道。因此，我们认为，一审判决中所使用的作案动机的概念不能成立。"

幻灯上最后显示出如下字样：关于供词。

林子涵："一审判决前，吴西江招供认罪，这成为一审判决的有力证据之一。但吴西江在一审判决后，当庭翻供。经过我们的深入调查，警方对吴西江的审讯时间持续了近七十个小时。而医学证明，一个人如果连续七十二小时不能得到睡眠，就会抵达生理极限，产生所谓官能性神经综合麻痹症。吴西江的招供就是在濒于生理极限时作出的。吴西江在法庭供述，他当时哪怕死去，也要睡觉。因此，我们认为，一审判决前，吴西江的供词，不能作为证据予以支持。"

林子涵说到这里，幻灯在墙上消失。

林子涵从手提电脑前抬起头来，面向众人说："法定诉讼程序的核心是无罪推断。就是说，被告必须在被证实确实有犯罪的证据时，才能确定他是罪犯，否则，他是清白的。

而我们容易产生的偏颇是，我们经常在诉讼过程中做主观上的有罪认定。这难免使我们的审判失去公正。根据以上证据推论，合议庭一致认为，对吴西江故意杀人罪的指控应该不予支持，特提请审判委员会讨论。"

林子涵发言之后，会场上出现了短暂的沉默。

"如果排除掉吴西江的杀人嫌疑，那么真正的凶手是谁？"李乾坤第一个打破了沉默。

林子涵："那是侦察机关的任务，应该与我们的审判无关。"

一名法官问："检察机关有没有撤诉请求？"

林子涵："没有。也许我们的判决作出，检察机关还有抗诉的可能。"

会场再次陷入沉默。

主持会议的杨铁如终于说话："如果没有新的意见发表，现在，对合议庭的意见进行表决。反对合议庭意见的请举手。"

没有人举手。

杨铁如："同意合议庭意见的请举手。"

杨铁如和大多数人举起了手。杨铁如在举手的同时，看到张业铭、李乾坤以及另外两名法官没有举手。杨铁如问张业铭："你和另外三名同志没有表决，你们的意见是什么？"

张业铭叹出一口气，说："弃权吧。"

杨铁如扫视一下会场，说："多数通过，合议庭意见生效！"

4

法庭宣布："全体起立！"

大法庭内所有人都站起来，等待着审判长林子涵的最后宣判。

林子涵:"鉴于控方对被告人吴西江故意杀人所提供的证据,经充分认证、核实,合议庭认为,被告人吴西江犯有故意杀人罪的指控不予成立。为此,本院作出如下判决:被告人吴西江宣告无罪,当庭释放。宣布释放后,法庭将对被告人吴西江按国家《赔偿法》的有关规定,另行处理赔偿事宜。审判长:林子涵;审判员:刘兴魁、潘军右。"

宣布完毕之后,大法庭内鸦雀无声。旁听席上传来了啜泣声,那是吴西江的家人。

林子涵宣布:"散庭!"

旁听者有的离席而去,有的还在议论纷纷。公诉方的几位代表收拾起公文包,悄悄地离开了法庭。林子涵、刘兴魁、潘军右等人走下审判席,来到呆坐在被告席上的吴西江面前。

法警已把被告席上的木栅栏打开。吴西江目光呆滞地看着走近前来的林子涵等人。

林子涵把判决书递给吴西江,吴西江木然地接过。

林子涵说一句:"吴西江,起来吧。"

吴西江呆坐不动。

"你可以走了,回家。"说着,林子涵伸出一只手,把呆坐的吴西江搀扶起来。

吴西江缓缓而起。他的手哆嗦着,死死攥住林子涵的手没有松动。他的嘴唇动了动,想表达什么,什么也没说出来。泪水渐渐涌上眼帘,他在模糊的目光中看到了林子涵、刘兴魁、潘军右的神情,看到了审判席上空空的坐椅,看到了坐椅上方高悬的国徽……

林子涵又说:"走吧,你的家人都来了。"

吴西江缓缓地、缓缓地转过身子。他在泪眼朦胧中,看到了身后不远的旁听席上正抱成一团、哭成一团的父亲、母亲、妻子、儿子。他的嘴唇哆嗦着,慢慢松开了攥住林子涵的手。在泪水夺眶而出的一刹那,他扑通一下跪倒在木栅栏内，冲着他的家人痛彻肺腑、声泪俱下、长长地、嘶哑地喊出一声："娘——"

5

夜晚，下雨了。这是一个多雨的季节。

方正宽大的宿舍里，大屏幕彩电正在播放日本电影《人证》。电视上一首熟悉的英文歌曲《草帽歌》正在响起：

> Mum, do you remember
> The straw hat, you gave me
> ……

它的中文大意是：妈妈，你还记得吗？你送给我的那顶草帽，一阵山风吹来，它被吹向远方……

这曲苍凉悲怆、楚楚动人的歌曲，给宽大的宿舍平添一种令人心碎而又有几分肃穆的气氛。

此时，电视画面上，出现了一只随风飘摇、飞向苍穹的草帽。那只草帽像命运的符号，在命运的旋律中起伏不定……这是《人证》的结尾画面。

坐在沙发上的林子涵和方正一起，看着草帽的画面，听着草帽的歌谣。

方正看见林子涵的眼睛里涌出了泪水。林子涵下意识地、悄悄地揩一下眼角。

方正起身打开了窗户，刷刷的雨声和凉爽的气息一并涌入室内。

林子涵拿起遥控器，关掉了电视。关于草帽的画面和歌谣都消失了，窗外刷刷的雨声变得清晰而嘹亮。

林子涵看一眼站立在窗前、双手环抱的方正。

默默注视着她的方正微微一笑，说："下雨了。你听，

这么大的雨。"

林子涵起身来到窗前。她面向窗外，看着夜色中的雨连绵而来。在这样的凝视中，她渐渐地俯身趴在窗台上。

方正的一只手不知什么时候悄悄搭在了林子涵的肩头。他对着默默凝视的林子涵问一句："凉不凉？"

林子涵摇了摇头。随后，她问一句："你怎么想起让我看《人证》？"

方正："这是我最喜欢的一部片子。我相信，你一定也喜欢，特别是此时此刻。"

林子涵："你怎么会知道这些？"

方正："你让我知道的。"

林子涵："我什么都没跟你说过。"

方正："可我都知道了。"

林子涵："你知道了什么？"

方正："你在想的和你要做的。"

林子涵："你什么时候知道的？"

方正："第一次见你。"

林子涵这时缓缓转过身来。有雨的夜晚也有风，风撩拨起窗帘的薄纱。在风吹荡漾的薄纱中，林子涵的目光与方正的目光对在一起。方正的另一只手也搭到了林子涵的肩上，两人在刷刷的雨声和荡漾的薄纱中凝视许久，方正轻轻地说出："子涵，我知道，你很累。你可以不说，但我知道。"

林子涵在方正话语过后便伏在了方正的肩头。方正轻柔地拥抱着她。

也说不出什么原因，林子涵的眼睛里又有泪水涌出。

方正轻声问："你哭了？"

林子涵咬住方正的肩头，说："没有。"

方正轻轻扳起林子涵的脸。他用一只手揩去林子涵眼角的泪痕，凝视着这张充满刚毅又充满柔情与伤感的脸庞。随之，他猛地用力，将林子涵深深地揽入自己的胸怀。

雨声中，窗帘的薄纱在风中激荡。以至于鼓荡而起的薄纱戏剧性地将拥抱的两人笼罩起来。

透过薄纱的笼罩，可以看到爱情的萌芽在茁壮成长——拥抱的两人开始了接吻。风吹薄纱，激情荡漾，天地间的爱情就和风声雨声如此紧密地缠绕在一起……

浪漫总是一蹴而就的，总是短暂的。当林子涵撩开缠绕着她的薄纱，回到现实中来的时候，她下意识地理了理头发，来到沙发前坐下，又下意识地拿起遥控器，对准电视。

然而，遥控器被方正的手轻轻摘走了。方正也坐在了沙发上，在摘走遥控器的同时，他说一句："电影演完了。"

林子涵羞涩地笑笑说："我就爱看电影。说起来，当年考大学，报法律专业，我也是因为看了一部电影。"

方正脱口而出："《流浪者》。"

林子涵："对，拉兹和丽达。你怎么又知道了？"

方正也笑了，说："一起走过的路，又不是什么难猜的谜语。那时候，我好像刚上高中，一帮孩子在上学放学的路上，没别的，就是《拉兹之歌》。"说着，方正竟轻轻哼起来，"嗷——阿巴拉古；嗷——阿巴拉古……"唱完这两句，他便自我笑起来，"是这样吗？"

林子涵："男孩子唱《拉兹之歌》，女孩子唱《丽达之歌》。"

方正："现在想起来，也算个悲剧。咱们这个民族，在当时，竟然需要一部第三世界的通俗电影，给我们进行法律启蒙。"

林子涵："没错，当时就那么想的，为了拉兹和丽达，我要当法官。"

林子涵话音未落，她的手机响了起来，这场充满兴致的谈话便被不合时宜地打断了。她边从包里拿手机，边对方正尴尬地笑笑，边说："自从有了手机，这人就变得没处躲没处藏了。"

她拿起手机："喂！对，我，我在一个朋友家。没，没什么要紧事，聊天呢！现在吗？"她看看表，"你说非去不可，我肯定得去了。好吧，你等我。"

林子涵收起电话，看着方正。

方正问："有事？"

林子涵："院里有事，我们院长找我。"

方正："现在就走？"

林子涵收拾起包，站起来，说："他在单位等我呢。"

方正看看窗外的雨，站起来，说："我开车送你。"

林子涵："不用，我打的。"

方正："为什么？"

林子涵："我想打的嘛！"

方正笑笑说："那好，我送你到楼下。"

林子涵却阻止了他："不行，你不能动。我又不是找不着楼梯。"

方正："你又像个法官了，你说什么就是什么。"

林子涵："我本来就是个法官嘛！"

方正伸出双手拥抱了一下林子涵。林子涵说："再见。"

林子涵走到屋门口，回头说一句："方正，我睡不着，给你打电话。"

方正："我想让你睡着了也给我打。"

林子涵嫣然一笑，闪出屋门。心旌摇曳的方正回头看看窗帘，薄纱仍在夜雨中随风鼓荡。

6

神情肃穆的杨铁如站在法院空旷的大厅中央。灯光映衬着他孤独的身影。他徘徊，站住；再徘徊，再站住。他最后站定的时候，外面的雨下得更加密集。

在密集的雨水中，林子涵三步并作两步冲进了法院大厅。一进大厅，看到站在那儿的杨铁如，她一下愣住了，问道："你怎么站在这儿？"

杨铁如："你淋湿了。"

林子涵："还不都是你下的规定，出租车不准开进院内。我只好从院子外面跑进来。"

杨铁如："我还有这规定？"

林子涵："门口竖着牌子呢，官僚主义！"

杨铁如："没有官僚主义了。没有官，没有僚，也就没有主义了。"

林子涵似乎听出了什么，她看着杨铁如的神情，问："怎么了？"

杨铁如："我离开法院，离开这座大楼了。"

林子涵惊讶地问："你说什么？"

杨铁如："下午刚谈了话，我调离春江市中级人民法院。"

林子涵在这突如其来的话题面前，似乎没有反应过来。她紧紧盯着杨铁如，许久，问："去，去哪儿？"

杨铁如苦笑一下，说："市委政策研究室主任。"

林子涵几乎大声喊出一句："为什么？"

杨铁如："不为什么，组织决定。"随后，他又说："张业铭调市人民检察院任检察长。"

林子涵："那，谁当院长？"

杨铁如："司法局局长陈默雷。"

林子涵显然不知道该说什么，她再次重复问一遍："为什么？"

杨铁如沉默不语。

林子涵："到底为了什么？"

杨铁如大声回答："因为我是杨铁如！"

种子酒吧响起了《红河谷》的音乐。萨克斯手在一个角

落,吹奏起那首令人心潮起伏的乐曲。

杨铁如喝光一杯扎啤。他对走上前来的服务生说:"再来一杯。"

林子涵:"我也来一杯。"

服务生应声而去。林子涵看着角落里的萨克斯手,喃喃自语道:"人们说你就要离开村庄,不要离别得这么匆忙;想一想红河谷你的故乡,还有那热爱你的姑娘……"

服务生把两杯扎啤端上来。

杨铁如端起扎啤猛喝一口。林子涵伸手制止他:"慢点喝。"

杨铁如放下扎啤,点上一支烟。

林子涵却端起酒杯,对杨铁如说:"干杯。"

杨铁如:"为什么干杯?"

林子涵:"不为什么。"

杨铁如端起酒杯,说:"你说为什么,我想听你说。"

林子涵颤抖着声音说:"为你高升,终于由副职变成了正职;为你光荣,终于走进了市委大门,研究政策,还当主任;为你的名字叫杨铁如,像铁一样,针扎不动,水泼不进;为你不跑官,不伸手,只是一个人睡不着觉;为你离开法院,离开法庭,离开你一砖一瓦亲手建起来的中院大楼……为你……为你所有的……所有的一切……"

林子涵端着酒杯的手哆嗦起来。在说话的过程中,她的声音渐渐变得哽咽,直至最后,她再也说不下去,眼泪顺着双颊滴落。她放下酒杯,双手捂住脸,终于变成了啜泣。

杨铁如自己喝了一口啤酒,说:"下午,跟我谈完话,我就找到了市委书记孙志,他一遍又一遍告诉我……"

双手捂脸、啜泣不已的林子涵摇头打断他的话:"我不听!"

杨铁如:"谈话的时候,我据理力争,我说……"

啜泣的林子涵再次打断杨铁如:"你别说了,我不想听,我什么都不想听,一句也不想听,别让我听这些,别让我听……"

杨铁如只好默默喝酒。

角落里的萨克斯手站起来,在酒吧内四处游走。他走到杨铁如和林子涵的桌前,那伤感的《红河谷》乐曲使二人杯中的酒有几分苦涩。

杨铁如:"你知道,周士杰在临枪毙前跟我说了什么?"

林子涵双手捂脸,摇了摇头。

杨铁如:"他告诉我,活着是一次又一次的失败。"

林子涵抹一把泪,看着杨铁如,说:"你不是周士杰,你是杨铁如。"

杨铁如沉默不语。

林子涵再次端起酒杯,说:"你不会!"她充满期待地大声说:"你告诉我,你不会!"

杨铁如端起酒杯,与林子涵的酒杯叮当作响碰在一起。

金黄色的啤酒汩汩流入两人的心田。

7

静悄悄的刑事法庭大法庭内异常空旷。空旷的法庭中,杨铁如一个人推门进来。对他来说,这里的一切是如此的熟悉,而此时此刻,又仿佛是如此的陌生。他来到空旷的法庭,看着空空的旁听席、审判席、控辩席。抬头,他又看见了高悬于法庭正前方熠熠闪光的国徽。他在法庭内缓缓地站立,缓缓地巡视。最后,他又缓缓地移动脚步,在辩护席上的一个边角位置坐下。

他舍不得这里。他留恋这里。他要在这里做最后的停留。

与此同时,法庭对面的门开了。张业铭也走了进来。他看见了静坐在那里的杨铁如,似乎想走上前去,但终于没有移动脚步。他站在那里，喊一声："铁如。"

杨铁如看见了站在他对面的张业铭。

张业铭也坐下来。他坐在杨铁如对面，坐在了公诉人席位的边角位置。杨铁如听见张业铭在落座的同时，发出一声沉重的叹息。

张业铭："去办公室找不到你，我猜你可能到这儿来了。"

杨铁如："该交接的我都交接了。我的办公室，已经不存在了。"

张业铭："我理解你的心情。其实，我的心情跟你一样，我也舍不得离开。毕竟在这里干了这么多年，一张桌子，一把椅子，都像是自己亲生的。"

杨铁如："其实，你早就预见到了。眼前的一切都在你的预见之中。"

张业铭："有一点我必须向你证明，在考察干部的整个过程中，我张业铭除了你杨铁如，没提出第二个春江中院院长的人选。"

杨铁如："说起来很惭愧，我却没有投桃报李，反倒在考察过程中，投了你的反对票，并且，一而再、再而三地连续说了几个不合适。"

张业铭："铁如，你不至于说组织上对我的任命是一种嘲讽吧？"

杨铁如："应该嘲讽的是我杨铁如。"

张业铭："铁如，你不该想得太多。"

杨铁如："是啊，人类一思索，上帝就发笑。"

张业铭："老百姓有句话，人挪活，树挪死。你怎么就以为变动一下工作岗位，就会影响未来，影响前途呢？你毕竟年轻嘛，不像我，快到码头的人了。"

杨铁如："我坐在这里是想现在，还没有想到未来和前途。"

张业铭："再说，你要去的岗位还是相当重要嘛！你想想，你的位置不就相当于市委书记的参谋长嘛！"

杨铁如："是啊，我要当参谋长了。"

张业铭："咱俩找个时间，喝场酒，不管你在哪儿，我在哪儿，咱俩的缘分得修下去。"

杨铁如："喝场酒，我向你举杯祝贺。"

张业铭站起来，笑道："到时候，我进市委大门，你别给我把门闩插上就行。我先走了。"

张业铭走出去。杨铁如坐在那儿没动。

片刻之间，大法庭内拥进了一帮人。为首的是郑小泉、潘军右、聂小倩，还有宋修、刘兴魁和范伯年、欧阳庆等人。林子涵站在人群的最后。

一群人来到法庭，默默地围住了静坐不动的杨铁如。

杨铁如见状赶紧站起身来，说："你们过来了。"随即，他看见人群中的范伯年，便问一句："老范，出院了？"

范伯年："没事了，没事了，出院好几天了。"

杨铁如："张书记说过，心脏病属于大案要案，自己要懂得保重。"

范伯年摆了摆手，什么也没说。

杨铁如看看众人，说："昨天我还说，这是我们的法庭。今天我只能说，这是你们的法庭。春江中院的大楼是新盖的，法庭也是崭新的，一切，都看你们了。"

办公室主任宋修说："杨、杨院，你放心。扫、扫帚不到，灰尘照、照例不会自己跑、跑掉。我、我宋修带头，当、当一把扫帚。"

郑小泉说："杨院，你也别嫌我们俗。反正都俗，我们也就跟着俗一回。临走了，什么话也没有，大伙儿想请你吃顿饭。"

潘军右接一句："喝酒！"

宋修："吃饭俗、俗什么？谁都得吃、吃饭！"

林子涵最后说一句:"就定今天晚上吧!"

8

一群法官围绕着杨铁如在餐桌前起身碰杯。落座的时候,聂小倩看看身边的林子涵,说:"子涵姐,你也干了?那我也干了吧。"说着,她把酒杯对着杨铁如说:"祝杨院飞黄腾达!"

潘军右听了,对聂小倩说:"你俗不俗?还飞黄腾达。以后出门别说认识我啊!"

聂小倩:"那该说什么?"

潘军右瞪聂小倩一眼:"什么也不说!"他举起酒杯对杨铁如说:"杨院,什么也不说,喝酒!"

杨铁如与潘军右碰杯。

郑小泉也端起酒杯,说:"杨院,对不起,现在我才明白,你交给我的那篇论文,来不及了。"

潘军右又冲郑小泉嚷:"不是说好了什么也不说吗?说什么说,喝!"

郑小泉自己喝光了杯中酒,冲潘军右嚷道:"我就想说,怎么了?北大校园里立了一块碑,上面写着两句话,'自由之意志,独立之精神'。我看着那块碑长大的,我凭什么不能说,你凭什么不让我说?"

潘军右:"去你的北大!有本事,来!"说着,他扯过酒瓶,把酒倒进两个小碗里,"一人一碗!"

郑小泉毫不示弱,说:"来啊!"

杨铁如阻拦说:"不能这么喝!我一不当院长,就管不了你们了?"

郑小泉挥挥手,说:"杨院,你管不了了。来,干!"

郑小泉和潘军右不顾众人的劝阻,一人一碗把酒干掉。

喝罢一碗酒,郑小泉似乎有了醉意:"杨院,你不是院长,你是朋友,朋友!潘军右讲了,什么话也不说,听我们给你唱首歌!"

郑小泉指着大伙儿喊:"一起唱啊,谁不唱,谁不是朋友!"

郑小泉一拍巴掌,郑小泉、潘军右、聂小倩、欧阳庆、林子涵等人一起唱起了那首风靡九十年代末期的歌曲《朋友》:

> 朋友啊朋友
> 你可曾想起了我
> 如果你正享受幸福
> 请你忘记我
>
> 朋友啊朋友
> 你可曾记起了我
> 如果你正承受不幸
> 请你告诉我
>
> 朋友啊朋友
> 你可曾记起了我
> 如果你有新的
> 你有新的彼岸
> 请你离开我离开我……

本来是酒后的即兴,然而,人们在歌声中却动了真情。大家高声地唱,整齐地唱,直至林子涵、聂小倩湿润了眼睛。

歌声中,刘兴魁、宋修、范伯年等几个年龄大的人一起举杯向杨铁如敬酒。杨铁如在端起酒杯的一刹那,泪水在眼睛里打旋……

夜晚，杨铁如最后一次来到自己的办公室。他坐在办公桌前，将呼机、手机一一摆放在办公桌正中位置。随后，他掏出一串钥匙，摘下其中的一把，与呼机、手机并排摆放在一起。

他站起身，最后环顾自己的办公室。临走前，他把窗帘缓缓拉上。

他走到门口，在闭上眼睛的一刹那，关掉了办公室的灯光。

夜已深沉。走出办公室的杨铁如来到漆黑的大楼走廊。

他顺手打开了一个开关，走廊内亮起了一盏灯。

他沿着长长的走廊往前走，不断地打开墙上的开关，走廊上的灯光在他的正前方一盏一盏地亮起。他走到哪里，明亮的灯光在哪里绽放。

他下楼梯。他不断顺手打开开关，楼梯内也亮起一盏一盏明亮的灯光。

他来到大厅。当他打开开关时，大厅内顿时灯火辉煌。门厅外站岗的法警见到大厅内亮灯，不禁一愣。随之，他看见了正走出大厅的杨铁如。

法警向杨铁如敬礼示意。

杨铁如站住，伸出手，与站岗的法警有力地一握。

没等法警说什么，杨铁如已头也不回地顺阶而下。他走下台阶，走向法院大门，在灯光通明的大楼背景中，杨铁如的背影越来越远，直到消失……

杨铁如打开家门时，看见了妻子刘早春。刘早春站在客厅中央，刚刚沐浴完毕，穿着一身睡衣，与杨铁如对面而立。

杨铁如对蓦然出现的妻子凝神片刻，说："你回来了。"

刘早春："我一直在等你。"

杨铁如放下公文包,说:"我,我告诉你件事……"

没等杨铁如说下去,刘早春便迎上前,轻柔地揽住杨铁如,说:"你别说了,我都知道了。"

杨铁如:"你知道了?"

刘早春:"咱不说它了。"

像一个温柔的母亲对待一个孩子,妻子刘早春温柔地把杨铁如拥入怀中。什么语言也没有,只有夫妻间紧紧的拥抱。刘早春扳起杨铁如的脸,把自己湿润的嘴唇递到了杨铁如的唇边。

夫妻间的拥抱和亲吻如此新鲜而又如此激情!

拥吻中,两人从客厅来到卧室。在陡然转变的人生时刻,一场饱含深情的爱的活动正在融化掉什么,消解掉什么……

灯熄灭了。

客厅鱼缸里的热带鱼正在显示出生命的活力。

灯光再次亮起的时候,杨铁如斜靠在妻子刘早春的肩头。刘早春的手不住地摩娑着杨铁如的一头黑发。

杨铁如:"早春,你还会像从前那样吗?"

刘早春:"我更爱你。"

杨铁如听完这话,突然掉转头去,抱住一只枕头,趴在了床头上。刘早春的手抚摸着杨铁如宽厚的脊背,却见杨铁如的肩头抖动起来。渐渐地,这抖动变成了抽搐,变成了颤抖,变成了剧烈的起伏……随之传来杨铁如努力压抑但依然是不可遏止的呜咽。

一个钢铁一般充满韧性的男人,哭了。

六

- 你是个男子汉,你为什么让人踢了一脚?
- 也许是为了使公平二字不再流泪,不再流血,使正义二字不再背上沉重的十字架。

1

在镁光灯、摄像机以及众多记者的簇拥下,林子涵站在新闻发布厅的讲坛中央,正在接受记者的采访。

林子涵:"我不想再跟新闻界的朋友们重复吴西江故意杀人案的审判过程。这个案例,在我们的司法实践中,值得总结的东西也许很多。但重要的,我想在这里强调,被告在被证实有罪之前应该是无辜的,而不是与之相反,被告在被证实清白之前总是被视为有罪的。这是法定诉讼程序的核心,也是公正审判制度的灵魂。"

有记者提问:"请问,从一审作出死刑判决,到重审作出无罪判决,同样的法庭,同样的法律,为什么两者之间存在着生与死的天壤之别?你怎样理解这种差别?"

林子涵沉默片刻,语气变得平缓而沉重:"因为,通往公平和正义的道路崎岖不平,这就是我的理解。"

记者问:"你能说得具体点吗?"

林子涵稍稍停顿片刻,便说:"差别来自于观念。吴西江一案,从有罪认定到无罪推断,也许正是一审判决和重审判决观念的不同。审判制度的不断改革,不是一种形式上的改变,而是司法观念的不断进步。但这种进步是艰难的,它不会一蹴而就。我们之所以正在向一个理性和法治的时代靠近，是因为它曾经付出过极其惨重的代价。这代价包括自由、名誉、财产和生命。从公元前雅典法庭审判苏格拉底，到十七世纪佛罗伦萨法庭审判伽利略，乃至于发生在我们眼前的，南非开普敦法庭审判曼德拉，大家可以清楚地看到，这条道路荆棘密布。但，仍然有人在往前走。走的人多了，便成了路，这就是公平和正义之路。我们不断反思和修正过去的审判，也许是为了使公平二字不再流泪，不再流血，使正义二字不再背上沉重的十字架。我想，关于吴西江一案，我跟朋友们要说的只有这些。谢谢大家。"

林子涵走下讲坛。尽管有手持各种话筒的记者蜂拥追逐，林子涵还是微笑着拨开众人，说："该说的我都说了，对不起。"

林子涵走出春江中院的新闻发布厅。

从新闻发布厅前门走出的林子涵，迎面碰上从新闻发布厅后门走出的一个男人。这是一个与杨铁如年龄相仿的男人。他站在那里，微笑着等待林子涵走过来。

男人对走上前来的林子涵问道："你就是林子涵？"

林子涵站住，说："对。"

男人伸出一只手，说："你好，我是陈默雷。"

林子涵在稍稍愣怔之后，也伸出手，说："噢，新来的院长，你好。"

两人握手之后，陈默雷说："我听了你的新闻发布，讲得很好。"

林子涵摇头，说："哪里，我只是说了些大而不当的话。"

陈默雷："怎么能这样讲？"

林子涵："因为，真正做出贡献的，是我们以前的杨院长，杨铁如。"

林子涵说完，径直向前走去。

陈默雷凝视着林子涵的背影,似乎在咀嚼林子涵话语的含义。

记者们纷纷从新闻发布厅拥出,迅即扰乱了走廊内片刻的宁静。

2

林子涵走进自己的办公室时,发现书记员聂小倩在悄悄抹泪。来不及掩饰的聂小倩恰巧被林子涵看见,林子涵便问:"哟,小倩,怎么了?"

聂小倩赶紧掩饰般地抹去泪痕,说:"没怎么,看报纸呢。"

林子涵拿暖水瓶往自己的水杯里倒水,一边忙活一边说:"看报纸还看得哭天抹泪的,至于吗!你还是看明天的报纸吧,明天报纸上有我,我看你是哭还是笑。"

林子涵还没坐下,聂小倩突然问:"子涵姐,你为什么不结婚?"

林子涵听到这里,便一下站住,不解地问:"哟,小丫头,怎么突然问起这个了?你姐姐还正想问你呢,你干吗要那么急着结婚?"

聂小倩把手里的报纸赌气般扔下,说:"我不结了!结个鬼!"

林子涵坐下来,看着聂小倩的神情,问:"怎么了?不都登记了吗?"

聂小倩:"我恨那张纸!凭什么两块钱的工本费就把人的一生都收买了?"

林子涵:"什么工本费?"

聂小倩:"结婚证!"

林子涵听到这里,长长地叹出一口气。她沉默地看了聂小倩片刻,才说:"小倩,这话从你嘴里说出来,吓你姐姐一跳啊！那是两块钱的事吗？那是法律手续！要把它搁在法庭上，那就叫证据。你装什么不懂啊？还不想当书记员，要当审判员呢，就凭你刚才这句话，这事吹了！"随后，她又问："到底怎么了？两个人吵架了？"

聂小倩说："没意思。"

林子涵："谁没意思，他？"

聂小倩不语。

林子涵："前两天还恨不能把人家含在嘴里嚼巴嚼巴吃了，这会儿怎么又没意思了？"

聂小倩："子涵姐，你说，人家法国人怎么生活呵？"

林子涵："一样啊，恋爱、结婚、生孩子。当然，也有光恋爱不结婚的。"稍事片刻，她又说："怎么，中国盛不下你了？"

聂小倩："那，你为什么不结婚？"

林子涵："说你的事啊，别说我。"她想了想又说："谁说我不结婚了？还不到结婚的时候，我结什么结？别说我了，说你，到底怎么回事？"

聂小倩吐出一个字："俗！"

林子涵："说谁呢？"

聂小倩："俗不可耐！我见一次俗一次，一次比一次更俗，有些事，说出来都让人恶心。一想到我要跟这种人过一辈子，我恨不能就从这楼上跳下去。不信你瞧，说着说着，我现在浑身都起鸡皮疙瘩。"

林子涵听到这里，又站起来，困惑不解地看着她："聂小倩，你这个丫头是人是鬼啊？噢，把黑头发染上点黄颜色就不是你了？谈恋爱不是一天半天了，你也不是没长大的孩子不懂事，昨天好也是你，今天俗也是你。人家俗，你干吗跟人家登记啊？郑伟秋那小伙子，我又不是没见过，板板正正的，不笑不说话，人家怎么俗了？一天到晚拉着个脸不笑，那不叫俗，叫酷，你现在又想找个酷的，不想要这个俗

的了，是不是？"

　　林子涵话音落下的时候，窗外隐约传来由远及近的锣鼓声。林子涵不自觉地朝窗外瞥一眼，再看看聂小倩，又重新坐到聂小倩对面。

　　聂小倩："你光看见他笑了。你知道什么叫笑面虎吗？你知道什么叫笑里藏刀？哪个汉奸见了日本鬼子不笑？哪个行贿的、送礼的，到人家里敲开门不笑？还有，那些占了便宜又卖乖的，谁不是一天到晚憨头憨脑假惺惺地笑？领导批评你，批评错了，你还装模作样笑着说，我一定改正呢！笑能说明什么？有几个笑是真的？"

　　聂小倩说话的同时，窗外的锣鼓声更加密集地传来。

　　林子涵："你刚才说的汉奸呀什么的，都是说郑伟秋？"

　　未等聂小倩回答，办公室的门被猛地一下推开了。办公室主任宋修气喘吁吁地跑进来，说："走走走，快，快去。"

　　林子涵站起来，问："什么事啊，主任，慌慌张张的？"

　　宋修："快、快去看看，来、来、来了那、那么多人。"

　　"谁呀？"林子涵有些不解地问。

　　宋修几乎要上前拉扯林子涵的手，说："走、走吧。"他看一眼坐在那里没动身的聂小倩，瞪她一眼，"走、走啊！"

　　聂小倩："我有事，我不去。"

　　宋修嘟哝一句："熊、熊孩子。"说着，几乎是推拥着林子涵走出办公室，"快、快走，来了那、那么多人。"

　　密集的锣鼓声是从春江中院大楼前传来的。

　　春江中院大楼前锣鼓喧天。百儿八十个老百姓模样的人在锣鼓声中聚集在楼前。楼前台阶上站满了法院的部分工作人员。林子涵被办公室主任宋修推搡着，来到了最底层的一级台阶上，与新来的院长陈默雷并肩站在了一起。陈默雷对林子涵微微点头一笑。刚刚站定的林子涵突然在对面人群中看见了被众人簇拥的吴西江。她的眼睛一亮，似乎明白了眼前发生的一切。

吴西江看到林子涵，似乎有些羞涩地低下了头。

锣鼓声停下来。一个老头站出来，来到台阶前，问："哪位是咱们院长？"

办公室主任宋修赶紧推出陈默雷，说："这、这是我们新来的陈、陈院长。"

陈默雷向老人伸出手，说："老人家，你好，我叫陈默雷。"

老头紧紧握住陈默雷的手："陈院长。"说着，他回头指指那群百姓，"你看，今儿来的，都是吴西江的亲戚朋友，街坊邻居。吴西江一回家，见谁就跟谁抱着头哭。我是从小看他长大的老街坊，我就说，孩子，光哭不行啊，没咱政府，没咱法院，你这颗脑袋早就不知掉哪儿了，咱得去谢谢政府，谢谢法院啊！这不，我这一说，大伙儿都跟着来了。"

陈默雷听到这里，便说："老人家，我虽然刚到法院，还是得说一句，这是我们该做的工作嘛，有什么值得感谢的？"

老人家松开陈默雷的手，走到吴西江跟前，拉扯吴西江上前。吴西江推让着，悄悄捅了捅站在他身边的儿子。十二岁的儿子走上前来，向着台阶上的法官们深鞠一躬，接着，从口袋里掏出一张纸，念道："亲爱的伯伯、叔叔、阿姨，我叫吴小平。我爸爸吴西江回家的那天晚上，下起了雨，雨下了整整一夜。我爷爷跟我爸爸说，你这一回来，把老天爷都惹哭了。咱不再受冤枉了，咱一家老小的日子又能安安稳稳过下去了……"

孩子念着的时候，吴西江蹲到地上抱起了头。

孩子继续念："第二天，我爷爷一大早就出去，招呼了一些人，把我家院子里那棵老榆树给锯了。我爷爷说，这棵老榆树在我家院子里长了一百年，我们要用这棵长了一百年的老榆树给你们做一块匾。是你们给了我爸爸第二次生命。

我爷爷说,我是一个差一点成为孤儿的孩子,爷爷让我代表全家,代表一个重新拥有了爸爸、妈妈的孩子,恳求伯伯、叔叔、阿姨,恳求你们收下这块匾,收下我们家院子里这棵长了一百年的老榆树!谢谢伯伯!谢谢叔叔!谢谢阿姨!"

孩子念完了,深深鞠躬,跑回人群中。正在抹泪的妈妈把孩子紧紧揽在怀里。

那个街坊老人又来到院长陈默雷跟前,说:"院长,孩子说了,东西不大,可长了一百年。收下吧,咱老百姓就这么点心意。"

陈默雷、林子涵和台阶上的法官们都看到,有人把一块蒙着红绸子的匾额递到了吴西江父母手中。吴西江父母手捧匾额,看着台阶上的陈默雷和众法官。

陈默雷看一眼林子涵,说:"去,收下吧。"

林子涵突然不知所措地说:"你是院长,该你去。"

陈默雷鼓励林子涵说:"去吧,老人在等着呢!"

林子涵赶紧招呼着刘兴魁和潘军右:"老刘,小潘,来吧!"

刘兴魁和潘军右跟随林子涵走下台阶,走到手捧匾额的吴西江父母面前。

锣鼓声又开始密集地响起。

在密集而又整齐有序的锣鼓声中,街坊老人上前扯下了蒙住匾额的红绸。崭新的匾额上赫然镌刻着三个大字:大法官。

林子涵对刘兴魁和潘军右说:"接过来吧。"

刘兴魁和潘军右庄重地接过了匾额。

林子涵用手搀扶起蹲在地上的吴西江。吴西江在站起的同时,抹掉一把泪水。

站在台阶上的陈默雷带头鼓起了掌。随即,台阶上法官们的掌声应声而起。掌声和锣鼓声交织在一起。

3

杨铁如家的电话铃声响起。

蜷缩在沙发上看报纸的杨铁如慵懒地起身接电话:"喂,对,我是杨铁如。"他倾听片刻,便叹出一口气,说:"好吧,我现在就去。"

杨铁如骑着自行车,穿行在熙来攘往的春江街头,眉宇间有着不易被人察觉的苦戚。

他骑车来到某小学,在放学的孩子中间,推着自行车,走进小学校门。

杨铁如走进小学办公室时,一眼就看见低头站在办公室一个角落的儿子杨正大。杨正大抬头看见走进门的爸爸,把头低得更沉。

杨铁如看他一眼,没吭气,便问:"请问,哪位是魏老师?"

一个年轻的女教师应声站起,来到杨铁如身边,说:"杨院长,你好,我是魏娟娟。真不好意思,我知道你忙。"

杨铁如赶紧去握女老师伸出的手,说:"哪里,孩子不争气,让你费心了。"

魏娟娟随即对低头站在角落里的杨正大说:"杨正大,你先出去吧。"

杨正大低着头走出办公室。

魏娟娟招呼杨铁如落座,说话间就要忙着去倒水,被杨铁如阻止了。办公室人来人去,有老师,有学生,各人忙着各人的事。魏娟娟说:"没办法,办公室太乱,学校就这环境。"

杨铁如点点头,便说:"孩子又惹事了?"

魏娟娟叹口气,说:"我也是试着给你打了个电话,不是万不得已,我们一般不找家长。整整一堂课,杨正大不好

好听讲，写纸条，传纸条，一堂课写了十几张，传了十几张。纸条上不是给这个判无期徒刑，就是给那个判十年。光在纸条上被他判处死刑、立即执行的就有四五个。他一人不听讲不说，这十几张纸条传来传去，整个一堂课的秩序都让他搅乱了。"

杨铁如听到这里，皱起了眉头。

魏娟娟："说起来，杨正大这毛病不是一天半天了，动不动就在学校拿你这当爸爸的说事儿。我们知道，杨院长，你工作忙，顾不上……"

杨铁如打断女老师的话："对不起，魏老师，别再叫我杨院长了，我已经不再当院长，我调动了。"

魏娟娟："调哪儿了？"

杨铁如："市委政策研究室。还没报到呢，正好今天有空在家，你接着说。"

魏娟娟听到这里，还是起身倒了一杯水，端到杨铁如跟前，说："你喝口水。"

杨铁如："谢谢。"

杨铁如推着自行车，孩子杨正大跟他拉开一定距离，跟在身后。

父子俩默默地走在春江街头。

杨铁如回头看一眼孩子，突然站住说："你十二岁了吧？爸爸十二岁的时候，早跟着你爷爷到大坝上拉沙子挣钱了！你瞧瞧你，懂什么呀？除了吹牛，你还知道干什么？"他往前走几步，突然又站住说："你爸爸有车，你爸爸有枪，你爸爸管判刑，管枪毙人，你爸爸还管什么？上管天，下管地，中间管空气，是吧？"稍稍一停，他又说："我早就跟你说过，你以为你爸是谁啊？你以为你爸是皇帝，你是还珠格格，想怎么着就怎么着？你说的那些，你爸从来就没管过，现如今，更不管了。你听着，你爸就是个上班挣钱养活你上学的，跟大街上骑自行车上下班的人没什么两样。你爸不干法院了，也不当什么院长了，你爸从那个大楼上调走了！我今天实话都告诉你，省得你一天到晚不知道自己吃几碗干饭，觍着个脸到处去吹！你爸现如今被人踹了一脚，从那个大楼上踹出来了，你再去吹吧，我看你还能吹出个什么牛来！"

孩子站在那里不动，愣愣地看着愤怒的杨铁如。

杨铁如说完，兀自推着自行车往前走。

走出几步，他回头看看孩子仍然站在那里没动，直愣愣地看着他。他恼怒地拍拍自行车后座："你站着干吗？走啊！"

孩子直冲到杨铁如面前，说："你当不上院长你是笨蛋！你没本事！你拿我撒什么气呀？你让人一脚踹出来，话该！"

孩子说完，理也不理杨铁如，转身向前跑去。

杨铁如站在那里，一下被孩子说愣了。他还没反应过来，孩子已飞快地消逝在前方的人流车流之中。他在茫然中思忖片刻，似乎才终于想到什么，大喊道："正大！正大！"边喊，边骑上自行车追赶。

夕阳西下，横跨江面的大桥镀上一层落日的余辉。

桥上是倏忽而过的疾驰车辆，桥下是默默东流的无语江水。偶尔有轮船或机帆船从水面驶过，穿越桥洞时，都拉响沉闷的汽笛。孩子杨正大斜挎书包，俯身趴在江面大桥的栏杆上，凝视着滔滔江水，驱遣着心中委屈。

杨铁如悄悄来到孩子跟前。他本想跟孩子说点什么，终于没有开口。他掏出一支烟点上，也俯身趴在了桥面栏杆上。父子俩谁也没理谁，在沉默中，惟有桥下的轮船传来沉闷的汽笛声。

终于，还是杨铁如开口说话了。他并没有看着儿子杨正大，而是透过眼前浓浓的烟雾，望着桥下滔滔的江水说：

"正大,也许爸爸不该跟你发脾气。可有一点,爸爸必须跟你讲明白,无论什么时候,在什么地方,吹牛都是不光彩的。自己吹自己让人讨厌,拿着爸爸、妈妈去吹牛更让人受不了。别说你爸爸、妈妈没什么,就算你爸爸、妈妈有什么,你爸爸是皇帝,跟你又有多大关系?他是他,你是你。你爸爸越是皇帝,你才越应该懂礼节、有美德,那才叫绅士、文明。反过来的话,那不但不光荣,还挺可耻。你明白吗?"

孩子看着滔滔江水,不说话。

杨铁如又说:"即使吹牛,吹牛也得有吹牛的本钱啊!我像你这么大的时候,就在江边上跟你爷爷拉沙子。你爷爷在后边推车,我就用一根绳子在前边拉。拉一天沙,累得浑身疼,才挣一块多钱。后来我咬咬牙考上了大学。我考不上大学,也就没有你妈;没有你妈,也就没你。你爸爸就这么点家底,你说,有什么值得可吹的?"

孩子俯在栏杆上依旧不说话。

杨铁如沉默片刻,接着说:"十二岁,我跟你爷爷拉沙子时,我就想,当个孩子真不容易。真长大了,长成大人了,我才知道当大人更不容易。我那时候只低着头在前边拉车,看不见后面你爷爷推车是什么模样。现在我知道了,那一车沙子的重量都压在你爷爷的胳膊和手上,你爷爷那真叫不容易。爸爸给你讲这道理,并不是要你去拉沙子挣钱,爸爸是想告诉你,从小到大,没有一个人是那么容易过来的,更没有一个人像你在纸条上写的那样,想判谁就判谁,想枪毙谁就枪毙谁。这种事根本不可能有,这种梦你干脆别做。"

孩子突然反问一句:"你是想说你不容易,是吗?"

杨铁如突然被孩子问住了。他愣怔怔地看着孩子。

孩子:"你是个男子汉,你为什么让人踢了一脚?"

杨铁如:"没有啊。"

孩子:"你不是说,你让人一脚从大楼里踹出来了?"

杨铁如听到这里，只好露出一丝苦笑，说："爸爸那是让你气的，说气话。"

孩子此时此刻认真端详起站在眼前的爸爸，坚定不移地摇了摇头，说："爸爸，我不再吹牛了，可你也别在我跟前硬撑了。硬撑跟吹牛同样不光彩。"

杨铁如："爸爸怎么了？爸爸没怎么样啊？"

孩子："世界上除了英雄，就是狗熊。我才不会拿狗熊去吹牛呢！我要回家。"

孩子说完，迅即转身，沿江面大桥晃晃悠悠走去。

杨铁如一时间没有追逐，也没有喊叫。他似乎被自己的儿子——一个稚童的话语噎得喘不过气。他望着孩子沿江面大桥晃晃悠悠、渐行渐远的背影，不自觉地用力攥住了江面大桥的栏杆。

一声沉闷的汽笛悠长地响起。杨铁如循声望去，只见滔滔江面上，一艘拖曳着沉重货物的机动轮船正缓缓地驶过桥洞……

红红的火焰从炒瓢内腾然而起。厨房里，炉灶前，杨铁如手执炒瓢在浓烈的烟火气氛中炒菜做饭。

一间卧室里，孩子杨正大躺在床上，愣愣地看着天花板出神。

进门回家的刘早春放下提包，换好拖鞋，路过孩子卧室时，看到了躺在床上的孩子。她走进孩子卧室。孩子听见动静，侧身转向里面，并闭上了眼睛。

刘早春上前轻轻拍拍孩子，问："正大，怎么了？"

孩子："我要睡觉。"

刘早春："没吃饭呢，睡什么觉？"

孩子背向妈妈，不再说话。刘早春问："你爸爸呢？"话音刚落，她便听到了从厨房里传来的一声"吱啦"的爆炒声。

刘早春来到厨房。她斜倚在厨房的门框上，看着专心致志炒菜的杨铁如。等杨铁如又做完一道菜，回头往盘子里盛时，他看见了斜倚门框的妻子刘早春。他笑笑说："回来了。稍等，我再做个汤。"

刘早春上前制止了他："算了，够吃的了。"

杨铁如却忙活着执意要做，边忙活边说："你到屋里去吧，一会儿就好。"

刘早春却一把夺过了他手里的炒瓢。

杨铁如："怎么了？"

刘早春："看你在锅台前忙活，怎么看怎么不像，怎么看怎么别扭。"

杨铁如："做顿饭嘛！穷人的孩子，什么不会！"

刘早春却把杨铁如手里的锅铲再夺下来，说："铁如，别老在家里呆着了，该去报到了。"

杨铁如听到这句话，顿时不吭声了。

刘早春："没人比我更了解你，你不是围着锅台转的男人。"

杨铁如叹口气，说："让我做完这个汤吧。天黑了，要报到，也得等到明天啊。"说完，他从妻子手里重新拿过了锅铲和炒瓢。

炉火又升起来。油又在锅里"吱啦"响起。妻子刘早春望着炉灶前杨铁如的背影，眼神中有一种异样的复杂。

孩子杨正大突然跑进厨房，冲刘早春喊："妈，给我两块钱。"

刘早春："干吗？"

杨正大："我要吃方便面。"

刘早春困惑地说："你爸做了这么多菜，吃什么方便面啊？"

杨正大执拗地说："我不吃。给我两块钱。"他看着刘早春困惑的表情，也并没有给钱的意思，便说一句："不给算了。"说完,扭头就走。

刘早春冲着杨铁如的背影,问:"怎么了?"

杨铁如回转身来,重重地叹出一口气,说:"虎落平川被犬欺!这小子,踩着鼻子上脸!"

4

林子涵走出春江中院大楼。她边下台阶边对着手机讲:"喂,你在哪儿?"

林子涵话音未落,台阶不远的一侧响起了汽车鸣笛声。她侧头一看,一辆崭新而熟悉的轿车正向她驶来。随即,她看到了驾驶座上方正的笑脸。

林子涵略显紧张地看看四周,赶紧跑步奔下台阶。她又环顾四周,见周围没人看见,才急匆匆打开车门,坐到了轿车的副驾驶座上。

方正的轿车迅速启动,驶离法院大门,驶在黄昏的春江市马路上。

林子涵说:"你怎么把车开到法院来了?"

方正:"法院又不是禁区,公民在法律面前人人平等嘛!"

林子涵:"让人看见多不好!"

方正:"有什么不好?"

林子涵:"不知道的,人家还以为我傍大款呢。"

方正:"不知道的,人家还以为我拉拢法官呢。"

林子涵刚刚露出笑容,汽车在十字路口遭遇了红灯。在停车的一刹那,林子涵说:"按照一般的套路,你今晚肯定是请我吃饭了,对吗?"

方正也笑了,说:"多亏我没按那个套路走,要不,我今晚可就栽了。"

林子涵:"那你约我出来干吗?"

方正:"视察。"

绿灯亮起。方正的轿车启动前行。轿车很快消失在潮水般的车流中……

一座新落成的高层写字楼大厦。大厦内还在进行着一些局部的内部装修工程。林子涵在方正的引领下,徘徊在大厦的大厅,好奇地巡视着这座规模庞大的豪华写字楼。

电梯传来叮咚声响,随即亮起指示灯。

方正指一下电梯门,说:"走吧。"

林子涵跟随着方正走进电梯。

电梯内,方正倚在一个角落,看着林子涵。林子涵问:"总共多少层?"

方正:"原计划三十六层,后来我改主意了,加了两层。因为,大厦奠基动工的时候,正好是我三十八岁的生日。"

林子涵说:"你超出了我的想象。"

方正笑道:"这有什么!你可以坐在法庭上,让人生让人死的,我就不可以盖个大楼?"

两人说着的时候,林子涵忽然提醒道:"电梯没动啊!"

方正也恍然大悟道:"你看,光顾着说话了。"随之,他按动了电梯的楼层按钮。

电梯开始徐徐上升。

林子涵跟方正来到大厦顶端的时候,眼前的一切让林子涵既豁然开朗又大为惊讶。这是一座落脚于春江市某山坡中间的大厦,有极佳的地理位置。方正引领林子涵来到大厦顶端的平台时,春江市最美好的夜景尽现眼底。那由现代化灯光装饰而成的江面大桥,此时此刻横陈眼前,俨然成为陪衬这座大厦的一道特殊景观;而远远近近、绵延不绝的城市霓虹,似乎成为特意为这座大厦提供的点点缀缀。

林子涵望着城市的一切,久久没能转过身来。

方正站在林子涵背后。他的身边已经摆放了两把相对的白色坐椅,隔开坐椅的是中间一张别致的白色圆桌。圆桌上摆列整齐的是各种饮料、水果和点心。

方正对凝视夜景的林子涵说:"坐下吧。"

林子涵缓缓回过身来,说:"以前,我还真没发现春江的夜晚这么美。"

方正:"美是有角度的。只有最好的角度才有最美的发现。"

林子涵在方正的话语中坐下来。方正也在对面坐下。在相视中,方正指指桌上的各种饮料,说:"喝点什么?"

林子涵拿起一听国产饮料,说:"我提倡喝国货。你呢?"

方正举举自己的杯子,说:"放之四海而皆准,白开水。"

林子涵看看方正手里的白开水,笑笑说:"方正,你把我领上这座大厦,是让我来瞻仰吧?"

方正也笑了,说:"我说了嘛,是视察。"他喝一口手中的白开水,说:"其实,更重要的,我想请你给这座大厦起个名字。说起来你可能不信,这座大厦从奠基到现在,一直没能实至名归。昨天的董事会上,多数人还是坚持用原来的名字:紫罗兰大厦。我反对。我说,什么紫呀红的,还不如起个黑的,叫黑格尔呢。"

林子涵:"起个白的也行,叫白求恩。"

方正和林子涵都笑了。

然而,林子涵的笑容立即收敛起来。她看着方正说:"方正,你刚才说这座大厦是三十八层的时候,我想到,我也三十八岁了。女人到了这个年龄,按赵清华的说法,叫什么来着?对,快过期了。既然已熬到快过期的年龄,我就想跟你说,财富对于这个年龄的女人已经很不重要了。"

方正听完这话,显示出特别的认真,说:"子涵,我领你来,你以为我是在炫耀所谓的财富?我面对的对象是你,林子涵,所以,我还不至于浅薄到那种程度。我让你来这里，无非是想让你了解我在干什么。一个学哲学而远离了哲学的人，总不能给你留下这么一个印象吧：无所事事，开着车到处闲逛。哲学的金字塔在我心中倒了，我总得立起点什么，我想让立起来的东西不再虚幻，而是看得见、摸得着。"

林子涵："在西方，我也看到了许多有钱人、资产者。我发现，他们在拥有财富的同时，也拥有很深重的原罪意识。他们往往把财富跟罪恶统一起来，于是，就拼命去搞什么慈善事业。"

方正笑道："我知道你接下来要说，马克思怎样谈资本，谈利润。百分之三十会怎样，百分之一百会怎样，有百分之三百的利润就敢去杀人了。这话，我的同学朋友，好多人跟我说过。"说到这里，他摇摇头说："其实，都想错了。你以为我是谁？我是你在西方看到的那些资产者？不是，NO，我只是一个含辛茹苦想干成点事的创业者。中国人的观念形态有个致命的问题，还没有见到财富降临，就对财富作出了各种判决。可是，当下中国，首先需要的是财富，然后才是对财富作形而上的审判。"说到这里，他喝一口水说："我也知道，美国联邦法院正在使用反垄断法，肢解微软和比尔·盖茨。现在，你坐在我对面，我想直言不讳地跟你说，如果有可能，我方正先做比尔·盖茨，做成了，我再等着你这当法官的给我肢解，一分为二，一分为六，都行。可悲的是，我一天到晚打量自己，我做不成，这辈子也做不成。"

林子涵听到这里，一笑，说："你说了这么多，我才知道，你这个哲学硕士没白当，哲学时时刻刻都在帮助你。"

方正："对一个在疲惫中挣扎的男人来说，哲学的帮助真是无关紧要。"

林子涵："那什么是紧要的？"

方正盯住林子涵："你！"

林子涵想不到方正会这样回答和切入问题。

方正："你代表爱。《Love story》、《深深的海洋》……

这些歌,都是你所代表的。"

林子涵羞涩地笑笑说:"把恭维话说到底吧,我还代表什么?"

方正:"中国歌——《半个月亮爬上来》。"

林子涵:"为什么是半个月亮?"

方正一下子沉默下来。他沉默着喝白开水。林子涵却看着月明星稀的夜空说:"今夜可是皓月当空,明月千里。"

方正放下手中的水杯,说:"子涵,我也许要在这美好夜色中说点不合时宜的话。但我必须要说。我结过婚,但那是我人生中最大的失败。我们已经分居很长时间了,协议离婚,离不下来的理由,是她想夺取我所有的财产。我犹豫了很长时间,可我终于下定决心了。今天,约你出来之前,我正式向法院提交了离婚诉讼,哪怕法院把这座新落成的大厦判给她,我也在所不惜,必须离!我所以把你约到这座大厦的最高点,是想把我想说的全说出来。"

林子涵听到这里,用惊讶的目光看着对面的方正。

方正:"说真的,我什么都不怕,我怕你这种眼神。"

林子涵缓缓起身,离开坐椅,再次眺望那灯火阑珊的城市夜景。

方正也起身离开坐椅,来到了林子涵身后。

林子涵半天才开口说:"你为什么不早告诉我这些?"

方正:"当我跟你看完《人证》之后,我才知道,我已别无选择了,即使我输掉所有的财产。"

林子涵沉默了许久,才缓缓转过身,面对方正,说:"方正,你正在做一件很滑稽的事。只有一步之遥,你差点让一个法官充当起法律上所认定的第三者。"

方正略显尴尬地说:"我知道,你心里很难过。"

林子涵说:"我该走了。"

方正却一把抓住了林子涵的手,说:"等等。"

林子涵下意识地摆脱开方正的手,面色冷静地看着方

正。

方正："我只说两句话。第一句,没有爱情的婚姻是不人性、不道德的,而法律并不抽象,它会永远维护道德和人性;第二句,法官也是人,在天地间真正的爱情面前,有血有肉的人,没有理由被刻板的条款捆住手脚,那叫做茧自缚。"

林子涵摇摇头,说:"也许你说的都对,句句真理,但真理往往是残酷的。我心里很乱,你先让我走,好吗?"

林子涵转身默默走开。方正再也说不出什么,站在那里,看着林子涵的背影走出平台,走向电梯门口。电梯门敞开,林子涵的身影消失在电梯里。

在电梯标志牌不断闪烁变换的数字里,林子涵仿佛又听到了那首熟悉而伤感的歌曲《深深的海洋》。那首抒情的乐曲里潜伏着多少谜团一样的音符啊!

5

林子涵仰起脸,让潺潺不绝、细密均匀的水流从脸上沐浴到全身。在这样的沐浴中,屋内的录音机同样以挥之不去的音符缠绕着她,还是那首《深深的海洋》:

> 啊,别了欢乐
> 啊,别了青春
> 不忠实的少年抛弃我
> 叫我多么伤心
> ……

林子涵一直仰着脸,在水流和音符的双重灌溉中进行着漫长的洗礼……

沐浴完毕的林子涵在关掉录音机的同时,床头上的电话铃声响了。

她迟疑甚至有些惶惑地盯着床头上的电话机。电话机在坚韧地鸣响。迟疑中，林子涵还是拿起了电话机，声音极为低沉："喂。"

倾听之后，她似乎放松了许多："噢，铁如啊。你还好吧？……法院也没什么事。噢，对了，吴西江的街坊邻居、亲朋好友，敲锣打鼓给法院送来一块匾。我们接过来，就送给新来的院长陈默雷了。别的也没什么……我已经睡了，不想再说了，再联系吧，好吗？再见。"

林子涵放下电话。她愣怔片刻，似乎又想起什么。她疾步走到窗帘前，撩起窗帘一角，向外悄悄张望。她什么也没看到，隐约的路灯下一片阒寂。

她似乎在等待什么，撩起的窗帘一角久久不能放下。直到阒寂的马路上有一辆摩托车以聒噪般的声响把宁静的夜色撕裂，她才放下窗帘，重新走到床前。当她下意识拿起电话时，一下子又变得无所适从，不知该拨向哪里。她把电话沉沉地、缓缓地放下。

从卧室里走出的妻子刘早春看到呆坐在沙发上抽烟的杨铁如，便轻声说："早点睡吧。这么晚了，给谁打电话？"

杨铁如掐灭烟头，说："林子涵。我想问问法院的情况。"

妻子刘早春叹口气坐下来，说："你也是，怎么还没调整过来？该走的走了，该去的人家也去了，法院的情况跟你还有什么关系？"

杨铁如叹口气："是啊，我也不知怎么了，跟有病似的，摸起电话就打了。哎，你说，过去林子涵在电话上挺能聊的，今晚，没说上几句，就说她已经睡了，不想说了。不至于吧？我离开法院才几天？"

刘早春听罢便说："铁如，你要是直爽起来，粗起来，没有比你更直爽、更粗的；可你要敏感起来，多疑起来，也没人能比得了！过去咱们吵架，是因为你粗，老婆孩子在你眼里跟没有差不多；现在我说你，是因为你细，太在乎别人对你的一个眼神一句话。你想想，人家睡着了，睡得半迷不醒的，谁有心思跟你聊天啊？你想多了啊！"

杨铁如摇摇头，说："连儿子一听说我当不上院长，都说我笨蛋，没本事，狗熊。你没看见，三尺高的熊孩子，我做的菜不吃，非要吃方便面。"

刘早春："孩子说的话你也当真？说起来，正大这么要强要面子，说得再狠点，这么爱虚荣，根子还在你，遗传。"

杨铁如："我爱虚荣？"

刘早春："事业心归事业心，想干事归想干事，但虚荣心也有点，有时候还特别突出。"

杨铁如苦笑道："我自己现在都有感觉。原来，怎么看自己，怎么也觉得自己正派，刚直不阿；现在怎么看怎么觉得不对劲。也不知毛病出在哪儿？"

刘早春："看看，说你虚荣，接着就虚荣起来了吧？你太理想主义，太英雄，总想着振臂一呼，万人响应。一有点风吹草动，你就不是你了。"

刘早春话音刚落，电话铃响了。刘早春说一句："谁啊，这么晚了？"

杨铁如指指电话，说："你接。"

刘早春："你接个电话怕什么？"

杨铁如："我不想听那些无聊的慰问。"

刘早春："那我更不接了，我更不想听。"

杨铁如叹口气，说："我接吧。"

在杨铁如无奈地接起电话的一刹那，传来对方的声音："铁如吗？我是孙志。"

杨铁如一下子把精神集中起来，说："噢，孙书记，你好。"

孙志的声音："我听说你身体不好？"

杨铁如："也没什么，就是有点不舒服，没事。"

孙志的声音："身体不舒服赶紧治病；要是还不舒服，我亲自登门给你治！你准备什么时候到市委报到？"

杨铁如："我计划明天报到。"

孙志的声音："那好，先来向我报到，我等你！"

杨铁如拿着电话机半天没缓过神。

刘早春问："市委孙书记？"

杨铁如在缓缓扣下电话的同时对妻子刘早春说："好像有点火气。"

刘早春："你打算怎么办？"

杨铁如站起来，说："明天报到！"

6

清晨，古色古香的市委大门门口，上班的人员络绎不绝。

在一名戴眼镜的秘书引领下，杨铁如来到了市委书记宽大敞亮的办公室。

市委书记孙志正埋头于办公桌前的一堆材料。杨铁如在稍远一点的地方站住，秘书悄悄过去跟孙志说："孙书记，杨主任来了。"

孙志从办公桌前的材料中抬起头，看了一眼杨铁如，说："来了。"说着，抬腕看了看手表，"差十分八点，你来得很准时呀！"

杨铁如："我以为我来早了，没想到孙书记比我来得还早。"

秘书插上一句："咱们八点上班，孙书记从来就是七点钟准时到办公室。只要在家，天天这样。"

孙志起身对秘书摆摆手，说："小唐，你先出去吧。"

秘书小唐应声走出。孙志指点着一个沙发让杨铁如坐下,自己在落座的同时说:"我的秘书小唐,唐学风,很能干很有头脑,以后你们慢慢就熟了。"

杨铁如和市委书记相对而坐。

孙志很关切地问:"身体怎么样?舒服点了吗?"

杨铁如:"还行。"

孙志:"还行,我当然知道还行。这阵子事多,我没来得及找你详谈。让你调离春江中院当然有调离的理由,这是一级市委组织反复协商的结果,也征求了省高院的意见,你以为是我市委书记孙志想哪儿是哪儿,想让你不干就不干?当初我送你一支钢笔,还送你一句话,说你这当院长的一字定乾坤,你没忘吧?"

杨铁如:"没忘。也许是我工作上出现了错误,或者,能力达不到。"

孙志:"工作出现错误,能力达不到,还把你调到市委来当主任?干部交流、轮岗,很正常的事嘛,有什么想不开的?"

杨铁如:"因为,我学的是法律,满脑子想的也是法律。倒不是因为我当不上院长想不通,我其实想,哪怕让我当个普通的审判员呢,只要留在法庭,我就有用武之地……"

孙志听到这里,打断了杨铁如的话:"这些我都知道。我还是学园林设计的呢,结果呢,我这个高级园林设计师还不是没干成?法律,当然是大事,但你以为八百万人口的春江市除了打官司没别的事了?八个字:困难重重,任重道远。上海浦东你该去过吧?那速度,那规模,那才叫崛起。和人家比,春江市还有多大差距?调你来干政策研究室主任,你应该意识到肩上的担子更重了。你应该为八百万人口的春江市当好参谋,提供有价值的决策。"

杨铁如听到这里沉默无语。

孙志:"现在想通了点吧?"

杨铁如:"还有……孙书记,既然是和领导谈话,我也不藏着掖着。让张业铭担任市人民检察院检察长,我在市委考察组面前谈了个人意见。我谈意见是出于公心,我也认为谈话是严肃的。可我前脚谈完,后脚谈话的内容就不胫而走,满城风雨。我认为,这种事情很不正常。"

孙志听到这里,皱起眉头,说:"有这事?"

杨铁如:"有。"

孙志:"你有没有搞清是谁透露出去的,怎么透露出去的?"

杨铁如摇摇头,说:"这,真搞不清。"

孙志指着杨铁如,说:"你这政策研究室,也把这事给我好好研究研究,就研究干部素质问题。有时,我也偶尔听一耳朵,市委常委会的消息还有透风撒气的。正好,你帮我找找,根源在哪儿?"

杨铁如沉默片刻,便说:"孙书记,我今天就算向你正式报到了。你要是忙的话,我就到研究室跟大伙儿见个面。"

孙志拦住他,从茶几上拿起一张报纸,说:"等等!今天的《春江日报》发了个头条,说群众敲锣打鼓自发去给法院送匾。正好,陈默雷刚刚到中院上任,就着这事,我想到中院看看。你跟我一起去,算是跟我调研吧!"

随即,孙志抓起茶几上的电话:"小唐,通知市中院陈默雷,我要过去看看。"

孙志的轿车抵达春江中院大楼前时,新任院长陈默雷和法院其他几个领导已经站在楼前的台阶上迎候。见孙志的轿车驶来,陈默雷等人主动走下台阶迎接。

秘书下车把门打开,车上走下市委书记孙志。从车的另一侧走下的是杨铁如。

陈默雷伸出手跟孙志相握:"孙书记。"

随之,他看到走上前来的杨铁如,也热情地伸出手,说:"铁如,你也来了。"

杨铁如握住陈默雷的手,说:"你好!"

孙志看看两人,便说:"你俩不陌生吧?"

陈默雷解释道:"都在一个系统,过去常在一起。"

孙志又和走上前来的其他几位领导握手。然后他抬头看着阳光下巍然屹立的大楼说:"盖这个大楼的时候,杨铁如差点儿没把我的办公室门槛踩烂。大楼盖起来了,你陈默雷来了,该怎么干,可得好好掂量掂量。"

陈默雷也看一眼大楼,没说什么,只是招呼着孙志、杨铁如一行说:"请进吧。"

一行人徐徐登上进入春江中院大楼的台阶。上台阶的过程中,孙志对陈默雷说:"我先到你们的法庭去看看。"

一行人进入大楼大厅……

神色倦怠的林子涵走进自己的办公室时,只见郑小泉、潘军右等人正围着书记员聂小倩叽叽喳喳说着什么。林子涵听到郑小泉的最后一句话是:"所以我说,小倩,认准了就赶紧盯上,不能错过这班车。你说,你在春江中院当个书记还差不多,加个员字,书记员,那就差老了。"

进屋后的林子涵没有理会他们。她在放包的同时,顺手拿起自己的水杯倒水。郑小泉却凑过来,对林子涵说:"姐,告诉你个好消息,本人有房子了,不住办公室了。"

林子涵看他一眼,没吱声,坐到自己办公桌前。

郑小泉仍然面对林子涵:"不理解,觉得突然,是吧?告诉你,新来的陈院长陈默雷同志,挨着屋子视察办公室。视察到我那儿,就看见了我的折叠床。他还没问我呢,我自个全招了。你猜怎么着?人家回头就打了个电话,把这事办了。他原来不是司法局的吗?咱这儿宿舍不够住,人家那儿盖的宿舍住不了,于是,在领导的亲切关怀下,本人也就荣获了一套二室一厅的暂时住房。"随后,又对众人说:"房子地段也好,一条街除了洗头房就是夜总会。"

潘军右忙说:"我说你今天这头还像个头。你就在那儿洗吧,三下五除二,我敢保证你跳进黄河也洗不清了。"

郑小泉反驳潘军右:"你说谁呢?有聂小倩同志在,我能干那种见不得人的事?"

林子涵听到这里,吼一嗓子:"行了!你郑小泉行政庭的,有事没事跑到我们刑事庭干吗?去去去,该干嘛干嘛去!"

郑小泉指点着林子涵:"听你这口气,就知道你快当庭长了。还没当呢,你怎么变得跟我们李乾坤李大爷似的?"

电话铃响,潘军右接电话,一指林子涵:"你的。"

林子涵过去接电话,刚"喂"了一声,语气便压抑不住地烦躁起来:"赵清华,你终于打电话来了!我不听你说,我正忙着呢!"说着,她把电话猛地一扣。

几个人都看着她。林子涵看一眼郑小泉说:"你怎么还不走啊?"

郑小泉依旧嬉皮笑脸道:"小倩,这可不是我主动要走,是我姐撵我走的啊!"

林子涵:"郑小泉,人家聂小倩名花有主,都登记要结婚了,你别一天到晚半正经半玩笑地缠着人家,听见了吗?"

郑小泉刚喊出一声"姐",还没往下说,潘军右上前一把把郑小泉扭结起来说:"听见了吧?刑事庭积压的案子够多了,别再给我们添乱,走!"

潘军右推搡着郑小泉走出办公室。

聂小倩困惑不解地望着林子涵:"你今天怎么了?"

林子涵坐下,说:"烦!"

……

孙志和杨铁如等人走进法院会议室,看着吴西江家人送来的那块匾额。陈默雷在旁边说:"场面挺感动人的。当事人家属为了表示谢意,把院子里长了一百年的老榆树锯了,做成了这块匾。"

孙志看着匾额上的字,说:"大法官。这个'大'字,分量不轻啊!"

说着,一行人都相继坐下。陈默雷向市委书记孙志汇报说:"这块匾,是送给春江中院的,也是送给前任主持工作的杨铁如院长的。这个案子,是在铁如的具体主持下,合议庭展开审理的。所以,论功劳,应该犒赏铁如。"

孙志看一眼杨铁如。

杨铁如说:"正常的审判工作嘛,谁主持都会这样。这还有什么犒赏?"

孙志:"老百姓敲锣打鼓,锯了一百年的老榆树,给你们送匾,你们法院领导班子怎么想?"

其他几个法院领导看看陈默雷。陈默雷说:"我刚来,就碰上了这块匾。说实话,别的我还没来得及多想,这块匾,我却想了很多。老百姓送匾,说明了老百姓对法院、对法律的信任,心情可以理解,也令人感动;可另一方面,我又觉得这块匾送得不正常。"

孙志颇感趣地盯着陈默雷:"噢,说说怎么不正常?"

陈默雷:"把公平、公正还给公民,这本该是天经地义的事,理所当然应该得到。而现在,老百姓把理应得到的东西看成了恩赐,看成了施舍。实事求是地说,应该是我们法院,整个司法部门到吴西江家里登门道歉,而不应该是让人家敲锣打鼓到我们法院来致谢,来送匾。这块匾,说明老百姓仍然把法院看成衙门,看成青天大老爷了。严格讲来,这种事不该发生在一个法治社会、文明时代。所以,从这块匾上,我想到了两点:一是我们的司法实践的确来不得半点纰漏;二是公民维护自身权益的法律意识还有待于普及与提高。因此,匾我们收下了,但挂还是不挂,为什么挂,挂在哪里,什么时候挂,我还没有完全想清楚。正好,今天铁如同志也来了,我们也想听听铁如的意见。"

正说着,办公室主任宋修匆匆忙忙进来。他俯身在陈默雷耳边耳语几句,陈默雷站起,对孙志说:"孙书记,我去去就来。"

面对陈默雷的背影,孙志对杨铁如说:"陈默雷提出的问题,是不是将了你一军?"

杨铁如:"默雷说得对,我跟他想法一样。"

不一会儿,陈默雷进来了。孙志问:"你们要有急事,我就打道回府。我今天来,就算给你这新上任的院长说了个开场白吧。"

陈默雷:"孙书记,发生了一件事。"

孙志:"噢?"

陈默雷:"因为一个案子,来了几百个民工,一下子把法院大门给堵住了,车进不来,也出不去。"

孙志苦笑一声,说:"好嘛!我本来是冲老百姓敲锣打鼓送这块匾来的,这下好了,又被上访的民工堵住了。怎么办啊?"

陈默雷站起来,说:"民工堵的是法院大门,我是法院院长,我去。"说完,要走出屋门。

杨铁如也站起来,喊一声:"默雷!"

陈默雷站住。杨铁如走上前,问:"什么案子?"

陈默雷:"匆匆忙忙的,我还没问出个究竟。"

杨铁如拍拍陈默雷的肩膀,说:"沉住气。"

陈默雷:"我去了。"

杨铁如伸出手,与陈默雷的手紧紧握在一起。

七

- 为权利而斗争,这是一百多年来民法工作者的著名口号。
- 改革,市场经济,现代化,这些名词好吗?好。关键是这些名词是否给诉讼主体的农民带来了利益!

1

法院会议室里已经坐下了十几个衣衫汗渍的民工。这是那些围攻法院的几百名民工的代表人物。法院办公室的内勤人员把一杯杯茶水端放在民工面前。朴实的民工没有被绿色浓郁的清茶感染,他们面色冷峻,紧盯着坐在对面的新任院长陈默雷。

陈默雷指指民工面前的清茶说:"先喝口水吧。很抱歉,由于法院大楼的规定,不能请你们吸烟,只能让大家喝一杯清茶。"

民工中站起一个领头人,他面色严肃地看着陈默雷说:"我们不抽烟,也不喝水。我们今天往法院门口一坐,是冲着手铐和监狱来的。来之前,大部分人都跟家里老婆孩子打了招呼。人活一口气,我们今天敢来,就是一句话,我们不蒸馒头了,蒸(争)口气!我叫李长明,是大伙儿的领头人。"

李长明说到这里,陈默雷招呼李长明说:"老李,坐下说,坐下。"

李长明显示出特别的倔强,说:"我不坐,我就站着身子,直着说话!"

陈默雷见状,也站起来,说:"老李,你既然不坐下,我也只好站着听你说了。"

周围的民工在如此相持对峙的状态下,拉扯一下李长明。李长明看看周围民工期待的眼神,又看了看对面真诚站立的陈默雷,便说:"你这么大的院长,能给民工站起来,那我就听你的,坐下。"

李长明坐下。陈默雷也真诚一笑坐下来。

陈默雷面对坐下来的民工代表李长明说:"别着急,慢慢说。"

李长明的目光突然落定在会议室角落里那块醒目的匾额上。他的目光不由得牵引众民工的目光也投向匾额,直至陈默雷追随着他们的目光也一起投射过去。

李长明把目光收回,突然说一句:"那是他们送来的匾吧?"

陈默雷在这种突兀的发问面前,无所应备地回答:"啊。你们也知道这事?"

李长明:"实话说了吧,我们就是冲这块匾来的,冲这块匾上的三个字,大法官!从报上看到消息,我们就坐不住了。我们来就想问问,大法官,大法官,你们到底大在哪儿?"

沉稳的陈默雷在民工李长明的犀利提问中陷入窘境。

李长明:"几百个民工,谁家都有爹娘、老婆孩子,加起来就是千儿八百人。千儿八百人来法院打官司告状,就为了要俩字:公平。可这俩字,我们要了两年多。七八百天过去了,没人给我们管,也没人给我们问。同样的大楼,为什么有人把公平拿走了,我们却跟这俩字隔那么远,摸不着,碰不得,连看一眼都不让看。民工也是人。脸黑点,衣服脏,腰包穷,可我们是人!跟他们一样,他们有心肝肺,我们一样不少!凭什么他们有公平,公平是他们的,我们只能眼睁睁看着？我们商量好了，敢冒蹲大狱的危险来堵法院大门，就想指着这块匾问问，大法官到底怎么大？是光明正大的大还是大爷的大？你要敢说是大爷的大，我们就豁上了！你们是大人，民工是小人，可大人、小人都是人，我们光脚的不怕你们穿鞋的！"

李长明说完这番话后，会议室陷入了难堪的沉默。陈默雷在听取李长明说话的过程中，严肃的面孔越绷越紧。在令人窒息的沉默里，陈默雷似乎对李长明，又似乎是对全体民工说："喝口水吧。"

众民工眼巴巴看着陈默雷以及其他法院领导，没有谁动一下眼前的水杯。

陈默雷见状，站起来说："我站起来，恳请大家喝口水。请大家相信，春江中院端给大伙儿的这杯水是热的。"

见众民工依然不动，陈默雷缓缓起身，离开坐席，来到会议室角落里那个匾额前。他用身体遮挡住了匾额上的那个"大"字说："我只想跟在座的，以及你们身后那一千多口子人说一句负责任的话。不说大，也不说小，请你们盯着法官这两个字，盯紧了，别眨眼，如果这两个字从今天起再让你们看花了眼，不用你们再来堵法院大门，你们直接写个封条，我陈默雷和你们一起贴上，把这座大楼彻底封了！我说到做到，谢谢你们能相信我。"

陈默雷说完，众人不语。

陈默雷："不相信我？"

李长明站起来说："有你这句话，我李长明带头，把你陈院长这杯茶水喝了！"说着，李长明咕咚咕咚喝掉一杯热茶。

站在匾额前的陈默雷神态复杂地看着。

天色已晚，春江中院的大楼，大厅漆黑一片。

"啪"的一声，灯光骤然亮起。在骤然亮起的灯光中，陈默雷正走下楼梯,缓缓来到大厅。灯光越亮,大厅越显空旷,一个人的身影也就越显孤独。孤独的陈默雷在缓缓走出大厅门口的同时,突然站住。他回过头来,朝面对厅门的影壁墙望去。这一凝望,让他回转身,重新走回,来到大厅影壁墙那幅巨大的木刻浮雕前。

那是一只独角兽的造型,是一只称之为獬豸的独角兽。

他当然知道这只独角兽的造型意味着什么。他似乎更知道这座大楼的建设者——譬如杨铁如他们,为什么要把这样的造型醒目地矗立在春江中院大厅的迎面。

他伫立良久。他敛声屏息地看,聚精会神地看。

他转身走出门厅,步履似乎更显沉重。在走出大厅的一刹那,他仍然没有忘记大厅的灯光。关掉光源的同时,大厅又是一片漆黑。

2

夜色已晚,林子涵并没有离开办公室。她只是啃着一块面包,就着一杯茶水,不时地用手翻阅着眼前的卷宗。当她再次端起茶杯的时候,电话铃响了。她接起电话:"喂。"随即便说:"找我?那,那你让他跟我讲话吧。"

话机里传来方正的声音:"你好,我是方正。"

一切似乎在林子涵的意料之中。她努力显示平静地说:"找我有事吗?"

方正的声音:"我想见你。"

林子涵:"电话里不能说?"

方正固执地强调:"我想见你。"

林子涵在方正的再次强调下,略有踌躇,之后,便说:"按规定,公务之外,我们不能在办公室会见客人。"

方正的声音:"那我请你出来。"

林子涵:"我正在工作。"

方正的声音："现在是八小时之外。"

林子涵听到这里，下意识地用手捂住话机。她环顾办公室四周，在稍稍犹豫之后，转而面对话筒说："那好，你把电话交给门卫吧。"

在方正把电话交给门卫的同时，林子涵冲电话里的门卫说一声："让他上来吧。"

电话机放下，林子涵第一个动作就是把啃了一半的面包放到桌子的一个角落。然后，她站起来，理理自己的头发，甚至还不经意地扯扯衣襟，轻轻跺脚，让自己的裤子更加挺括。偶一低头，她发现脚上的皮鞋并没有想象得那么干净，她又顺手从抽屉里拿出一块手帕，疾速而彻底地擦了鞋跟和鞋面。紧接着，她倒了一杯白开水，放在自己办公桌的对面。当她重新正襟危坐在办公桌前时，方正的敲门声恰巧响起。

林子涵稍稍犹豫片刻，看看屋门，想喊没喊出来，而是重新起身，亲自把屋门打开。

她看到了方正。方正表情严肃。

林子涵倒是勉强笑了，说："进来吧。"

方正走进办公室。进门的一刹那，两个人都互相看着，谁也没说话。也许是为了让稍有僵持的局面有所宽松，林子涵赶紧指指自己办公桌对面的椅子，说："坐吧。水我已经给你倒上了，白开水。"

方正按照林子涵的指点坐下。林子涵也坐下。为了躲避方正直视的目光，林子涵开始收拾摊开在桌前的卷宗，很简单的收拾似乎被林子涵搞得忙乱而繁琐。

方正："这么晚还在办公室，干什么呢？"

林子涵仍在收拾卷宗，说："看卷宗。"

方正随便问一句："又是什么案子？"

林子涵这时从眼前的卷宗中抬起头，说："案子很简单。一个农妇在饭菜里下了毒药，药死了她的丈夫。说是农妇，其实，她只有二十八岁。"

方正摇摇头，说："这样的事，好像不止一次听说过。"

林子涵："故事也大都千篇一律，二十八岁的农妇跟另外一个男青年好上了。也就是说，案子的起因是因为第三者。"

方正听到这里沉默了。他端起眼前的白开水默默地喝一口。

短暂的沉默过后，林子涵问："你怎么不说话了？"

方正叹口气，说："我不懂法律，但有句话流行了很长时间，凡是存在的，都是合理的。"

林子涵："你不会接着说，他人就是地狱吧？"

方正："我没想那么说，也对你的案子没兴趣，更不懂你们法官怎么断案。"

林子涵："那我就告诉你，法官身上只有两重意义，正是那座著名的雕塑：左手托举的是天平，象征公平；右手高举的是达摩克利斯之剑，意在铲除罪恶。"

方正凄然一笑，说："真有意思，你在办公室说话，都有点不像你了。"

林子涵："是吗？我应该什么样？"

方正："你还有另外一副模样，该哭哭，该笑笑，该沉浸沉浸，该陶醉陶醉。而你现在，此时此刻……"方正摇摇头，没有说下去。

林子涵："现在怎么了？"

方正脱口而出："太理性！"

林子涵："理性是法官的基本准则。"

方正："可是，连黑格尔与费尔巴哈也都有过艳遇和兴奋。马克思，马克思在伦敦图书馆写《资本论》，水泥地上磨出了两个脚印，可这种寂寞和理性，也没能阻挡马克思拥抱燕妮，而且还那么火热！"

林子涵沉默片刻，便说："方正，说实话，你这种口才，在法庭上做辩护律师,足以感染审判席上的法官。"

方正:"可悲剧在于,我说得真真切切,却不能感染对面的你。"

林子涵听到这里沉默下来。沉默的过程中,她开始小心翼翼地系起卷宗的封带。她系得缓慢认真。一次没系好,又解开进行第二次毫无意义的重系。

方正:"这些天,我不断在想自己。最终发现,过去的自己是一个感情上的无产者。对弱者,法律有援助的义务。我来找你,本想是在我的离婚诉讼中寻求你的法律援助。"

林子涵:"法律援助制度更多地来自律师。况且,离婚诉讼是民事诉讼,而我只是一名刑事庭法官。"

方正:"是啊,我也没想到这么晦气,开门遇见你,就碰上了一桩农妇毒杀丈夫的卷宗,而且,还是因为你再三强调的第三者。"说完,方正把杯里的白开水全部喝掉。放下水杯的时候,他忽然看见了林子涵桌子角落旁那块啃剩的面包。

林子涵看着方正,说:"其实,我,我并没想拿这卷宗说事。"

方正摆摆手,示意林子涵别再往下说。

林子涵:"那,你还喝水吗?我这儿有的是白开水。"

方正站起来,说:"我不喝水了,你倒是应该吃饭。老啃一块冷面包,对身体没什么好处。我带来一盒饭,希望你能吃了,更希望你别把它看成是我的伎俩和手段。"说着,方正从塑料袋里拿出一个盒饭,递给林子涵,"也许我周身充满错误,但粮食和蔬菜没错,你趁热吃了吧,我先回去,改天再谈。"

在林子涵接过饭盒的同时,方正已转身向门外走去。出门的一瞬间,方正又回头说:"早点回家。"

林子涵追逐到门口,顺手把走廊的灯打开,说一句:"走廊太黑。"

灯光中，方正回头说："没事，我找得着路。"

林子涵望着方正的背影，直至楼梯处消失。

重新回到办公桌前的林子涵打开了那个饭盒，那是一盒尚保持着热度的精美的盒饭。

是的，粮食和蔬菜没有错误。况且，粮食和蔬菜又以精美的形式呈现给林子涵。林子涵把饭盒端到眼前，在凝视中，掰开了一次性筷子。也许是用力过重，脆弱的一次性筷子被林子涵掰折了。她用残缺不整的筷子刚刚触及到盒饭，突然改变主意，伸手抓起了电话。

她拨通了方正的手机号码："喂，你开车吗？"

方正的声音："没有，我一个人在走。"

林子涵："走到哪儿了？"

方正："就在你们大楼前的街上，往前走。"

林子涵突然说："你等我！"

林子涵说完放下电话，匆匆收拾起自己的东西。

在火树银花般的电子激光灯下，方正看到了正向他跑来的林子涵，那是充满热情的林子涵，是风姿绰约的林子涵。

方正往前疾走几步。两人在电子激光灯前站定。谁都没说话。两人只是炯炯有神地定睛互望。

方正终于又露出了他那熟悉而又充满魅力的笑容。

林子涵："你笑什么？"

方正："我可能要得到法律援助。"

林子涵："不。"

方正："那是什么？"

林子涵："因为粮食和蔬菜没有错误。"

方正："我终于说对了一次。"

林子涵："这还是你的伎俩。"

方正："只要真诚，伎俩就是上帝之手。"

林子涵："说吧，你请我吃饭，还是我请你吃饭？"

方正:"你请我,我结账。"

林子涵:"AA 制。"

方正:"走吧,什么制无关紧要,吃饭要紧。"

两人并肩向前走去。在火树银花的电子激光灯下,两人比肩而行的背影愈行愈远……

远处是隐约和黑暗,在隐约和黑暗的大街远方,在悬殊强烈的光影比照中,是林子涵的胳膊挽起了方正的手臂吗?

火树银花的光束,无法证明远方的身影发生了什么,正在走向哪里,它只是把眼前的世界渲染得无比绚丽,照耀出一片浪漫。

3

阳光照耀在春江中院大楼上。从大楼透视大厅,影壁墙上的独角兽木刻浮雕异常夺目。

以行政庭庭长李乾坤为首的行政庭十几名审判员坐在一起。院长陈默雷坐在他们中间。在短暂的沉默中,陈默雷试图记录的手,只是不停地捻动着手中的钢笔。

墙角处一个落地钟沉闷地敲响报时,但报时声响与指针明显不符,以至于不合乎规则的报时显得冗长而滑稽。郑小泉面对墙角的报时钟说:"咱这钟有病,不管几点钟,一响就十二下。"

李乾坤看一眼郑小泉。郑小泉赶紧闭嘴不语。

李乾坤咳嗽两声,说:"还是我来说吧,谁让我这快到点的人,还干这个行政庭庭长呢。"他喝口水,语气缓慢地说:"民工围堵大门,给法院造成了恶劣影响。况且,陈院长刚刚上任,又赶上市委书记到法院来视察工作。事情就这样,不该往一块儿赶的事儿,偏偏就赶在一块儿了,祸不单行,福无双至。这案子发生在行政庭,我这当庭长的,也无奈,也叹气,当然,也惭愧。按说,新院长来了,谁不想弄个开门红？可行政庭倒好，一开门却让民工黑压压地堵上了。"李乾坤边缓慢叙说，边摇头叹息。

郑小泉沉不住气了，说："庭长，你就别发感慨了，赶紧说案子吧！"

李乾坤冲郑小泉火辣辣地说："我这不是在说案子，在说什么？要不，你跟院长汇报？"

郑小泉噤声。陈默雷默默地看着，把拧开的笔帽重新拧上。

李乾坤："案子说简单简单，说复杂复杂。简单就在于，金城县政府为在全县推广种植大棚蔬菜，一纸命令，要求各乡镇、各村都搞落实。搞落实、搞试点就要付出代价。几百户农民看到快要成熟的一季庄稼全部砍倒了，并且，还要掏钱买薄膜搞大棚，一是想不通，二是心疼自己的庄稼，于是就把官司打到法院，要求县政府赔偿一季庄稼的损失。这是案情简单的一面。可案子说复杂也复杂。搞大棚种植，种辣椒，种胡椒，种蔬菜，这是金城县政府的重大改革举措，咱们《春江日报》头版头条曾连续报道说，这项举措如何促使金城县向高效农业和深加工农业转化，如何赢得了市场，报纸上还配发了评论员文章。当了一辈子国家干部我知道，评论员文章代表市委的声音。一方面是农民心疼自己庄稼，一方面是改革让农民走出传统农业，走向市场经济，走向现代化。看起来是场法律纠纷，实质上又是观念差异。改革是摸着石头过河，市场经济是大趋势，上级也要求法律要为市场经济服务，而与这种案子相匹配的法律法规也不完善，这种情况下，大家说说，这案子该怎么断？我干了一辈子刑事庭，没觉得怎么难，让我干这个行政庭庭长，我真是摸不着勺子了。"

陈默雷听到这里，便问："李庭长，你调到行政庭多长时间了？"

李乾坤："一年多，快两年了吧。"

陈默雷:"两年来,行政庭对这个案件一直没有审理?"

李乾坤:"上有市委,下有县府,中间又有各种观念,我拿不准主意。再说了,老院长离休前,对这个案子一推了之;杨铁如主持工作时也没过问这个案子,我夹在前后左右中间,又能做什么?"

陈默雷:"在杨铁如院长主持工作期间,这个案子你向他汇报过几次?"

李乾坤:"他多忙啊!一天到晚绷着个脸,平时进我们办公室坐坐都难,更不用说跟你陈院长这样,平易近人地坐下来,跟我们开开会,谈谈话了。"

此时此刻,墙角里的钟声紊乱地敲钟报时。

紊乱的报时声中,李乾坤又说:"还有,几百个民工围堵法院大门,弄得水泄不通,这也违反了正常的诉讼程序。打官司归打官司,堵什么大门啊?大家说说这正常吗?"

郑小泉突然说一句:"要我说,官逼民反,民不得不反。"

李乾坤没想到郑小泉突然说出这种话。他懊恼地对郑小泉说:"郑小泉,你在跟谁说话?说给谁听?这是开会,你知不知道开会说话要负责任?"

郑小泉听到这里站起来,说:"我知道,我负责任。我这话,说给你听,说给我听,谁在场我说给谁听。作为行政庭审判员,这案子我不知道,也从来没听说过。在座的有谁知道?谁知道谁就有不可推卸的责任!诉讼是有期限的,超期限审案、无期限审案等于不审,等于失去了法律底线。都什么年代了,这道理还用得着我解释吗?这还不要紧,要紧的是我刚才听了半天听不明白。改革,市场经济,现代化,这些名词好吗?好,而且非常好。关键是这些名词是不是给诉讼主体中的农民们带来了利益!如果农民牺牲了一季庄稼,换来了两季、三季庄稼的利益,我相信他不会打官司,没理由打官司嘛!可是,如果那些所谓市场经济的概念,只

是换来了报纸的头版头条和评论员文章，不但没让农民受益，反倒让他们的财产权受到了侵害，不管侵害者使用了多么冠冕堂皇的概念，也不管你是哪一级政府，公民绝对有起诉它的权利！法律是有历史性的一面，但法律还有超历史的一面，这就是，它不能被任何流行的时髦的口号遮挡住公平、公正的良心！你说民工围堵法院大门违反了诉讼程序，要论犯规，是我们犯规在先，民工犯规在后。凭什么老百姓花了诉讼费，干瞪眼什么也得不到？把这笔钱存银行里还长利息呢！有起诉就要有裁决，没有裁决，没有回答，那还不等于官官相护，还不等于老百姓花钱买罪受？要在足球场上，我们犯的规该掏红牌，民工们至多是黄牌。咱是有了《行政诉讼法》，民可以告官，可这权利如果只停留在纸面上，得不到司法实践的支持，公民当然就会为权利而斗争。为权利而斗争，不是我提出的，这是一百多年来民法工作者的著名口号。这口号不光是公民的，它也是民法工作者的基本口号！所以，官逼民反，我也许说狠了，说错了，我现在更正一下，他们这是在为权利而斗争！"

郑小泉激动地说完这番话，还站在那里，欲言又止的样子。

李乾坤冲郑小泉说："你坐下未必不能说话，非站着不可？"

郑小泉坐下来。十几个人形成了一种无以言说的气氛。

郑小泉看看李乾坤，又看看陈默雷，说："大家别这么看着我。我说这番话，既不想得罪庭长、院长，也不想讨好庭长、院长。即便我感谢陈院长给我找了房子，我仍然没有讨好的意思，更不好意思得罪。我忍不住，才说了这么多。也许，我这人就爱出风头，言多必失，毕业分配时，说好了留北京，最后人家还是不要我了。"他稍稍沉默，又说："说实话，我本不想说话，一直忍着……"说着，他一指墙角处的落地钟："就是这该死的落地钟，一个劲地乱敲，把我敲烦了,才逼着我又出了把风头。如果得罪了领导,得罪了大家,对不起。大家要骂,先骂这落地钟,再骂我。"

郑小泉话音未落,紊乱的钟声再次响起。

这时人们的目光不约而同地朝墙角处的落地钟望去。时针正指向一个不该报时的时间,仪表堂堂的时钟却在不由自主、杂乱无章地敲响。

4

聂小倩对坐在对面的郑小泉说:"你何苦呢!"

郑小泉也叹口气,说:"谁说不是呢!上来一阵子,一到关键时刻,我这人就……"

聂小倩:"就怎么着?又准备用什么褒义词来形容自己?"

郑小泉:"有病!"

聂小倩笑了,说:"这回形容得不错。不过,把你们李庭长李大爷惹翻了还是小事,你要是把陈默雷惹了,可有你好日子过了。"

郑小泉叹口气,说:"天要下雨,娘要嫁人。但愿陈默雷不是陈大爷。"

聂小倩:"你看我们刑事庭潘军右,人家也活泼,也贫,但人家能分场合,分得出眉眼高低。你看看人家在领导跟前什么样?搭眼一看,不是第三梯队,第四拨也得跟上。"

郑小泉:"我要是潘军右,我俩不成一个人了?所以嘛,我这种人,好不容易大浪淘沙找个老婆,让别人领回家了,等于为人民服务了一把;想追求人见人爱的聂小倩同志吧,到头来也是'君问归期未有期,巴山夜雨涨秋池'。你说,这些诗人就像看着我长大的,怎么都把那些倒霉诗写我头上了?"

聂小倩抓起一把东西扔到郑小泉身上,说:"住口吧你!"

花花绿绿的东西落到桌面上,是一把糖。郑小泉拿起其中一块糖,对着聂小倩,故作深沉地说:"怎么着?落井下石?这个时候,还拿你的喜糖来刺激我?"

聂小倩突然沉下脸来,说:"还喜糖!有什么可喜的,没这事了!"

郑小泉眨巴眨巴眼睛,好像没听懂似的看着聂小倩的眼神,说:"怎么着怎么着?我智商低,你慢点说。"

聂小倩:"我本想找你来给我拿个主意,让你这一通瞎搅和,算了吧。"

郑小泉琢磨着问:"不想当书记员,想当审判员的事?"

聂小倩摇摇头,说:"你以为你是谁呀?你是陈默雷啊?"

郑小泉:"那当然不是,他姓陈,我姓郑,姓都不一个姓。那,那还能有什么事?"

聂小倩:"打官司。"

郑小泉:"打……打官司?别人打官司托你说情啊?"

聂小倩:"你滚吧。"

郑小泉:"别别别!我就是在滚动中也要听你把话说完。"

聂小倩:"我要打官司!"

郑小泉:"你?我……我可是行政庭法官,你告谁?总不至于告你爸吧?你爸是副市长。"

聂小倩:"算了,不跟你说了,讨厌!"

郑小泉无着无落地抓起眼前的一块糖剥开,塞进嘴里,用夸张的咀嚼看着眼前的聂小倩。

聂小倩:"你走吧,反正我今天不说了。"

郑小泉站起来,咀嚼着糖块对聂小倩说:"你有权保持沉默,但你所说的每句话都有可能成为法庭上的证词。"

正说着,林子涵推门进来了。她冲郑小泉问一句:"有

事没事,又缠着人家小倩干吗?"

郑小泉:"正给一个想当审判员的书记员上普法课呢!你进门前,我刚跟她宣读完《美国宪法》第六大修正案中的米兰达权利。"

林子涵没坐下,而是站在那里看着郑小泉说:"我听说你今天出了个不小的风头?"

郑小泉:"你也知道了?"

林子涵:"跟你姐姐汇报汇报吧,风头怎么出的?"

郑小泉叹口气,摇摇头说:"有什么可说的?秀才遇到兵。"

林子涵坐下来,说:"好啊,不说就不说吧,你有权保持沉默。"

郑小泉赶紧跑到林子涵跟前,说:"姐,亲姐姐,我就是说了几句真话。你可千万别跟着那些人起哄,你得让我有个同志啊!"

正说着,潘军右又进来了。他冲郑小泉说:"你不是说跟人家聂小倩是来生缘吗?又往我们刑事庭凑合啥?快回办公室,找你。"

郑小泉:"谁啊?"

潘军右:"你们李庭长,李大爷。"

郑小泉在走出门口的一刹那,夸张地在胸前画个十字,然后对几个人说:"那就再见了朋友,假如我在战斗中牺牲,请把我埋在山岗上。"

郑小泉刚一走出,林子涵就对潘军右说:"潘军右,卷宗看完了吗?"

潘军右:"农妇杀人案啊?看完了。"

林子涵:"那咱就抓紧开庭。"

潘军右:"反正刑事庭有个长期病号的庭长,你就算庭长了,你说了算。"

林子涵:"你才是庭长呢,你骂谁啊?"

潘军右:"这,这也是骂人啊?"他随即对聂小倩说:"小倩,从明天开始,你就用这种口气骂我,啊?"随即,他摇摇晃晃往外走,边走边说:"我真想有人天天这么骂我。"

在这种搭讪般的调侃和谐谑中,聂小倩一直趴在桌前,默默无语。林子涵起身来到电脑前,边打开电脑,边对聂小倩说:"你就让两个坏小子拿你开涮,怎么就听不见你的动静?"

聂小倩仍然沉默不语。

林子涵在电脑前的桌面上翻找着什么,突然在一沓纸下发现了一张撕成两半的照片。她拿起来仔细一看,是聂小倩和郑伟秋的结婚照。照片已撕成两半,没笑的聂小倩和笑着的郑伟秋在撕成两半的照片中平分秋色,互不关联。

林子涵拿着照片看了半天,转身举着照片问聂小倩:"小倩,这是怎么回事?"

聂小倩盯着林子涵手里的照片,半天说出一句:"子涵姐,我跟你全部说了吧。"

寂静的餐厅内,流行的爱情音乐缠绕着餐桌前的林子涵和聂小倩。

林子涵用筷子指点着聂小倩,说:"吃吧,该说的说了,该哭的哭了,也不能不吃饭啊!"

聂小倩仍然没动筷子,只是郁悒地慢吞吞地喝啤酒。

林子涵见状,便说:"如果郑伟秋真像你说的那样,那也没什么想不开的,快刀斩乱麻,长痛不如短痛。"

聂小倩:"我现在对他就一句话,他不是冲我来的,是冲我爸那副市长来的。我爸还能干几天啊?等我爸下来了,他那副嘴脸,哼!他还会笑,是讥笑,嘲笑,冷笑,皮笑肉不笑。你说,我能让一个皮笑肉不笑的人笑到最后吗?"

林子涵:"你要不说,我还真没想到,一个人会笑出那么多内容。"

聂小倩:"我想了,谈恋爱就像旅行,坐在火车上,火车突然停了,你赶紧下车没错。你要错过了这个车站,跟火车再跑下去,到时候,你就一条路走到黑吧,连上帝都看你的热闹。我不会跟他举行婚礼,我已明确跟他说了。"

林子涵:"他怎么说?"

聂小倩:"不说话,看着我笑。他一笑,我就头皮发麻。"

林子涵:"话谈到这份上了,他还笑?"

聂小倩:"还不是那张纸?结婚证!怨天怨地不如怨自己,就怨我当时心血来潮,一念之差。"

林子涵:"小倩,我认真问你一句,你现在不是心血来潮吧?你谈的那张纸,可毕竟不是一张白纸。"

聂小倩:"一个女孩,要爱上一个男人,可能会心血来潮,像雾像雨又像风,说来就来了;可要说不爱了,就没那么容易了。那张网一旦织起来,想撕开有多难?撕一层又一层。我现在是撕到底,撕碎了,一点指望也没了,才作出这决定。反正我已横下心,协议不成,我就起诉。起诉行了吧?也许在别人看来很荒唐,刚领了结婚证,还没举行婚礼呢,就要到法庭上打离婚。况且,咱还是干法院的。"

林子涵:"你既然这样了,郑伟秋,他,他一点思想准备没有?"

聂小倩:"他?他的法律意识比我强多了,攥着那张纸,一心装修房子,准备婚礼呢!"

林子涵听到这里,叹出一口气,说:"小倩,按说你姐够有想象力的了,可这次我真没想到,平时咱天天坐审判席上,这回也准备当次原告,让人家审审咱们自己。你爸拿《聊斋志异》给你起名没起错,你就是个鬼丫头。"

聂小倩:"心灵不能强迫,自由不能侵犯。这些话,我在法庭上天天记录,听得多了。不用说当原告,当被告又怎样?我为自己谋幸福,为自己争自由,有什么错?"

林子涵听到这儿,笑道:"咱俩坐这儿,倒像是你刚从法国留学归来。"

聂小倩:"法国又怎样,生在中国就不是人了?"

林子涵:"既然想明白了,那就吃吧。"

聂小倩拿起筷子的一刹那,又说:"子涵姐,我这才发现你单身的优越性。不结婚多好啊,想干吗干吗,爱谁谁!"

林子涵听到这里,却一下子愣住了。愣怔片刻,她举起酒杯说:"你以为你姐心里头就不装着点事?就兴你要死要活地今日登记,明日离婚,兴你放火,你姐就不兴点个蜡烛点个灯?丫头,姐跟你说句悄悄话,你姐也是人,也有荷尔蒙和肾上腺激素,听明白了吗?"

聂小倩摇摇头,说:"没看出来啊。"

林子涵:"没看出来是你眼睛有毛病,来,咱俩干了这杯!"

林子涵和聂小倩的啤酒杯撞在一起。

5

这是一套正在装修过程中的宿舍。卫生间或什么地方仍然传来刺耳的电锯声、冲击钻声,外屋的几个民工则收拾起自己的工具,准备离开。个子高高的郑伟秋从里屋拿着一把木装饰条出来,冲着几个收拾工具的民工嚷:"瞧你们干的这活!这都是些什么玩艺?"

一个胖民工说:"材料是你买的,当时,我们就说,这材料便宜归便宜,不耐用。"

郑伟秋:"咦,怎么着?你们把活干糙了,反倒怨我头上来了?"

胖民工:"要是你说活糙,真指出来,我们宁可不要钱!"

郑伟秋:"这话可是你说的啊!"他把手中的木装饰条扔

到地上，说："就凭这，我从墙上伸手一抓就抓下来，这不叫糙，叫什么？"

几个民工从地上捡起几根装饰条，左看右看。最后，胖民工拿起木装饰条说："你用手抓下来的？"

郑伟秋："不用手用啥？"

胖民工："干了半辈子木工活，这点门道我们还看不出来？这是你用工具硬撬下来的，你看，痕迹还在这儿呢！不承认？那你抓抓这个试试！"

胖民工话音还没落，另一民工不依不饶地把郑伟秋扯到墙边，说："你抓一把试试，你要能用手抓下来，我们倒找给你钱。"

郑伟秋不屑一顾地说："算了算了，我不跟你们一般见识。要不，现在社会上就说防火、防盗、防你们装修工呢！来吧，拿钱走人。"

说着，郑伟秋掏了一沓钞票，数出一些，递给胖民工："行了，一锤子买卖。"

民工们点着唾沫数钞票。数完了，胖民工对郑伟秋说："说好了三千五，怎么就给三千啊？"

郑伟秋理直气壮地说："我验收不合格，扣你们五百块。"

这下子，几个民工一起围上来了，齐声责问："哪里不合格？你说！"

郑伟秋见状，倨傲地说："怎么着怎么着？你们以为这是在哪儿？在谁家？这是在春江城，不是在你们家门口。好说好散，把我惹急了，没你们好事！"

民工们听到这里，反倒把收拾好的工具又扔在了地上。胖民工冲着郑伟秋说："春江城我们装修的人家多了，还没见过你这样的！本来钱可以商量着来，冲你这话，少一个钢镚儿也不行！"

几个民工附和着说："对，少一分也不行！"

双方正争执不下时,郑伟秋猛然抬头,看到了已悄然进门站立一侧的聂小倩。郑伟秋看见聂小倩,顿时露出笑容,说:"小倩,你什么时候进来的?你看看他们,活干成那样,光认钱!"

几个民工转而面对聂小倩。胖民工说:"大姐,你来检查检查,要是你说我们耍赖,这钱我们不要了,一分不要,我们等于义务加工修了个厕所!"

聂小倩没说话,从包里拿出钱包,掏出五百块钱递给民工说:"对不起,这是五百块,拿走吧。"

几个民工互相看看。郑伟秋上前阻拦道:"小倩,你听我说。"

聂小倩把钱递到民工手里,说:"拿好你们的钱。谢谢你们,辛苦了。"

民工们接过钱,面面相觑。随之,民工们收拾起地上的工具,悄悄离开。

房屋里不知是从卫生间还是什么地方又传来冲击钻刺耳的声音。郑伟秋走到聂小倩面前,说:"你也真大方,跟他们就得讨价还价。"

聂小倩:"郑伟秋,我来是想告诉你,房子你想怎么装就怎么装,与我无关。如果我们不能协议离婚,我就向法院正式提出离婚诉讼。"

郑伟秋听到这里,一愣。随之,他的脸上又转换成笑容,说:"小倩,我真不明白,你这些日子究竟怎么回事?结婚证你一张我一张,结婚照都拍了,这又不是小孩子过家家,还能想怎么着就怎么着啊?"

聂小倩:"我只是问你,同意不同意协议离婚?"

郑伟秋:"开国际玩笑!"随即,他又笑道:"小倩,你喝酒了?你看,脸都喝红了,跟谁喝的?该不会我在这儿忙着装修房子结婚,有人在后边拆我的台吧?你可是干法院的,不会干执法犯法的事。"

聂小倩听到这里扔出一句:"郑伟秋,你听着,你有权保持沉默,但你所说的每句话都可能作为法庭的证词!"

聂小倩说完,转身走出屋门。

郑伟秋喊着聂小倩的名字追出去。只是追至门口,他便失望地站住了。恰巧此时,房屋里冲击钻的声音静止下来。一个民工走出来,对郑伟秋说:"老板,你的膨胀螺丝不够了,还得再买。"

郑伟秋对民工大光其火,道:"那么多膨胀螺丝还不够,你们是不是偷着吃了?"

民工对郑伟秋发火感到莫名其妙。

6

夜晚,一建筑工地帐篷内,横七竖八地躺倒了一片民工。一台破旧的收音机吱吱啦啦、含混不清地响着,民工李长明蹲在一盏昏黄的灯光下吃饭。饭是糙米,啃着的是一块老疙瘩咸菜。

这时,法官郑小泉走进了民工帐篷,开口道:"请问,谁是李长明?"

蹲在灯下吃饭的李长明站起来,咀嚼着一嘴的糙米说:"我是。"

郑小泉打量着皮肤黝黑、衣衫汗渍的李长明说:"我是法院的,叫郑小泉。"

郑小泉话音未落,横七竖八躺倒的民工不约而同地一骨碌爬起来,纷纷围向郑小泉。郑小泉看着围上来的虎视眈眈的民工说:"李长明,咱们到外面说吧。"

民工们纷纷拽住李长明的胳膊喊:"不行!""有话在这儿说!""你们是不是要抓人?"

李长明呵斥众人一句:"别嚷了!抓就抓,走,我跟你出去!"

众民工跟随李长明刚要拥出工棚,陈默雷进来了。李长明看到进入工棚的陈默雷,瞪大了眼睛:"陈院长?我,我一个民工,不至于让你亲自来抓吧?"

陈默雷笑道:"不抓你抓谁?你不是号称大伙的领头人吗?"

众人一听,纷纷嚷道:"不行!""凭什么抓人?""我们都去!"

群情激愤中,李长明又吼斥一声:"别吵了!"他看看陈默雷和郑小泉一直微笑的样子,便对陈默雷说:"你这模样,不像来抓人的。"

陈默雷笑着说:"就抓你,抓你带我回你们村里看看。"

李长明困惑地说:"回我们村?"

陈默雷:"啊。"

李长明:"现在?"

陈默雷:"干一天活,我知道你累了。不过,还得让你辛苦一趟,谁让你是领头人呢?"他回头对郑小泉说:"郑小泉,这在法律上该怎么说?"

郑小泉笑着说:"谁主张,谁举证。"

李长明听到这里,似乎有所醒悟。他扔下手里的饭缸,抄起衣服,说:"走,我带你们回村。"

在一溜马灯的映照下,陈默雷和郑小泉踩着泥泞的小路,在众乡亲的陪同下,来到李长明所在村庄的田间地头。孩子在一边嬉闹着,吆喝着,跑前跑后。

李长明在田间站住,指着一个方向说:"从这往南,当时,一大片地,好几百亩,全被砍光了。"

陈默雷问:"那大棚呢?"

李长明无奈地:"什么大棚,早拆了!说实话,咱这地方穷,当时凑钱买薄膜,那是家家户户砸锅卖铁,把家里吃油的钱、孩子念书的钱都用上了!当时想,反正庄稼砍了,兴许大棚蔬菜能挣回来呢，咱也听说，别的地方有种大棚发了的。结果，根本不是那回事。大棚用上了，辣椒、胡椒、这菜那菜都种了，到头来，蔬菜就是长不出来，眼巴巴看着辣椒长出来了，又小又瘦，放到嘴里又苦又涩舌头。这样的辣椒谁要？后来，上头来了个技术员，人家说，这片地根本不适合搞大棚蔬菜。咱也说不清为啥不能，反正就长不出来，长出来也不像样，没人要。这一来庄稼砍了，蔬菜不出，家家户户就守着那堆苦辣椒过日子。你说，这辣椒能当饭吃啊？没办法，村里有点力气的男人都跑外边打工了，扛水泥，铺马路，下水沟，挖烂泥，只要能挣口饭吃，什么罪都敢受。不信，你问我们村长。"

老头模样的村长在李长明的推拥下，来到陈默雷跟前，一个劲儿叹气。

陈默雷问村长："当时砍庄稼，你同意吗？"

村长："上下级呀，上头说砍，啥法子！"

李长明："白天砍了庄稼，晚上，村长哭着挨家挨户去赔情。"

郑小泉问："就算种大棚蔬菜，为什么不能等一季庄稼收割了再搞呢？"

村长："上头说要检查，全县得走一盘棋。"

郑小泉看看陈默雷，陈默雷脸上什么表情也没有。沉默片刻，陈默雷又问："村里人打官司，告县政府，你知道吧？"

村长："知道。说多少回，拦不住。咱就知道村里听乡里，乡里听县里，哪有咱农民告县府打官司的事儿？他们在外面打工挣钱，心野了，不听啊！"

李长明接过话茬说："村长一听我们要告县政府，两腿吓得差点没站住。他说，县里管着法院，县太爷惊堂木一敲，说下板子下板子，说下棍子下棍子。多亏我们在城里干活，跟人家一打听，不是那回事儿！人家说，谁头上都顶着个法，也管农民，也管县太爷。"

村长感叹道："说多少回，拦不住！心野了，不听啊！"

郑小泉说："要是官司赢了呢？"

村长："哪有个赢啊？这地还在这村，这村还在这乡，这乡还在这县，谁也没本事把这地弄到别处去，哪会赢，哪有个赢啊？要我说，砍了庄稼又不是砍了头，再种就是了。说多少回，拦不住，心野了，不听啊！"

李长明说："村长就这么个老实人，一辈子县城也没进过几回。"

老村长低头叹气。

郑小泉看一眼院长陈默雷。此时此刻的陈默雷正看着不远处被一溜马灯映照得兴奋无比、嬉戏玩耍的孩子。孩子一边追逐嬉闹，一边唱起歌谣：

　　　　天上掉下个金宝宝
　　　　地下冒出个银娇娇
　　　　抱着个金宝宝晒太阳
　　　　枕着个银娇娇睡觉觉……

陈默雷把视线收回，对民工李长明说："走，到你家看看。"

李长明突然变得吞吞吐吐地说："到我家，算了吧……"

"好不容易来一次，走，到你家认认门。"陈默雷的真诚打动了李长明。

一溜马灯映照出一行人影逶迤在田间小路。那些唱着歌谣的孩子们吆吆喝喝，在闪烁的灯影里跑前跑后，晃来晃去。

昏暗的灯光映照出李长明家贫穷的轮廓。

在一片狗吠声中，陈默雷、郑小泉以及李长明、村长还有几个乡亲踏进了李长明家的门槛。李长明进门就冲里屋喊一声:"娘!"

李长明的妻子、孩子怯怯地站在屋内,看着拥进来的一帮人。

村长对李长明的妻子说:"市上法院的领导,到家里来看看。"

李长明的妻子赶紧擦拭板凳上的灰尘,招呼陈默雷和郑小泉等人坐。期间,李长明从里屋把他的母亲搀扶出来。老人哆哆嗦嗦,在儿子的搀扶下来到外屋说:"市上来人了?"

刚刚试图坐下的陈默雷见状,赶紧起身,也上前搀扶老人,说:"老人家,第一次到村里来,来看看你。"

老人攥住陈默雷的手,说:"听你说话,年龄也不大。"

陈默雷:"四十三了。"

老人:"跟长明一般大,属狗的。摸你这手就知道,你这狗是好命,是富贵命。长明那狗是贱命,是撇家舍业的野狗命。"

陈默雷笑着招呼老人家坐下,说:"老人家,都是一年的狗,一个命。"随即,又对李长明说:"老人家眼睛不好使?"

李长明说:"白内障。前些年是一只眼,还能影影绰绰看见点东西,后来两只眼都不行了。到城里看过,医生说,要想看见,得动手术。"

郑小泉问:"那怎么不就着在城里动手术呢?"

李长明叹口气不吱声。村长和几个乡亲有的蹲,有的站。李长明的妻子端过两大碗白开水,扯过一个纸箱子,把水放到陈默雷和郑小泉跟前,说:"这水咸,喝一口吧。"

老人又摸索起陈默雷的手,攥起来说:"我就怕长明这孩子惹事。可这孩子天生就一个野狗命,胆子野,敢闯荡。那天,他回家跟我说,娘,当儿的不孝顺,不给你做手术了,我得拿攒起来的钱打官司。我说,跟谁打官司?他说跟县上。我一听啊,抱住他的腿不让出门。我说,你娘的眼瞎了就瞎了,你可千万别出去惹事,一家老小指望你扛大梁啊!甭说跟县上打官司,就算跟张三李四打官司,咱也不会打,官司是咱这种人家去打的?打出个三长两短,你还让这一家人过不过了?可这孩子,天生属野狗的,我死抱住腿,抱不住!"说到这里,老人似乎动情了,她站起来,攥紧了陈默雷的手说:"这位市上的领导,咱老百姓惹不起官司,吃不起官司,咱要能吃起官司,咱就不在地里刨食吃了。你能跨进这家门,你就帮着劝劝长明,让他把心收回来。我眼瞎了,看不见你啥模样,可听你说话,我知道你是个善人。"

陈默雷站起来,面对老人这番话,一时不知从何说起。他看看众人,又看看老人说:"老人家,我刚才说了,我属狗,你儿子长明也属狗,都是一年的狗,没有贵也没有贱。他的事,你就甭操心了。"随之,他对李长明说:"长明,也不能因为打官司,老人的眼睛就不治了。"

李长明叹口气,说:"我娘说了,眼瞎了也是命,眼不见还心不烦呢!"

陈默雷转而对郑小泉说:"正好,咱们有车,把老人拉到城里做手术吧。"

还没等郑小泉反应过来,陈默雷攥住老人的手说:"老人家,日子会一天比一天好,所以呀,你这眼还得治。咱得睁着眼看往后的好日子。走吧,我今晚就带你回城,进医院。"

陈默雷的话,几乎让所有人都愣怔住了。村长走上前说:"院长,算了吧,长明拖家带口不容易,掏不出那份钱。再说,老人这把年纪,该看的都看了,不计较瞎不瞎了。"

陈默雷对村长说:"这事,我来想办法。"随之,又对李长明说:"你给老人收拾收拾东西吧。"转而,陈默雷对老人说:"老人家,外面有车,咱到城里治病!"

没等老人说出什么,陈默雷躬下身子,说:"老人家,

来,我背你出去。"

李长明、村长和众乡亲都围上来。村长赶紧说:"这哪使得!这哪使得!"

郑小泉说:"陈院,我来吧。"

不由分说,陈默雷双手已经把老人搭在了肩头。在众人的目光和试图阻拦中,陈默雷背起老人默默朝外走去。老人在陈默雷肩头上喊:"长明啊,长明,这咋回事,咋回事啊?"

众人尾随着背着老人的陈默雷,出了李长明的家门。

一溜马灯又亮起来,照耀着村中的道路。灯光中,郑小泉、李长明以及其他乡亲都试图上前去接过陈默雷背上的老人,陈默雷不说话,只是默默地背着老人前行。

一溜马灯吸引了越来越多的众乡亲。众乡亲提着马灯,给背着老人的陈默雷照亮了通往村口的道路。

一行人来到停放在村口的轿车前,迎上前来的司机惊讶地看着陈默雷背着的老人。陈默雷只是说一句:"把车门打开。"

司机赶紧把后车门打开。

陈默雷对背上的老人说:"老人家,上车了,你小心。"

在郑小泉和几个人的帮助下,陈默雷把背着的老人安放到轿车的后车座上。坐在后车座上的老人似乎仍在懵懵懂懂之中,口中喃喃道:"长明,长明,这是咋着了?"

李长明站在一侧,无从回答。

陈默雷说:"老人家,我送你进城治眼睛!"

陈默雷转身对李长明和村长说:"我们走,让乡亲们回去吧。"

司机凑过来,说一句:"陈院长,对不起,这车陷到泥窝里出不来了。"

陈默雷摇摇头,转而面向村长说:"村长,那就麻烦你了,招呼乡亲们推把车。"

村长还没有说什么,几乎所有的乡亲都围拢上来。一溜马灯交到了孩子手里,孩子前后左右用马灯把汽车照亮,同时照亮的还有拥上轿车的众乡亲。

村长喊一声:"一,二!"

众乡亲齐声呼喊,用力推车:"哟嗨!"

村长又喊:"一,二!"

众乡亲用力呼应:"哟嗨!"

孩子们几乎齐声喊起:"一,二!"

众乡亲用力推车:"哟嗨!"

孩子们在兴奋地高喊:"一,二!"

众乡亲的声音也更加具有爆发力:"哟嗨——哟嗨——"

汽车终于推出了陷入的泥窝。孩子们欢快地嗷嗷叫起来。

陈默雷招呼郑小泉和李长明上车。最后,他握住村长的手说:"谢谢村长!"随即,他又看着一脚泥水的众乡亲,说:"谢谢大家了!"

陈默雷上车,汽车发动起来,渐渐驶去。陈默雷和郑小泉摇下车玻璃,跟众乡亲摆手告别……

7

一架客机正降落在春江机场,在跑道上由疾速降落转为缓慢滑翔。

坐在普通客舱里的春江市委书记孙志和杨铁如等人在渐停渐稳的过程中,随着空中小姐的广播解开了系在腰间的安全带。孙志同时对杨铁如说一句:"好了,到家了。"

杨铁如点点头,没说话。

飞机渐渐停稳。

乘客们开始纷纷起身,在机舱通道上淤塞住。站起的孙志和杨铁如也被淤塞在人流中间。身后的秘书唐学风说:

"孙书记,你该坐头等舱,坐头等舱就不会在这儿挤了。"

孙志回头对唐学风瞪一眼:"我坐头等舱,就标明我的身份了,是吧?"

唐学风赶紧噤声不语。

孙志对杨铁如说:"越往外走,越感到春江市的差距大,你有没有这感觉?"

杨铁如:"春江不能跟特区比,起点就不一样。"

孙志:"你回去,赶紧组织写出考察报告,重点五个字:可持续发展!"

飞机通道上的人渐渐疏通。孙志在前,杨铁如一行跟随孙志渐渐走下飞机。

市委书记孙志一行刚走出大厅,秘书唐学风便跑过来说:"孙书记,市委刘秘书长来接你了。"

话音未落,刘秘书长还有几个人已经迎上前来,握住孙志的手说:"孙书记,辛苦了!"

孙志握手之后,便说:"我又不是找不着家门,还用得着你们跑来接我?"

刘秘书长:"王副书记和几个市里领导在宾馆等着,中午给你接风。"

正在往外走的孙志听到这里,一下子站住了,板着脸说:"回自己家了,还吃什么饭,接什么风?宾馆里一顿饭,老百姓一头牛。他们愿吃自己吃去,我不去!"他扭头往外走,走出几步,又说:"下午两点……"他看看表,"三点吧,三点整,开常委会,你通知吧。"

市委书记孙志的轿车驶抵大厅门前。唐学风上前拉开车门,孙志上车的一刹那,问杨铁如:"你的车来了吗?"

刘秘书长赶紧说:"来了,来了。"

市委书记孙志的轿车驶去。

刘秘书长对站在一侧的杨铁如说:"杨主任,孙书记这一路上没透露什么风声吧?"

杨铁如："风声？什么风声？"

刘秘书长笑笑说："嗨，我这秘书长是越来越难干了，不知怎么干才是干到点子上！好吧，你也累了，咱们各自打道回府吧。"

一溜轿车驶来。刘秘书长和杨铁如一行各人进入各人的轿车。轿车依次而行，驶离机场。

8

郑小泉正在陈默雷办公桌前汇报。他放下手中的一摞卷宗说："这是李长明他们诉讼的有关卷宗。有些材料是他们自己写的，有些材料由他们口述，我们指定人员记录。你看看吧。"

陈默雷问："总共多少人提起诉讼？"

郑小泉："刚开始是二百七十八名，后来有人撤出了，现在坚持诉讼的是二百三十四人。都有签名，还按了手印。像李长明他们几个，按的都是血印。"

陈默雷："我已经通知你们庭长李乾坤了，这桩案子由你担任审判长，依法组成合议庭，合议庭成员报审判委员会通过。"

郑小泉："我知道了。"

郑小泉话音刚落，办公室响起敲门声。

陈默雷喊："请进。"

推门而进的是郑伟秋。他进门就冲坐在办公桌前的陈默雷问一句："你是陈院长吧？"

陈默雷："陈默雷。你是……"

郑伟秋："我是国税局公务员郑伟秋。"

陈默雷站起来，指指座椅："你好，请坐吧。"

郑小泉见状，说一句："陈院，那我先走了。"

郑小泉还没离开办公室，郑伟秋刷的一声把红皮结婚证扔到陈默雷办公桌上，问一句："我来就想问问，结婚证是不是法律凭证？"

陈默雷不知所云地看着郑伟秋，说："坐下说。"

郑伟秋并没坐下，接着又说："我还想问一句，王子犯法，是不是与庶民同罪？"

陈默雷听到这里，皱皱眉，又说："什么事呀，你这么猛不丁问我？"

郑伟秋刷拉一下把结婚证打开，指着结婚证上的合影说："你该认识她吧？副市长的女儿，你们法院刑事庭书记员聂小倩！"

陈默雷在这种突如其来的指认面前一下愣住了。

八

- 法庭是我的生命,就像农民和庄稼,工人和机器,陈景润和数学,梅兰芳和京剧……
- 我们今天的革命是怎么成功的?无数生命抛头颅,洒热血!这就是代价!难道说,革命成功了,你可以反过头来诉讼革命?

1

林子涵和聂小倩走在看守所昏暗的长廊里,对于她们来说,这是一条熟悉的走廊。但像某种习惯,或者某种约束,一旦走进这条昏暗的长廊,她们总是沉默无语,只是铿锵有力地行走。

当囚犯王杏花在女狱警的押解下来到看守所提审室时,林子涵和聂小倩同时看到了一个眉清目秀的乡间女子。虽是囚犯,身着囚服,但依然掩盖不住王杏花姣好的面容和清澈的眼神。在短暂的一瞬间,林子涵和聂小倩都无法把眼前的女子形象与那桩毒杀丈夫案联系在一起,以至于面对囚犯王杏花,林子涵和聂小倩不谋而合地互相对视一眼。

林子涵问:"你叫什么名字?"
女囚犯:"王杏花。"
林子涵说:"坐下吧。"
女囚犯王杏花在女狱警的指点下坐到了林子涵和聂小倩对面。
林子涵说:"王杏花,春江市人民检察院以故意杀人罪

向春江市中级人民法院依法对你提起公诉，今天由我，林子涵，和书记员聂小倩代表春江市中级人民法院向你送达起诉书副本。十天之后，本院将依法组成合议庭，对你的案件公开审理。现在，请你接过起诉书副本。"

王杏花在女狱警的提示下站起来，却不敢靠近。聂小倩起身，把起诉书副本递交到王杏花手中。王杏花接过，懵懵懂懂，不敢看，也不敢坐。

林子涵又说一句："坐下吧。"

王杏花颤颤抖抖地坐下。

林子涵问："你为什么没有申请辩护律师？"

王杏花低下头，不说话。

林子涵："请告诉我，为什么？"

王杏花半天说出一句："俺知道，杀人偿命……"

林子涵："按照法律规定，你有申请律师为你辩护的权利；同时，你还享有在法庭上自我辩护的权利。你要想通过你的家人，或者通过法庭，为自己申请辩护律师，现在还来得及。"

王杏花抬起头，看着林子涵说："俺知道，早晚是个死……俺就有一个要求，俺……俺想见他一面。"

林子涵问："见谁？"

王杏花："黑子。"

林子涵："黑子是谁？"

王杏花："他叫杜世顺……俺……俺和他真心相好，俺俩从小一块儿长大，不是一天半天了，这辈子做不成夫妻，俺也想临死前见他一面……俺有话跟他说。"

林子涵："王杏花，在本院未对你作出判决之前，法庭不能答应你这个要求。你现在所能享有的只是法律给予你作为一名被告应有的权利。"

王杏花呜呜咽咽地哭道："俺有话想跟他说……俺想跟他说，这辈子俺等不来，下辈子俺还等他……俺死了，俺到那边去垒房子盖屋,下力气攒钱,早早晚晚,俺让他在阴曹地府也把俺娶回家……"

王杏花说到这里,双手掩面,泣不成声。

林子涵向女狱警示意。女狱警将王杏花从座位上提起。王杏花用起诉书副本遮住满脸纵横的泪水,呜呜哭着,跟随女狱警走出提审室。

林子涵和聂小倩相视无语。走廊里王杏花的哭声依旧萦绕在两人耳畔……

林子涵开车离开了看守所。她打开车上的录音机,是那首《深深的海洋》。坐在一侧的聂小倩看着窗外掠过的景物,沉浸在音乐的氛围中。

聂小倩突然问一句:"子涵姐,那男的没事吧?"

林子涵:"哪个男的?"

聂小倩:"就王杏花哭着喊着要见的那个男的。"

林子涵:"起诉书上指认,事是王杏花一人犯的,那男的没事。"

聂小倩:"凭直觉,我认定王杏花和那男的是真心相爱。正是真心相爱,她才不连累那男的,一个人去冒死的危险。"

林子涵看一眼聂小倩说:"人家一哭,把你哭出联想来了?再怎么爱,也不能杀人啊!"

聂小倩:"我又没说案子,我是说爱情。"稍停,她又说:"我和郑伟秋的事,我已经向区法院正式起诉了。"

林子涵:"这么快?"

聂小倩:"你不是说,快刀斩乱麻,长痛不如短痛嘛!"

林子涵:"我是那么说过,不过,我又怕你斩不断、理还乱!"

聂小倩:"什么叫斩不断、理还乱?都什么时代了?二十世纪的太阳已经落山了,我还逃不出一桩爱情已经死亡的婚姻?喊,如果真那样,咱先别喊依法治国那么大的口号了，先回到世纪初，回到五四，从反封建开始吧！"

林子涵笑道："行，染了头发的女孩就是不一样，比你姐姐有胆略！"

聂小倩："对了，你还没说说你的事呢。"

林子涵："什么事啊？"

聂小倩："你不是说，你也有荷尔蒙和那什么激素吗？"

林子涵听到这里笑笑，长叹一声，说："丫头，你姐姐跟你说的，也许是个故事。说真的，我都不知道，这故事将编成什么样。"

聂小倩："还能什么样？大不了像王杏花那样，生死恋呗！"

林子涵正色道："别拿这吓唬我啊，我跟你不一样，你姐胆小！"

汽车渐渐驶向城市纵深……

2

陈默雷的轿车驶进市委大院，在市委大楼前停下。车门打开，陈默雷下车，走进市委大楼。

市委大楼走廊内，市委书记孙志的秘书唐学风匆匆走来，向站在会议室门口的陈默雷说："陈院长，真对不起，孙书记正主持市委常委会。"

陈默雷笑笑说："这么不凑巧。"

唐学风："这阵子，孙书记特别忙，不是开会，就是老往下跑，在办公室的时候不多。上午孙书记还因为椎间盘突出躺在床上不能动，下午硬是咬着牙坚持开常委会。"

陈默雷："是啊，八百万人口的市委书记，的确不那么好当。你一天到晚在书记身边，还得提醒书记注意身体。"

唐学风："他那脾气，你又不是不知道。"随即，他又说："你要有急事，先在办公室等等，会开大半天了，也该差不多了。"

陈默雷看看表,说:"要不,我先到杨铁如那儿坐坐,他在几楼?"

唐学风往楼上指指说:"五楼东头。"

陈默雷:"那我先上去,等散会了,你给我打个电话。"

陈默雷转身刚要走,唐学风在身后喊住了他:"陈院长!"

陈默雷回转身。唐学风走上前,悄声问:"你找杨铁如有事啊?"

陈默雷稍稍沉默,便说:"啊,有件事我想问问他。"

唐学风:"有事那就另说了。没事的话,你可以到我办公室等。有句话,不知我该说不该说,你可是呼声很高的人物,孙书记经常把你挂在嘴边上。"

陈默雷听到这里,笑笑说:"瞧你说的!"随即,他又说:"我找杨铁如核实个情况,也就一会儿工夫。"

唐学风:"那就去吧。"

陈默雷笑笑转身走去。

杨铁如坐在办公桌前,撕下一张稿纸,揉成一团,刚刚扔到字纸篓里,办公室响起了敲门声。杨铁如喝一口水,叹出口气,喊:"请进。"

杨铁如没想到推门而进的是微笑的陈默雷。

杨铁如站起来,说:"默雷,你怎么来了?"

陈默雷:"政策和策略是党的生命,我来政策研究室取取经啊。"

杨铁如:"不会吧?干吗来了?"

陈默雷:"几百个民工堵住了法院大门,市委书记的车差点没出来,我总得来汇报一下,负荆请罪吧?"

杨铁如:"见了?"

陈默雷摇摇头,说:"来得不是时候,孙书记正主持常

委会。"

杨铁如招呼陈默雷落座:"坐,坐。"

两人在沙发上坐下。杨铁如掏烟示意陈默雷,陈默雷摆摆手,说:"你在中院大楼立的规矩,禁烟,结果自己还是没戒了。"

杨铁如:"反倒是越抽越多了。"他点上烟,说:"民工的案子,我后来听说了。这个李乾坤还真行,这么大的案子他压在手里,我愣是不知道!"随即,他苦笑一下,又说:"这事从根子上怨我。从党校学习回来,我已经觉察到积压案的问题了,正想着手清理,偏偏碰上一堆大案要案,再加上一个周士杰。好不容易把周士杰判了,刚腾出手,又接过一纸调令,让我来研究政策。那天民工堵大门我在场,我知道,那不是堵你陈默雷,是堵我杨铁如。"

陈默雷:"你这么说还有个完?再往上数,还得说堵的是老院长肖亦白呢!"陈默雷摇摇头,说:"铁如,民工堵的不是我陈默雷,也不是你杨铁如,民工堵住了咱们的一个症结。"

杨铁如在烟雾缭绕中叹出口气,说:"我现在开始这么想了,是因为我工作没做好,所以,才让我调离法院大楼,调这儿来研究政策。"

陈默雷默然一笑,便说:"你还好吧?"

杨铁如:"刚跟着市委书记飞了趟特区,风风火火考察学习,这不,正在写可持续发展的考察报告呢。你说,我一脑子都是官司,就知道法律二字,我懂什么可持续发展?"

陈默雷听完杨铁如这话,稍稍沉默,便说:"铁如,说走,你突然就从法院大楼调走了;说来,我也突然就调到法院大楼来了。这一走一来,就像个悬念,我和你同样没有准备。说实话,这些日子,我一直想跟你谈谈,一起解一解这个悬念。我不知道你对这个话题感不感兴趣?也不知道你有没有兴趣跟我交谈?"

杨铁如听到这里,苦笑一下,说:"悬念?刚开始,我也觉得是个悬念,这阵子,组织上帮我做通了思想工作,没什么悬念了。干部轮岗交流,司法干部尤其需要轮岗,这是当前很重要的一项干部政策。群众呼声,上级考察,组织提名,人大通过,程序上严丝合缝,无懈可击,还有什么悬念可以探讨?没什么悬念了,一切都是必然结果。"

陈默雷:"我可听出来了,你这是没兴趣跟我交谈。就因为我陈默雷坐到了你杨铁如该坐的办公桌前?不会吧?"

杨铁如再次苦笑道:"你总不能逼我说'既生瑜,何生亮'吧?但直率地说,我这性格,有点像三国时候的周瑜。到现在我还这么想,也许,把你陈默雷调到中院担任院长是合适的,但把我杨铁如调离法院大楼无论如何不合适。法庭是我的生命,就像……就像农民和庄稼,工人和机器,陈景润和数学,梅兰芳和京剧……可现在,非要让我离开它,让我来研究什么可持续发展!我想不通,保障一项干部政策的实施,必须以牺牲掉一个干部的事业为代价吗?早知如此,我去当什么庭长、副院长,当我的审判员不就没眼前这事了?"

杨铁如这番话说到最后,竟露出异常激动的神色。

陈默雷见状,便笑着说:"你是周瑜,我就成了诸葛亮?你这是夸我还是骂我?"

陈默雷话音刚落,办公室响起了敲门声。杨铁如面对不合时宜的敲门声,皱了皱眉头,说:"请进!"

进门的是市委书记孙志的秘书唐学风。

唐学风推开办公室的门,先冲沙发上的杨铁如点头一笑,喊一声:"杨主任。"随即又对陈默雷说一句:"陈院长,常委会散了,孙书记在办公室等你。"

陈默雷赶紧起身,说:"那我赶紧过去。"随即,他拍着唐学风的肩膀说:"唐秘书,你打个电话就行了,这么高的楼何苦往上跑?"

唐学风:"我来顺便问一下杨主任的考察报告写得怎么样了?常委会一散,孙书记就问起这事。"

杨铁如:"我正发愁呢,有些段落写不下去。"

唐学风:"那你还得辛苦辛苦,抓紧点,孙书记催得挺急。"

陈默雷和唐学风转身往门外走。杨铁如送二人走到门口。唐学风忽然回头,对杨铁如笑笑,说:"杨主任,这些日子,你胖了。"

杨铁如不置可否地苦笑,摸摸自己的腮帮子,说:"可从来没人说我胖过。"

陈默雷在门口站住,开玩笑地说:"怕别人一说你胖,你就喘?"

杨铁如:"不说,我还怕喘呢!"

陈默雷与杨铁如握手说:"再见。"

唐学风看一眼二人说:"走吧。"

杨铁如目送陈默雷和唐学风走出办公室。他回头看一眼办公桌前摊开的稿纸,不由得又眉头紧蹙。他刚刚移身办公桌前,一位公务员敲门进来,冲杨铁如说:"杨主任,孙志书记打电话过来,让你到他办公室去一趟。"

杨铁如诧异地说:"我?"

市委书记孙志在陈默雷端坐的沙发前来回踱步。他用一只手在背后轻轻托腰,踱步的过程中一直眉头不展。

陈默雷看着孙志托在后腰上的那只手,便说:"听唐秘书说,你的椎间盘突出又犯了,还是坐下吧,少活动。"

孙志轻轻摇摇头,说:"二十年了,老毛病。"他忽然想起什么,又问:"哎,对了,二十年前,你在干什么呢?"

陈默雷:"上大学,面临毕业。"

孙志:"二十年前,我干公社党委书记。当一个公社书记有多难,你知道吗?张家长,李家短;泥水里滚,野地里爬；摁下葫芦起来瓢，孩子哭了抱给娘。一个公社书记干下来，它让你神经衰弱睡不着觉，也让你椎间盘突出起不来床。我这两样毛病，都是那时候落下的。什么叫基层干部？基层干部就是在太阳底下、在风里雨里拉车！我也念过大学，我知道，在太阳底下、风里雨里拉车跟关起门来在学校读书，那可完全两码事啊。"

正当陈默雷咀嚼着市委书记的一番感慨时，秘书唐学风引领杨铁如来到孙志的办公室。唐学风冲孙志的背影说："孙书记，杨主任过来了。"

孙志背冲杨铁如，说："坐。"

杨铁如坐下，面对市委书记孙志的背影，悄悄看一眼陈默雷。陈默雷含蓄地微微点头。

孙志转过身来，问杨铁如："考察报告写完了吗？"

杨铁如："还没有。有个地方卡住了，写不下去。"

孙志："哪个地方？"

杨铁如："就是，特区经验跟春江特色如何结合。"

孙志又开始踱步，说："要想知道如何结合，首先要知道春江特色。什么叫春江特色？目前的春江特色就四个字：老、旧、穷、慢。这四个字，我在这里不一一解释了，我说得再多，也是纸上谈兵，你多往基层跑跑，就会明白它的含义。我只是想说，面对这四个字，我们该怎么办？是不是应该胆子再大一点，步子再快一点，思路再新一点，让春江市尽快走上良性发展的富裕之路？我这么说没错吧？如果你说没错，我就想听听，你怎样理解几百个农民状告金城县政府这桩案子？"

孙志的踱步停下来，目光咄咄逼人地看着杨铁如。

杨铁如看看陈默雷，又收回目光看着孙志说："这个案子，我的理解，这是农民在运用法律赋予他们的权利。金城县政府作为一级政府行政部门，应该依法行政；改革越深化，越应该成为依法行政的楷模。如果你的行为逾越了法

度，公民，无论是哪个层次的公民，都有追究的权利。这个案子最大的失误在我，我主持工作期间，没能让这个案件走上法定诉讼程序，以至于成为长期积压的老大难案件，所以，才导致了今天的矛盾激化。如果我们严格维护了法定诉讼程序，矛盾将不会挑起，也不会让新上任的陈默雷院长遭受这么大的难为。是我失职了，我检讨。"

孙志用双手托起腰，皱着眉头说："你现在不是法院主持工作的院长了，你是春江市委政策研究室主任。我要的是你今天的思考，换位以后的思考。"

杨铁如稍稍沉默，便说："在某种意义上说，法律是个定数，它不会因为我工作位置的变化而随之改变。"

孙志："那你怎样理解这桩案子和改革的关系？"

杨铁如："任何改革行为，都没有理由使农民的财产权受到侵犯。"

孙志："你看到的只是一个村庄，几百个农民；你没看到的是，这个村庄以外，许许多多的村庄，许许多多的农民，都通过推广种植大棚蔬菜，从贫困线走出，一下子进入了小康时代。所以我说，你的考察报告写不下去，根本的问题是不了解实际，不了解实践，对基层实践中涌现出来的新事物、新情况掌握得远远不够！"

杨铁如稍稍沉默，又说："也许，孙书记指出的问题，是我写不出考察报告的根本问题。但是，从法律角度看问题，并不能因为你让其他村庄、其他农民得到了利益，从而抹煞掉你对这个村庄、这几百户农民财产权的侵犯。"

市委书记孙志的后背靠在了办公桌上，他的脸色阴沉下来，语气也变得严厉："我刚才跟你说过，让你换位思考。难道看问题的角度只有一个？我们今天的革命是怎么成功的？无数生命抛头颅，洒热血！这就是代价！难道说，革命成功了，你可以反过头来诉讼革命？"

杨铁如听到这里，沉默下来。

孙志的目光又转向陈默雷:"面对你法院院长,首先,我申明,我尊重法律,提倡法治,我不会干那种以权涉法,把权力凌驾于法律之上的事情,这是我的基本态度。同时,我所以批评杨铁如,是因为他看问题的眼光和角度。他是春江市委的政策研究室主任,应该有统揽全局、客观公允的立场。问题应该怎样解决,你是法院院长,别把问题推到我这里来!"

孙志在说话间,椎间盘突出似乎让他难以支撑。他咬紧牙关,双手用力撑在了桌子上。

陈默雷赶紧起身上前,扶住孙志:"孙书记,你这腰……"

孙志推开走上前的陈默雷说:"我这椎间盘突出,中医西医都能治。中医推拿一下,贴个膏药也就行了;可西医呢?又是针,又是药,又是上架子,又是拧螺丝,麻烦不少,效果还不一定好。"

陈默雷站立在孙志一侧,说:"孙书记,这样吧,这案子我们再全面深入地调查一下,有什么情况,我们及时向市委汇报。"

市委书记孙志伸出一只手指指陈默雷,说:"法律上的事,我也不是很懂,你们是专家。"随即,他又指指坐在沙发上的杨铁如,说:"你也可以到金城县政府实地调查一下,没有调查,就没有发言权。别关起门来写可持续发展报告,可持续发展不是写出来的。对他陈默雷,这可以叫个案子;对你杨铁如,它也可以叫改革实践!"

杨铁如从沙发上站起。

陈默雷和杨铁如认真地对视一眼。

3

医院病房里,躺在病床上的李长明的母亲摸摸索索从床上坐起来。老人的头上绕眼睛一周缠上了绷带,双手摸摸索索地在床上找着什么,喊:"长明,长明!"

斜躺在另一张床上已侧身入睡的民工李长明翻过身来,问:"娘,你又要干啥?"

老人:"喝口水。"

李长明起身倒一杯水,端到老人跟前,说:"娘,你今天可没少喝了水。"

老人颤颤抖抖接过水杯说:"城里的水好喝,跟放了糖一样,甜!"

李长明又找来一个水杯,从老人手里接过那杯水说:"娘,水热,我给你凉凉。"说着,李长明站在床头,用两只水杯来回倒弄着那杯水。

老人:"长明,娘堵得慌,有句话想跟你说。"

李长明只是来回倒弄着手中那杯水。

老人:"你那官司,还想打?"

李长明:"啊,咋了?"

陈默雷恰巧此时来到了医院病房门前。从窗户里,他一眼看到了站在老人床前的李长明的背影。他刚想推门进去,便听到病房里老人说:"听娘句话,你跟大伙儿说说,别给人家法院添难为了。"

李长明:"娘,你不懂,人家法院就是管这个的。"

陈默雷听到这句话,就在门口站住了。透过门缝,他清晰地听到了病房里传来的母子二人的对话。

老人坐在病床上,对站在床前的儿子李长明说:"娘虽说是看不见,可心里头跟明镜似的。你领头告状打官司,你说了,人家不管不行,人家法院就是管这个的。可话说回来,你得想想,你们告的是谁?那县政府里面的官可不小啊,你说,你让这家当官的去管那家当官的,这不是让人家法院犯难为?这官司你要输了还好说,咱怄口气就怄口气,只当是咱赔本赚吆喝,没几天也就过去了;可你要赢了呢?

你这不是让这家当官的和那家当官的翻了脸皮、结了冤家？城里的事，跟咱在村里邻里邻居过日子一样，你住这个门楼，我住那个门楼，一天到晚抬头不见低头见的，要是结成了冤家，出个门碰个面让人多不自在！真碰上点啥事，冤家对冤家，谁也不让谁，你说说，这日子还有法过下去？"

李长明听到这里，便把手中的水杯递给老人，说："娘，你喝口水吧。"

老人接过水杯，并没有喝水，而是接着说："长明啊，人家陈院长那么大的官，一把就把你娘背到身上，背到城里来治病，冲这，你就不该告这个状，不该给人家添难为。人家有情，咱得有义。老百姓过日子不容易，人家当官的就那么容易？大有大的难处，小有小的难处。老百姓结下个冤家，三句好话，也就说开了；你要让这家当官的和那家当官的结下冤家，那还不是一辈子也化不开的冰疙瘩？娘比你多穿了几个棉袄，听娘的话，民不告，官不究，你快去把那状子撤回来。咱老百姓啥罪不能受？怎么着不是过日子？咱不光不能给人家陈院长添难为、结冤家，咱还得知道感恩戴德，记住人家背你娘来城里治病的大恩情哪……"

站在病房门外的陈默雷，一五一十地听到了老人的话。

他看一眼病房，缠着绷带的老人正摸摸索索抓起儿子李长明的手。陈默雷犹豫一下，没有走进病房，而是转身默默地走开。

4

"呜——"一列待发的列车，发出悠长的鸣笛。

站台上人头攒动。方正手提旅行箱，缓缓走在拥挤的人流中。他来到卧铺车厢门前与乘务员交换了车票，在踩上火车踏板的一瞬间，他又停下来，回头张望着什么。这种张望似乎暗含了无限的期待，他回转身，又来到了站台上。

林子涵匆忙跑进嘈杂的火车站候车大厅。

她来到正在检票的列车车次队列前，人群中没有找到方正的身影。她回转身，在人群中继续寻找，仍然没有发现她熟悉的身影。她急切地掏出手机，拨通了一个号码："喂，你在哪儿？"

候车厅里人语喧哗，林子涵不得不放大了声音喊："你大点声，我听不见！"

不一会儿，林子涵便说："你等我！"

林子涵收起电话，匆忙地跑去买回一张站台票。随即，她高举站台票，飞快地奔向检票口。

站台上的人流渐渐稀疏。方正站在那里，看到了正向他跑来的林子涵。

方正把手提箱放在了地上。

林子涵跑到方正眼前站住。她看着方正，呼哧呼哧喘粗气。

方正："本来，我不想告诉你，想一个人悄悄去；可临上车前，还是忍不住给你打了电话。你虽然电话里一句话没说，可我总觉得你正向火车站跑来。"

林子涵："你去北京？"

方正："她的户口所在地、工作关系都在北京，我只好在北京提起离婚诉讼。"

林子涵："你一个人去？"

方正："这种事情，怎么可能带上别人？"

林子涵："你没请律师？"

方正摇摇头说："她倒请了两个。她把离婚当成了一次财产争夺，甚至当成了一次商业机遇；而我，只是想离婚，不再争夺，也不再计较，所以，就没必要请律师了。"

站台上响起催促旅客上车的哨子声。

林子涵稍稍沉默，便说："为什么不坐飞机去？"

方正："好久没坐火车了。在火车上，可以睡个好觉；

一觉醒来，可以想想从前，想想今后。"

站台上的哨子声再次响起。列车员催促方正："开车了！"

方正提起手提箱，对林子涵说："事情结束了，我会乘北京到春江的第一班飞机回来。你多保重！"

方正走向列车。当他踩上脚踏板时，回过头来，朝灯影下的林子涵摆摆手。

林子涵站在空旷的站台上，竟忘记了与方正招手示意。

列车鸣笛，缓缓启动。林子涵在站台上，看着一节又一节的车厢掠过她的眼前，直到火车驶离站台，铿铿锵锵驶向黑夜的深处。

5

刑事法庭大法庭内，林子涵和潘军右、刘兴魁组成的合议庭端坐于审判长和审判员席位。聂小倩坐在书记员席位。

在女法警的押解下，被告人王杏花通过法庭通道，走向被告席。

公诉人和辩护律师坐在各自的位置。旁听席上稀稀落落坐着部分听众，在王杏花走向被告席的过程中，所有人的目光都盯着她，甚至有人交头接耳地议论着。

王杏花走上被告席后，被女法警摘掉了手铐。女法警站立一侧，王杏花也站在被告席上。

林子涵对王杏花说："坐下！"

王杏花懵懵懂懂，没有坐下。

林子涵又重复一遍："被告人王杏花，请坐下！"

王杏花坐下。

林子涵："被告人王杏花，现在由我——审判长林子涵和审判员潘军右、刘兴魁依法组成合议庭，对你被指控的故意杀人案依法进行公开审理。请问，你认为合议庭成员当中,有没有被你提出申请回避的?"

王杏花摇摇头。

林子涵:"请回答,有还是没有?"

王杏花嗫嚅地说:"没有。"

林子涵:"那好,现在开庭!"

……

法院办公室主任宋修被行政庭审判员郑小泉拉拉扯扯地拽到了办公室。宋修不满意地嘟囔着:"你个熊孩子,没、没看见会客室坐着一、一帮客人?"

郑小泉:"我找你有事。"

宋修:"什么大、大不了的事?"

郑小泉把办公室的门关上,一本正经地问:"老宋,我就问你一句话,刑事庭聂小倩是不是要打离婚?"

宋修听到这里,瞪他一眼,没吱声。

郑小泉:"她从没从你这里开离婚介绍信?"

宋修:"她离不离,关、关你啥事?"

郑小泉着急地上前拽住宋修的手,说:"哎哟,老宋,你就告诉我,有这回事没这回事嘛!"

宋修:"你先告诉我,这事,跟你有、有啥关系?"

郑小泉一摊双手,说"这事跟我有啥关系?大不了就是同事关系,阶级关系,还、还、还能有啥关系?嗨,我都跟着你结巴上了!"

宋修:"没你的事,就一、一、一边去!我、我还有客人。"

宋修说完,就要往外走。郑小泉又上前拽住他说:"那么说,聂小倩真要离婚?"

宋修:"你,你去问她!"

郑小泉上前拦住了宋修的去路说:"老宋,我都当审判长,组织合议庭了,怎么一点也没引起你的高度重视?你怎么还对我这态度?"

宋修:"你说的是金城县、县、县……"

郑小泉打断他的话说:"金城县政府让人告了,本人走马上任本案审判长。怎么,这案子还撑不起你的眼皮?"

宋修:"还、还没开庭呢,我、我这就得忙着去给你擦、擦屁股。"

宋修说着,拨拉开郑小泉,走出门去。宋修刚出门,又被郑小泉一把拽住,问:"你把话说明白点,给谁擦屁股?怎么了?"

宋修:"怎么了?蹲下拉!你知道谁、谁来了?"

郑小泉:"谁啊?"

宋修:"金城县、县委书记,陈、陈院长的老同学!"

宋修说完,甩开郑小泉的手走去。郑小泉望着宋修的背影,有点发呆的样子。办公室的座钟响起来,郑小泉敏感地朝座钟望去,时针指向上午十点,时钟在准确地报时。

郑小泉从办公室走出后,途经会客室门口时,突然驻足,透过会客室的门缝好奇而神秘地向里观望。

他从门缝里看到了坐在中央的院长陈默雷。听不清陈默雷说了句什么,屋里的其他陌生人都笑起来。他看到办公室主任宋修正热情地给来人倒水。郑小泉困惑不解地摇头走开。

郑小泉疾步走下楼梯,走到刑事大法庭门口时,不经意地看到法庭外蹲着一个农村青年。他走过青年身旁,青年正划火柴点燃一支烟。郑小泉回头说:"哎,这儿不能吸烟啊!"刚想走,他又站住,回头问:"你蹲这儿干什么?"

农村青年慌乱地掐烟,站起来,又慌乱地用手指指大法庭。

郑小泉:"怎么了?"

农村青年:"俺,俺想听听。"

郑小泉:"进去听嘛,公开审判,谁都可以旁听。"

农村青年:"俺,俺不敢进去……"
郑小泉好奇地凑上来,说:"为什么不敢进去?"
农村青年:"你是这里的法官?"
郑小泉:"啊。"
农村青年:"俺问你个事儿,杀了人,一定得偿命啊?"
郑小泉:"这事,你还用问我?你随便到大街上找个孩子问问,他都知道该怎么回答。"郑小泉说着,看农村青年一下子蔫了,突然意识到什么,赶紧改口说:"哎,我刚才也是瞎说啊!案子跟案子不一样,杀人跟杀人也不一样,得看情况。"

农村青年眼睛一亮:"就是说,不一定非死不可?"
郑小泉:"我也没那么说,这得看什么情况。我又不知道怎么回事,我能说什么?"
农村青年听到这里,从兜里掏出皱皱巴巴的半盒烟,边往郑小泉手里塞,边一个劲儿地说:"这位法官,你听俺说说,听俺说说……"
郑小泉推却道:"这怎么回事呀这?"
农村青年硬硬地把半盒烟递到郑小泉手里,说:"你听俺说说,听俺说说……"
郑小泉攥着皱皱巴巴半盒烟,一时不知所措……

王杏花的故意杀人案正在审理之中。
审判长林子涵宣布:"下面由被告辩护人发表辩护意见。"
辩护席上,站起一个中年妇女。与其他常见的辩护律师不同的是,她没有念事先准备好的辩护词,而是先沉着地看一眼被告席上的王杏花,然后巡视公诉席和审判席。她的目光与审判长林子涵的目光碰撞在一起时,有条不紊的演说便开始了:"审判长,审判员,作为被告人王杏花的辩护律师,首先,我要代表被告人王杏花向这起案件中受害人的亲属表示极大的歉意。"她稍稍停顿，然后又说："当然，死是无法挽回的，任何歉意都无法代替残酷的事实。正因为这样，在看守所约见当事人时，面对当事人擦也擦不干的泪水，我就说，你不要再哭了，任何泪水都毫无意义。因此，在今天的法庭上，我们看到了一个没有流泪的王杏花。"

众人的目光都向王杏花看去。王杏花神情黯然，却没有流泪。

辩护人："对于公诉人指控王杏花毒杀丈夫罪，作为辩护律师，我认为公诉人的指控事实清楚，证据确凿，对此，我没有争议，也不会产生辩论。也就是说，在犯罪事实面前，我同公诉人一样，有着共同的认定。看起来，这是一桩极其普通的刑事杀人案件，但这些天，我又常常觉得今天我为被告人王杏花出庭所作的辩护，可能是我律师生涯中最重要的辩护之一。为什么呢？因为在事实清楚、证据确凿的故意杀人罪名之下，我仍然充满信心地为被告人王杏花作减轻处罚的辩护！我想告诉大家的是，这是一桩情有可原的杀人案件！尽管有谋杀人命的事实摆在法庭上，但此刻坐在我们面前的被告仍然是一个柔弱的女子，是一个忍辱负重的受害者！

"大家都知道，王杏花所在的家乡是一个非常贫穷的地方。王杏花不幸生长在这样一个贫穷的家乡，也不幸生活在一个更加贫穷的家庭。她虽然也像普天下的青年男女一样，有着自己的爱情追求，也有着青梅竹马、心心相印的爱人，但贫穷毁灭了她的一切追求。因为给父亲治病，给兄长娶亲，给家里修房子盖屋，确切地说，为了换来五千块钱，二十岁，她由家庭强作主张，被迫嫁给一个比她大十五岁的男人——很不幸，这个男人现在成了本案中的受害者。我在本案调查中，发现了这样的事实：五千块钱交给王杏花家的当天晚上，王杏花就被这个男人强暴了。尽管王杏花哭着喊着，而这种强暴，居然是在家人默许、邻里观望而施暴者本

人也觉得天经地义的情况下发生的。世界上居然还存在着这样一种公开的、堂皇的、受家人和众人纵容与支持的强暴！王杏花曾为此寻死觅活，但在家人的严加看管下，自杀几次未遂。出嫁的那天，王杏花一路上发出肝肠寸断的哭声。耳闻目睹这场面的许多乡亲都向我证明，王杏花在出嫁路上的哭声，比送葬还要悲，比上刑场还要痛！按说，一个年轻善良的女子，踏上婚姻之路像送葬、像上刑场，这已经是很悲凉的事实了，可更加令人痛心的是，因为王杏花的哭声，新婚之夜，新娘没有看到洞房花烛，而是迎来了所谓新郎将其吊在房梁上的棍棒之打！王杏花的哭声是怎么止住的？是棍棒交加致使她昏厥过去才止住的！王杏花昏迷了一天一夜，醒来后，她不再哭了，她想勉强苟且地活下去，可她万万没想到，婚姻生涯的开始就是她棍棒生涯的开始。从结婚到现在，八年时间，王杏花承受着那个疯狂丈夫几千个日夜的非人折磨。那个男人喝醉了酒打她；做买卖赔了钱打她；做买卖挣了钱还要打她——打她取乐；王杏花生了女孩打她，打她为什么不生出传宗接代的儿子……王杏花在结婚前有一个相爱的青年，这青年叫黑子，跟王杏花同村。结婚后，只要王杏花和黑子见一次面，哪怕就是在村口碰到，在公共场合相遇，随之而来的毒打便在所难免。后来，那个青年黑子被迫离开村庄，到城里流浪打工，但这样，王杏花仍然不能免遭毒打。那个男人认定黑子出门打工是为了挣钱，为了把王杏花娶回去，因此无端的猜忌和疯狂的占有让王杏花日复一日地挨棍棒打，挨烟头烫……王杏花为什么最终在那个男人的饭碗里下了毒药？是因为村里人都在传说，黑子在城里中了彩票，中了一个彩电。王杏花为此感到恐惧。她知道，黑子中彩的消息对她来说又将是一场灾难！她逃不脱那一顿棍如雨飞的暴打！虽然八年下来，她已经体无完肤，但她实在不敢想象即将面临的新的皮开肉绽……"

辩护律师说到这里，面对坐在审判长席位上的林子涵说:"审判长,我要向法庭提交的是,我在案情调查中,一百多个乡亲提供的王杏花饱受摧残的证词。如果法庭允许,我还想在这里向法庭展示一件更加充分的证据。"

林子涵:"可以。"

辩护律师走下辩护席,走到被告人王杏花面前,对王杏花说:"请把你的袖子挽起来。"

王杏花惊恐万分,不知所措。

辩护律师上前挽起了王杏花的衣袖,一条疤痕密布的胳膊显露出来。

辩护律师把王杏花的胳膊举起来,说:"大家看看,这条胳膊曾经无数次被烟头烫伤,可以说伤痕累累,不计其数。这还仅仅是一条胳膊,我在这里请求法庭对被告人王杏花所受的身体摧残作出司法鉴定。"

王杏花收回那条伤痕累累的胳膊,双手捂面,哭泣起来。

辩护律师在王杏花的哭泣声中重新回到辩护席。

辩护律师:"审判长,审判员,如果刚才我讲述的是一个古老的故事,似乎还可以原谅。但我讲述的是一个刚刚发生过的故事。它发生在二十世纪九十年代,发生在改革开放和依法治国的年代,发生在走向二十一世纪的时刻!在这种时刻,这样的故事不能得到丝毫的原谅!从世纪初,我们就高举科学和民主的旗帜反帝反封建,回眸百年,我们还能允许今天的女子重蹈百年前封建悲剧的覆辙吗?悲剧不是王杏花一个人的。为什么这样说?因为在王杏花不幸的婚姻身上,我们没有看到科学和民主到底给王杏花提供了什么支持;同时,依法治国的口号我们也喊了多少年,而在王杏花身上,我们也没有看到,作为现代文明高度体现的法律,又给王杏花所受的侮辱与迫害提供了什么援助。如果在今天的法庭上,这位受尽凌辱的悲剧女性将因为毒杀一名蛇蝎不如的丈夫而严惩不贷的话,我想问一句,现代文明的旗帜之下会不会又多出一个封建悲剧的冤魂?"

公诉人和旁听席上的听众开始有了小声的议论。

潘军右和刘兴魁都看一眼林子涵。林子涵镇定自若,没有与他们交流目光。

辩护律师:"尊敬的审判长、审判员,在庄严的法庭上,作为辩护律师,我将为我辩护发言的每一处事实负法律责任。当然,无论怎样的事实发生,杀人毕竟是一件不能原谅的事情。但最后我想提请法庭注意,审判不能只顾及犯罪结果,而应该全程考察犯罪事实形成的因果关系。我们不希望现代文明之光仍然不能照亮一个受侮辱与受迫害的女性,更不希望现代司法制度会把这样一位悲剧女性送上断头台!在此,我请求法庭能够采纳本人的辩护意见,免除被告人王杏花的死刑判决,从公正、公平的意义上,从现代司法文明的高度上,给予被告人王杏花合适的量刑。我的辩护发言完了,谢谢法庭,谢谢大家。"

辩护律师言毕坐下的同时,旁听席上竟然响起了掌声。

林子涵没有制止这种掌声。她与潘军右和刘兴魁简单地交流一下,在法庭的掌声落定之后宣布:"现在休庭!"

公诉人和旁听席上的听众纷纷起身。在起身的同时,他们的目光都纷纷投向被告席上的王杏花。王杏花依然双手掩面,啜泣不已。

走下审判台的林子涵和潘军右、刘兴魁看到辩护律师正走近被告席上的王杏花,悄悄地说着什么。

王杏花在狱警的提示下站起身来,低着头,走下被告席,走出法庭。

公诉人、辩护人和旁听群众纷纷走出法庭。

林子涵在走出法庭的一刹那,看着书记员席位上坐着的聂小倩说:"小倩,走吧,还坐那儿干吗?"

聂小倩的目光仍在盯着王杏花走出的那个法庭通道。在林子涵的提醒下,她转过头来,对林子涵说:"你们先走吧,我把辩护词重新整理一下。"

　　林子涵和潘军右、刘兴魁走出法庭。

　　聂小倩看一眼空空的法庭，空空的被告席，开始敲击笔记本电脑的键盘。

　　时间不长，院长陈默雷来到了刑事法庭大法庭。他在空荡荡的法庭里看到了书记员席位上的聂小倩，便走到她的身旁。聂小倩埋头敲击键盘，没有注意到陈默雷的到来。

　　陈默雷轻轻咳嗽一声。

　　聂小倩抬起头，突然发现了站在眼前的陈默雷，赶紧站起身道："陈院长。"

　　陈默雷微笑说："怎么就你一个人？"

　　聂小倩："刚刚散庭，我正在整理辩护律师的意见。"

　　陈默雷问："你就是聂小倩吧？"

　　聂小倩："对，我是刑事庭书记员。"

　　陈默雷："我知道你。"稍稍沉默，他又说："这些天，我一直想找你谈谈。"

　　聂小倩："找我？"

　　陈默雷："我听说你准备离婚？"

　　这种突如其来的提问让聂小倩有点措手不及，她看看面前的陈默雷，说："院长，这是个人的事，个人的事情还要组织上批准吗？"

　　陈默雷笑道："那当然不是。不过，如果你想谈谈，我也想听听。"

　　聂小倩低下头，想了想，便说："陈院长，你既然这么问我了，我就跟你说说我的两点想法。第一，我刚刚在法庭上上了一课，这一课更加坚定了我离婚的决心。我决不可能把一生的幸福交给一个我不信任或者说我已经很厌恶的人；第二，法官也是人，她不光是法律的执行者，同时也受法律的保护，我依法提起离婚诉讼没有什么不对。陈院长，这两点，就算我向组织的思想汇报吧。"

聂小倩说完，麻利地收拾起眼前的笔记本电脑，然后，提起笔记本电脑说："陈院长，你找我还有别的事吗？"

陈默雷："你先别走，我陈默雷也受法律保护，我怎么觉得你跟我说话不太平等？"

聂小倩开始吞吞吐吐地说："我，我不知道个人的事情该怎样跟院长说。"

陈默雷："假如你把我看成朋友，看成一位兄长，你会怎么说？"

聂小倩听到这里，看看陈默雷。陈默雷微笑着，聂小倩把拎在手里的笔记本电脑重新放回到桌面上，坐下来……

6

林子涵站在办公室的窗前朝外眺望。许久，她转过身来，看一眼默不作声的潘军右和刘兴魁说："怎么都不说话了？"

潘军右问："王杏花那辩护律师从哪儿请的？"

刘兴魁指着一摞卷宗说："这儿写着嘛，从北京请的，北京一家律师事务所的。"

林子涵："据我了解，给王杏花请律师的，是那个叫黑子的农村青年。你想想，一个到城里打工的农村青年能有多少钱？这青年敢花钱到北京请律师，说明他到现在还深深地爱着王杏花。"

潘军右："一听我就知道，你这审判长也被北京请来的律师给感染了。"

林子涵："感染了又怎么样？"

潘军右："你过去不这样啊？"

林子涵："因为我也是女人。"

刘兴魁这时从卷宗前抬起头，对林子涵说："子涵啊，这我得提醒你一句了，女人也好，男人也好，咱法官可不兴

感情用事啊！我在法庭上坐了一辈子，什么样的案子都经历过，哭归哭，笑归笑，到头来还是得回到以法律为准绳，以事实为依据。"

林子涵："王杏花那条伤痕累累的胳膊算不算事实依据？"

刘兴魁："现在我们必须考虑这样一条，王杏花投毒，跟那个相好的农村青年黑子有没有必然联系？"刘兴魁扒拉着卷宗说，"起诉书上有一条，被告人王杏花长期以来与本村青年杜世顺保持暧昧关系。"

潘军右："保持暧昧关系并不能证明与王杏花投毒有必然联系。侦察机关证明，投毒从计划到实施是王杏花一人所为，那个杜世顺根本不知道。公诉人也没有举证证明王杏花投毒是两人暧昧关系导致的。没有证据，就不能在这个案件中把王杏花与杜世顺的二人关系牵扯进来，因此，起诉书中这种因果推断靠不住，属于画蛇添足，法庭应该不予采纳。说到这儿了，我对暧昧这个词保持异议，什么叫暧昧？王杏花对杜世顺旧情难忘，婚姻越是痛苦，越发在心里思恋往日恋人，这属于正常的情感，美好的情感，为什么非要称之为暧昧？"

林子涵："暧昧这个词缺乏矢量界定，而没有矢量界定的概念法庭有理由拒绝采纳。既然证据证明王杏花投毒系一人所为，也没有证据证明王杏花投毒是她与杜世顺情感关系的必然导致，起诉书上关于王杏花投毒的因果设计属于缺乏佐证的联想，应该不予支持。美国加州法庭审理辛普森案，所以宣布辛普森无罪，其主要原因是排除了关于杀人动机没有证据的联想。这个案子虽然至今还有争论，但它的法理思路值得借鉴。回到王杏花案子上来，既然辩护人在法庭上有新的举证，证明王杏花是一名长期受迫害、受摧残的女性，她的投毒行为是为了免遭新的摧残，那么，在公诉方没有新的举证之前，我认为辩护人的意见可以作为王杏花投毒的因果解释。也就是说,她的杀人动机是为了保护自己免受摧残和蹂躏。"

潘军右:"咱们是不是先形成个初步意见?"

林子涵:"那就谈谈吧。"

刘兴魁:"这案子可以考虑死缓。"

潘军右:"我的意见无期徒刑。"他看看林子涵:"你呢?"

林子涵:"有期徒刑二十年。"

潘军右:"好嘛,咱合议庭第一次出现这种事,三个人三种意见。"

刘兴魁站起来,说:"子涵,这案子虽然不复杂,可背景并不简单。我看这样,为稳妥起见,我们需要对公诉人的举证和辩护人的举证再进一步展开调查。只有把事实逐一核对清楚,才有可能得出我们的正确结论。"

林子涵:"我同意。"

林子涵话音刚落,行政庭审判员郑小泉冒冒失失闯进办公室。他进门一看,说:"哟,开会呀!"

林子涵:"合议庭正在合议,闲人免进!"

潘军右:"况且,聂小倩同志也不在。"

林子涵制止潘军右:"潘军右,听着,以后不许再拿人家聂小倩开玩笑!"

潘军右赶紧耸耸肩膀。郑小泉说:"知道你们正在合议,我只说一句话。你们不是在合议那女的吗?我告诉你们,那女的可是苦大仇深,你们可千万别再弄出一个二十一世纪的《窦娥冤》来!"

潘军右有些不服气:"你小子什么意思?我们不会断案子?"

郑小泉掏出那皱皱巴巴的半包烟,说:"不是,我是随便听人家说了说故事,觉得挺惨。你看,还硬硬地让人家贿赂我半包烟。"他说着,把烟扔给了潘军右。

潘军右刚刚接过烟来,林子涵厉声质问:"郑小泉,真正的法官是你这么说话吗?"

郑小泉:"我还没说完呢,我后半句话是,法官就是一架天平,不偏不倚,不冤枉一个好人,也不放过一个坏人……"

郑小泉还没说完,潘军右起身把他拥出办公室:"去去去!北大毕业生别给我们念小学课本,一边凉快去!"

办公室门外走廊上,站着另外两名行政庭审判员。郑小泉在门口说:"本人也当审判长了,看,咱的合议庭成员!"随之,对屋门口站着的两名审判员说:"走吧,咱们去医院。"

7

郑小泉和两名法官提着一兜物品来到医院病房。李长明的母亲仍然头缠绷带躺在床上。郑小泉进门亲热地喊:"大娘!"老人摸摸索索从床上坐起。

郑小泉见状,赶紧上前搀扶老人,边搀扶边说:"哎,大娘,你慢着,慢着。"

老人坐起来,摸索着郑小泉的手说:"郑法官,你咋又跑来了?"

郑小泉:"我们行政庭的几个同志要来看看你,我就领他们来了。"

老人:"作孽啊,你们这么忙,还来看我这个乡下老婆子。"

郑小泉指着两名法官说:"大娘,等你把绷带拆了,睁开眼了,就能看见他们了。他们啊,一个个都比我长得漂亮,这里头,就数我丑。"

两名法官笑着,围拢起老人,问:"大娘,你还好吧?"

老人:"作孽啊,咋着才能报答你们这些好人啊!"

郑小泉:"大娘,你就放心治病吧。我来还想告诉你,你儿子长明打的那官司,很快就要开庭了。不敢说官司谁输谁赢,但至少不会等多久了。"

老人听到这里,又摸索起郑小泉说:"咋?长明没去找你们?"

郑小泉:"没有啊,怎么了?"

老人:"这孩子,嗨!郑法官,我让俺家长明去跟大伙儿说了,那官司呀,俺们不打了,那状子啊,你行行好,帮着长明从法院撤回来,啊?"

郑小泉听到这里,诧异地看看眼前的两个法官,又问老人:"大娘,怎么回事啊?出什么事了?"

老人:"都是长明这孩子不懂事。我劝了他一夜,咱给公家帮不上忙,也别去给公家添乱了!"

郑小泉匆匆来到院长陈默雷办公室门前,敲门之后,还没听见回音,便急不可待地推开了门。

他一眼便看到了坐在陈默雷对面的李长明。

陈默雷看到郑小泉,便说:"来得正好,我正想找你呢。"

郑小泉:"我都知道了。"随之,他对民工李长明说:"李长明,你先出去一会儿,我有话跟陈院长说。"

李长明见状,赶紧起身走出办公室。

陈默雷看看郑小泉的神态说:"什么事啊,这么紧张?"

郑小泉紧盯着陈默雷说:"陈院长,李长明为什么要撤诉?"

陈默雷一笑,说:"嗬,你知道了。"

郑小泉:"我想知道为什么?"

陈默雷:"你想知道为什么,怎么还让人家出去?"

郑小泉:"我想让你告诉我原因。"

陈默雷:"怎么,你听说什么了?"

郑小泉:"那我就打开窗户说亮话吧!陈院长,你刚来时间不长,我对你没什么了解。可是,你一个举动曾深深打动了我,那就是你从山村里把李长明的母亲一下背在身上,背到城里来治病。说实话,当时我很感动,也一下子对你很钦佩。可现在我想问你,你是不是觉得李长明的案子很棘手,上下左右都是一张关系网,所以,故意做一件好人好事,故意用道德主义的方式来化解这桩案子?你是不是通过给老人治病来感化李长明,从而让李长明自动放弃诉讼,你好我好大家都好?如果你说是,那你把老人背在身上那种道德举动就是一种伪道德,是一种权术和伎俩!它不仅不光彩,而且很卑鄙,很丑陋!"

陈默雷听完郑小泉的话,转过身去,没有回答。

郑小泉:"陈院长,我就想听你一句话,是还是不是?"

陈默雷转过身来,看着郑小泉一字一句地说:"郑小泉你听着,沉默不语者是我,电闪雷鸣者也是我。你瞪大了眼睛看着,站在你面前的是个堂堂正正的男人,是堂堂正正的春江市中级人民法院院长陈默雷!"

九

- 我不忍心也不甘心,像你我这样献身其中的人,在这条路上前仆后继,半路夭折。
- 鲁迅不是你一个人的鲁迅,是大家共同的鲁迅。

1

杨铁如领着孩子杨正大走在华灯初放的春江市大街。

这是春江市的中心街道,两边商店鳞次栉比,路上行人如织。孩子走在被霓虹灯映照得五彩缤纷的大街上,兴奋地东张西望。在如此撩拨人心的夜色里,孩子兴奋地问杨铁如:"爸爸,今晚谁请我们吃饭?"

杨铁如:"一个叔叔。"

杨正大:"什么样的叔叔?"

杨铁如:"去了你就知道了。"

杨正大:"爸爸,你不当院长了,还有人请你吃饭啊?"

杨铁如站住,瞪孩子一眼,说:"你这孩子,说什么呢!爸爸当院长的时候,就老被人请吃饭?"

杨正大:"我喜欢有人请吃饭,天天请才好呢!"

杨铁如无奈地苦笑,伸出手拍一下孩子杨正大的后脑勺。

两人沿大街继续走。前方的楼顶上蓦然出现了一面巨大的彩色灯饰广告。广告画面上袅袅娜娜的女郎以不容回避的姿态直冲人们的视线。孩子面对广告画面的艳丽女郎不由得喊出一声:"哇塞!"

杨铁如又瞪一眼孩子杨正大,说:"正大,好好说话!"

杨正大冲爸爸神秘地笑笑说:"爸爸,你知道什么叫'做女人挺好'吗?"

杨铁如:"不知道,什么东西?"

杨正大挺起胸,摆起电视屏幕上司空见惯的广告女人的行走姿态,说:"告诉你,做女人要这样,要挺,挺胸。"

孩子学着女人的猫步在杨铁如跟前走几步,还用手在胸前夸张地比画着。

茅塞顿开的杨铁如站住不走了。他皱着眉头问:"你跟谁学的这些?老师教你的?"

杨正大:"我们班男生都在说,广告上也那么说。还有呢,做男人也要……"

杨正大还没说完,杨铁如厉声喝住他:"正大!你学点什么不行,怎么就偏偏不学好!你个小毛孩子,你懂什么男人女人?以后我再听见你说这些乱七八糟的,我就扇你耳刮子!听见了吗?"

孩子听完,一甩手,赌气般自己向前走去。

杨铁如看一眼走在前面的孩子,再看一眼迎面巨幅的艳丽广告,深深地倒抽一口气。

这是一家潮州人办的餐厅。陈默雷正坐在一张餐桌前端详菜谱。在服务小姐的微笑等待中,陈默雷开始指点着菜谱比比画画地点菜。服务小姐躬下身来,微笑着记录。

杨铁如和孩子杨正大来到餐厅门外,站住说:"就这儿,到了。"

杨正大抬头看看富丽堂皇的餐厅门面,说:"潮州菜,还行。"

两人在礼仪小姐的迎候中走入餐厅。在餐厅的旋转门外,杨铁如又站住对孩子说:"正大,跟大人出来吃饭,要有礼貌,懂规矩,知道吗?"

孩子看看杨铁如,不屑的神情溢于言表:"不就一顿饭啊?至于吗?"

孩子率先走进了餐厅的旋转门,杨铁如随后跟进。

等候在餐桌前的陈默雷起身迎接远远走来的杨铁如父子二人。

杨铁如和孩子来到陈默雷身边。陈默雷好奇地看着孩子,说:"好啊,还带了小的。"杨铁如对孩子说:"这是陈叔叔。"

孩子打量着陈默雷,说:"叔叔好!"

陈默雷充满兴趣地看着孩子,对杨铁如说:"知足吧,铁如,养活这么一个好儿子。"随即,又问孩子,"叫什么名字?"

孩子:"杨正大。"

陈默雷笑道:"一听就知道,这名字是你爸起的,没你妈什么事。"他拍一下孩子的后脑勺,招呼着:"坐,坐。"

杨铁如边坐边说:"他妈妈出去讲学了,孩子一个人在家。正好你请客,我们父子俩一块宰你。"

杨铁如和陈默雷对面而坐,孩子坐在餐桌一侧。

杨铁如问陈默雷:"你是男孩女孩?"

陈默雷:"女孩,比正大小,才八岁。那名字也是我给起的,叫陈思。"

杨铁如笑道:"一听这名字,换了别人也起不出来。"

陈默雷:"刚坐下就开始贬低我。"他转向孩子,"菜我已经点了,正大,想吃点什么,喝点什么?"

孩子没有直接回答陈默雷,而是转身招呼服务小姐:"小姐!"

服务小姐款款走来。

杨正大:"请问,都有什么饮料?"

服务小姐流利地吐出一长串饮料的名字。

杨正大挑剔地摇摇头,问:"有鲜榨果汁吗?"

服务小姐："有。"随后又吐出一串鲜榨果汁的名字。

杨正大："没有荔枝？"

服务小姐："对不起，小朋友，今天没有。"

杨正大叹口气，说："那就来杯西瓜汁吧。"

服务小姐微笑着点头："好的，小朋友，请稍等。"

杨铁如看着孩子的举动，对陈默雷说："你说这一套是谁教给他的？"

杨正大接一句："按照国际惯例，她应该称我先生。"

陈默雷听到这儿笑起来，对杨铁如说："听见了吗？铁如，这也是改革开放的成果之一，这么小的孩子都知道国际惯例了！和他们比比，咱是不是老了？"

杨铁如无奈地苦笑摇头，对陈默雷说："没办法，这么点个熊孩子，脑袋瓜里乱七八糟，什么都有。"随即，又对孩子说："正大，你知道今天谁请你吃饭，你还这么肆无忌惮？你不是说过世界上只有两种人吗？我是狗熊，今天请你吃饭的陈叔叔就是你说的那英雄。"

陈默雷："说什么呀，狗熊、英雄的？"

孩子看着陈默雷问："叔叔，你是法院院长？"

陈默雷："是啊，你爸爸不愿干，干剩下的，就让叔叔来干了！"

服务小姐把菜端上来，报着菜名。

杨正大看看陈默雷，又看看杨铁如，想说什么没说出来，最后才抄起筷子说："我饿了。"

服务小姐问杨铁如："两位先生喝点什么？"

杨铁如："啤酒。"

陈默雷："白酒。"

杨铁如对陈默雷说："喝点啤酒就行了。"

陈默雷毫不犹豫地对服务小姐说："小姐，来瓶白酒！"

不一会儿，小姐将白酒端来了。

陈默雷和杨铁如把酒杯斟满，斟满白酒的酒杯碰在一

起,两人一饮而尽。

杨正大的盘子里很快堆起高高的食物残骸。他说一句:"爸,我吃饱了。"

杨铁如:"你吃饱了,爸爸和叔叔还没说完话呢!"

杨正大:"你们到底是吃饭还是说话呀?"

陈默雷抚摸着孩子的头说:"对小孩来说,吃饭最重要;对大人来说,说话最重要,懂吗?"

杨正大摇摇头说:"不懂。"

陈默雷和杨铁如都笑起来。正这时,餐厅里响起了音乐,伴随音乐有柔柔的广播传来:"各位先生、女士们,晚上好!欢迎大家光临本餐厅!为了使你的晚餐更加丰富多彩,我们特意推出春江之夜时装模特表演,希望美酒佳肴和美丽的时装模特陪伴你度过一个愉快的夜晚。"

广播声未落,已有一队时装模特在音乐中款款走来。模特们穿行于餐厅之间的过道里,袅袅婷婷,摇摇摆摆。杨正大见如此情状,兴奋地拍起了手。

时装模特走过陈默雷他们身旁,杨正大兴奋地目不转睛地盯着。

杨铁如试图扭转杨正大的头,杨正大的目光执拗地盯着那一队袅袅婷婷的模特。

杨铁如对陈默雷说:"你看看,你怎么安排到这儿来了?"

陈默雷:"我也不知道这儿有模特。模特怎么了?就是让人观赏的,审美嘛!"

杨铁如对陈默雷悄悄指指聚精会神的孩子,说:"你看看!"

陈默雷笑道:"孩子面对的是客观存在,想回避能回避得了?"说着,他又端起酒杯,"来,干了!"

时装模特在一个宽敞的区域停下,开始了她们的表演。杨正大从座位上站起来,跑向表演区域。杨铁如试图站起阻拦，陈默雷伸手拉住了他："哎，铁如，这你就错了啊！"

杨铁如："我错哪儿了？"

陈默雷："你不能无视客观存在。你一个人能征服得了一个时代？"

杨铁如："你说让个孩子跑餐厅来看什么模特！"

陈默雷："你可以挡住孩子来这个餐厅，你挡得住电影、电视、歌曲、广告？我那女儿才八岁，就开始追星，有偶像了，你怎么办？孩子就生活在这种氛围中，他们有他们的成长轨迹，你想挡，那可是螳臂当车。"他看着杨铁如的目光忧郁地盯着远处的孩子，便说："放心吧，正大他们长大成人，只会比你我都强，不会比咱们更差！"

杨铁如端起酒杯与陈默雷碰杯。

喝掉杯中酒，杨铁如点上一棵烟，说："也许，我在这个时代面前落伍了。那天，市委孙书记批评我，你也在场，他不就说嘛，说我还不够改革开放，看问题只有一个角度。"

陈默雷听到这里，便说："我今晚约你出来，就想谈谈这事。"

杨铁如："谈什么？谈我不改革开放？"

陈默雷笑笑说："依我看，那天孙书记批评的，反倒是你在某个方面太改革、太开放了。"

杨铁如："你是说民工的案子？"他苦笑，"其实，我所坚持的，只是一种公正合理的司法程序。"

陈默雷："对于中国的法治来说，实现公正合理，就是重大改革。"

杨铁如："可我居然以保守者的形象受到了严厉批评。"

陈默雷："那天，孙书记看起来是在批评你，拿你说事儿，可我听出来了，那是项庄舞剑，意在沛公。"

杨铁如听到这里摇摇头，说："话说到这里，是你自作自受。一桩正常的行政诉讼案件，按诉讼程序审理就是了，何必向市委汇报？你有你正常的司法权力嘛！你去汇报了，那还不惹出婆婆妈妈一串事？不过，话说回来，这事你也不必想得太多。孙书记最后不是表态了吗？决不把权力凌驾于法律之上，让你全权处理！既然让你全权处理，你全权处理就是了。"

陈默雷："可孙书记批评你的内容是，无视金城县改革开放的成果。"

杨铁如听到这里一怔，说："怎么，他批评我，你就虚惊起来了，想打退堂鼓？"

陈默雷："打退堂鼓，我会把你杨铁如请出来吃饭？"

杨铁如："那你想怎么办？"

陈默雷沉默片刻，说："铁如，为了这桩行政诉讼案，我曾几次到金城县暗地里调查过。几百户农民的财产权受到了侵害，这是不争的事实。种植大棚蔬菜，是让有的村、有的农民得到了利益，但事实并不像宣传的那么玄乎。反倒是，为了夸大某项改革成果，提高某些人的政绩，独断专行和长官意志使许多村庄、许多农民付出了沉重的代价。现在的问题是，报喜不报忧，虚报瞒报，浮夸成风，以至于金城县成为春江市农业改革的带头县；而这样的改革典型，居然又得到了市委的充分认可。市委孙书记的态度你也看到了，在这种态度面前，行政庭强行开庭，会有什么压力和后果，你想过吗？"

杨铁如苦笑道："我想与不想又有什么用？我一不是法院院长，二不是市委书记。"

陈默雷："现在，必须有人在深入调查研究的基础上，以充分的事实和证据驱散迷雾，让市委能够实事求是地评价金城县的所谓改革。只有市委孙书记的态度发生改变，春江中院的审判工作才会有良好的执法环境。我把你请来，因为你现在是市委政策研究室主任，有开展调查研究的便利条件；还有，那天孙书记不是也让你深入金城县了解改革实践吗？因此，驱散迷雾，拨乱反正，你是当然的合适人选。"

杨铁如听罢此言,认真地端详起眼前的陈默雷。他端起酒杯喝掉一杯酒,说:"默雷,喝了这杯酒,我才知道我杨铁如为什么当不上春江中院的院长了。"

陈默雷也端起酒杯喝掉一杯酒,说:"铁如,喝了这杯酒,我也跟你说句知心话。我不希望看到这样的局面:春江中院前脚走了一个杨铁如,紧跟着,后脚再走掉一个陈默雷。"

杨铁如定定地看着陈默雷。

陈默雷:"你别这么看着我,这不是危言耸听。法治,法治,说起来容易做起来难。我不忍心也不甘心,像你我这样献身其中的人,在这条路上前仆后继,半路夭折。你杨铁如离开了法院大楼,我陈默雷来了,你未实现的法治理想,正是我陈默雷要去做的。可我要成为第二个杨铁如,就不可能把你未完成的事情做好。审判工作不是孤立的,法治也绝不可能像举手投足那样简单。说来说去,你我之间,目的只有一个。"

杨铁如:"你的意思是,反正我杨铁如已经牺牲过一次,可以继续牺牲下去,最终成为你实现法治理想的殉葬品?"

陈默雷笑了笑,说:"你先别把自己说得那么高尚,高尚是高尚者的墓志铭,等死了以后再说吧。现在的问题是,几百个农民在等待法律的公正判决,而春江中院的审判工作又亟须一个良好的外部环境。"

杨铁如:"我当时怎么就没想到你这套曲线救国的理论?"

陈默雷:"也许因为你当时没有想到,才提醒我现在必须想到。"

杨铁如:"可公正审判的道路应该是条笔直的道路。"

陈默雷:"是啊,正是为了找到这条笔直的道路,现在才不得不迂回曲折地走,欲速则不达。但不管直线还是曲线,我再重复一遍,你我之间,目的只有一个。"

杨铁如笑笑,端起酒杯:"来吧,陈院长,干杯!"

陈默雷:"你什么意思?"

杨铁如:"我还是我杨铁如,你还是你陈默雷,两个不同的人,一件共同的事,来吧,干!"

陈默雷的酒杯与杨铁如的酒杯碰在一起。

柔美的音乐一直在偌大的餐厅萦绕。在餐厅的另一区域,袒胸露背的时装模特正在变换着不同的状态表演。杨正大反坐在一把椅子上,津津有味地观赏着。

杨铁如和陈默雷来到了孩子身后。

杨铁如指着看得津津有味的孩子,对陈默雷说:"你看看这熊孩子,眼皮都不眨一下!"

陈默雷笑笑,说:"鲁迅当年批判的,就是你这种人。你怎么就认为孩子的目光不健康、不纯洁?也许孩子在这里发现了美,激发了创造力呢!"

杨铁如重重地叹口气。

一队又一队的模特款款走出。新潮的服饰和别致的造型令人眼花缭乱。也许在陈默雷和杨铁如沉郁的目光中,凝聚了一串串时代的难题和困惑,但莺歌燕舞的风尚正在把我们的时代装点起来。这个复杂而困难重重的时代在这般装点之中,正呈现出时装模特般的轻松飘逸,花枝招展……

2

行政庭审判员郑小泉骑一辆摩托车来到市内一个建筑工地。他骑着摩托车在建筑工地前来回转圈,目光不断地向干活的民工搜寻。最后,他来到一个搅拌机前,停下摩托车,走近一群民工问:"请问,李长明是不是在这个工地?"

一个民工看着郑小泉,问:"李长明?你找李长明啊?"随即,他抛下郑小泉,来到建筑物前,扯开嗓门喊:"李长明!李长明,有人找你!"

喊过之后，民工对郑小泉嘿嘿一笑，问："你是哪儿的？"

郑小泉："春江中院。"他怕民工听不懂，又重复一句："法院的。"

民工一听，立时打起精神。他重新对着建筑物用手作喇叭状喊："李长明，你快下来吧，法院来人了！法院来人了！"

其他民工一听这呼喊，纷纷扔下手里的活计，围拢到郑小泉身边。

不一会儿，从建筑物里跑出灰头灰面的李长明。围拢起来的民工纷纷给李长明让开一条道路，李长明喘着粗气来到郑小泉面前，说："郑法官，你咋来了？"

郑小泉："找到你可不容易。"

李长明："俺这伙人属野狗的，今儿在这，明儿在那，哪儿有活往哪儿奔。"

郑小泉："我来是想问你，你还想撤诉？"

李长明听到这句话，拿起搭在肩头的毛巾擦汗，不再言语。

郑小泉："你撤诉的理由我都知道了。作为诉讼人，你没必要为法院操心。你这种操心是多余的，属于瞎操心。我来就想告诉你，法院怎么判你们的案子，跟陈院长给你母亲治病没有任何关系，你千万不要把没有任何关系的事情联系在一起。当然，撤不撤诉，最后决定权在你，在你和大伙儿。我来找你，就想听你说句真心话。"

李长明吭哧半天，抬起头，说："叫大伙儿说吧，俺听大伙儿的。"

郑小泉看看围拢的一群民工。民工们面面相觑。

突然有民工喊："不撤诉，俺要把官司打到底！"

众民工纷纷响应："不撤！不撤！"

李长明在众人的吵嚷声中一下蹲在地上。郑小泉看着李长明说:"李长明,你个人的意见呢?"

李长明低着头说:"俺听大伙儿的,听大伙儿的……"

3

杨铁如乘坐的轿车行驶在通往金城县的公路上。这是一条沿江公路,公路随蜿蜒江水铺陈开去。坐在车内的杨铁如一直凭窗眺望着滔滔江水和不时驶过的船只。

坐在轿车副驾驶座上的秘书回头问一句:"杨主任,金城县县长王玉和你熟悉吧?"

杨铁如:"熟悉,前不久还打过交道。"

秘书:"你在法院的时候?"

杨铁如把车窗玻璃摇下来,说:"对,我带领执行庭强制执行了金城公司的财产。"

秘书试探着问:"那,咱们这次到金城县调研,要不要先给王县长打个电话?"

杨铁如:"电话先不打了,咱们直接到乡镇和村里。等调研结束,看王县长有没有时间,方便的话,可以见一面。"

秘书犹豫着说:"要是不通过县里,咱们直接到乡镇和村里,谁来接待咱们?"

杨铁如:"调研嘛,要什么接待!"

秘书想想,便说:"也是,就是通知了县里,咱也没什么接待规格。政策研究室,没权没钱,走到哪儿都不管用。"稍稍停顿,他又说:"杨主任,要换了我,宁可在法院干个副职,也不跑到这儿来当什么主任。你可能对咱们这单位还不怎么了解。"

杨铁如笑笑,说:"我虽说来时间不长,可我发现咱们市委机关的干部,可没有像你说话这么随便的。"

秘书:"那是一个个瞪大了眼睛想往上爬!想当官的人都那样,或者不说,或者言不由衷。反正我已经看到头了,无所谓,说了也是那样,不说也是那样,那还不如怎么想怎么说呢!"

杨铁如:"你这么年轻,怎么就看到头了?"

秘书叹口气:"嗨!"他沉默片刻,随即又说:"哎,杨主任,你听说了吗?金城县王县长是下一届副市长人选。眼看着明年不就换届了嘛!"

杨铁如:"还没换届呢,你怎么先知道了?"

秘书:"谁不知道啊!市委大院,至少一半以上的人,天天都在研究这个。"

杨铁如没有吱声。他盯着公路一侧江面上的江水和船只,忽然拍拍司机的肩膀,说:"听听音乐吧。"

司机打开录音机。录音机里传来那熟悉的意大利歌曲《今夜无人入睡》。

面对跌宕起伏的高亢声音,司机说:"杨主任,你怎么老爱听这个?"

杨铁如没回答,而是用手托住了下巴。

公路上汽车不多。轿车内传出的意大利歌曲,透过车窗,播撒在滔滔江面……

潘军右驾驶着桑塔纳轿车也行驶在沿江公路上。林子涵坐在副驾驶位置,刘兴魁坐在轿车后座上。潘军右边开车边说:"都说新官上任三把火,咱们陈院长上任,怎么就没见点火呢?"

林子涵接一句:"还没点火,我看你已经火烧火燎了。"

潘军右:"看出来了?"

林子涵:"嗯,看出来了。"

潘军右拍一把方向盘,慨叹一句:"我劝天公重抖擞,不拘一格降人才啊!你赶紧当上刑事庭庭长,我这副庭长也就看见边了。"

林子涵笑道:"潘军右,这车上可坐着三个人呢!庭长都让你我当了,老刘怎么办?老刘可是咱法院公认的一部法典。"

潘军右:"那咱把老刘供起来,天天给他烧香!"

坐在后车座上打瞌睡的刘兴魁睁开眼,说:"咒我呢!活得好好的,给我烧什么香?"

潘军右和林子涵都笑了。

刘兴魁不无感慨地说:"不服老不行了。要说我是一部法典,那也是一部过时的《汉谟拉比法典》,法规滞后,观念滞后。这次调查王杏花这案子,我就深有感触。原先说,法官越老越值钱;现在看,这句话得打个问号了。"

正说着,迎面一辆轿车驶来。在两辆轿车会车的一刹那,林子涵敏感地听到了迎面轿车中隐约传出的意大利歌曲。她随之脱口而出:"杨铁如的车!"

潘军右瞪大了眼睛:"哪儿呀?"

林子涵朝后看着说:"刚过去的那辆。"

潘军右问:"你认识他的车?"

林子涵:"不认识,但我敢打赌!不信你追上瞧瞧?"

潘军右的行车速度减缓下来。他说一句:"好久没见杨院了,追就追。"随即,他又对林子涵和刘兴魁说:"坐好了,我调头了啊!"

在说话的同时,潘军右猛打方向盘,干净利落地掉转车头,随即,揿动了车上的警笛,一路疾驰向前追去。很快,便发现杨铁如的车辆就在前面不远的地方。

两辆车的距离越来越近。在警笛的鸣叫下,前面的轿车不得不靠边减速行驶。潘军右的车迅速超过了前面的轿车。

刺耳的警笛声引起了杨铁如轿车内所有人的注意。司机看看前面轿车不停地亮起尾灯,困惑地问一句:"不会是追我们的车吧?"

司机和秘书都不约而同地回头看看杨铁如。

杨铁如看着前边的轿车停下来,便对司机说:"停下。"

车刚停下,杨铁如便看见前面的轿车里走下潘军右、林子涵和刘兴魁。潘军右冲杨铁如的车伸开双臂做着手势。杨铁如笑道:"嘀,是他们。"

秘书问:"杨主任,你认识?"

杨铁如:"法院的同事。"说着,他打开车门,走下轿车。

潘军右高喊:"嘿,杨院,真是你啊!"

杨铁如看到林子涵和刘兴魁站在那里,向他笑着。他走上前去,说:"怎么会在这儿碰上你们?"

潘军右:"我们也没想到会在这儿碰上你。多亏了她!"他指指林子涵说:"你那车刚一擦肩过去,她就肯定地说,是你的车。"

林子涵笑着说:"想知道为什么吧?因为春江市的司机没几个人会在车上听帕瓦罗蒂。"

杨铁如笑了笑,说:"不愧是法官,有点蛛丝马迹就会让你们抓住。"

林子涵问杨铁如:"请问,市委杨主任要去哪儿视察?"

杨铁如:"嘀,才几天呀,开始拿我当外人了?"随即又说:"我去金城。"

潘军右:"巧了,我们刚从金城回来。"

杨铁如:"你们也去金城了?"

林子涵:"去金城调查一桩案子。"

杨铁如警觉地问:"什么案子?"

林子涵笑着对众人说:"你们看看,他是当政策研究室主任,还是当法院院长啊?一听案子,他那眼睛接着就瞪起来了:什么案子?什么案子?真是青山依旧在!"

潘军右笑着说:"杨院,既然青山依旧在,你干脆回来,弄个几度夕阳红算了。"

杨铁如:"你们呀,看我管不了你们了,就敢跟我这么无法无天。"

刘兴魁笑着走上前来，说："我们去调查一桩农妇毒杀丈夫案，这一路上，我跟他们学了不少东西。"

杨铁如："我一直让他们跟你好好学，我这刚一转身，就倒过来了？"

林子涵："什么呀，我们刚刚在车上说了，老刘是我们的一部法典。"

刘兴魁拍拍脑门说："不行了，观念，观念！"他随即又问杨铁如："铁如，你还好吧？"

杨铁如笑笑，不置可否。

刘兴魁："你到金城干什么去？"

杨铁如："调查金城县推广种植的大棚蔬菜。"

潘军右接过话茬说："杨院，这话从你嘴里说出来，我都吓一跳。你怎么连蔬菜都研究上了？你什么时候懂蔬菜的？"

杨铁如："你以为我现在光研究蔬菜？大到春江市可持续发展，小到蔬菜、绿化、路灯，包罗万象。"

潘军右愤然道："什么啊！连张业铭这样的，都能到检察院当检察长，放着这么一个法律专家，去调查什么大棚蔬菜。"

杨铁如打断潘军右的话："说什么呢！"

刘兴魁说："铁如，你还年轻，沉住气。"

林子涵默默转身走开，从轿车里取出一盒磁带，递给杨铁如说："别老听你那一首歌了，送你这盒磁带，换换别的歌听吧。"

杨铁如接过磁带。这时，随同杨铁如同行的秘书走近前来，问杨铁如："杨主任，没事吧？"

杨铁如笑了，对众人说："看看，你们把警笛开得呜哇乱叫，让别人都以为出事了。"随后，向众人介绍："我们研究室的小赵，复旦大学毕业生。"

几个人伸出手与秘书小赵相握。小赵连连说着："惭愧！

惭愧！"

潘军右说："小赵，我们杨院胃不太好，吃东西让他注意点。"

林子涵接着说："胃还是次要的，他主要是神经衰弱，睡不着觉，不能让他熬夜！"

杨铁如笑道："行了，好像过去你们多么关心我一样！别耽误在路上了，咱们分道扬镳吧。"

刘兴魁拍拍杨铁如的肩膀说："铁如，少抽烟，能少抽一根就少抽一根，啊？"

杨铁如笑了，点点头，招呼秘书小赵走进自己的轿车。林子涵、潘军右、刘兴魁一直站在那里，招手示意杨铁如的车先走。

杨铁如和秘书小赵向站在路旁的林子涵等人招手致意。

车开出挺远的距离，秘书小赵回头看看，对杨铁如说："他们还没上车呢。"

杨铁如没有回头向后看，也没有回答。

秘书小赵看看杨铁如的表情，没再说下去。少顷，杨铁如忽然拍拍小赵的肩膀，把手中的磁带递给他："来，听听这盒磁带。"

小赵把磁带塞进了车内的录音机。随之，录音机里传出了一曲富有魅力的歌曲。

司机说："这歌好听。"

小赵："《昨日重现》。"他回头问杨铁如："他们送你的？"

杨铁如点点头。小赵叹口气，回过头说："杨主任，我突然明白，他们为什么对你那样了。"

杨铁如没有说话，他只是沉浸在歌曲之中。那是风靡全球、历久不衰的卡本特金曲《昨日重现》。那首英文歌曲是这样唱的：

When I was young
I listen to the radio
Waiting for my favorite songs
When they played I'd sing along
It made me smile
……

它的中文大意是：儿时我打开收音机／等待我最心爱的歌／每当旋律响起的时候／我就会跟着它一起吟唱／心中的快乐啊至今难以忘怀／可那往日的幸福时光／此刻都已难见踪影……

杨铁如仰靠后座，闭上眼睛，思绪随歌声似又回到从前。他的眼前叠化出春江中院高高的大楼，楼厅里醒目的木雕图画，空空的刑事法庭大法庭……那一切虽去犹新，历历在目。

汽车沿滔滔江水驶向遥远的天际。

4

行政庭庭长李乾坤推开郑小泉办公室的门，喊一声："郑小泉，你来。"

郑小泉此时此刻正和另外两名行政庭审判员在一摞卷宗前探讨着什么。看到站在门口的庭长，郑小泉问："什么事啊庭长？我这儿正忙着呢！"

李乾坤站在门口说："你忙，我就站这儿等你！"

看到庭长李乾坤一脸严肃，郑小泉便起身推开眼前的卷宗说："别，那我去吧，您老人家往这儿一站，我哪受得了！我还想让你给我评个先进工作者呢！"

李乾坤转身走去。郑小泉跟随李乾坤走出办公室。临出门，他对办公室另外两名法官说："别忘了，给金城县政府发传票！"

李乾坤在前，郑小泉紧走几步，追上李乾坤说："庭长，咱到哪儿？"

李乾坤没吱声，顺手推开走廊尽头小会议室的门。两人一前一后走进小会议室。

郑小泉走进会议室，看着一片空空的坐椅，问："庭长，来会议室干吗？你给我一个人开会啊？"

李乾坤随手一指墙角里那个落地座钟说："你看看吧，这落地座钟修好了，正点报时，一分一秒也不差。"

郑小泉看一眼无辜的落地座钟，说："它早该这样了！"又看一眼李乾坤说："庭长，你找我就这事？"

李乾坤坐下来，说："落地钟修好了，从今往后，你也别指着这落地钟指桑骂槐，口无遮挡了！"

郑小泉也坐下来，说："我什么时候拿落地钟指桑骂槐了？我那天不是在说民工的案子吗？"

李乾坤："原先呀，总觉得你们年轻，我一直拿你们当孩子看；现在看来，是我的错。我也知道，现在要求领导干部年轻化，我老了，年龄不饶人，可我李乾坤从来没想占着这个坐椅不让位。只要上级找我谈话，我立即撤退，毫不犹豫。可你们是不是太沉不住气，太急了点？我现在还是一庭之长，还不至于让你们把我掀翻在地，三下五除二把这庭长位子夺了去吧？鸡叫还要等到天明呢！"

郑小泉听到这里，眨巴了半天眼睛，说："庭长，你是不是找错人了？你不是找我谈话吧？"

李乾坤："我怎么找错人了？我找的就是你郑小泉！你现在坐在我跟前，眉毛是眉毛，眼睛是眼睛，我把你看得清清楚楚。都说老眼昏花，可我的眼睛特别好，到现在，两个眼的视力还是一点五。"

郑小泉听到这里，变得认真起来："庭长，你是没老。你没有爬雪山过草地，也没有四渡赤水，飞夺泸定桥，你真

不算老；可是，你肯定眼花了。不信你去查查视力，肯定不是一点五，那是医生糊弄你，安慰你。"

李乾坤："你凭什么说我眼花？"

郑小泉："你要不花眼，你怎么能认为我想当庭长，想把你掀翻在地，还有什么三下五除二呢？老人家，你听着，本人这辈子只想当个审判员。当个审判员，还让别人叫咱法官，沾了个官字，对我来说，这就是最大的官了。庭长也好，院长也好，我头脑里压根没这概念。不信你翻开新中国的历史瞧瞧，北大毕业生没几个想当官，更没几个能当上官的！我就是其中一个。你放心了吧？"

李乾坤："我没什么不放心！反正我已经这把年纪，船到码头车到站，我坦然得很。我是担心你，忙活来，忙活去，我真退了，也未必就是你郑小泉如愿以偿，我怕你竹篮子打水一场空。再说，就算你如愿以偿，你以为这个行政庭庭长那么好当？上下左右前后内外，八面来风，十面埋伏，到时候，试试你就知道了，啥叫死不安稳活不利索。"

郑小泉："有你说得这么严重吗？我看你富富态态，活得挺好啊！要真像你说的这样，我还真想试试。我就不信，中国人死都不怕，还怕当官啊？"

李乾坤："那好啊，你就拭目以待吧。"说着，他站起来，就要往外走。

郑小泉见状，着急地拉住李乾坤的胳膊，说："哎，你先别走啊！我那么忙，你就找我来说这些不着边际的话？"

李乾坤站住说："我这话不着边际？"

郑小泉："是啊，反正我听了以后，什么也抓不着。"

李乾坤笑笑说："抓不着就对了。这是谈心，又不是办案子，你还想抓住什么把柄？"

郑小泉一下愣在那里。

李乾坤正要往外走，突然又站住说："对了，我还要通知你，民工诉金城县政府的案子，开庭时间暂时不能确定，传票先不要发。"

郑小泉:"为什么?"

李乾坤:"陈院长的指示。"

郑小泉:"陈默雷?他,他为什么不直接跟我说?"

李乾坤:"直接跟你说,要我这庭长干什么?现在还不到直接跟你说的时候嘛!我说你沉不住气,你还不承认。"

李乾坤说完,微微一笑走了出去。

郑小泉一下愣在那里,不知所措。此时此刻,墙角的落地钟响起来。郑小泉抬眼望去,修理好的落地钟在分秒不差地准确报时。

5

陈默雷揿亮法院走廊的灯光亮。他携带公文包走到民事庭办公室门前,见办公室亮着灯光,便停下脚步,敲响了办公室的门。

没有应声,办公室的门却打开了。开门的是民事庭审判员范伯年。范伯年一见到站在门口的院长陈默雷,便显得有些紧张,不自然地说:"陈院长,你还没回家?"

陈默雷走进办公室,问:"你是老范吧?吃饭了吗?"

范伯年:"吃了。吃了饭晚上也没事,电视又不好看,就到办公室来看看卷宗。"

陈默雷走到范伯年办公桌前,好奇地拿过桌上的一个药瓶,说:"我可听说了,你心脏不太好,能不加班就尽量不要加班,得注意身体。"

范伯年嘿嘿笑笑,从陈默雷手中拿过药瓶说:"没啥,没啥。这人长病,一多半都是吓出来的,你越拿它当回事,小病也成了大病,没病也给弄出毛病来。再说,我这人脑子慢,总觉得白天上班时间不够用。"

陈默雷看看范伯年拘谨的模样,再看看案头上堆积如山的卷宗，说："少抽烟。"

范伯年："不抽烟，不抽烟。"

陈默雷想想，便说："你忙吧，不占你时间了。早点回家休息。"

范伯年诺诺地应承着，陈默雷微笑着往外走。陈默雷走到门口，范伯年突然在身后喊一句："陈院长。"

陈默雷站住，回头，问："有事？"

范伯年："听别人说，咱法院的法官也要竞争上岗，到底有没有这回事？我想问问，要是竞争，该怎么个竞争法？"

陈默雷笑道："老范，你可是法院的劳模，据我不完全了解，去年你一人就结了两百多桩案子吧？凭这个，你还担心竞争？"

范伯年又嘿嘿笑道："我就是随便问问，随便问问。"

陈默雷笑着转身走出民事庭办公室。他在穿越走廊时，见刑事庭办公室里也亮着灯光，便再次敲响了刑事庭办公室的门。

里面传来林子涵高亢的回声："请进！"

陈默雷推门而进。

林子涵啃着面包，伏在案头一堆书籍前，见推门而进的是陈默雷，咀嚼着一嘴面包站起来说："哟，不好意思。"她赶紧把手里的半块面包放下，喝一口水，送下口中的咀嚼物，说："我这一嘴面包，让院长看见，太不像淑女了吧？"

陈默雷笑了笑："谁都得吃饭啊！"

林子涵指指身边的坐椅说："请坐吧，你不坐下，我也得陪你院长站着。"

陈默雷走近林子涵的办公桌，看着桌上一堆摊开的书籍说："哪来这么多礼仪？你坐，你坐。"随手，他拿起桌边的一本书，说："嘀，外文书。"他把书翻了翻，又说："晚饭啃一块面包，读书读外文原版，这就是你林子涵的日常生活啊？"

林子涵坐下来,笑道:"什么呀,我在抓紧查点资料。一桩农夫毒杀丈夫案,看起来挺简单,可到底如何判决又挺考验人的。合议庭的意见已经出来了,我怕合议庭的意见提到审判委员会上,被你这当院长的问得张口结舌。"

陈默雷:"那也不能老啃一块面包啊。"

林子涵:"我们刑事庭个个都爱吃生猛海鲜,可一是没时间,二是没钱,三嘛,还是没钱。"

陈默雷笑道:"那改天我请一顿,我还有点私房钱。"

林子涵:"你们男人,是不是都藏着掖着,瞒着家里搞个小金库?"

陈默雷哈哈笑起来,说:"我那点小金库,也就请你们吃个一顿两顿,说白了,还不能放开吃。怎么,你在家里还把男人的腰包封锁得很紧?你看起来可不像。"

林子涵听到这里,稍稍沉默,便说:"目前,还没有男人的腰包让我监管,我家里就我一个人。"

陈默雷听到这里,愣怔一下,然后说:"对不起,那我说错了。"

林子涵突然改变话题,说:"我听说,因为行政庭的一桩案子,你从乡下背回一个老太太治病?"

陈默雷没想到林子涵会突然提出这样的问题,便说:"你也知道这事?看来风声还不小。"

林子涵:"这有什么?我觉得挺生动的。"

陈默雷:"说起来,这事跟行政庭的案子一点关系没有。因为我母亲也是由于青光眼、白内障导致双目失明。我孩子出生以后,她想看一眼都办不到。临去世前,老人家什么也不惦记,就是把我那孩子叫到床前,两只手在孩子身上摸来摸去,从头摸到脚。如果一个人先天是盲人,那还好一点;要是突然双目失明,看不见了,那痛苦,别人不知道,我体会最深。"

林子涵:"你这么一说,这件事就很感人了。我提议咱们全院搞个募捐,老太太治病的钱,大伙儿一块凑。反正也就是少吃顿生猛海鲜,啃块面包也一样过日子嘛!"

陈默雷笑笑说:"行,这个提议我接受,反正我那点私房钱也不够给老太太治病的。你忙你的吧,改天有时间了,咱们再聊。"

陈默雷说完,跟林子涵打招呼往外走。林子涵只是站起来,没有往门口送。走到门口的陈默雷突然又回头说:"有句话我想说。啃面包当然可以过日子,可家里似乎不能老是自己一个人,对吧?"

林子涵笑着说:"那我就争取把自己打发出去,免得给院长增加后顾之忧。"

陈默雷笑着,走出刑事庭办公室。

陈默雷走下楼梯,来到法院大厅的时候,又打开大厅的灯。大厅内顿时灯光通明。灯光亮起的瞬间,便传来一声呼喊:"陈院长。"

陈默雷循声望去,看到了站在大厅迎面木雕画面前的郑小泉。他走过去,问:"郑小泉,你站这儿干什么?"

郑小泉:"我在等你。"

陈默雷:"等我?"

郑小泉直截了当地说:"我们李庭长李大爷向我转达了你的指示。我就想问问,民工的诉讼案已经立案,为什么不能依法向金城县政府发出传票?"

陈默雷:"噢,为这事。"

郑小泉:"作为院长,我相信你,你也跟我说过,你是堂堂正正的春江中院院长。既然堂堂正正,为什么一张传票都发不出去!我听说,金城县的县委书记是你的老同学,他们前些天还来拜访过你;我也知道,报纸上怎么鼓吹金城县的改革,怎么样树为典型;我还知道,金城县的头头脑脑不是一般人物。可我们进行的是法律活动,上至皇帝老子,下至平民百姓,必须一视同仁,一碗水端平。如果连一张传票都发不出去，连起码的司法程序都不能履行，先不谈公平公正，就连我上大学学法律，进法院当审判员都是一种耻辱！我干点什么不好？我去开个歌舞厅，还天天跟漂亮女孩打情骂俏呢，我何必非得在这儿狐假虎威、装腔作势？"

郑小泉说着，掏出一串钥匙，说："陈院长，我就这么个人，宁可站着饿死，也不吃嗟来之食。这是你给我的住房钥匙，还给你，我回办公室住。"

郑小泉话音一落，便把那串钥匙扔给陈默雷。陈默雷顺手接过钥匙，掂了掂，笑着说："看来，你知道的还不少，火气还不小啊。"

郑小泉："我为什么在这儿等你？"他指着身后的壁画说："你知道法院大厅为什么搞这个壁画？这是千百年来老百姓的一种渴望，渴望这个叫獬豸的独角神兽能够用它的独角抵去人间的一切不平。我希望你当院长的好好看看这只独角神兽，野兽能做到的事，人为什么做不到？"

陈默雷的目光聚焦在壁画上。他的目光从壁画转向郑小泉时，便问一句："你的意思，我陈默雷在阻碍公平和公正？"

郑小泉："也许主观上你不是，但客观上你害怕了。你怕四面八方的关系网，怕头上的乌纱帽，还怕什么，我说不清楚。你上过大学，肯定读过鲁迅。鲁迅说过，苟有阻碍这前途者，无论是古是今，是人是鬼，是《三坟》《五典》，百宋千元，天球河图，金人玉佛，祖传丸散，秘制膏丹，全都应该踩倒他。知识分子应该有知识分子的勇气，而现在，这勇气我没看到。我走了，回我的办公室睡觉！"

郑小泉说完，便转身走开。陈默雷望着他的背影，突然喊住他："郑小泉！"

郑小泉站住，回过头来。

陈默雷不紧不慢地说："你刚才说的鲁迅的话，我也记得。鲁迅不是你一个人的鲁迅，是大家共同的鲁迅。你现在仅仅看到一张未发出的传票,而春江中院,这座大楼,它所面对的决不仅仅是你手中的那张传票!我也送你一句话:牢骚太盛防肠断,风物长宜放眼量。"

陈默雷说完,将手中的钥匙远远地扔给郑小泉。

郑小泉毫无准备,没有接住钥匙,钥匙落在地上,发出一声清冷的脆响。

陈默雷已经转身大步走开。他迈着稳健的步伐走出大厅。郑小泉望着陈默雷的背影,一直看到这背影走出大厅,走下春江中院的大楼台阶,走向茫茫黑夜。

郑小泉低下头,看着脚下的钥匙。他迟疑着,缓缓地弯腰捡起,拿在手中细细端详……

6

夜色初降,灯光勾勒出金城宾馆规模不大但装潢考究的外在轮廓。大凡宾馆,无论其规模大小,门前总会有身着旗袍的高挑女孩微笑迎宾;大凡宾馆,无论其级别如何,也总会有造价昂贵的喷泉礼花一般烂漫绽放。杨铁如的轿车在另外一辆轿车的带领下,来到金城宾馆时,身着旗袍的女孩恭迎上前,打开车门。一俟杨铁如从轿车内走出,站在喷泉边等候的县委办公室副主任等几人也赶紧上前握手寒暄。

县委办公室副主任和杨铁如并不陌生,在杨铁如任春江中院副院长强制执行金城公司财产时,微笑如佛的县委办公室副主任曾经莅临现场斡旋。此时此刻,他走上前来,握住杨铁如的手说:"杨主任,欢迎你又来到金城。"

杨铁如也客套一句:"是啊,来了就给你们添乱。"

县委办公室副主任连忙说:"这么说,可是你杨主任的不对了。上级领导来到金城,这可是我们求之不得的事啊!"随即,他又说:"不过,你这次来,可让我这管接待的办公室主任受批评了。一来几天,连招呼都不打一声,王县长批评我工作失职。我派车出去跑了一天,才把你这大主任找到。"

杨铁如:"你们也忙嘛,不忍心打搅。再说,我也就是做做调研,回去好给我正在写的报告增加点素材。"

县委办公室副主任招呼着:"杨主任,里边请吧。今天有点不凑巧,县委李书记到国外考察,王县长正在陪一个商务考察团。不过,王县长说了,今晚无论如何,他早晚都要赶过来陪你。"

在县委办公室副主任的招呼下,一行人正要进入宾馆大厅,杨铁如却忽然站住了。他看着灯影里礼花一般的喷泉说:"哟,这喷泉可是花费了不少工夫。"

听杨铁如赞美起喷泉,县委办公室副主任似乎提高了兴致。他对杨铁如说:"杨主任,你说对了。这儿原先只是个水池子,后来,王县长下决心说,金城要有金城的形象,便修了喷泉,还搞了广场、绿地。原以为喷喷水能值几个钱?还是王县长有魄力,要修就修最好的,花钱要花在门面上,你看,全套设备都是从国外引进的。"他对杨铁如说完,随即对身边的工作人员说:"去,跟他们说说,让喷泉给咱们杨主任表演表演。"

只是瞬间,喷泉便响起了音乐。音乐响起之后,喷泉的水流便开始呈现出不同的花样。

音乐不停地变换,喷泉也在不停地变换,或翩翩起舞、或礼花四溢、或直冲云天、或激荡铺展……迎接杨铁如的县委办公室副主任等人在音乐喷泉中沉醉、自诩,脸上充满自信和骄傲的神情。只有秘书小赵在投向杨铁如的一瞥中,看到了杨铁如微微皱起的眉头。在纷纭变换的不同音乐和不同喷泉造型中,杨铁如干脆说一句:"走,进去吧。"

杨铁如转身走进宾馆大厅。一行人只好跟随杨铁如背向喷泉,走进大厅。

酒宴很快开始了,并进行得很热烈。只是杨铁如滴酒不

沾,只倒了杯饮料。

这时,县委办公室副主任端起酒杯,向杨铁如敬酒:"杨主任,我喝了这杯酒,你喝了杯中的饮料,这够意思吧?"

杨铁如无奈地端起杯子,说:"大家随意吧,酒我不能喝,饮料也随意。"

办公室副主任:"那不行,这饮料可是王县长招商引资的项目,喝不喝,看你跟王县长的感情。"

正在相持之间,餐厅的门推开了。县长王玉和在一个陪同人员的带领下,端着酒杯稍显踉跄地走进了餐厅。他进门就喊:"来晚了,来晚了,对不起铁如,对不起杨主任。"

杨铁如与王玉和握手致意。王玉和打着酒嗝说:"铁如,你可不够意思,来金城调研,不向我报到,还想躲着我?你们说,来到金城,他能躲得了我?"随即就是一串笑声。

县委办公室副主任赶紧把主要位置让出来。服务小姐赶紧换掉杯盘羹盏。县长王玉和坐到杨铁如身旁,看着杨铁如杯中的饮料说:"又不够意思,还喝饮料!"随即又招呼服务员:"来,给杨主任上酒。"

服务小姐将一个大高脚杯斟满了酒,端到杨铁如面前。杨铁如试图推辞,却被县长王玉和的手硬硬地阻拦了:"不能推辞。你今天又不是来执行金城公司的财产,不能端架子。我虽然在那边喝了不少,可咱俩还得喝个痛快!"

杨铁如笑着说:"看来我执行了一次金城公司的财产,王县长是念念不忘啊。"

王玉和:"在其位,谋其政,此一时,彼一时,我王玉和这点道理还不明白?"说着,他端起酒杯:"来,干了!"

杨铁如为难地说:"我真不能这么喝。"

王玉和醉态可掬地笑着说:"不这么喝,还怎么当干部?啊?革命干部就是,两袖清风,一肚酒精。你以为我们基层干部容易?革命小酒天天醉,喝坏了身体喝坏了胃,喝得孩子不叫你爹，喝得老婆不跟你睡。吃肥了，跑瘦了，寻思寻思就够了！懂了吧？基层有基层的规矩，我先喝，先喝为敬！"

王玉和说着站起来，把满满一高脚杯酒喝掉。众人旋即有喝彩声。

县长王玉和拿着空酒杯对着杨铁如说："老兄等你了。"

杨铁如也站起来，为难地端起酒杯。随行的秘书小赵站起来，说："我替杨主任喝吧。"

县长王玉和摆摆手，说："小伙子，还轮不到你，喝酒也得按级别来。"

秘书小赵为难地看着杨铁如。杨铁如二话没说，将一杯酒一饮而尽。众人又起哄般地喝彩。

县委办公室副主任招呼小姐斟酒。王玉和对杨铁如说："铁如，喝这杯酒，是让你尝尝当县长的苦楚。当个县长，不像你当个法院院长，有尚方宝剑，说把我金城公司的财产划拉走就划拉走了；更不像你当政策研究室主任，秀才一张嘴，我们跑断腿。不容易啊，铁如，不容易。"

杨铁如："我来金城调研了几天，是看出不容易来了。"

王玉和："能从你嘴里说出个不容易，我就满足了，咱就是哥们了！我听说，是孙书记派你来调研大棚蔬菜？"

杨铁如："是。"

王玉和："看了吗？"

杨铁如："看了。"

王玉和："看了就好！耳听为虚，眼见为实。搞点改革，那才叫个难！困难重重啊！你前边搞，后边就有人告状，递条子，写黑信。还有人告到法院要跟我打官司呢！这就是中国农民！你要还当法院院长，我敬你一杯，我就想跟你说说，这是跟谁打官司？这是跟改革打官司！这官司叫你判，你该怎么判？你不是法院院长了，我还要敬你一杯，我敬你这政策研究室主任，好好地给我们研究研究政策吧，研究研究这改革开放还要不要,还搞不搞,该怎么搞?"说着,王玉和端起酒杯,慨叹道:"农民啊农民,真是没办法!来,干了!"

杨铁如端起酒杯,说:"这杯酒我喝!"

王玉和高呼:"痛快!"两人碰杯,再次干杯。

杨铁如放下酒杯,说:"我喝了这杯酒,是想说一句话,农民无辜,农民无罪,农民可怜,农民不容易。就像你说的,农民啊农民,真是没办法!"

杨铁如把话说完,县长王玉和突然愣怔下来,并且在愣怔中有所清醒。酒桌上的气氛也突然变得拘谨起来。

县长王玉和笑了笑,说:"当然,我们的愿望也是让农民尽快富起来。想法一致,一致。"

杨铁如:"趁着酒兴我再说一句,假如我还当法院院长,我可不认为那是农民跟改革打官司,那是跟你王县长,跟县政府打官司。"

县长王玉和笑道:"你个铁如,就老想着跟我打官司。你不是不当法院院长了吗?你不当院长,咱俩就没官司可打了!"说着,他拍拍杨铁如的肩膀:"好好给我们研究研究政策吧,到什么山唱什么歌,是不是,铁如兄?"

没等杨铁如说什么,县长王玉和招呼道:"来来来,唱唱歌,唱唱歌!"

小姐把卡拉OK打开。

王玉和起身,对杨铁如说:"时髦的咱不会,铁如,我给你唱个喝酒的歌。"

卡拉OK的伴奏音乐响起。王玉和唱的是现代京剧《红灯记》的著名唱段:

临行喝妈一碗酒
浑身是胆雄赳赳
鸠山设宴和我交"朋友"

千杯万盏会应酬
……

县长王玉和在酒意盎然中唱得豪迈、洪亮、气势逼人。桌面上的人有掌声附和。

杨铁如悄悄离开坐席,走出餐厅,来到宾馆门外。他久久凝视着不远处的喷泉。在长久的凝视中,他点起一根烟。他深深地吸进,长长地吐出。

一会儿,王玉和一行人也来到了宾馆门口。县长王玉和的脚步愈发显出踉跄。他来到杨铁如身旁,拉住杨铁如说:"不听我唱歌,你怎么跑了?"

杨铁如:"对不起,我喝多了。"

县长王玉和用很大的嗓音喊一声:"打开喷泉,给咱们杨主任醒醒酒!"

音乐喷泉旋即打开。五彩缤纷的灯光映照着流花飞玉般的喷泉。音乐在响,灯光在闪,喷泉在欢乐地变换着瑰丽神奇的造型。

杨铁如在如此景象面前,突然感到一阵晕眩。眼前的景象在他的眼前成为旋转的世界。他在一阵紧似一阵的晕眩中,抱住宾馆的门柱,闭上了眼睛……

- 我不提倡为改革而改革，我更反对为时髦而改革，为迎合而改革，为标榜而改革，为形式主义而改革！
- 我看到有多少人都是既得利益者，为了保住一个官位，获得一种名分，什么事业、责任、使命都可以抛到九霄云外。

1

阳光灿烂，春江中院的大楼既显示出尊严，又焕发出美感。

刑事法庭大法庭内正在召开的是春江中院全体人员大会。院长陈默雷和其他几个法院领导坐在审判席充当的主席台上，法官们依次整齐地坐于台下。

院长陈默雷正在主席台上讲话：

"面对这座漂亮的大楼，我想了很多很多。首先，盖这座大楼花费的是国家的钱。国家的钱就是人民的钱，纳税人的钱。人民花钱给咱们盖这座大楼，是有愿望、有目的、有期待的。人民有人民的心情，同志们，这一点我们必须要牢记！我们不能因为搬进人民给我们盖起的大楼，就忘记人民的心情，看不见人民的表情。我为什么要这样说？就因为目前的春江市中级人民法院积压了大量的案件没有按照诉讼时限及时公正地审理。大家知道，大街上交通堵塞，谁遇到这种情况，都会着急上火，发牢骚骂娘；可那仅仅是交通堵塞，充其量也就是耽搁行路的时间；而我们的积案压案是一种什么堵塞？是良知堵塞，情感堵塞，理性堵塞，说得严重一点，这是一种生命堵塞！案子积压在我们手里，等于堵住了老百姓的嘴，堵住了每一个诉讼人的出路，堵住了正义和真理的血脉！从表面看，积压案是一种工作现象；往深处一想，积压案就是一种渎职，一种犯罪，一种司法腐败！不要以为司法腐败就是吃拿卡要，就是吃了原告吃被告。我们住在老百姓花钱盖起的摩天大楼里，却没完成老百姓的心愿和期待，这与变相把老百姓的钱贪污起来装进腰包有什么两样？所以，今天召开全院大会，首先要解决的就是我们的积压案问题。我们到底积压在手里多少案子？到底应该怎样解决？院党组已经对此作出了决定，过会儿，我们分管的副院长要跟大家仔细讲明。这个话题我就不再详细展开了。"

在陈默雷讲话的同时，会场上间或有响起的手机声和呼机声。类型各异的手机声、呼机声从各个角落不时地传出。

陈默雷在最后一声手机响起的时候，面部表情变得严厉起来，大声说道："在座的都是法官，是坐在审判席上的审判者。开庭审判的时候，你允许法庭上手机或呼机的铃声一而再、再而三地响起吗？如果你不允许，那么，正人先正己，要求别人做到的，首先要从自己开始。现在，我郑重地请大家关掉手机和呼机。"

陈默雷说到这里，开始有人略显尴尬地、悄悄地关掉手机和呼机。

陈默雷扫视会场，继续讲话：

"我还想从春江中院这座大楼说起。我听前任主持工作的杨铁如院长讲过，这座大楼的设计独具匠心。大楼两侧没有设计汽车通道，所有人的车辆，不管是谁，都不能把车直接开到我们的门厅前，而是必须把车停在台阶下，沿高高的台阶步行进入法院大厅。我听了以后很震动。这不是一种简单的建筑设计，而是一种高尚的法学思想！不修汽车通道，让所有进入法院大厅的人迈动脚步，拾级而上，就是为了体现这座大楼没有特权观念，只有平等意识。不管你是三皇五帝，还是一介平民，当你踏上台阶步入法庭的时候，都处在相同的地位，走着相同的步伐，经历着相同的命运。这就是我们这座大楼的设计者对这座大楼公平、公正的期待！还有，这座大楼的大厅迎面那幅壁画，壁画上那巨大的獬豸神兽。前几天，我们的一位法官还指着这个神兽告诉我，这是千百年来中国老百姓对铲除邪恶、渴望公平的形象化寄托。无论台阶也好，神兽也好，它都不是一种表面设计，而是一代司法工作者致力于中国法治建设的良苦用心。在这里，为表达我的敬意，我提议为这座大楼良苦用心提出设计的杨铁如同志给予真诚的掌声！"

在陈默雷的带动下，台上台下响起热烈而持续的掌声。当然，不可避免的，在台下的掌声中，也有敷衍了事的，有不那么心甘情愿的。

掌声落定之后，陈默雷继续讲话：

"但是，设计毕竟是一种理想，完成才是根本目的。实现公平，实现公正，不只是让人走上我们的台阶，看见我们的壁画。有的法官问我，法官是不是要丢掉铁饭碗，要竞争上岗？在这里，我想对大家宣布，答案是肯定的！我们这样说，当然不是想刻意渲染一种改革气氛，故意砸掉大家的饭碗。如果是那样，我陈默雷不仅不是一个合格的院长，还是一个道德上的不堪信任者。说句实在话，我不提倡为改革而改革，我更反对为时髦而改革，为迎合而改革，为标榜而改革，为形式主义而改革！我所以选择这个答案，是为了真实地实现公平、公开和公正！对于合格的春江市中级人民法院来说，不久以后的答案只有一个，那就是能者上，平者让，庸者下。如果你是一个合格的法律工作者，你有信心也有能力在踏上台阶、面对壁画之后，能够公正、公平地完成审判任务，我相信，在座的每个人都会迎接竞争、迎接挑战！"

陈默雷说到这里,台下又响起掌声。

陈默雷在掌声中摆摆手说:"大家不要给我鼓掌。对于我陈默雷,大家并没有多少了解,甚至还会有各种各样的猜测。我也经常剖析自己,我相信,时间长了,我身上的弱点,大家会和我一起感受到。但有一条我跟大家坦白,既然我踏入了春江中院这座大楼,大楼前的台阶和门厅里的壁画在考验大家的同时,也在考验着我。我只想最后说这样一句话:今天我不希望听到大家给我鼓掌,今后我也不希望大家把我驱赶出这座漂亮的大楼!我的讲话完了,谢谢大家!"

陈默雷讲话完毕,还是有人不由自主地鼓起掌来。

2

"丁零零……"电话铃声在市委书记孙志办公室的外间屋响起。孙志的秘书唐学风急忙接电话。他听出是杨铁如的声音,便对着话筒说:"噢,是杨主任,你好。"听了几句话后,他的脸上显示出犹豫不决的表情。他对着话筒说:"杨主任,孙书记最近确实很忙。你等我电话,我向孙书记请示一下。"

秘书唐学风放下电话,踌躇片刻,便起身走向市委书记孙志办公室的里间屋子。

孙志正在办公室的一幅地图前比比画画,凝神沉思。秘书唐学风走过去,对孙志说:"孙书记,杨主任打来电话,说有事情向您汇报。"

孙志回转身来问:"哪个杨主任?"

唐学风:"政策研究室杨铁如。"

孙志的眉宇间略略现出一丝不易被人察觉的紧蹙,随即,他问一句:"他要汇报什么?"

唐学风:"他到金城县做了调研,好像是汇报这方面的事。"

孙志："他跑金城去了？"

唐学风："去了，回来都好几天了。"

孙志听到这里不再说话。他回转身再次去看墙上的地图。

唐学风看到孙志不再说话，便试探性地说："他来过几次电话，好像挺迫切的。"

孙志从地图前转过身来，坐到自己的办公桌前，翻弄着桌上的一堆文件，说："你这秘书也当好几个年头了，你看看桌上堆的这些文件，该我批的，不该我批的，怎么不分清楚，都往我这儿送？文山会海，文山会海，喊多少年了，就是改不了。要让我这个市委书记一天到晚埋在文件堆里，我还能腾出时间考虑点大事？"

唐学风听完孙志这番话，赶忙说："是我的疏忽，今后我一定注意。"

孙志挥挥手，说："你去吧。"

唐学风只好转身往外走。走到门口，孙志又在背后叫住了他："小唐。"

唐学风恭恭敬敬转过身来："书记。"

孙志："你给报社打个电话，这几天我要过去一趟。看起来报纸印得花花绿绿，一天到晚整版整版都发些什么东西？不是杀人越货、腐化堕落，就是影视明星、花边新闻。你没看到，报纸上登的那些美女照片衣服越穿越少？再这么搞下去，社会主义阵地还守得住守不住？春江市的改革实践有目共睹，报纸在舆论上到底做了些什么？做了多少？我看都有些乱弹琴了！你也通知宣传部高部长，到时候，让他跟我一起去。"

唐学风答应着，刚要往外走，孙志又喊住他："等等。"说完，孙志从办公桌下拿出两盒包装精美的礼品茶叶，说："你把这两盒茶叶给工商局黄万生送回去。什么龙井茶，明前茶、土特产，你告诉他，我喝不习惯，胃受不了。今后有什么事说什么事,别捎着带着地搞这些小名堂。"

唐学风听到这里,赶紧走上前取过孙志放在办公桌上的两盒包装精美的茶叶,说:"您放心,我一定把您的意思转达清楚。"

唐学风拎着两盒茶叶,走出市委书记孙志办公室的里间屋子。

来到办公室外屋,唐学风把两盒茶叶放到自己的办公桌前。他凝视两盒精美的茶叶沉思,片刻,便抓起电话,拨通了杨铁如办公室的号码。他对着话筒说:"喂,杨主任吗?你好,我是唐学风。真不凑巧,孙书记现在正有要事跟别人交谈,这几天时间安排得特别紧张。你的意思,我已经跟孙书记汇报了,这样,等孙书记安排好时间,我马上跟你联系。对了,孙书记还特别交待,让你注意身体。你不是神经衰弱,睡眠不好吗?孙书记挺挂念的,特意让我转告。好的,再见。"

唐学风挂掉电话,长长地舒出一口气。

他下意识地拿起办公桌上的茶叶盒嗅了嗅,仿佛沁人心脾的茶香能够透过包装盒渗透出来一样。唐学风在深深的吸气中有陶醉般的感受。

正这时,办公室的门轻轻敲响了。唐学风起身到门前开门。开门的瞬间,他看到了金城县县长王玉和恭敬、虔诚、拘谨而又堆满笑容的脸庞。唐学风见状,诧异而悄声地说:"哟,王县长,你怎么不打声招呼就来了?"

站在门口的王玉和谦恭地笑着,压低声音说:"我听说书记在家。"

唐学风朝孙志办公室的里间屋子努努嘴,使一个眼色。

王玉和脸上始终挂着笑,说:"唐,见一次书记不容易,你进去给打个招呼。"

秘书唐学风笑笑,做个手势,说:"请进吧,你这么大的县长,哪能站在门口。"

王玉和在唐学风的招呼下,谦恭地踏进市委书记办公室的门槛。

在县长王玉和走进办公室的同时,传来了市委大院的广播喇叭声。广播喇叭开始播放广播体操的乐曲。市委书记办公室的门已经关上,喇叭里传来的广播体操乐曲在空寂的办公大楼走廊字字分明地响着……

在嘹亮的广播体操乐曲声中,许许多多的市委机关干部正排成队列,开始做工间广播体操。伸展运动,踢腿运动,弯腰运动,跳跃运动……有人规矩地做,有人敷衍地做,有人懒洋洋地、无精打采地做。

作为市委机关干部的杨铁如也站在队列当中,相对认真地做着广播体操。他伸臂,转身,弯腰,踢腿,惟独有一点与众不同,就是他那张缺乏表情的漠然的面孔。

跳跃运动刚刚开始的时候,他在用力地跳跃。然而,他刚刚跳跃起来,一俟落地,以下的动作却不再做了。他的目光发现了一个体形美好、风度翩翩,有区别于一般机关干部形象的女性。那女人戴一副墨色眼镜,正从一个方向走来,横掠过广播体操的队形,向市委大门口的方向走去。

那个身影对杨铁如来说是如此熟悉。凭借敏感,他迅速判断出,眼前走过的女人是已经枪毙掉的贪污犯周士杰的妻子邵红。

杨铁如的目光一直盯着那个渐走渐远的女性背影,与杨铁如并肩站在一起的政策研究室小赵发现了杨铁如的目光。他顺着杨铁如的目光望去,静止不动的杨铁如正在盯梢的是一个美丽的女性倩影。他笑了,与杨铁如打趣道:"杨主任,看什么呢?"

杨铁如没有理睬小赵的打趣,而是从队列中走出,疾步如风地朝着女人追去。

小赵看到杨铁如的样子,自言自语道:"主任是人不是神啊。"

身旁的人问:"你说什么?"

小赵在广播体操的夸张性动作中对那人说:"爱美之心,人皆有之啊!"

疾步如风的杨铁如追赶上了那个女人。他站住,稍稍犹豫,喊一声:"邵红!"

前边的女人站住,回过头来,看着杨铁如,问:"你喊谁?"

杨铁如:"你是邵红吧?"

风姿绰约的女人一脸冷艳,说:"我不认识你。"

杨铁如:"我想问一下,你是不是周士杰的妻子邵红?"

女人冷冷地回答:"周士杰是谁?你认错人了。"

女人说完,回转身继续朝前走。那个挺拔俊美的女人沉稳地向前走,优雅地向前走。杨铁如站在原地,只看到那个背影越来越远,在通向市委大门口的拐弯处消逝。

进入尾声的广播体操乐曲清晰地传来。杨铁如在林荫甬道上伫立并陷入思索。

3

夕阳西下,火烧云与高高的围墙、密织的铁丝网以及游动的持枪哨兵,呈现出极端的不和谐、不协调。看守所门可罗雀,阒寂无声。而在厚重紧闭的铁黑色大门前,一个身影正在跟值勤的哨兵艰难地交涉着什么。交涉显然没有成功,那个身影离开值勤的哨兵,来到门前一个角落蜷缩下来。

此时此刻,林子涵驾驶的桑塔纳轿车来到了看守所大门前。在看守所大门开启,桑塔纳轿车正欲驶进大门的一瞬间,汽车突然间停下来。桑塔纳的车窗玻璃摇下,林子涵、潘军右的头同时探出窗外。潘军右指着那个蜷缩的身影说:"姐,你看见那人了吗?那不是爱着王杏花的那个黑子吗?"

于是,汽车没有往看守所大门开进。林子涵和潘军右交换一个眼色,走下轿车,来到黑子身旁。黑子看见走来的两人,慌慌张张站起来。林子涵和潘军右同时看到,黑子的脚下是用绳索捆绑起来的油腻的铺盖卷。

潘军右说:"你是黑子吧?"

黑子慌乱地看着他们,嘴巴张了张,却回答不出。

潘军右:"不认识我们了?前些天我们到你们村调查,见过一面。"

黑子一听,顿时辨认出眼前的二人。他语无伦次地说:"啊,是,对,你们,你们是来判王杏花吧?"

林子涵问:"你蹲在这儿干什么?"

黑子低下头,不吱声。

潘军右说:"这是看守所,又不是什么好地方。你看,你把铺盖卷都带来了,你想进去啊?"

黑子抬起头时,眼里已经闪动着泪花。他乞求般看着二人说:"俺想看一眼杏花,跟她说句话。她要能活下来,俺让她揣着俺这句话一天一天数日头;她要判了死刑,俺也想让她带着俺这句话走……可人家不让俺进,人家说啥也不让俺进……"

潘军右听到这里,便说:"看守所有看守所的规定。不让你进,你还准备在这儿打铺盖,一直睡在这儿等?"

黑子:"俺就想跟她说句话,一句话就行,可人家不让,死活不让……"

黑子说到这里,一屁股坐到地上的铺盖卷上,双手抱住头。

在如此这般的情形面前,劝慰和讲道理似乎无济于事了。潘军右看看林子涵,深深地叹口气。林子涵转身走开,来到轿车前,朝车内喊一声:"老刘。"

法官刘兴魁从车内探出头来。林子涵指指角落里的黑子说:"你看,王杏花的那个黑子在那儿哭呢,死活要见王杏花一面。按规定,判决前当然不能见面,可那人把铺盖卷都带来了。你不是我们的一部法典吗?你打开你的法典查查,你的法典上有没有这种特例?"

刘兴魁听完,看看不远处的黑子,很认真地摘下眼镜,用眼镜腿来回挠着额头说:"先例倒是有过,但这种情况不多。可先例是过去,现在是现在。"他闭上眼,皱起眉头,想了想,说:"法律规定,判决前不许见面,是为了防止串供、反供。不过,王杏花这案子,侦察、取证、调查都已经结束,串供、反供的可能性不会有了吧?"

林子涵问:"你的意思呢?"

刘兴魁:"我早说过,我这部法典过时了,见与不见你决定吧。"

林子涵抬头看看高高的围墙、铁丝网、哨兵,然后收回目光,说:"法律和人道主义不是一对矛盾吧?"

刘兴魁说:"这又是观念问题了。《汉谟拉比法典》和宗教裁判所就没有人道主义。"

林子涵听到这里,双手环抱,沉思少顷,说:"那就试试吧,太阳每天都是新的。"

在法官林子涵、潘军右、刘兴魁的引领下,畏畏缩缩的黑子来到了看守所会见室。天近黄昏,会见室光线昏暗,黑子在潘军右的指定下,来到一排铁栅栏前。林子涵和刘兴魁坐在会见室一侧的长椅上,潘军右站在黑子一侧。潘军右看到黑子眼巴巴地朝铁栅栏里张望着,用哆嗦的双手抓住了铁棂。

站在一侧的潘军右嘱咐一句:"跟你说好了,该说的说,不该说的不说。"

黑子点头应承着,抓住铁棂的手颤抖得厉害。

潘军右问:"你手哆嗦什么?"

黑子:"俺不哆嗦,俺不哆嗦。"

话音刚落，铁栅栏内一扇小门打开。王杏花在一名女看守的押解下来到了会见室。王杏花隔着铁栅栏，一眼看见双手抓着铁棂的黑子，顿时傻愣在那里。黑子的手哆嗦得更加厉害，他大张着嘴，企图说什么，可什么也说不出来。

室内的其他人都看着两个人近乎窒息、近乎呆傻的神情。

突然间，王杏花捂住脸哇的一声哭起来。她没有靠前，没有说话，只是哇哇地哭。这一哭，让铁栅栏外的黑子也把头抵到铁棂子上，呜呜地哭出了声。

什么话也没有，什么动作也没有，一对渴望相见的男女只是隔着一道铁栅栏长久地哭着。王杏花捂着脸哭，哭着哭着甚至朝黑子背转身去；黑子头也不抬，只是头抵铁棂，在呜呜的哭声中，头在铁棂上抵出撞击的声音。

这种无言的哭声在漫长地持续。押解的看守试图将王杏花向铁栅栏前推近，但王杏花背向黑子，不肯挪动脚步。站立在黑子一侧的潘军右拍拍头抵铁棂的黑子说："别光哭了，时间有限，你不是有话要说？"

黑子缓缓抬起头，呜咽着说："杏花，你听着，俺来就送你一句话……活着是命，死了也是命……不管你活着还是死了，俺黑子向你发誓，指着天打着雷向你发誓，俺这一辈子都替你守着……守着咱的爹，咱的娘，咱的娃……咱的牛，咱的地，咱的家……杏花，你听见了吗？"

黑子话音甫落，背向黑子的王杏花突然间以更大的声音放声哭着跑出了那扇小门，不再见到踪影。

黑子的双手又抓住铁棂，头抵上去，发出牛一般的呜咽……

4

林子涵的家中，响起那首百听不厌的歌曲《深深的海洋》。林子涵先是在客厅的沙发上呆坐着,然后,她站起身,在歌曲的伴随下,依次走到屋里的各个房间,像完成某种仪式一般,小心地、认真地打开了各个房间的灯光。不同的房间,有不同的灯光色调;不同的灯光色调,也渲染出不同的情绪和心境。当她来到卧室,打开卧室的顶棚灯、床头灯时,她几乎是下意识地来到落地窗前,撩开窗帘一角,向窗外张望着什么。然而,这充满期待的张望让她一无所获。她怅然地把撩起的窗帘放下,环视卧室,重新回到客厅。

因为心境的缘故,《深深的海洋》就成为一曲寂寞自守的荒凉之歌。

她站在客厅的荒凉之歌中,似乎找不出想做点什么的理由。

正这时,门铃响了。那声清脆的门铃像荒凉中的清风与甘霖一般,猛然激活了林子涵的心。林子涵急忙理理自己的头发,扯扯自己的衣襟,甚至手脚麻利地归拢起茶几上的几件零乱摆放的物品。当门铃再次响起的时候,林子涵几乎是跳跃般来到门口,高声喊道:"来了,来了!"

林子涵打开屋门,门口站立的是神情戚然的书记员聂小倩。这真出乎林子涵的意料,脱口而出:"小倩?"

聂小倩站在门口说:"子涵姐,今晚我想在你这儿住。"

林子涵似乎一下子没有反应过来。她上上下下打量着突兀而至的聂小倩。

聂小倩说:"不欢迎?"

林子涵这才笑了笑,说:"死丫头,你总是像鬼和幽灵一样。站着干吗?进来呀!"

聂小倩随林子涵进入屋内,随手把包扔到客厅的沙发上。她这时似乎才听到屋内一直响着音乐,便对林子涵说:"子涵姐,还是一个人好啊,过着无忧无虑的生活,听着自由自在的音乐。"

林子涵笑着说:"难道你不是一个人啊?好不容易快成

两个人了，最终还不是哭着闹着要变回一个人去？嗯，说到这儿了，这些天忙得也没顾上问你，离婚离到什么程度了？"

聂小倩赌气般坐下来，说："还离到什么程度！你说，这么大个中国，离个婚怎么就这么难？"

林子涵站在那里，好奇地看着年轻的聂小倩，说："瞧你个丫头说的，有本事你到美国去离！"

聂小倩叹口气，说："没劲！"

林子涵："想喝点什么？"

聂小倩："你甭管我了，一会儿我自己去找，找到什么喝什么。"

林子涵笑着关掉录音机，反回头来问聂小倩："又碰上什么事了，深更半夜来投奔你姐？"

聂小倩："我也不知道郑伟秋怎么买通了那家法院，那审判员就是拖着不办，还反过头来给我上法制教育课。把我说烦了，我就顶撞他说，我是中级法院法官，你是基层法院法官，普法课就不要上了吧？那人却来一句，县官不如现管，要不，你让你们中院给你判？把我气得要死！你说，咱中国法院的法官素质和办案水平就这样啊？"

林子涵坐下来，说："先别中国中国的说这么大，听你这话，你这素质和水平也一般。"

聂小倩接着又说："我爸也跟我较上劲了。说我刚登记就闹离婚，影响不好。他怕人家说我是副市长的女儿，一闹离婚，就是耍特权，口口声声明年要换届了，不要影响了他的换届选举。我说，我离婚跟你换届选举有什么关系？结婚是我一辈子的终身大事，你就是下届再选上副市长，不也就是四年的事吗？你猜他说什么？他说，我跟你妈结婚的时候，你妈还是个农村妇女呢，我一个副市长跟你妈结婚就不委屈？委屈不也是一辈子嘛，还能因为这点委屈，就把自己的事业前途全搭进去？我一听这话，二话没说，背起包就到你这儿来了。"

林子涵听到这里笑了,说:"这话听起来,可既不像你爸,也不像副市长。"

聂小倩:"就这么一个副市长,还是副的,我就觉得,怎么看怎么不像我爸了。去年还是前年?杨院,杨铁如在的时候,让我们去看《铡美案》,别的我没记住,我就记住了包公对秦香莲的一句唱词:教子南房去读书,读书千万莫做官!"

林子涵笑道:"你个鬼丫头,杨铁如让你看《铡美案》,好的你没记住,这句话你反倒背过了。"

聂小倩:"前两天,咱们陈院长也找我谈离婚的事了。"

林子涵:"陈默雷吗?他怎么也关心起这事了?"

聂小倩:"起初我以为是我爸找的他,其实不是,是郑伟秋公开到陈院长办公室叫板。郑伟秋让陈院长学《婚姻法》,还问他,王子犯法,是不是与庶民同罪?陈院找我,我就跟他说了,我说,首先我不是王子,也没违背《婚姻法》,我就是一个想离婚的普通女性;然后,我又给他讲了讲郑伟秋到底是什么货色。我说,登记第二天,郑伟秋就找到了他们税务局局长,要求给他安排正科级,调到什么税务所当所长,还打着我爸的旗号,说是我爸的意思;还有,他居然恬不知耻地在外面说,我跟他谈恋爱,第二次见面,我就迫不及待以身相许,更难听的话我都说不出口。最最重要的,登记前几天,他居然还在外面跟那些三陪鬼混,有人亲眼看见,后来告诉我的。当时陈默雷问我,我就捡了这几条主要的回答他。本来是他问我,最后成了我问他了,我说,陈院长,我跟这样的人离婚有什么错吗?"

林子涵:"他怎么说?"

聂小倩:"他只是摇摇头,没说什么,还笑了笑。谁知道他笑什么。"

林子涵:"你说的这些,在离婚法庭上都可以作为证据。"

聂小倩:"有事实未必就有证据,干了这么多年法官,你还不清楚?中国人就这样,背后里什么都说,一登大雅之堂,整个没戏。"

林子涵:"又是中国人!中国人怎么惹你了?郑伟秋的事就是郑伟秋的事,别动不动就中国人中国人的啊!"

聂小倩叹口气,说:"其实,我对爱情也没什么奢求,就要两个字:真诚。就像王杏花和那个黑子,一点功利算计也没有,就是真心相爱。王杏花还指不定死不死呢,你看人家那黑子,就是死了,我看也能举办个刑场上的婚礼。"

林子涵听到这里,笑了。她站起来,慨叹一句:"丫头哎!"然后,又指指卫生间,说:"别说了,洗澡去吧。"

聂小倩坐着没动,她看着林子涵说:"你真的就这么不关心爱情,每天除了工作,回到家就是吃饭、听音乐、看电视、洗澡、睡觉?"

林子涵站在那里笑道:"啊,是又怎么样?"

聂小倩:"你一个人睡得着吗?"

林子涵笑着上前捶打聂小倩一下,说:"傻丫头,我一个人睡这么多年了,有什么睡不着的?"

聂小倩:"那你跟我说的荷尔蒙和肾上腺激素呢?"

林子涵又羞涩又强硬地笑着,把聂小倩从沙发上拽起来,说:"我那也不是说睡觉啊!别越说越放肆了,去,洗澡去!"

林子涵推拥着聂小倩向卫生间走去。聂小倩边走边说:"姐,你不说实话,不实事求是。"

林子涵把聂小倩推拥进卫生间。正这时,电话铃响了。林子涵说:"你洗吧,我接个电话!"

林子涵回到客厅,在稍稍的迟疑之后接起电话。她刚刚"喂"了一声,话筒里传出方正的声音:"你好,我是方正。"

这声音让林子涵觉得又突然又兴奋,她对着话筒说:"你回来了?"

话筒里传来方正的声音:"刚回来。"

林子涵:"这些日子,你怎么不开手机?"

"我不想让你介入我的麻烦。"

林子涵迟缓一下,又问:"你现在哪里?"

"在你楼下。"

林子涵听到这里一怔。这一怔的表情是极其丰富、极其复杂的。她提着无绳电话几乎不假思索地跑向卧室,撩开窗帘,看见路灯下方正的身影和他的轿车。

隔壁的卫生间里正传出哗哗的水流。林子涵手提无绳电话,撩着窗帘看着楼下,又倾听着卫生间的哗哗水流,迟疑片刻,说:"你等着,我下去。"

林子涵冲着卫生间里的聂小倩喊道:"小倩,我出去一会儿,马上回来!"

聂小倩在卫生间里答应着:"知道了。"

慌慌张张的林子涵换好鞋子,匆匆往屋外走。在出门的一刹那,她才发现,无绳电话还被她一直攥在手中。她不得不返回,把无绳电话放好,又匆匆走出屋门。

偌大的客厅顿时空寂下来。

当聂小倩洗浴完毕,蓬松着头发,穿着睡衣来到客厅时,林子涵已经不在了。她坐到沙发上,拿起电视遥控器,一个频道又一个频道地换台。几乎所有的电视频道都千篇一律地充斥着娱乐性的游戏节目:拿腔作调、强作欢颜的主持人,半大不小、扮相奇崛的少男少女,不尴不尬、无聊奉陪的各色嘉宾……聂小倩手中的遥控器在一片叽里哇啦的怪异喊叫声中,掠过形态各异却又惊人相似的一个又一个电视频道,最后干脆把电视机关掉,把手中的遥控器扔在茶几上。

她站起身来,打开了录音机的开关,录音机里传出了那首林子涵喜欢的怀旧歌曲《深深的海洋》。与电视频道里的吱呀乱叫相比,《深深的海洋》让人宁静,让人联想,让人拥有温馨和怀念。聂小倩就在这乐曲声中,好奇地观看着林

子涵的每一个房间，每一处别具一格的个性化设计。最后，她来到了卧室。她好奇地发现，卧室的床头柜上并没有摆放深沉的书籍，而是放着一个永动机一般的摇摆不停的玩具。她把玩具拿到手中，那一对作接吻状的可爱的男女顽童在永不停止的摇摆中，正不间断地、一次又一次地接近，再接近……

聂小倩欣赏着这玩具，又小心翼翼、充满怜爱之心地把它重新放置在床头柜上。

她来到窗前，也许想凭高远望，看一下夜色中的春江景致，于是，她伸出手，拉开了窗帘。

映入眼帘的，首先是春江市的万家灯火。她远远地看着，无目的地看着。可当她的目光下移，移到不远处的一盏路灯下时，她看到了一对男女的身影。定睛望去，她一下判断出那一对男女的身影之一就是林子涵。

好奇心驱使聂小倩继续看下去。路面很静，灯影下，那对男女的身影显得十分突出。在聂小倩的凝视中，她突然看到，林子涵拥入了那个男人的怀抱……

这一幕映入眼帘的时候，聂小倩迅速转过身来，拉上了窗帘。她反靠在窗帘前。这时，她才清晰地听到那曲《深深的海洋》一直在抒情地回荡。她微微一笑，把目光又转移到林子涵的床头柜上。那一对天使般的男女顽童在永无止境的摇摆中正旷日持久般地接近、亲昵、互送秋波……

5

杨铁如大步流星穿越市委走廊。他掠过一间又一间名目繁多的办公室。

杨铁如走进市委办公室值班室时，室内的几个男女正在谈论一桩什么话题。杨铁如进门听到的是一个中年男子的声音："你说是不是拍案惊奇，那男人心想，可占大便宜了，兴奋得都不知姓什么了,可打开灯一看,你猜床上那人是谁?没别人,是他老婆!"

屋里的人都哈哈狂笑起来。

杨铁如在笑声中站定。几个人见到杨铁如,笑声也顿时收敛。讲笑话的中年人赶紧说:"哟,杨主任,你可从不到我们值班室来。"

杨铁如:"我想问一下孙书记现在在哪里?"

中年人:"孙书记出去了。"

杨铁如:"到哪儿了?"

中年人:"一个居民区道路失修,没法行走,群众反映了许多次,一直得不到解决。孙书记听说这事,直接到现场了。"

杨铁如:"那个居民区在哪儿?"

中年人从办公桌上翻了半天,拿出一张纸片说:"江北区花园路。"

杨铁如说:"谢谢!"转身走出市委办公室值班室。

一辆轿车在市委大楼前停下。车上走出市人民检察院检察长张业铭。

正要走进市委大楼的张业铭与正走出市委大楼的杨铁如恰巧碰个对面。张业铭亲切地喊一声:"铁如!"上前紧紧拉住了杨铁如的手。

杨铁如眼睛一亮,道:"哟,张检察长,你过来了。"

张业铭松开手,和善地笑着,说:"见外了吧?还非得让我喊你声杨主任不可?"

杨铁如笑了笑,说:"你来有事?"

张业铭:"我想找孙书记汇报一下检察院的工作。真让你说着了,检察院的工作不好干,不像过去咱们法院,有你撑着,我省心多了。现在就不那么省心了!我正筹划着先搞个形象工程。过去在部队,军人首先要有军人的形象,如今,检察官也要有检察官的形象嘛。工程搞起来,我还得请

你去调研呢。到时候,别让我请不动啊!"

杨铁如笑笑说:"我刚才问了,孙书记不在。"

张业铭也笑笑说:"还是你跟书记贴得紧,你看,让我扑了个空。那我到政法委去一下。"

杨铁如:"那你忙,我出去一下。"说完,杨铁如就要下台阶。

张业铭背后喊道:"铁如,你脸色不错,比过去好多了。"

杨铁如:"是啊,这些日子,谁见了我,谁说我脸色不错。"

张业铭:"我还欠你一顿酒呢。"

杨铁如:"你先欠着吧,到时候我会去喝。再见了。"

张业铭也说一声:"再见。"走进门厅时,他回头看着杨铁如的轿车向市委门口驶去。

天空开始下起细细的小雨。

在江北区花园路一个居民区前,一条长期失修泥泞不堪的道路呈现在人们面前。市委书记孙志带领市里几个分管部门的负责人正站在这条泥泞不堪的道路面前。众多的群众围拢在市委书记孙志的身旁,神情激动地指着道路诉说着。有电视台的记者扛着摄像机跟随着拍摄。群众议论纷纷:

"我们反映过多少回了,这个部门推那个部门,反映来反映去,就是没人管。"

"书记,不是万不得已,我们不给你写信。天天上下班,天天在泥水里走,实在没办法啊。"

一脸沉郁的孙志摆摆手,对众人说:"情况我都知道了,现场我也亲眼看见了。首先,我孙志向大家道歉,我也代表市委、市政府向大伙说声对不起。"随后,他又对身边的几个部门负责人说:"你们也都看到了,城建局、交通局、公用事业管理局,当局长是为了好听,还是为了干事?你们是想让我孙志给你们摘牌子,还是想让老百姓给你们砸牌子?这样的路就摆在你们面前,你们说,怎么走?老百姓一天到晚踩着这条路走多少回,你们谁有勇气从这条路上趟过去?趟一次也行啊?谁趟?"

几个部门负责人面面相觑之后,都噤若寒蝉般低下头。

孙志又说:"都不敢趟是不是?你们不趟,我趟!"

孙志说着,就开始弯腰挽裤角。几个干部和部分群众都上前阻拦:"孙书记,别别别,你看看就行了。"

孙志对阻拦他的群众说:"你们天天走,我走一次试试。"

不由分说,市委书记孙志便挽起裤角走进了那条泥泞的道路。几个分管单位的负责人不敢怠慢,也纷纷挽起裤角走进泥泞之中。孙志在前边走,几个人在后面跟着。电视台的摄像机把这个场景及时全面地拍摄下来。

站在泥泞之中的市委书记孙志回头对几个跟随的分管部门负责人说:"出水才看两腿泥!你们也亲自试了,亲自走了,这个问题该怎么解决,不用我再多说了吧?"

几个干部附和着说:"孙书记放心,我们抓紧研究,抓紧解决。"

孙志:"不要等老百姓找上门了,才知道你们应该怎样工作。"

几个干部应承着:"是,是。回去以后,我们马上开联席会,尽快拿出方案。"

市委书记孙志不再说话,而是转身踩着泥泞往回走。几个干部紧跟在孙志身后。正在这时,杨铁如的轿车也来到现场。杨铁如走下车来,正看见市委书记孙志一脚泥泞地走来,热情的群众迅速簇拥上去,把孙志围拢在中间。

秘书唐学风诧异地看到了来到现场的杨铁如,他问一句:"杨主任,你怎么来了?"

杨铁如:"我找孙书记。"

市委书记孙志正在接受电视台记者的采访。面对摄像机和话筒,孙志面色沉郁地说:"我只想说一句话,老百姓的事情就是党委政府的事情。过去,我们这些当干部的,被人称之为父母官。可到底谁是父母?要我说,老百姓才是父母。我建议,从今往后,改一个字,把父母官改为父母管,让老百姓来监督我们的政府行为!"

孙志的话语赢得了围观群众热烈的掌声。有的老人甚至开始热泪潸然。

在群众的掌声中,两脚泥泞的市委书记孙志开始往人群外走。刚一走出,他突然目光如炬地发现了站在眼前的杨铁如。他问一句:"你怎么来了?"

杨铁如:"多次找不到你,我就追到这儿来了。"

孙志:"有急事?"

杨铁如:"我想把事情尽快跟你说了。"

孙志抬腕看看手表,说:"我马上还要赶市政府一个会议,长话短说,只给你十分钟时间。"

杨铁如:"那就够了。"

孙志用手一指,说:"走吧,到那边去。"

杨铁如跟随孙志走向不远处一个僻静角落。

在细细的雨水中,孙志站下说:"我这阵子顾不上听你汇报,到底什么事?"

杨铁如:"我到金城县做了次调研,虽然谈不上多么全面深入,可应该说抓住了它的大体轮廓。我想直接说,金城县根本谈不上是春江市农业改革的带头县,新闻报道和市委评价都缺乏实事求是的精神。我这样说,原因有三。一,金城县政府推广种植的大棚蔬菜,所谓高效农业、农村产业化等等,只是让少数人受益,多数人非但没有受益,反而深受其害。他们打着改革的旗号,却做着改革中决不允许出现的不顾及客观规律,不注重现实实效,蛮干硬干的表面文章。二,金城县上报的所谓效益、数字,属于虚报瞒报,有严重的浮夸行为，这是一级政府决不能够允许的欺骗行为，是一种极端的不负责任。三，改革的进程，必须伴随着民主政治的进程，决不允许置民主政治于不顾，置依法行政于不顾，长官意志，独断专行，凭主观臆想和个人私利行使所谓改革主张，目前金城农民困难的处境由此而生。从以上三点来看，农民状告金城县政府，是合理合法的诉讼，市委应该支持春江中院展开公正的审判。"

孙志："说完了？"

杨铁如："因为时间关系，只能简单这么说。"

孙志皱起眉头，叹口气，说："杨铁如，我也跟你说三条。一，我问你，你是去调研金城县的改革实践，还是去调查金城县的案子？我让你换位思考，这个位，你换了没有，你以后给我回答。二，新闻报道和市委评价不是儿戏，任何人都不能对此做出轻率的否定。改革是不是带有试验性、探索性？改革中出现这样那样的失误是不是正常的？可不可以因这样那样的失误否定改革这个大前提？三，领导干部最忌个人恩怨，患得患失。把你调离春江中院时间不短了，你考虑一下，你的心态是否已经平衡下来，平静下来？心态不平衡，目光就会出差错，这一点，我只是提醒，你考虑。"

没等杨铁如再说什么，孙志看看表，说："到时间了，我该走了。"说完，转身走向自己的轿车。走出几步，又回头，说："眼前这条道路，你也看见了，发现问题解决问题就是了。你刚才也听到了老百姓的掌声。我个人当然不需要掌声，但你说，是老百姓的掌声好，还是非要撕开了脸皮到法庭上对阵好？从这个意义上说，我不需要掌声，但社会需要，春江市需要！你听明白了吗？"

市委书记孙志说完，从秘书唐学风打开的车门，上了轿车。

几辆轿车也跟随市委书记孙志的轿车相继驶去。

众多的老百姓对相继驶去的轿车招手相送，依依不舍。

杨铁如尴尬地站在那里。细细的小雨还在天地间密密地斜织着。他望着眼前泥泞不堪的道路,望着道路上踏着泥泞跋涉行走的自行车和行人,一脸困惑,一脸忧虑。

这是一条横置在眼前、铺展在现实生活中的多么泥泞、多么不堪入目的道路啊!

6

江北区花园路居民小区前那条泥泞的道路已经清晰地呈现在电视机的彩色屏幕上。电视新闻正在报道市委书记孙志带领主管部门负责人现场办公的消息。

然而,杨铁如的儿子杨正大将手中的遥控器一按,新闻报道的画面消失了。展现在电视屏幕上的是那个让全国人民妇孺皆知的小燕子用港台腔的普通话演绎的紫禁城的故事。

杨铁如把遥控器从孩子手中夺过,电视画面重新回到新闻报道中。画面上市委书记孙志正面色深沉、义无反顾地踏进泥泞和水洼之中。

孩子赌气般抢过遥控器。电视画面上的那个小燕子正欢乐地飞檐走壁,发出咯咯的笑声和嗲声嗲气的感叹。

杨铁如重新夺过遥控器。电视画面上已经出现了市委书记孙志接受记者采访的镜头。市委书记孙志刚刚说出一个开头,电视画面再次遭到孩子的转换。于是,出现在电视画面上的小燕子正养尊处优地向人们唱道:"反正醒着也是醒着……反正闲着也是闲着……"

杨铁如的忍耐受到了严峻的挑战。他站起来,在小燕子懒洋洋的歌声里,怒不可遏地对孩子说:"你怎么回事?这个吃饱了撑得难受的疯丫头你看多少遍了?"

孩子不卑不亢地说:"再怎么着,也比你那节目好看!"

杨铁如伸出手,说:"把遥控器给我!"

孩子执拗地不给。

杨铁如:"给我!"

孩子:"凭什么给你?"

杨铁如:"我就不让你看这些东西。"

孩子:"那你让我看什么?你看,全是这个。"孩子用遥控器连珠炮式地啪啪换台,一个又一个的电视频道充满了古装、武打、游戏和黄头发白眼圈的港台歌星的吱吱呀呀。

杨铁如强硬地从孩子手中夺过遥控器,啪的一声关掉电视,说:"从今以后,不许你再看电视!去,做作业,看书!"

孩子站起来,坚决地反抗道:"凭什么不让我看电视?你这叫剥夺人权,剥夺自由!你管得着吗?你以为你还是法院院长,一拍桌子别人都怕你?牛什么呀!"

忍无可忍的杨铁如在孩子流利的反击中恼羞成怒,他顺手就给了孩子一个耳光。孩子捂着脸哭起来,边哭边说:"泰山不是垒的,牛×不是吹的。你不牛×,就是!"

杨铁如列开架势对孩子吼道:"你还想挨揍?"

从里屋走出的妻子刘早春来到了剑拔弩张的父子面前,冲杨铁如说:"你冲孩子使什么劲?"

杨铁如指着孩子说:"你看看他还有个孩子样?满嘴脏话,没有出息!"

孩子在妈妈的助阵下哭泣着辩驳:"你才没有出息呢,你欺负小孩算什么本事?"

杨铁如指着孩子说:"你再犟嘴?"

刘早春瞪一眼杨铁如,打着圆场,哄着孩子,说:"行了,行了!你们爷俩,一个比一个犟。别哭了,快回你房间,做作业。"

孩子哭着,在妈妈的引领下离开客厅,回到自己房间。

杨铁如忿忿然坐下,点起一支烟。刘早春走出来,对坐在沙发上抽闷烟的杨铁如埋怨道:"跟孩子,用得着使这么大劲?我看你这些日子又不大对劲了。回家冲老婆使脸子,

打孩子,说句老百姓的话,你这叫逮不着兔子扒狗吃。"

杨铁如抽着烟,闷坐在沙发上不吭声。

刘早春又说:"全中国这么大,不指着你一个人忧国忧民。你看看周围的人谁像你这样,人生不满百,常怀千岁忧。你想忧,你忧得起来,忧得有用吗?"

杨铁如烦躁地说:"行了,你少说两句吧。"

刘早春叹口气,转身走向里间屋子。正在这时,电话响了。杨铁如拿起电话,听出对方的声音,便说:"我是情绪不高。你躲在暗处打闷雷,把我推出来当闪电。我这闪电没闪着别人,把我自己给闪出来了!"

对方不知说了些什么。杨铁如对着话筒叹口气,说:"在哪儿?"稍顷,又说:"我还有心情陪你去俱乐部?"之后,再听一会儿,便说:"那好吧。"

杨铁如放下电话,掐灭烟头,便站起身。

刘早春出来,关切地问:"你又要上哪儿?"

杨铁如边穿外衣边换鞋边说:"你总不能把我闷在家里看这些破烂电视吧?"

刘早春:"这个家,除了电视就没别的了?"

杨铁如不耐烦地说:"我有事。"

说完,杨铁如走出屋门。顺手带门的时候,屋门发出很重的咣当一声响。刘早春望着杨铁如的背影叹口气,朝屋里喊:"正大,做完作业就出来玩一会儿,你爸走了!"

7

工人俱乐部的一张乒乓球台前,陈默雷和杨铁如正在进行你来我往的推挡。小小银球在球台上流星般飞来飞去。这种循环往复的胶着对抗,直到杨铁如一记猛烈的扣杀,球才飞离了台面。

陈默雷捡起落地的乒乓球,对乒乓球台对面的杨铁如笑着说:"沉不住气了?"

杨铁如手执球拍,说:"开球!"

陈默雷做好发球动作,说:"正式比赛,一局定乾坤。"

于是,一场带有计分性质的对抗性比赛开始了。双方你来我往,互不相让。在杨铁如势如破竹般的凌厉攻势中,陈默雷开始渐渐远离台面,一板一板地削球。杨铁如一次次的凌厉扣击,每每被陈默雷的沉稳削球一一化解。在这一快一慢的对峙中,以至于杨铁如不得不加大了动作幅度,猛力地一板扣击出去,乒乓球飞离了台面。

陈默雷笑着说:"一比零。"

再发球,再开始。依然是你来我往,依然是杨铁如的猛力扣杀和陈默雷远离台面的沉稳削球。一板又一板,两人打得都很投入。突然,远离台面削球的陈默雷抓住了一个契机,猛然发力,反戈一击。对面的杨铁如在突如其来的进攻面前毫无防备,难以招架。

陈默雷笑道:"二比零!"

杨铁如擦擦汗,说:"重新开始,我发球。"

陈默雷说:"好哇!"

杨铁如发球,球没有发出,送到了球网上。

陈默雷笑着说:"不算,再来。"

杨铁如再发球,球旋转得厉害,再次碰上了球网。

杨铁如懊恼地拍拍球板。陈默雷说:"再来。"

杨铁如一个发力过猛的旋转球虽然过了球网,却飞下了台面。杨铁如干脆把球板扔到了球台上,说:"真他妈见鬼了。"

陈默雷也收起球拍说:"你太想赢了。太想赢,往往赢不了。"随后,陈默雷拿起毛巾擦擦汗,对杨铁如说:"看来你今天赢不了了,走吧,到那边坐坐,喝杯茶。"

两人离开空空的乒乓球台,走向俱乐部的一个酒吧。

两杯清茶摆上,陈默雷和杨铁如相对而坐。酒吧音乐恰

巧在播放《昨日重现》。杨铁如点上一支烟，说："你听听这音乐。林子涵送我一盒磁带，就是这首曲子。"

陈默雷："《昨日重现》。你听了这曲子是不是又触景生情？"

杨铁如吐出一口烟雾说："没有昨日了。自从离开法庭，昨日一去不再复返。子在川上曰：逝者如斯夫！谁也想不到，历史就像一本日历，任何一个人随手一翻，就轻易掀过去了。我有时很沮丧，四十岁刚刚出头，历史就已经结束，未来又看不到开始。人生总不能就这么一下子吊在半空中，上不着天，下不着地吧？"

陈默雷听完杨铁如这番话，伸手从杨铁如面前的烟盒里抽出一支烟，说："我破一次例，陪你抽支烟吧。"

陈默雷极不熟练地点燃这支烟时，杨铁如说："抽这支烟，你是顿生怜悯之心吧。"

陈默雷："恰恰相反，抽这支烟，是想吞吐一下你的气息，把你的气息吸进我的心肺，从肺腑深处表达对你的尊敬。"

"尊敬？"杨铁如苦笑道："默雷，这不是在官场，是在俱乐部，你用不着跟我说官话。"

陈默雷变得很认真："铁如，我在说真话。因为你离开了法庭，所以刚才你说你的历史结束了。这说明，法庭的的确确和你的生命联系在一起。你至少让我相信了这么一条，在中国，还真有人对我们的法庭痴心不改，以命相许。而在此之前，我看到有多少人都是既得利益者，随遇而安，随波逐流，只要保住一个官位，获得一种名分，什么事业、责任、使命都可以抛到九霄云外。你不是这样。无论有了什么变化，处于何种境遇，你念念不忘的还是你的法庭，你的审判。在这一点上，我很惭愧不如你坚硬。我所以让你去金城调研，到市委书记跟前戳穿内幕，营造气氛，看起来是一种策略，实际上也包含了我的脆弱，或者说有些世故。你站在自己的立场上从不恐惧，从不动摇，可我不知道有时候我在惧怕什么？我也想把事情干好，可有时候，事到临头，我瞻了前，再顾后，看了左，再盼右。说白了，这仅仅是稳重和深沉吗？不尽然。当然，你我性格不同，行为方式也不会一样，但你身上有四个字我必须慢慢呼吸，那就是：坚韧不拔。"

杨铁如听到这里，说："烟真是个好东西，一支烟熏出你这么多话。不过，我再坚韧不拔又怎么样？法庭近在咫尺，对我如同天涯。我什么时候能重返法庭？我还有可能再回到法庭？一切都已造就成现在的模样，美人迟暮，英雄末路。再这么走下去，我都快上演一出霸王别姬了。"

陈默雷听到这里，便说："抽你这支烟，我也不能光说你的好话。项羽不肯过江东，可还有一句，不可沽名学霸王。人是社会关系的总和，好像不能仅仅凭借一介血肉之躯来打江山、创世纪，我这话对吧？"

杨铁如："这一点，你又比我高明多了。抽我一支烟，你说我的好话；喝你一杯茶，算是我对你的赞美吧。"

杨铁如端起茶杯，居然像喝酒一样，示意并执拗地与陈默雷碰杯。

放下茶杯，杨铁如问："市委孙书记的态度你也知道了，民工的案子怎么办？"

陈默雷："我破例抽了你一支烟，我应该知道怎么办了。我想，既要依法公正，还要得到市委书记哪怕是不作表态的默许。"他笑笑，说："我这么说，又世故了吗？"

杨铁如点点头，说："成熟，成熟啊！"

杨铁如说完这话的时候，目光转向酒吧另外一个角落。这一转向，又让他的目光定住不动了。陈默雷随杨铁如的目光望去，看见杨铁如凝视的是一个美丽的女性。他笑着，对杨铁如说："你这家伙，爱江山也爱美人啊！"

杨铁如的目光并没有收回，他望着那个正跟几个男人说笑的美丽女性,说:"默雷,你看见了吗?那个女人是枪毙掉的周士杰的妻子邵红。审判周士杰的时候,她曾跑进法庭喊冤叫屈,后来,有人把她送进了精神病院。现在你看,她哪像有精神病的样子?"

在杨铁如的话语中,陈默雷的目光也凝视过去。在两人的凝视中,他们共同看到邵红正风情万种、仪态万方地与围坐的几个男人举杯相碰。

8

法院会议室里,在陈默雷的主持之下,正在召开审判委员会会议。作为合议庭审判长的林子涵,正在向审判委员会汇报王杏花案件。

林子涵:"……以上所叙述的,是关于王杏花故意杀人案的案情介绍、公诉意见、辩护意见以及我们合议庭深入调查取证的有关情况。鉴于以上汇报,合议庭认为:一,王杏花故意杀人罪虽然事实清楚、证据确凿,但作为一名封建式婚姻的受害者以及长期遭受蹂躏和摧残的不幸女性,她的杀人动机有无奈之处和反抗意味;当然,无奈和反抗不能抵消杀人罪名,但犯罪根源和行为动机值得考虑。二,故意杀人,致死人命,我们有明确的成文法规定。但合议庭经过反复讨论,形成了这样的法理思想,这就是,实现法律的根本目的是为了实现公正,但法律本身,特别是成文法本身,不可能做到面面俱到,总会有各种形态的新问题涌现出来,使法律,特别是成文法显示出某种滞后性。因此,为了实现公正,法官不能完全拘泥于法律本身,而是应根据立法者的立法意图对法律有不断的创新性解释。成文法和法律文件的语言永远不可能是绝对明确的,因此解释它们的时候就会有两种道路可供选择。面对王杏花案,合议庭选择的是倾向于实现公正的解释。因此,在这里,我想特别强调,实现公正比实现法律更为重要，更具力量。三，合议庭同时认为，在相信法律的力量之外，还应强调法律的道德性。法律再严密，也是有漏洞的，而且，社会发展越快，法律的滞后性越强，漏洞的显现也会越来越多。因此，在强调法律力量的同时，不断提高所有人的道德水准，使人们将承担责任和义务作为本能，最大程度地减少那些钻法律漏洞的人的数量，这是一个文明进步社会必须强调的一项工作。王杏花案中的被害者，即王杏花的丈夫，之所以长期摧残王杏花，就是钻了法律的漏洞。因此，合议庭在以上理性分析的基础上，形成了对王杏花案的判决意见。"说着，林子涵拿出判决意见，对主持会议的陈默雷问一句："可以宣读合议庭的意见吗？"

陈默雷摆摆手，说："稍等，我想听你详细谈谈合议庭法理思路的形成过程，你们参阅了哪些法学著作，吸收了什么样的法学思想，请展开谈谈，可以吗？"

林子涵看看潘军右和刘兴魁，说："你们说？"

刘兴魁摆摆手："我观念老了，你说，你说。"

林子涵笑笑："那对不起，耽误大家时间了。"

王杏花在看守所人员的押解下来到门口停放的警车前。看守所人员把王杏花交给法警。

上车的一刹那，王杏花突然止住脚步，对法警说："今天就判俺死刑吗？"

法警严肃地说："上车，听候法庭宣判。"

王杏花却畏缩不前，不肯上车。

法警："上车啊！"

王杏花："俺想回去换件衣服，俺要是今天死了，俺也想干干净净地走。"

法警把王杏花推上警车，道："别啰嗦了，快上车！"

王杏花哆哆嗦嗦地说："俺想换件衣服，俺想换件衣服……"

庄严肃穆的刑事法庭大法庭内，林子涵正站立在审判席上，宣读判决书：

"……根据《中华人民共和国刑法》第一百三十二条，本院作出判决如下：判处被告人王杏花有期徒刑十五年。审判长，林子涵；审判员，刘兴魁、潘军右。宣读完毕，现在散庭！"

站在被告席上的王杏花本来双手掩面，低垂着头，听到宣判之后，她松开掩面的双手，突然回头，朝着旁听席上声泪俱下地喊出一声："黑子，十五年，你等着俺！"

陈默雷在偌大的办公室徘徊，踱步，沉思。

门敲响了。陈默雷止住踱步，喊一声："请进！"

行政庭审判员郑小泉推门而进。他站在门口问："陈院，你找我算账？"

陈默雷："算什么账？"

郑小泉："那天我不是跟你大吼大叫了吗？我知道，法院上下，没人像我这样，没大没小、没上没下的。"

陈默雷微微一笑说："知道就好。我想让你再给我背一遍，鲁迅那段话是怎么说的？"

郑小泉挠挠头："陈院，别拿我开涮了。那天，你在全院大会上的讲话，比鲁迅还鲁迅！"

陈默雷："我有这么大本事，敢跟鲁迅比？"

郑小泉："你找我，不会是来谈鲁迅吧？"

陈默雷："我找你是为了那张传票，金城县人民政府的传票，我签字！开庭审判！"

十一

- 你徇了谁的私？枉了谁的法？怎么徇的？怎么枉的？为什么徇？为什么枉？
- 世界上总有这么一种人，任何时候都充满道理。

1

清晨，上班时间，春江市大街上人流如潮。

杨铁如骑一辆自行车汇入上班的人流中。虽然这是一个日新月异的城市，似乎每个早晨的城市街头都会有目不暇接的新生事物涌现，但骑在自行车上的杨铁如目不斜视，心无旁骛。他穿行在上班的人流中只顾朝前走着，沉郁的面部表情依然如故。

杨铁如骑自行车随上班的人流行至江边码头。

突然，一辆崭新的奥迪轿车在杨铁如身边停下。轿车内探出了市人民检察院检察长张业铭的面孔。他冲骑自行车的杨铁如喊一声："铁如！"

杨铁如的自行车停下来。他看一眼车内的张业铭，说："哟，上班啊！"

张业铭却从轿车内走出。杨铁如不得不从自行车上下来。

张业铭走上前来，感叹道："铁如啊，我正想跟你说点事呢。你说，虽然你我都离开了法院，但法院还是那个法院，不能因人而异吧？可现在，一桩故意杀人案，案犯居然只判十五年有期徒刑，这合适吗？一再强调公正执法，可强调得越严肃,这种事越是上赶着发生。检察院已经对此案提出抗诉,我签字了。"

杨铁如随口问一句:"谁判的案子?"

张业铭:"林子涵的审判长。"

杨铁如:"法院判决,检察院抗诉,很正常的事嘛!"

张业铭:"不正常就在于,一件并不复杂的案子却这么判了。"

杨铁如听到这里,认真地想了想,便说:"法院也好,检察院也好,那是你们的事了。你们有你们的程序,我有我的事情。现在可是大路朝天,各走一边了。"

张业铭听到这里,笑了笑,说:"好一个不在其位,不谋其政,你这角色倒是转换得挺快。"随后,他看看杨铁如那辆半新不旧的自行车,便说:"你骑自行车上下班?路可不近啊!"

杨铁如说:"政策研究室嘛,人不算少,车就那么一辆。再说,生命在于运动,我习惯了。"

张业铭忽然想起什么,突然招呼司机,说:"哎,你把车上放的那剃须刀拿来。"

司机赶紧下车,把一个包装精美的名牌电动剃须刀递给张业铭。张业铭把剃须刀转送给杨铁如,说:"这剃须刀送你用吧,洋玩艺我用不了。说起来,还是当兵的习惯,一脸硬胡楂子,还是实实在在用刀片刮得干净。"

杨铁如推却着:"这怎么好意思?"

张业铭:"怕我当检察长的给你行贿呀?刮个胡子嘛,有什么?"说着,他把盒装的名牌电动剃须刀放进杨铁如自行车的车筐里,又拍拍杨铁如的肩膀,说:"咱别在这儿堵塞交通了,抽出时间,咱喝一壶,好好聊聊。"

张业铭说着,走上崭新的奥迪轿车,向杨铁如挥挥手,汽车驶去。

杨铁如推着自行车站在那里,看见张业铭的奥迪轿车在不远处亮起的红灯前停下。

坐在办公桌前,杨铁如手揿崭新的名牌电动剃须刀的开关,剃须刀发出令人惬意的嗡嗡响声。杨铁如把剃须刀拿在手里,就那么长久地嗡嗡响着。他端详半天,试图将剃须刀放到唇边尝试一下,当剃须刀接触唇须的一瞬间,他还是把剃须刀拿开,并关掉了开关。

电动剃须刀的嗡嗡声迅即消失。

杨铁如反复看着手中的高级电动剃须刀,然后又小心地重新放回包装盒中。他打开抽屉,将包装完好的电动剃须刀搁置起来。

他抓起电话,拨通了一个号码,对着话筒,说:"请找一下林子涵。"稍后,他又说:"不在?那算了吧。"

扣下电话之后,他又按下了电话的免提键,拨起了林子涵的手机号码。电话中清晰地传来服务台的声音:"你要的手机已关机,请你稍后再拨。"

杨铁如长长地叹出一口气。

他放下电话,铺开稿纸,从包里拿出钢笔。在落笔之前,他突然又仔细地看了看手中的钢笔。那是市委书记孙志馈赠给他的那支金黄色派克笔。

2

陈默雷站在春江中院大楼的门厅前面,与值勤法警站在一起。

一名法官匆匆赶来,与陈默雷打招呼:"陈院,早上好。"

陈默雷点点头,用手一指大厅,说:"你站在大厅等我一会儿。"

法官一脸惊讶:"我?"

陈默雷没有回答。这名法官看看陈默雷的表情，不解地走入法院大厅。

这时，又有几名法官结伴而来，一路说笑着。踏上台阶的时候，看到站在楼前的陈默雷，说笑声便顿时收敛。几个人匆匆跟陈默雷点头，欲走进大厅。陈默雷用手指指几名结伴而来的法官，说："哎，你们几个，站大厅等我一会儿。"

几名法官看看陈默雷，又相互看看，困惑地走进大厅。

随之而来的是刑事庭书记员聂小倩。陈默雷看到聂小倩骑一辆漂亮的摩托车，在停放好摩托车之后，还冲着摩托车的镜子理理云鬓。然后，聂小倩不慌不忙地转身，踏上台阶。看到站在楼前的陈默雷，聂小倩说一句："陈院，你站这儿等人啊？"

"我等你。"陈默雷说。

"等我？"聂小倩眨眨眼睛说，"是不是郑伟秋又耍赖皮，缠上你了？"

"你到大厅等着，一会儿再说。"陈默雷说。

又有两名法官在陈默雷和聂小倩的对话中踏上台阶。正欲进入大厅，陈默雷随手一指他们："哎，你们，到大厅等我一会儿。"

聂小倩和前前后后站在大厅等候的人们开始悄悄议论，似乎预感到什么。正这时，陈默雷进来了。陈默雷来到众人面前，看看众人说："对不起，让你们在这儿等了一会儿。我请你们站在这儿是想告诉你们，八点钟准时上班，你们来晚了。话我不多说了，以后养成早睡早起的好习惯吧！"

陈默雷说完，转身走开上楼。

站在大厅的法官们一个个面呈赧颜，谁也没说什么，低着头悄悄走散……

行政庭审判员郑小泉来到庭长李乾坤办公室时，李乾坤正剥开一粒中成药药丸，准备塞到嘴里。郑小泉进门便说：

"庭长，金城县政府的传票已经发出，开庭日期也已确定，我想把合议庭准备的有关情况跟你汇报一下。"

庭长李乾坤并没有说什么，而是把那粒中成药药丸塞进嘴里，动作夸张地咀嚼着。站在那里的郑小泉不得不等着李乾坤将那粒药丸咀嚼完毕，吞咽下去，然后又喝一口水，将嘴漱来漱去，仰起脖子将水咽下。

郑小泉在李乾坤对面坐下来，敷衍地问："吃什么药呢？"

"六味地黄丸，好药啊！"李乾坤拿起桌子上的药盒子，念着药盒上的文字说，"知道六味地黄丸的主要成分吧？熟地黄、山茱萸、牡丹皮、山药、茯苓、泽泻。滋阴壮肾，填亏补损，真是祖国的医药瑰宝啊。不到年龄你不知道，野山里一棵草，药方里一味宝。可别小看那些不起眼的野花野草，哪怕抓在手里一把刺呢，放进药锅里却能治大病。这就是咱中国特色，越上岁数，你就越发体会到了。"

郑小泉听完这番意味深长的话，笑笑说："你要有这一手，退休以后，可以开个中药铺了。"

李乾坤："不用等退休以后，我现在就可以给你开药方。比如说，龙胆、柴胡、黄芩、栀子、车前子、地黄、甘草，外加黄连和板蓝根。这服药败肝火，解湿热，专治头晕目赤，肋痛口苦，还可以清心寡欲，祛除虚躁。"

郑小泉听到这里，似乎领悟出某种弦外之音，于是，正色道："庭长，如果我哪里做得不对，请你老人家直接开口批评。此时此刻，是你手下一名体格健壮的青年来向你汇报工作，不是来找你看病开中药的。我不认为自己有病，如果真病了，哪里有瘤子，哪里用刀切了去，那才叫斩草除根。你刚才说的这服药，我可不敢吃，这顶多是一个野路子医生开的偏方。"

李乾坤看到郑小泉认真的模样，哈哈笑道："你看你，你看你，这不是在说六味地黄丸吗？你扯到哪儿去了！你说我是野路子医生开的偏方,有句话你忘了?偏方治大病啊!"

郑小泉无奈地说:"咱不说中药了,说点别的行吗?"

李乾坤站起来,说:"行啊,可我说行不行啊!到点了,陈院长召开各庭庭长会议,我总不能不去开会吧?你的事,回头再说吧。"

郑小泉也站起来,叹口气,说:"要不扯这些药方子,我早就把工作三言两语汇报完了。嗨!"

李乾坤走到门口,回头说:"你小子,汇报工作就想三言两语?拿我这庭长这么不当回事儿?"

郑小泉辩解道:"这哪儿跟哪儿呀!"

李乾坤笑着走出屋门,信口说一句:"我去开会,你把我办公室门给关好喽!"

郑小泉愣愣地站在李乾坤空荡荡的办公室里。他信手从办公桌上拿起那盒六味地黄丸看了看,随即又扔到了办公桌上。几粒药丸从药盒里蹦跳出来,在办公桌上滚动着。

正这时,响起敲门声。随即有人推门进来,问:"郑小泉,李庭长呢?"

郑小泉没好气地说一句:"你肾虚吗?"

来人愣愣地问:"你说什么?"

郑小泉:"你要肾虚的话,李庭长李大爷这儿有六味地黄丸!"

3

林子涵从春江市人民检察院大楼内走出,走向检察院大门口。她刚刚在检察院大门口站定,一辆正欲开进大门的崭新的奥迪轿车停下。停下来的轿车并没有引起林子涵的注意,直到看见车上走下的张业铭,林子涵这才顿时醒悟出这辆停下的汽车是冲自己来的。

张业铭边向林子涵走来,边亲热地喊:"子涵啊,好久不见了。"

林子涵赶紧走上前，说："哟，张书记。"她随即意识到什么，赶紧改口说："你看我，喊顺嘴了，应该叫张检察长了。"

张业铭亲切地伸手与林子涵相握："瞧你，喊什么不行？最不见外的称呼应该喊我老张。"他松开手，又问："你怎么有时间过来了？"

林子涵："一桩刑事案件，判决以后，你们检察院抗诉了，我过来谈谈。"

张业铭："噢，是这事。走吧，到我办公室坐坐？"

林子涵："不了，你那么忙。再说，最近我们忙着处理一批积压案件，手头一堆事。"

张业铭听到这里，笑了笑，压低声音，说："再忙，我也得问问你，个人问题解决得怎么样了？也许我这观念老化，总觉得，不组织起个家庭，人这一生就过得不完整。我的意见你同意吧？"

林子涵："你这么忙，真难得还惦记着我这点事。"

张业铭："这可不是小事。人这一生，大事能有几桩？结婚起码算桩大事吧？"

林子涵笑笑，说："行，等我有眉目了，我一定专门给首长汇报一次。"

张业铭笑着，指点着林子涵，说："你呀！谁是首长？我只是你老大哥！怎么，你回法院？我让我的车送你一下？"

"那哪行！"说着，一辆出租车驶抵眼前。林子涵随即对出租车招招手，又对张业铭说："我打车回去就行了。再见，张书记。"说着，林子涵便上了出租车。

上车的一刹那，林子涵冲张业铭挥手致意："我又喊错了，应该是张检察长。再见了。"

张业铭挥手，跟林子涵说着："再见。"他站在那里，看林子涵的车驶出很远。

中午吃饭时间，法官们熙熙攘攘，云集餐厅。这是一个整洁有序、容量很大的餐厅。林子涵端着盛好的饭菜，四下寻觅着，直到看见陈默雷用餐的位置，便直接端着饭菜坐到陈默雷对面，说："陈院，你找我？"

正在用餐的陈默雷对林子涵说："找了你一个上午。"

林子涵："我到检察院去了。"

陈默雷指指饭菜，对林子涵说："先吃饭吧。"

林子涵抄起筷子，在动手的一刹那，说："吃饭之前，先恭维你一句。你来到法院以后，咱食堂餐厅的饭菜质量明显提高，弄得我现在一是食欲增加，二是考虑减肥。"

陈默雷笑道："不知道的，听你这么一说，我调到法院是来管食堂的。"

林子涵："食堂也很重要啊，民以食为天嘛！这一点，你比杨铁如强多了。以前，我们跟他嚷嚷过多次，你管管食堂的伙食啊！他说什么？正事还管不过来呢！他就这么个人，自己不食人间烟火，就以为别人凑合一顿也是吃饭。"

陈默雷："铁如接手主持工作的时候，那局面真够他收拾一阵子的。要不是杨铁如把局面稳住，我也腾不出精力来抓抓食堂的伙食。"

林子涵："是啊，那时候的杨铁如就是审判，审判，再审判。"

陈默雷又笑了，两人边吃边说。

陈默雷："我找你，是为了检察院对王杏花案件的抗诉。我记得，你在审判委员会上讲公诉人意见时，曾谈到公诉人也有从轻判决的意见。反回头来，怎么又抗诉了呢？"

林子涵："我去检察院找公诉人交谈，也是为了这事。抗诉是正常的，不正常的是，判决完毕走出法庭时，公诉人还认为我们的判决公正合理。才过了几天啊？一切都反过来了。"

陈默雷:"他们怎么说?"

林子涵:"又卖矛,又卖盾,说起话来当然支支吾吾。最后,他们说,这只是在行使司法监督权力。"

"司法监督权力。"陈默雷回味一下,又说:"这话听起来倒是没错。哎,这事,你怎么想?"

林子涵:"我坚持认为,这桩案件的判决程序合法,实体公正。检察院的抗诉书已经发到省高院了,我充满自信,等待省高院的裁定。现在的当务之急是抓紧处理积压案,刑事庭也有积压案存在,我不想让这桩案子拖住后腿。"

陈默雷默默地点点头。他收拾起已经吃完饭的饭盒,看着林子涵,说:"法庭上建议从轻判决,判决后又提出抗诉,这事是不是有点蹊跷?"

林子涵:"从好处说,是对法律的理解问题。就是我在审判委员会上讲的,我们的审判是为了实现法律文件,还是为了从根本上实现公正。从不好处说,那可能是另外的事情了。这方面的事情我说不清楚,干脆不说了。"

陈默雷看到餐厅的法官陆陆续续走出,餐厅开始显出空落时,突然向林子涵问一句:"子涵,你是不是正在谈恋爱?"

林子涵停下吃饭,惊讶地看着陈默雷。

"是不是?"

"你怎么突然问起这个?"

"我怎么就不能问?"

"非要回答吗?"

"我想知道答案。"

林子涵停顿片刻,便说:"看来,女人年龄大了就是不让人省心。怎么跟你说呢?我现在,约等于恋爱吧。"

陈默雷笑道:"你这是做数学题呢,还约等于!"

林子涵:"你怎么想起问这个?是想跟关心食堂伙食一样,关心下属法官的生活啊?"

陈默雷也停顿片刻，然后，认真地说："子涵，我相信你是一名称职的法官，才找你谈话。检察院这次对王杏花案提出的抗诉，表面上看没什么，可背后隐含的东西却不那么简单。有人拿你的恋爱做文章，说你充当了第三者。第三者与第三者在互相同情，互相怜悯，于是才导致了王杏花案件的从轻发落。当然，检察院的抗诉书不会这么说，可抗诉书之外，抗诉书背后，的确有人在做这篇文章。"

林子涵听到这番话，放下手中的筷子，惊异地看着陈默雷。

陈默雷："我知道这番话说出来，会影响你这顿午餐，但我还是说了。"

林子涵："谁是第三者？我是第三者，还是那个王杏花是第三者？说这话的人，是法律认定还是民间语言？"

陈默雷："正因为我不相信，我才找你谈话。因为这篇文章已经开始做了，早早晚晚要做到你头上。我真怕一篇蹩脚的文章让我丧失掉一个优秀的法官，所以，这次交谈，既代表组织也代表个人。"

林子涵听到这句话，重新抄起筷子，说："陈院，我虽然离一个优秀法官还有距离，但我知道该怎样做人。有一点请你放心，我这人，没事的时候从不找事，真来了事，也从不怕事。话说到这里，我还得把这顿饭吃完。"说着，林子涵又开始吃起饭来。

陈默雷见状，站起来，说："好好吃吧。也许，这篇文章不仅仅是做给你看的。不过，革命不是请客吃饭，不是做文章，对吧？"

陈默雷说完，收拾起自己的饭盒，转身走开。林子涵继续在她的座位上吃饭。虽然是吃饭，但口中的咀嚼却变得越来越缓慢。她在缓慢的咀嚼中凝视窗外，天空开始滚动隐隐的雷声。这个清凉的季节又要下雨了吗？

在隐隐滚动的闷雷声中，林子涵的手机清脆地响了。

她从包里取出手机,听到对方的声音:"你好,我是方正。"

林子涵:"我知道你是方正!四方的方,正派的正,可现在这两个字,已经被人写歪了!"

说完这句话,林子涵赌气般地把手机扣死。

只是瞬间,林子涵的手机又再次响起。

手机铃声持续了很长时间,她才稍稍平静一下,打开手机,说:"对不起,讲吧。"

4

晚饭后,雨又开始淅淅沥沥下起来。在一把雨伞的遮挡下,林子涵和方正走在春江城区某处偏僻的铁轨上。铁轨正呈现出一个很大的弯度,两人沿弯弯的铁轨缓缓地走。

在沉默的缓缓行走中,方正终于开口讲话:"你让我讲什么?爱一个人和被一个人爱难道不是这个世界上最大的真理?"

林子涵:"还是说点脚踏实地的话吧。我现在就是不明白,你我之间,也许正在发生什么,但毕竟还没有发生什么,为什么有人却抓住它做起了文章,而且,这文章还是大手笔,把你我的事情跟我审判的案子联系在一起?"

方正听到这里,默默地走,不说话。

林子涵:"你怎么不说话?"

方正仍然沉默,缓缓地走。

林子涵却突然站住了。方正手擎雨伞继续往前走,走出几步,才回头看到林子涵站立在铁轨上,被淅淅沥沥的雨水淋着。

方正问:"怎么了?"

林子涵:"我想在具体问题上听到你的具体回答!难道你的语言里除了抒情和议论就不再有别的内容了?"

方正:"我没有抒情,也没有议论。"

林子涵:"那你为什么不回答我?"

方正:"回答你什么?"

林子涵:"一个被指称为第三者的人在她的办案中徇私枉法!"

方正:"你徇了谁的私?枉了谁的法?怎么徇的?怎么枉的?为什么徇?为什么枉?徇了私枉了法你得到了什么好处?所有这一切你自己相信吗?你自己都不相信的事情还需要别人回答?"

林子涵似乎被方正的一连串问话给问住了。她抹一把脸上的雨水,说:"一个女人为什么需要一个男人?"

方正:"因为爱情!"

林子涵几乎大声喊出一句:"她还需要帮助!需要保护!需要理解和办法!"

方正听到这句话,擎着雨伞,重新走回林子涵身旁,说:"我知道,男人应该像雨天的一把雨伞。"

林子涵用复杂的目光看着眼前的方正。方正轻轻揽一下林子涵的肩膀,说:"走吧,站在这儿总不是办法。"

雨伞下的两个人又沿着铁轨往前走。在走过铁轨的弯道之后,眼前出现了停放在铁轨上的几节货车车厢。走近这几节货车车厢时,方正说:"子涵,我知道你此时此刻的心情。一个踌躇满志的法官,只想往前走,不愿碰上一块绊脚石。可真正的英雄,不是怕这块绊脚石,而是应该把它踢开。或者说得狠一点,得学会利用这块绊脚石,踩在它上面,作为跳板,爬得更高,跳得更远,跑得更快。杨铁如为什么当不上法院院长?是因为他没能力,没水平?张业铭为什么升上了检察院的检察长?是因为他有本事,有资格?你应该很清楚。人只要想往前走,都会碰上绊脚石。被这块石头绊倒,算不得真英雄。从这个意义上说,你们的杨铁如就不是真正的英雄。"

林子涵怔怔地望着他,说:"方正,你是做房地产盖大楼的,你怎么会知道这些?又是杨铁如,又是张业铭?"

方正:"一个做房地产盖大楼的人最应该知道这些。我所知道的远远不止这些,我知道整个社会,整个春江市。他们是我盖大楼的地基和砖瓦。"

方正此言既出,林子涵惊异万分。她用陌生的目光重新审视眼前的方正。

方正看到林子涵的神情,便说:"怎么了?"

林子涵:"过去,我从没听你谈起这些。"

方正笑了笑说:"就好比过去我是美声唱法,现在突然变通俗了。你现在肯定这么想,对不对?可不管什么唱法,有一点你必须相信,音符还是那些音符,歌还是那首歌。"

林子涵不知道此时此刻应该如何应答。

方正说一句:"咱们为什么非要在雨中站着?"

林子涵:"因为天在下雨。"

方正:"为什么不躲起来?"

林子涵:"没有遮风挡雨的地方。"

方正:"你错了,世间万物相生相克。天上下雨,地上就有遮雨之处。不信你瞧!"

方正说着,将手中的雨伞交给林子涵,走到停放在铁轨上的货车车厢前,稍稍用力,便扒开了货车车厢的一条门缝。他随即攀上货车车厢,站在车厢的门缝里,对林子涵说:"上来吧。"

擎着雨伞的林子涵站在车厢下,犹豫不前。

方正再说一声:"上来啊!"

林子涵最终走近货车车厢。她伸出一只手,方正拉她一把,跃上了货车车厢。

空荡荡的货车车厢里漆黑一片。只有远处的一盏灯光透过门缝投洒进来,呈现出斑驳的光亮。

方正收起林子涵手中的雨伞,说:"坐一会儿吧。"

林子涵说:"这么黑!你想在黑暗的地方跟我说点黑话,是不是?"

方正笑了,露出洁白整齐的牙齿,说:"你这么说,我可又要抒情了。黑夜给了我黑色的眼睛,我却用它寻找光明。"

林子涵坐到一个木箱子上,说:"世界上总有这么一种人,任何时候都充满道理,你也许是其中的一个。"

方正也坐在挨近林子涵的位置,说:"任何道理都不是天生的。人们按照自己的需要去争取,争取到手就成了道理。"

林子涵:"你准备用这种论文式的语言跟我谈一晚上?"

方正:"不是,我在讲事实。比如我这次到北京离婚,对方为了争取到更多的财产,首先把我指控为一个道德上的叛徒。律师和她一起,在法庭上振振有词,天下的道理都成了他们的囊中之物,需要什么,就掏出什么。于是,在道理面前,该争取到的他们都争取到了。《婚姻法》还没有修改,关于夫妻双方的财产认定还是一个盲区,因此,为争取财产而制造的种种道理便畅通无阻,直达目的。"

林子涵:"在法庭上,你怎么说的?"

方正:"听之任之,沉默寡言。因为我在争取离婚,我需要这场可怜的婚姻尽快走向坟墓。只要法庭判决离婚,我的需要就会得到满足。所以,听之任之,沉默寡言就成了我的道理。这就是我刚才说的,把需要的东西争取到手就是最大的道理。"

林子涵:"既然你们已经离婚,各自的需要都得到了满足,为什么又无端地把我悬挂起来,作为第三者进行展览?"

方正:"也许,你我的交往被她捕风捉影地听说了一点。但捕风捉影并不可怕,可怕的是兴风作浪。我敢肯定,做你这篇文章的人不会是捕风捉影的她,而是兴风作浪的另一些人。"

林子涵："谁会跟我过不去呀？我至少不是杨铁如吧？我又不想当法院院长！"

方正："兴风作浪的人也不一定是冲你来的。我现在这么想，如果你说这是一篇文章，写文章的人只是拿你做了一个开头，后面的段落怎么写，还很难说。对你的议论和指责不是从这份抗诉书开始的吗？我估计，这是检察院跟法院的一种较量。这么说，可能说大了。也许这是检察长张业铭跟杨铁如较量的继续；也许这是张业铭干脆跟陈默雷摆开的擂台。一个检察长，一个法院院长，都是新官上任，究竟谁比谁更有力量，更有表现力，似乎是已经开始比试了。"

林子涵听罢，诧异地说："你都在说什么呀？要真是那样，他们较量他们的，把我牵扯进来干吗？"

方正："法院判决，检察院抗诉，这是一种正常的工作程序，这样的回合哪能分出胜负？一个人要想击垮对方，首先要寻找的是道德的缺口。"

林子涵："难道说，我在道德上有缺口？"

方正："有句话你该知道，庸医司性命，俗子议文章。你我的相识相遇，恰巧是在我离婚诉讼的过程当中，这便给那些惟恐天下不乱的庸俗之辈留下了话柄。说到这里，我觉得对不起你。可子涵，你必须坚信，这是庸俗之辈的庸俗理解，决不是什么道德的缺口。俗人怎么可能做得了道德文章？真正的不道德正是他们！如果那些庸俗的理解成立，人们该怎样评价马克思和燕妮、鲁迅和许广平？我不知道你们院长陈默雷怎么跟你谈的，不管怎么谈，有两个字要牢记：不怕！现在不是有个口诀吗？我建议你背过：遇到秀才论诗书，遇到屠夫侃杀猪。这个口诀不是哲学教给我的，是真实的社会教给我的！"

林子涵："要是你的分析和估计能够像事实一样成立，我真不知道该说什么了。"

方正突然眼睛一亮，说："你认为你判决的案子公正吗?"

林子涵:"公正。"

方正:"对了,你们法院是不是还有一桩关于金城县政府的官司?"

林子涵:"有,可那是行政审判庭的事。"

方正突然站起来,说:"金城县的头头脑脑可是市委书记孙志的掌上明珠,你没听说金城县县长王玉和要当副市长吗?在这个节骨眼上,会不会有人故意找法院的碴儿?恶人先告状,先揪住法院的小辫子,让法院陷于被动之中呢?"

林子涵也站起来,说:"说什么呢!现在是检察院在抗诉,跟金城县政府有什么关系?"

方正:"裙带关系。"

林子涵:"一桩刑事诉讼案跟一桩行政诉讼案又有什么必然联系?"

方正:"我不懂你们法律,可我知道,要想击败对方,声东击西,也是三十六计中的一招。"

林子涵:"方正,社会毕竟不是战场,你怎么不往好处去想,净想这么些损招、险招呢?"

方正:"我也希望我想的一切都不是真的。可如果你让我往好处去想,那只有承认你我道德败坏了。你承认吗?"

林子涵在方正的话语面前突显软弱,不堪一击。

正在这时,远处传来隆隆驶近的火车的声音。随着一声长笛,林子涵和方正所在的货车车厢一阵颤动,随着咣当一声响,货车车厢开始在铁轨上猛然启动。

在车厢剧烈颤动和猛然启动中,林子涵站立不稳,一个趔趄差点摔倒。方正眼疾手快,一把上前抱住了她。林子涵在方正的怀里惊恐地说:"哟,火车开了,怎么办?"

方正紧紧抱住林子涵,没有回答。

林子涵想挣脱方正的拥抱,着急地说:"怎么办?火车开了!"

方正紧紧抱住了林子涵:"你说怎么办?总不能跳下去吧?"

林子涵:"你?"

方正:"放心吧!你没看刚才车厢停在什么地方?车厢是空的?前边不远就是车站编组站,这几节车厢是到前面编组站编组的。从这儿到编组站,还没有五公里。"

林子涵:"真的?"

"打赌?"方正笑笑说,"我倒希望我输了,让火车把咱俩拉到天涯海角。"

林子涵听到这句话,盯着车厢缝隙外的惊恐目光终于回转过来。她看着方正,方正一直把林子涵紧紧拥在怀中。方正说:"为需要而争取就是最大的道理。我需要你,我在争取,你不要说我没有道理。"

林子涵的头缓缓伏在了方正的肩头。

方正轻轻扳起林子涵的脸庞。两双眼睛在对视的同时,两个人渐渐吻在了一起。

特殊的环境有时会召唤出特别的激情,而小小的对峙与区别又往往加速着爱情的磨合。激情拥吻的两人,舞步一般漫游在空旷的长长的货车车厢内。在火车的运行中,紧紧拥抱的爱情也在激情中动荡和摇曳。

漆黑的货车车厢在轰轰隆隆向前运行。偶尔渗透进来的斑驳光亮,一闪一灭,明明暗暗地投射到两个紧紧拥抱、热烈长吻的恋人身上……

5

陈默雷站在老院长肖亦白家门前,按响了门铃。

门铃响过几次,没人出来开门。陈默雷四顾徘徊,缓缓走出。

陈默雷在凝神思考中,沿一条林荫甬道缓缓行走。来到一个街心花园时,他抬头便看见了坐在轮椅上的老院长肖亦白。老院长坐在轮椅上看报纸,老伴推着轮椅,围着花园悠悠地转。

陈默雷眼睛一亮,疾步走到跟前。他从肖亦白老伴手中接过轮椅,说一句:"阿姨,我来。"

肖亦白老伴抬头,看见了陈默雷,惊奇地说:"哟,陈院长。"

陈默雷接过轮椅的把手,对肖亦白老伴笑笑说:"阿姨,我说过几次,在你眼里,我就是小陈。"

轮椅上看报纸的老院长肖亦白回过头来说:"小陈,你怎么到这儿了?"

陈默雷推着轮椅往前走,边走边说:"我到家里去了。家里没人,就顺着找了来。"

肖亦白:"上次来是给我过生日,这次来,我可没生日可过了。"

陈默雷:"老院长,我是来向您求教的。"

"向我求教?"肖亦白哈哈笑了,"我现在每天研究的,可是如何让自己气贯丹田。"

陈默雷:"我向您求教的,也许正是如何气贯丹田。"他停下推动的轮椅车,说:"有一桩案子,我想跟您汇报一下,征求一下您的意见。"

老院长肖亦白一听这话,顿时来了精神。他招呼陈默雷:"来来来,到我跟前来说,到这儿来。"

陈默雷站到了老院长肖亦白的对面。

肖亦白问:"什么案子?"

陈默雷:"一桩积压已久的行政诉讼案。"

……

6

杨铁如推开市委书记孙志办公室的门时,伏案阅读文件的秘书唐学风站起身来,喊一声:"杨主任。"

杨铁如走上前,递给秘书唐学风一摞材料,说:"我写了一个材料,想请你转交给孙书记。"

唐学风接过材料,说:"杨主任,材料你让办公室送来就是了,还用得着亲自跑?"

杨铁如:"我是想有可能的话,我把材料亲手交给孙书记。"

唐学风听到这里,皱起眉头,说:"这……孙书记正在里边跟李老谈话呢!"

杨铁如:"李老?"

唐学风:"就咱们春江市大名鼎鼎的文史专家李西冶教授啊!"

杨铁如:"那只好请你转交了,我先回去。"

杨铁如正要转身往外走,紧闭的里间门开了。杨铁如看到市委书记孙志虔诚而恭敬地搀扶着髯须尽白的李西冶教授正走出来。老人想尽力摆脱孙志的搀扶,挥动着一只手,说:"虽说是耄耋之年,可我还算耳聪目明,步态稳健,不用扶,也不用送了。"

孙志谦逊地笑着,仍然搀扶着李西冶教授,说:"应该到您老府上拜访,让您老来到办公室,已经不恭,哪有不送的道理?"

唐学风和杨铁如也恭敬地站在一边。

孙志看见了杨铁如,便对杨铁如说:"铁如,认识一下咱们的李老,李教授!"

杨铁如上前恭敬地说:"李教授好!"

孙志指着杨铁如,对老人说:"这是咱们的年轻干部,

市委政策研究室主任。以后,春江市的重担要靠他们这些年轻人了。"

李西冶教授伸出手,与杨铁如相握:"幸会,幸会。"

杨铁如:"久仰您老的大名!"

"老朽老朽,老夫朽矣!"李西冶教授说着,对市委书记孙志说:"好了,门口为界,客走主安。"

"这哪行?一定得送到楼下,送到楼下!"孙志说着,对唐学风说:"车安排好了?"

唐学风:"安排好了。"

孙志搀扶老人走出办公室,又回头冲杨铁如说:"你等我一会儿。"

杨铁如站在那里,看市委书记孙志将老人搀扶着走出办公室,秘书唐学风紧随其后。

杨铁如随即从唐学风办公桌上拿起自己的材料,转身来到市委书记孙志的里间办公室。办公室宽大敞亮,环境设施透出一种难以言说的威严。杨铁如站在宽大敞亮的办公室中间,看着墙上挂着一幅书法,上面写着:历览前贤多少事,成由勤俭败由奢。

就在杨铁如瞩目书法以及办公室环境的时候,市委书记孙志进来了。他进门冲杨铁如的背影说:"怎么不坐下?"

没等杨铁如坐下,孙志已坐到了自己的办公桌前。杨铁如只好坐到了市委书记孙志办公桌对面的椅子上。孙志端起茶杯,感叹一句:"山不在高,有仙则名;水不在深,有龙则灵。春江市多几个像李老这样的学术泰斗,就可以更加自豪了。"随即,他喝一口茶,放下茶杯,对杨铁如说:"你找我有事?"

杨铁如:"那天,由于时间关系,我只是简单向你汇报了我到金城县调研的有关情况。后来,总觉得说得不那么全面准确,便写了个文字材料。这材料包括我从调研中得到的第一手资料以及我个人的一些思考。我想请你百忙之中过目一下这份材料。"

杨铁如说完,把手中的材料递给孙志。

孙志接过材料,粗略地浏览,并翻动几页,说:"嗯,字数还不少。你敢保证这份文字材料全面、准确?"

杨铁如:"局限肯定会有的。但这份材料我是用你赠送给我的那支派克笔写的,因此,我能保证这份材料是有责任心和实事求是的。"

孙志听到这里,放下手中的材料,笑了。他看着杨铁如,说:"铁如,那天我批评你可能严厉了点。我这脾气,时间越长,你就摸得越透。常委会上,市委中心组理论学习会上,我经常做自我批评。书记当了不是一天半天了,八百万人口的市委书记不算多大,也不算太小的干部了,可就是经常在脾气跟前犯错误。所以,那天我就是说严厉了,也希望你能理解。这份材料,我会认真看。实事求是,这是我们工作的精髓。不管哪级领导干部,要是连这四个字都拿不起来,那就干脆下课放学!"

杨铁如听到这里,说:"其实,那天我做得也不合时宜。我总认为自己想做的事情是最重要、最紧急的,回家后我就想,你毕竟是八百万人口的市委书记,工作之多可想而知。要说脾气,我在法院主持工作的时候,也没少发火。"

孙志:"你说到这里,我要接你一句。调你来政策研究室,是让你用改革的、发展的、创新的眼光来考虑一下春江市的大政方针,这毕竟跟你过去主持法院工作性质不同了。如果你带着现在的眼光去金城县调研,即使发现了问题,发现了错误也是好的嘛,是我们需要的嘛!可你要带着过去的眼光到金城,这在工作上叫什么?叫越位。法律的事,老百姓打官司的事,现在是陈默雷的事情嘛!陈默雷的事情就让陈默雷去干,你需要干好的是你现在的本职工作。如果陈默雷的工作也让你杨铁如去干了,那咱们的工作秩序将会是什么模样?我今天这么说,不是批评你,是谈心。咱市委班子里也有领导提出，说政策研究室的工作跟不上去，有些滞后，我在会上就说，杨铁如毕竟刚刚接手，下车伊始嘛！"

杨铁如沉默片刻，说："孙书记，说实话，批评政策研究室的工作跟不上去，批评到点子上了。这不是下车伊始不下车伊始的问题，主要问题在我这当主任的。我这人就这样，能挑起的担子，挑起来立即奔跑；挑不起的担子，我也不会硬去充当英雄好汉。我总觉得，政策研究室这副担子我挑不起来。"

孙志："嘀，想给我撂挑子，还是想给我讲条件啊？这副担子挑不起来，什么样的担子能挑起来？你跟我说说。"

杨铁如："我学的是法律，我始终认为我会在法律工作中尽职尽责。"

孙志："春江市中级人民法院总不能有两个院长吧？"

杨铁如："我不是在说官职。要说法院院长，陈默雷比我更称职，会干得更好。我只是在说，我的事业和法律紧紧连在一起，难以割舍。"

孙志听到这里，站起来说："你这么说，我还得批评你。你是一个领导干部，不能把自己降低为一个普通的职业工作者。你学的是法律，就不能来研究政策？组织上为什么要提拔你，那是考虑你的综合素质。谁没有自己的专业？我还没听说全世界有哪所大学专门开设一个培养市长、省长、总理、总统的专业。我是学园林艺术的，我们的省长过去是钢铁工程师，以前的美国总统里根还是好莱坞的电影演员呢！这些你怎么解释？我不认为你是在推脱、逃避责任，我是认为你杨铁如脑袋里这个弯转得慢，至今还转不过来。你写的这份材料，我该怎么认真看，还怎么认真看，但有句话我必须再重复一遍，老百姓跟金城县政府打官司，那是陈默雷的事情。陈默雷的事情就让陈默雷去干！这才叫各司其职，各就各位。"

市委书记孙志话音刚落，秘书唐学风进来，说："书记，到点了，该到电信局去了。"

孙志看看手表，说："有个活动，你跟我一起去吧。电信局的移动通讯公司，用户超过了三百万户，想搞个庆祝仪式，被我拦住了。一个庆祝仪式热热闹闹十万块钱进去了，捐到山区农村，这十万块可以办个希望小学。他们采纳了我这建议，今天就搞捐献。这事是我倡议的，我得到场参加一下。走吧，一起去。"

杨铁如站起来，说："这样的活动，我就不去了吧？"

孙志向办公室门外走，边走边说："你要是忙，可以不去！"

秘书唐学风悄悄扯一下杨铁如的衣襟。杨铁如和秘书唐学风紧跟市委书记孙志走出办公室。

杨铁如和秘书唐学风跟随市委书记孙志走到市委大楼大厅时，迎面走来正进入大厅的陈默雷。陈默雷迎上前，说一句："孙书记，你要出去？"

孙志："去参加一个活动。"

陈默雷："我本来想跟你汇报一下金城县政府那桩行政诉讼案。"

孙志听到这句话，微微叹出一口气，说："我刚刚还跟杨铁如说，你陈默雷的事情你自己干就是了，这是你的职责嘛！"

孙志说完，径直向大厅门外走去。杨铁如和唐学风只好紧随其后。紧随其后的唐学风急忙向前跑去，跑下台阶，打开轿车的车门。走出门厅的杨铁如回头看了陈默雷一眼，什么表情也没有。

陈默雷定定地站在大厅中央。他一直看着市委书记孙志和杨铁如等人进入轿车，轿车启动，渐渐驶出了他的视线。

7

电信局移动通讯公司的捐款会场,传来了欢乐祥和的乐曲声。

突然掌声响起来。掌声中,市委书记孙志走上会场,撩开了一面红绸子。于是,展现在人们眼前的是两名礼仪小姐各持一端的写有十万元放大了的现金支票模型。

市委书记孙志在更热烈的掌声中,向会场人士鼓掌示意,返身走回第一排的座位。

两名电信局的负责人从礼仪小姐手中接过现金支票模型,随即,又有两名激动万分的农村小学校长模样的人走向台前,从电信局负责人手中接过支票模型。接过支票模型的两人向大家不停地鞠躬致谢。

市委书记孙志带头鼓掌。坐在一侧的杨铁如也紧随鼓掌。

随即,一男一女两名农村孩子走上主席台,向会场致少先队礼。礼毕之后,一男一女两个农村学生开始了声音洪亮的朗诵:

  (男) 在深秋的季节,
       我们没有看到地上的落叶;
  (女) 在深秋的季节,
       我们看到了挂满枝头的硕果。
  (男、女)那是因为——
       温暖的风在荡漾;
       那是因为——
       爱的暖流在流淌。
  (男) 天不再当房,
  (女) 风不再穿墙,

（男、女）从今天起——
我们将拥有自己的课堂！
（男）　　山里的孩子想唱一首山歌，
（女）　　山里的孩子想采一把红叶，
（男、女）山里的孩子用共同的心声说一句——
谢谢！谢谢！

在孩子的朗诵声中，孙志微笑着看一眼身侧的杨铁如，杨铁如目不转睛地盯着朗诵的孩子。

参加完希望小学捐款活动的市委书记孙志在众人簇拥下走出会场，来到电信局豪华的大楼前。刚要走下台阶，秘书唐学风匆匆跑到孙志面前，拿着一个手机，说："孙书记，有个电话，你接不接？"

孙志问："谁啊？"

唐学风："法院老院长肖亦白。"

孙志略一思忖，便从秘书唐学风手中接过了手机。刚刚面对话筒，孙志的脸上便绽放出笑容。他对着话筒说："我的老院长，你怎么想起打个电话过来？在哪儿呢？好！我早就说过，应该多出来晒晒太阳，阳光养人啊！"随即，他便开始听对方的讲话。在倾听的过程中，他的笑容渐渐收敛起来。他不停地答应着，直到对方讲话完毕，他才说："好了，这事我知道了。我知道了你就应该放心了。你现在的首要任务就是多晒晒太阳，在太阳底下，再帮我想想点子，出出主意，找找毛病。忙过这阵子，我去看你。再见！"

杨铁如似乎意识到什么，在孙志接听电话的过程中，一直默默地盯着。

孙志讲完，把手机递给秘书唐学风。

在众人的簇拥下，孙志走下台阶，走向轿车。上车前，他与众人一一握手，说："临走，我也得说一句感谢的话，感谢你们为希望工程做了件大好事!"

孙志说完上车,秘书唐学风关上车门,旋即坐到车前位置。在众人的招手示意中,轿车渐渐驶离电信局豪华的大楼。

坐在车内的市委书记孙志对杨铁如说:"刚才,我接了你们的老院长肖亦白的电话。"

杨铁如"嗯"了一声。

孙志:"看来,金城县政府这桩行政诉讼案很有影响哪。肖亦白说,这桩案子久拖不办,他有责任;我记得你在我办公室也曾说过,你主持法院工作时,这桩案子没审,是重大的工作失误;陈默雷刚去法院,就让几百个农民堵住了法院大门,这么说下去,这桩案子不能再拖了,是吧?"

杨铁如:"虽然你刚刚批评过我,陈默雷的事情要由陈默雷来办;可一说起这桩案子,我还是忍不住要说几句。告状打官司的几百个农民只是金城县受害农民的一部分。刚才听那两个农村孩子在朗诵,我就想到前些天我去金城县深入调查的情况。别的我不多说了,金城作为春江市农业改革的带头县,可至今为止,仍有众多的孩子在风吹雨打的茅草屋上课。就像那孩子朗诵的,天还在当房,风还在穿墙。"

市委书记孙志听到这里,没再说什么,深深地叹出一口气,闭上了眼睛。

杨铁如向车窗外望去,岗台上的交警正在向市委书记孙志的轿车敬礼。

这时,杨铁如的手机响起。他把目光从窗外的交警身上收回,从包里取出手机。刚一接听,他便说:"嘀,难得你想起给我打个电话。"又听了一会儿,他说:"在哪里?"少顷,又说:"好吧,晚上我去。"

8

　　一个民工身手敏捷地攀援上一排脚手架,高声喊着:"李长明!李长明!"

　　一身泥水,正在干活的李长明对来到面前的民工说:"喊什么?"

　　民工把一张纸展现在李长明眼前,说:"法院来通知了,咱的官司三天以后开庭。"

　　李长明伸手去抢法院通知:"我看看,我看看!"

　　民工一下子把法院通知攥在手里,藏到身后:"不行!你看看你这双手,还不把通知弄脏了?"

　　李长明把手上的泥在身上蹭了蹭,伸出手,说:"行了吧?"

　　民工执拗地说:"不行,洗了手再看!"

　　李长明下了脚手架,洗了洗手,然后走进光线昏暗的工棚里。李长明展开法院的通知书,盯着它长久地端详。随后,通知书被围拢在一起的另一个民工抢走。通知书在民工手中传阅着。

　　民工老王说:"李长明,你怎么不说话了?"

　　李长明:"你们说,咱能赢吗?"

　　民工老王:"律师不是说了?咱保证能赢。"

　　民工小刘:"律师又不是法院,他是收了钱才说这话!"

　　民工小丁:"李长明,先别说赢不赢了,上了法庭,你可不能就这身打扮!"

　　李长明看看自己一身泥水的衣服,说:"俺回家取件干净的衣服。"

　　民工老王:"我听人家说,到这种场合,得穿西服。"

　　李长明:"俺有一件,回家拿来。"

民工小刘:"你那西服我见过,不行不行,太寒伧了!"
李长明:"那怎么办?"
民工老王:"咱凑钱买一件。我到商场看了,挺像样的西服,一百多块钱。咱们凑凑,我出十块。"说着民工老王将十块钱递到李长明面前。
民工小刘:"俺也出十块!"
众民工纷纷响应。有出多的,有出少的。一会儿,李长明面前堆起一片花花绿绿的大小钞票。
李长明看看大伙:"就这样定了?"
民工老王:"就这样。"

9

夜幕降临,在优美的音乐声中,林子涵和杨铁如在种子酒吧相对而坐。摆在两人面前的,仍然是一人一杯啤酒。

林子涵:"就这样,我成了第三者,也就有了那份抗诉书背后的文章。"

杨铁如默默不语,默默地喝啤酒。

林子涵用期盼的目光盯着杨铁如。杨铁如放下啤酒杯,微微一笑。

林子涵:"你笑什么?"

杨铁如:"我说这些日子听不到你的电话了。偶尔来个电话,也是有事说事,不再倾诉,也不再感慨。"

林子涵:"什么呀!我一直也拿不准那叫不叫恋爱,直到现在,想起来还有点飘飘忽忽呢。"

杨铁如:"行了,别说了。恋爱中的女人智商最低,这话谁说的?好像是以前你说的。"

林子涵:"是啊,我现在一点智商都没有了。"

杨铁如:"这不就证明已经在恋爱当中了?"

林子涵:"好啊,你这么把我绕进来了。"

杨铁如微微一笑，点燃一支烟，说："你刚才说的那个杀人案叫王……"

林子涵："王杏花。"

杨铁如："王杏花判了十五年有期徒刑，你简洁地跟我说说，理由是什么？"

林子涵想了想，便说："这几天我一直在想，刑事审判制度改革的根本意义是什么？过去是法官纠问式审理，现在是双方控辩式审理，这种改革，除了强化证据力量，使举证、质证、认证形式更加公开透明之外，还应该有另外的意义。由纠问式改变为控辩式，从法律本质意义上讲，应该是从职权主义向当事人主义的改变。当事人不再是法庭的客体对象，同时成为法庭的主体。这从更深层面上体现了平等意识，也体现了法律的人性深度模式。王杏花案的从轻判决，实际上是当事人主义成功的范例。因为王杏花的辩护律师在公诉人面前平等地提供了新的举证，从而使判决在人性层面上开始向饱受摧残的王杏花倾斜。"

杨铁如吐出一口浓浓的烟雾，看着林子涵。

林子涵："我说得不对？"

杨铁如笑笑说："这不，智商又回来了？"

林子涵长长地舒出一口气，说："有你这句话，我心里就平静了许多。"

杨铁如："其实，相信自己跟相信法律同样重要。"

林子涵沉默片刻，喝一口啤酒，又说："那么你说，我在道德上失足了吗？"

杨铁如又笑而不语。

林子涵："你怎么又笑了？"

杨铁如："一个刚刚那么充满自信的法官，瞬间成为道德上的失足青年，这不太真实吧？"

林子涵："我也觉得不真实。"

杨铁如："那你为什么还要问我？"

林子涵:"人言可畏啊!众口铄金,三人成虎!"

杨铁如:"没你说得这么严重吧?三人可能存在,众口绝对不会。"

林子涵叹口气,说:"三个人就是一只老虎啊!一个女人,总不会有虎口拔牙的本领吧?"

杨铁如:"可你又是一个法官。站在法理立场上,你还可以武松打虎呢。"

林子涵这才露出微笑,说:"铁如,你变了。"

杨铁如:"变成什么了?"

林子涵:"你变得比过去善解人意了。"

杨铁如苦笑:"这对我来说,并不是什么好事。"

林子涵:"为什么?"

杨铁如:"知我者,谓我心忧;不知我者,谓我何求?"

林子涵:"你还在为当不上法院院长伤心?"

杨铁如举起啤酒杯,冲林子涵说:"子涵,有句话我自己都没对自己说过,可此时此刻,我第一个想对你说。我可能什么官都不想当了,一点儿也不想,彻底不想当了!过去到此为止,一切重新开始。"

10

市委书记孙志的宿舍在绿荫深处的一幢二层小楼里。小楼的庭院门前,停着一辆轿车。轿车前,陈默雷在来来回回地踱步。

司机从车内探出头,说:"陈院长,到车上来等吧。"

陈默雷摇摇头,说:"不用,你把车开到一边去吧。"

司机刚要启动车辆,陈默雷问:"你车上有烟吗?"

司机:"没有。陈院长,你不抽烟啊!"

陈默雷挥挥手,说:"没有算了。"

司机开始倒车,把车停到一个相对僻静的角落。

陈默雷仍然在寂静的小楼庭院前来来回回踱步。不一会儿，一束灯光照来，随即，一辆轿车缓缓迎面驶来。陈默雷站住，看见轿车停下。秘书唐学风打开车门，车上走下市委书记孙志。

孙志疲惫地冲秘书唐学风摆摆手。唐学风上车，轿车启动，车灯照亮了不远处站立的陈默雷。

孙志在灯光中清晰地看到了站立门前的陈默雷。轿车从陈默雷身旁掠过，孙志走上前来，说："你在这儿等我？"

陈默雷："我听说你明天去省里开会，所以，我今晚无论如何也要等到你。"

孙志："什么事？"

陈默雷："按照诉讼程序，状告金城县政府的那桩诉讼案三天以后就要开庭，我特意为这事来向你汇报。"

孙志："你在这儿一站，我就想到是这事。"

陈默雷："孙书记，履行行政诉讼的合法程序，是依法行政的底线，这条底线如果难以保证，矛盾的激化和延伸可能会影响春江市的大局，既不利于春江市的安定团结，也不利于市委、市政府的正常工作，同时，还有可能给你带来一些不必要的麻烦。我来汇报的目的，是希望市委支持我们的正常审判。"

孙志想了想，便说："你们的老院长肖亦白为此事找过我；前任主持工作的杨铁如对此事也一直念念不忘；今天晚上，你又站到我家门口了。三朝院长，一起给我架秧子，好像我这市委书记从中作梗，阻挠你们依法办事。这件事情从提出到现在，从我嘴里说过一个不字吗？我说过，你陈默雷的事情你自己去干就是了，这是你的职责。我这态度还不明确？"

陈默雷："孙书记，你这态度，等于给我们创造了良好的执法环境。"

孙志："我从来就没想过给你们的执法环境制造麻烦！

我从没想过，也从未有过。周士杰不就依法枪决了吗？在这种大是大非的原则性问题上，我从来不会含糊其辞，半推半就。但是，话说到这里，你不来找我，我也要找你。执法环境不仅仅是外部环境，内部环境尤其重要。法律面前，人人平等，法律不能只对外，不对内。我听说，你们刚刚对一起故意杀人犯的判决就很荒谬！杀了人，法律还姑息和同情什么？为什么姑息？为什么同情？这里面的漏洞是不是在你们内部？你们一再说法庭是一个圣坛，是圣坛就不是瓜田李下，就应该好自为之！我举这一个例子，你回去以后举一反三，以此类推，找找问题的根源到底出在哪里？本来该请你到家里坐坐，天太晚了，我也想早点休息，先这样吧。"

　　孙志说完，走进了小楼庭院。

　　陈默雷站在那里，凝望孙志的背影，一脸困惑，一脸严峻……

十二

- 我虽然不同意你的意见，但我以生命捍卫你发表意见的权利。
- 中文的"乱"字怎么写？……舌头一卷就是乱！

1

陈默雷在办公桌前看完眼前的一摞卷宗，抬起头，看着坐在对面的法官郑小泉，说："这桩案子有几个分寸，我想特别强调一下。"

郑小泉从陈默雷办公桌上随意扯过一本稿纸，又摸摸衣兜，不得不再次拿过院长陈默雷的钢笔，说："陈院，你慢点说，我记下来。"

陈默雷："既然想记下来，为什么自己不带笔记本和钢笔？"

"我没想到。"郑小泉说。随即，他又挠挠头，说："陈院，我这人就这样，大大咧咧的，没想到带笔记本和钢笔到你办公室才是尊重领导。"

陈默雷反倒严肃起来，说："郑小泉，你平时就这么说话？"

郑小泉"啊"了一声，然后看着严肃起来的陈默雷。

陈默雷认真地说："这不是尊重领导与不尊重领导的问题。再说，尊重领导也不是拿笔记本和钢笔到我办公室来装装样子，搞搞形式。一个人要想获得尊重，必须要从尊重别人做起。比如说，马上要开庭了，你来汇报，征求我的意见，我这儿认真讲，你那儿有一耳朵、没一耳朵地听，就算

我陈默雷不是院长，只是一名普通法官，你觉得这样的交流平等吗？不平等就在于，你没有尊重对方的谈话。也许你会说，我没想不尊重你，只是形式上忘记了带笔记本和钢笔。这又牵扯到一个做人要严谨的问题。做人要严谨，做法官更要严谨。严谨首先体现在说话和办事上。法官要有金口玉牙，有把握的话才说，没把握的话少说或者不说；法官最忌凭主观臆断和一时兴起信手拈来，口无遮拦。再说办事，法官当然要出以公心，公道办事；但在公道办事的同时，又要讲究礼仪和风度，有礼仪、有风度的公道办事才叫办事得体、办事文明。我这番话的意思，你能接受吗？"

郑小泉在陈默雷的话语面前也开始认真起来。他点点头，说："我听明白了，陈院。你这番话的意思并不是批评我到你的办公室没带笔记本和钢笔。"

陈默雷说："这是对即将开庭的金城县政府讼诉案，我强调需要把握的几个分寸之一。"

郑小泉恍然大悟般点点头，随手在面前的稿纸上开始记录。陈默雷站起来，说："你不用记录，认真听就行了。也许我说得不对，咱们还可以探讨。"

陈默雷开始在宽大的办公室踱步。他一边思索，一边认真地说："这桩诉讼案的当事人，一方是农民，一方是县政府。也就是说，一方是最底层的老百姓，一方是掌握实权的权力机构。我从不怀疑，你在审判过程中会向权力妥协，对权力机构表现出媚从和依附，从而使本案的判决失去公正。如果是这样，这桩案子的审判长也不会由你郑小泉来担当。我现在的忧虑来自相反的一面。我怕你过分夸大了对底层百姓的情感，过分强调自己的民间立场，把不适当的同情和怜悯也加入到这种情感当中，从而以浅薄的人民性引导整个审判工作。如果是这样，审判在失去公正的同时，还会把正常的判决变成情感的施舍。我所以这样强调，原因有两个方面：第一，农民和县政府不是一个对立系统，金城县人民政府是人民的政府,是凭借人民的意志选举出来的自己的政府,切不可因为一桩具体案件把人民和人民政府这两个一体化的概念对立起来;第二,农民也好,政府也好,作为本案当事人,在法庭上拥有平等地位。平等就意味着权利、责任、义务的对等。法官要借助于科学和理性来公正审判,切不可有任何情感的偏袒和倾斜。为什么单单对你提出这个问题?因为你郑小泉是八十年代末的北大毕业生。与我这七七级大学生比,你们可能思维更活跃,知识面更宽广,但我惟恐哪怕是一丝一毫的情感浮躁,都会使脚踏实地的审判工作出现偏差,使公正的判决失之毫厘,谬以千里。"

陈默雷环抱双手,来回踱步,边思索边说。

郑小泉紧锁眉宇,认真倾听,被陈默雷的话语深深触动。

陈默雷继续说:"当然,我这么说,也不是想禁锢你办案的手脚。你身上有种敢冲敢打、敢作敢为的气质,这种气质,我理解为法官的激情。坦白地说,我很欣赏。法官不仅需要理性,也需要激情。充满激情的法官可能会撩开许多鲜为人知的真理的面纱。比如刑事庭林子涵刚刚判决的一桩故意杀人案,我个人认为,那是理性和激情完美结合的一次审判。这种审判,不仅使案情本身得到了新的解释,还诞生了富有创见性的法理见解。虽然这桩案子遭到了检察院的抗诉,最后结果尚未可知,但其中许多东西值得总结。所以我说,法官也需要激情。但法官的激情要有限度,要合理地调动。这些日子,我听到你许多次谈话。应该说,愿望都是好的,有些话也非常有道理。可有一点你要注意,无论会上还是会下,对我一个人还是对会上许多人,你谈话的方式总是攻势凌厉,咄咄逼人,把人逼向墙角,逼向绝境,不容许别人有丝毫的喘息余地。这样的谈话方式也可以理解为激情吗?如果说是,需不需要管束?需不需要调理?仅仅做一个热血青年,这好像也没什么;可你现在是个法官,有激情的

法官,同时还要有博大的胸怀。胸怀怎么才能大起来?海纳百川,有容乃大。伏尔泰说过这样一句话:'我虽然不同意你的意见,但我以生命捍卫你发表意见的权利!'这句话,我在这里引用合适吗?"

陈默雷说到这里,突然停顿下来。

郑小泉稍等片刻,说:"陈院,继续说啊。"

陈默雷:"说完了。"

郑小泉看着陈默雷半天没说话。

陈默雷看到郑小泉的神情,笑着说:"郑小泉,你可以不同意我的意见,但我以生命捍卫你发表意见的权利。"

郑小泉摇摇头,悄悄地朝陈默雷竖起大拇指。

陈默雷:"也不能因为我提醒你几句,就不说话了,开始跟我打哑语。"

郑小泉站起来,说:"陈院,说老实话,你给我上了一课。这一课,在学校里无论如何也听不到。我还想接你这话再说我自己两句。过去常说,倚老卖老;其实,现在还应该警惕,倚小卖小。倚小卖小跟倚老卖老同样让人讨厌。总觉得自己还小,童言无忌,其实扳指头数数,三十了。三十什么概念?马克思三十岁的时候开始写《资本论》,毛主席三十岁的时候早上井冈山了。"

陈默雷听到这里,笑了笑,说:"你小子,张嘴就来!"

郑小泉:"陈院,你所以这样嘱咐我,是不是对即将开庭的这桩行政诉讼案,你觉得压力挺大?"

陈默雷看了郑小泉半天,吐出一句:"你这脑袋瓜是比别人聪明。"

郑小泉执拗地问:"是不是?"

陈默雷叹出一口气说:"是啊,八面来风。"

郑小泉:"可案情并不复杂啊!"

陈默雷微微一笑,说:"世界上怕就怕那些表面上看似简单的东西。"

陈默雷话音刚落,电话铃声响起。陈默雷走到桌前,拿起电话,说一句:"喂,陈默雷。"说完,他手拿话筒刚坐下来,就皱起眉头:"你是谁?"

对方不知在说什么,陈默雷对着话筒又重复一遍:"请告诉我你是谁?"说话的同时,他的手警觉地按下了电话的免提键。

站在办公室里的郑小泉也同时听到电话中传来一个女人的声音:"别问我是谁。我听说你是个京剧票友,没事的时候爱唱两嗓子。别紧张,我也爱唱戏,我就想给你唱两嗓子,以戏会友,好吗?"

困惑的陈默雷还没说出什么,电话里传来了对方女人的京剧唱腔:

　　我只道铁富贵一生铸定
　　又谁知人生数顷刻分明
　　想当年我也曾撒娇使性
　　到今朝哪怕我不信前尘

陈默雷和郑小泉交流一下眼色。郑小泉想说什么,陈默雷摆手制止了他。

电话里继续传出陌生女人的京剧唱腔:

　　这也是老天爷一番教训
　　他教我收余恨免娇嗔
　　且自新改性情
　　休恋逝水苦海回身
　　……

陈默雷在这个陌生女人的电话面前神色复杂地站起身来。

2

方正来到梦巴黎服装超市。他穿行于服装的丛林,跟在身后的赵清华,叹出一口气,说:"难得方老板越来越有闲情逸致,进我的服装店专门欣赏女性服装。"

方正站住问:"哎,清华,我和林子涵的事情你没对别人说过吧?"

赵清华双手环抱,故意地问:"你和林子涵有什么事情啊?"

方正无奈地摇头笑笑说:"你这人!"

赵清华:"如果把你们的事情说出去,可以提高本服装店利润的话,那我宁愿去电视台给你们直播,我非把那些情窦初开的少男少女给馋哭了不行,哭死一个算一个。可惜呀,本服装店近来生意欠佳,本人也没那份心情去传播你们的风花雪月。再说,现如今全国人民都市场经济了,万众一心向钱看,就算我有兴趣给你们传播传播,全国人民有工夫听吗?除非给钱,否则,谁听这个!"

方正说:"你可是彻底掉进钱眼里了!"

赵清华:"说谁呢!钱眼早让你们这些人给堵上了,我想往里掉,你们舍得给我让个空吗?"

方正在赵清华的话语面前只有粲然一笑……

从出租车上走下的林子涵,躲避着街道上来来往往的车辆,跑向马路对面的梦巴黎服装超市。直奔门前的林子涵无意间与人行道上一个正在行走的女子撞了个满怀。

林子涵忙说一声:"哟,对不起。"

被撞的女人看一眼林子涵,什么也没说,继续朝前走去。

林子涵却一下站住不动了。只是一瞬间,她看见了被撞的女人是已经枪决的周士杰的妻子邵红。邵红不再憔悴，脸上重新焕发出亮丽的光泽。眼前的邵红与林子涵在周士杰家、在精神病医院看到的她判若两人。她想喊一声，终于没喊出来。她站在服装超市门前，一直盯着邵红的背影在人行道上渐渐走远。

站在透明玻璃门后的赵清华开门走出，冲林子涵高声说："哎，咱现在可是有男人的人了，不许在大街上东张西望。"

林子涵回过头来，看一眼站在门前的赵清华，说："说什么呢！"

赵清华："说你呢！"

林子涵笑笑，问："他呢？"

赵清华："谁啊？"

林子涵："就你说的，那个让我在大街上失去自由、不能东张西望的人。"

赵清华顺手一指马路对面楼顶上的广告牌，说："你看，那是不是？"

林子涵顺赵清华的手势望去，看见对面楼顶的广告牌上一个巨大的男影星的画面。她说一句："讨厌！那是在等你呢，你去吧！"随即，拨拉开赵清华，走进服装超市的透明玻璃门。

方正坐在服装超市大厅里一张硕大的办公桌前，欣赏地看着穿越服装丛林正向他走来的林子涵，脸上洋溢着由衷的微笑。林子涵来到硕大的办公桌前，对一脸微笑紧盯着她的方正说："笑什么呢？"

方正："远远地看你走来，我才知道，赵清华办的这家服装店为什么生意不好。"

林子涵："为什么？"

方正："这里所有的服装穿在你身上都会逊色。"

林子涵听到这里，坐在方正对面的一把椅子上，说：

"我可不是小女孩了,受不得一句好话的刺激。其实,这里面有好多服装,我还是蛮喜欢的。"

方正:"你要喜欢,我就专门给你开一家服装店。我保证,比梦巴黎还梦巴黎。"

林子涵:"你急匆匆打电话把我找来,不会是谈开服装店的事吧?"

方正笑了笑,说:"开服装店有什么不好?单纯,干净,没有杂念,每天生活在潮流和时尚之中,还可以大踏步地走市场经济。"

林子涵:"你什么意思呀?"

方正再次笑起来,说:"看你,开句玩笑,你就急了。我怎么可能缘木求鱼,让一个造诣颇深的法官去开服装店!我只想打个比喻,跟你说明,搞市场,搞经济,你买我卖,讨价还价,其实是一件光明磊落的事情,你愿买我愿卖,这其实相当公平。而除此之外的其他行当,有时候却是险象环生,人心叵测。"

林子涵听完这话,环顾大厅内丛林一般的服装以及服装前挑挑选选、比比画画的顾客,再看一眼桌子对面的方正,说:"开门见山吧,我时间很紧张,下午还有桩拦路抢劫案要开庭呢。"

方正:"我想告诉你,咱俩的事情也被人拦路抢劫了。"

林子涵怔怔地看着方正。

方正:"我通过关系,询问了检察院对你判决的那桩故意杀人案的抗诉。其实,从经办人到起诉处,都认为你的判决公正合理。可就是这样,检察院还是抗诉了。原因是来自上面的指令。所谓上面,最起码是检察长张业铭的出面干预;而所谓你第三者身份的背后舆论,也同样是来自上面。据我观察分析,你跟检察长张业铭井水不犯河水,应该不会有利害冲突。如果真是这样,那就证明了我的说法,这次抗诉,矛头对准的决不是你林子涵,而是对准了你们春江中院,直接地说,可能对准了新任院长陈默雷。他们现在是拿你的事情做由头,拿你说事。所以我说,你我的事情被人拦路抢劫了。"

林子涵沉吟片刻,便说:"就算他们想通过抗诉达到自己的目的,可也未必能一定成功。省高院还要再次受理此案,我相信,法律最终会站在法理一边。"

方正:"没错。可任何事情要想水落石出,总得需要时间。有时间就有空当,就可以利用这个空当成全自己的目的。现在有人是不管最终结局如何,先搅浑一池清水再说。"

林子涵:"那他们到底想达到什么目的呢?"

方正:"我不是上帝,没有全知全觉的本领。但我估计,这件事跟你们即将开庭的状告金城县政府的行政诉讼案有关。按说,一桩行政诉讼案也没什么,可这事发生得有点猛烈。几百个农民堵住了法院大门,弄得春江市无人不晓,都在看法院的判决结果是否公正;再是,明年换届即将到来,金城县县长王玉和作为副市长人选已喊了很长时间,这桩案子的判决结果将会影响到明年的副市长选举。我不知道县长王玉和跟检察长张业铭是否有私下勾兑,但我知道两人在部队的时候是战友。你别小看一个县长,王玉和不是等闲之辈,据说他喝醉了酒,常拿自己跟《红灯记》里的李玉和比。外界传说,张业铭之所以能当上检察长,他的战友王玉和可是没少下了功夫。检察长当上了,现在,张业铭会不会投之以桃,报之以李?我虽然说不准,但我能判断出,张业铭在帮助王玉和给法院施加压力。"

林子涵听到这里,惊诧得半天说不出话。

方正:"怎么了?你以为我说的全是子虚乌有,弥天大谎?"

林子涵摇摇头,说:"要像你说的这样,他们要达到这么大的目的,何必要抓我的小辫子?这小辫子也太小了!"

方正:"这仅仅是个开始。如果我的智商还保持在以往的水准，没有因为你而降低的话，我敢预言，张业铭与你们春江中院的明争暗斗还会接二连三。"

林子涵再次轻轻摇摇头，不相信地说："可前几天我在检察院门口碰上张业铭，他大老远就下车，握住我的手嘘寒问暖，还关心我的个人生活呢，那样子可是又和蔼又可亲。"

方正听到这里笑起来，说："用句流行的话说，这不就叫做秀嘛！所以我说，还是开个服装店光明磊落，你讨价我还价，全都在当面，多单纯！"

踩着方正话语的尾音，赵清华来到了两人面前，猛不丁说："哟，谁要开服装店哪？原来你两人凑到我这儿来，是密谋策划抢我的饭碗啊！"

方正和林子涵相视一笑。

赵清华对林子涵说："子涵，我这媒人当得还行吧？"

林子涵："你换个词好不好？还媒人，难听死了。"

赵清华："换个好听的，叫媒体、媒介，行了吧？反正没我，你们两人也碰不到一块儿。要想碰到一块儿，除非是在法庭上，方正还得是刑事犯罪。"

方正站起来说："清华，这话可是越说越不好听了啊。"

赵清华："反正当媒人的命运都这样，把两人撮合到一起了，就怎么说怎么不对劲，怎么说都是多余的。"

赵清华刚说完，一个保安过来，俯在她的耳朵上悄悄嘀咕了几句。赵清华对两人摆摆手，说："好了，不打扰你们了，继续密谋吧。"

赵清华随保安走去。方正望着赵清华的背影，重新坐下来，说："看了吧？女人要做买卖，首先得变成阿庆嫂。"

林子涵："男人做买卖呢？首先要变成什么？刁德一？"

方正直视着林子涵，说："你不是在说我吧？"

林子涵："有点像。一个下海做房地产生意的，什么张业铭、王玉和、陈默雷、杨铁如，没你不知道的。你哪来这么多关系？你说，你还知道些什么？"

方正:"不是我想去知道什么,而是我必须去知道什么。你以为一幢大楼会凭空而起?春江市做房地产生意的每一个商人,都把地基牢牢地扎根在四个字里面。"

林子涵:"哪四个字?"

方正:"社会哲学。"

服装超市大厅一侧的一间办公室内,有两名脱去衣服只穿着内衣的女孩正背向赵清华和保安嘤嘤而泣。赵清华缓缓转到两个女孩面前,说:"我说这阵子,我这服装生意怎么做也挣不了钱呢!说说吧,你俩身上这漂亮的内衣从哪儿来的?"

一位女孩不卑不亢地说:"我们买的!"

赵清华:"买的?从哪儿买的?告诉你们,这种牌子的内衣,春江市只此一家,别无分号。"

另一个女孩说:"我们从外地买的。"

赵清华冷冷一笑,说:"上次抓住一个,跟你们说的一样。领到这间办公室,刚让她脱衣服,她就乖乖地交了罚款。说吧,你俩认打还是认罚?"

一个女孩边哭边说:"你凭什么说我们偷你衣服?凭什么污辱我们?"

另一个女孩也边哭边说:"你不怕我们告你污辱人格?"

赵清华刚刚冷笑一声,林子涵破门而入。面对两个只穿内衣的女孩背影,林子涵诧异地问一句:"哟,怎么回事?"

赵清华:"想偷我的衣服!哼,你大姐没这点火眼金睛就不在春江市大马路上混了!告诉你们,要不认罚,我把你们推到大厅里去展览示众。"

两个女孩更加伤心地哭起来,边哭边你一言我一语地说:"我们没偷!""你污辱人!"

赵清华:"污辱人?想告我是吧?"她用手一指林子涵:"喏,进来的这位就是法官,你告吧?告啊!"

林子涵这时似乎已听明白了事情的大致情况。她对紧盯着两个女孩的保安厉喝一声:"你出去!"

保安在林子涵的呵斥面前不情愿地走出屋子。

赵清华对林子涵说:"子涵,你不知道,前几天我就抓住这么一个……"

"别说了!"林子涵愤怒地打断赵清华的话,一把抓过桌子上堆着的衣服,走到两个伤心哭泣的女孩面前,说:"先穿上衣服吧。"

两个女孩赶紧抹泪,穿起衣服。

林子涵愤怒地盯着赵清华问:"你有什么资格脱掉她们的衣服?"

赵清华:"她们敢偷,我就敢脱。没在大庭广众之下脱就算让她们赚了便宜!"

林子涵:"你……"

两个穿好衣服的女孩仍在泪水涟涟地争辩:"谁偷了你的衣服?你侮辱人!"

赵清华跳到女孩跟前,凶巴巴地说:"怎么,穿上衣服你们就长本事了?"

林子涵一把拽过赵清华,走到两个女孩面前,说:"你们先回去吧。如果受了污辱想告她,回头再告。先走吧。"

两个女孩拎起包,捂着脸哭着,一前一后跑出了屋门。

赵清华甩开林子涵紧紧拽住的胳膊,说:"你怎么能让她们走了?"

林子涵瞪她一眼:"这事,你吃不了兜着走吧!"说完,便气冲冲走出门去。赵清华在林子涵身后追赶,喊着:"子涵,子涵!"

林子涵从牙缝里迸出一句:"我不认识你!"

林子涵匆匆穿过大厅内服装的丛林,走向服装超市的透明玻璃门。赵清华在身后追赶。

方正上前问林子涵:"怎么了?"

林子涵向后一指:"你问她!"边说边头也不回地走向透明玻璃门。

方正和走上前来的赵清华看着林子涵的身影在透明玻璃门前一晃,便消失在春江市繁忙的大街上……

3

法院会议室正在召开例行的审判委员会会议。

主持会议的陈默雷说:"好,今天的讨论先到这里。"他对身边的一个工作人员说:"你去把行政庭审判员郑小泉叫来。"

工作人员应声走出会议室。

陈默雷继续说:"以上我们讨论了刑事庭、民事庭、经济庭上报审判委员会通过的九桩案件。这段时间,我们的审判工作有了很好的进展,结案率和审判质量都有明显提高。尤其是各庭在处理积压案件的问题上,雷厉风行,言行一致,至今还没有发现相互推诿、相互扯皮的踢皮球现象。我在这里只强调一点,法律的最终落实,不仅体现在判决上,归根结底要落实到判决之后的执行上。没有执行的判决书只是一纸空文,是拉大旗作虎皮,是银样镴枪头,是假大空。所以我要特别指出目前我们春江中院执行不力、执行滞后的问题。执行庭庭长欧阳庆同志也在,这个问题我建议咱们专题研究,找找问题究竟出在哪里?人手不够,调配;经费不足,划拨。总之,决不能让执行问题成为法院工作的瓶颈。"

陈默雷说到这里,郑小泉来到了会议室。此时此刻的郑小泉,面对会议室各位领导以及资深法官,略略显出一丝拘谨的模样。陈默雷指指郑小泉,说:"坐下吧。"

郑小泉规规矩矩地坐到圆桌坐椅的后排。

陈默雷指指坐到后排的郑小泉说:"叫你来向审判委员会汇报,又不是开会听报告,怎么老往后排躲?过来过来,

前边坐。"

有人笑着回头看郑小泉。郑小泉不好意思地起身，坐到了圆桌的前排位置。

陈默雷对众人说："大家知道，前些日子，几百个民工堵住了咱们法院的大门。这个事件引发了一桩积压在我们手里长达两年多的行政诉讼案。目前，这桩诉讼案已经纳入了我们的正常诉讼程序，即将正式开庭审理。经研究确定，由行政庭郑小泉同志担任本案审判长，依法组成合议庭。在开庭之前，我们请担任本案审判长的郑小泉同志向审判委员会汇报一下涉及本案的有关情况。"

陈默雷说完看一眼郑小泉。郑小泉从面前的一摞材料前抬起头来。

郑小泉："关于本案，我概括地向审判委员会汇报如下。本案原告是本市金城县旗王乡旗王村以李长明为首的二百二十三名农民；本案被告是本市金城县人民政府。原告诉称，一九九七年，金城县人民政府专门下发文件，召开动员誓师大会，要在全县推广万亩大棚蔬菜种植。在县政府的统一命令下，旗王村约有三百六十亩承包土地所种植的庄稼在要成熟之季强行砍倒，被迫种植蔬菜。改造土地、修建大棚的费用除了县政府补贴的百分之三十基础资金外，其余部分由农民自行负担。大棚修建起来之后，由于旗王村的光照环境、土壤质地以及用水问题等不适应大棚蔬菜种植条件，以至于三百六十亩土地近乎撂荒。半年之后，农民自行拆除了大棚，恢复了原先的耕种，而县政府对他们自行拆除大棚的做法给予了惩罚措施。惩罚的内容是加倍收取农民的乡统筹、村提留，在此基础上，每户农民还责令罚款一千元，以弥补大棚的修造费用。原告在诉讼中提出以下诉讼请求：一，请求金城县政府赔偿农民三百六十亩土地两季庄稼的损失；二，要求县政府赔偿农民用于修建大棚所自行支付的百分之七十费用；三，撤销对农民加倍征收乡统筹、村提留的决

定;四,撤销对每户农民一千元的罚款,并归还罚金。诉讼的基本内容大体如此。"

陈默雷看着郑小泉说:"还有吗?"

郑小泉:"此案在开庭审理之前,我们没有理由做出判断。但有一点需要强调,由于这桩行政诉讼案在春江中院积压了两年多,诉讼当事人已经对法院和法律的信心产生了动摇,这需要各位领导引起高度重视。另外,以李长明为首的二百二十三名农民已经自筹资金聘请了律师,随时准备出庭;但我们的起诉书副本送达金城县人民政府之后,一直没有得到任何回音。作为被告的金城县人民政府是由法人出庭还是由委托代理人出庭,目前我们不得而知。鉴于此,合议庭已经做好了缺席审判的思想准备,特向审判委员会汇报。"

郑小泉讲完,看看陈默雷。陈默雷面对众人说:"此案即将开庭,开庭之前,大家对合议庭有什么建议,请提出。"

沉默片刻之后,行政庭庭长李乾坤清清嗓子,说:"如果被告方没有人到庭,也没有指派委托代理人到庭,在一方缺席的情况下,你郑小泉凭什么判决?是凭感情、义气,还是凭你的平民意识?"

李乾坤的话语虽然慢慢悠悠,却像重锤一样直击郑小泉的脑门。

郑小泉一瞬间涨红了脸,似乎想站起来分辩,但他还是克制住了自己。他看一眼陈默雷,陈默雷虽面无表情,但眼神中却隐含了期待。

郑小泉舒缓一口气,沉稳地说:"李庭长,如果出现你说的那种情况,我一定努力避免凭感情和意气用事,同时,我的所谓平民意识也会被法律意识所取代。在一方缺席的情况下,合议庭会更加认真细致地调查与核准每一个证据,在直接证据和间接证据共同组成的证据链中,依据《行政诉讼法》的有关条款进行公正判决。"停顿片刻,他又说:"我还想更正一点,虽然我担任本案审判长,但对本案做出判决的，不是我郑小泉一人，而是合议庭全体成员。我相信审判委员会会支持和帮助合议庭的审判。"

李乾坤紧接着问："郑小泉，你今年多大？"

郑小泉一怔，随即回答："三十一岁。"

李乾坤："你到法院工作几年？"

郑小泉："八年。"

李乾坤面向陈默雷："在今天的审判委员会会议上，我想严肃地向院方提出一个问题。这桩行政诉讼案被院方认为是一次重要的审判，如果不重要，也不会在开庭之前，提上审判委员会的会议日程。如此重要的审判，院方为什么要指派郑小泉来担任审判长？我不搞自由主义，不搞会上不说、会下乱说的小动作。作为行政庭庭长，当着郑小泉的面，我也要说，郑小泉目前还不具备担当如此重要审判的审判长资格。一是他年轻，只有八年的法院工作经历，经验欠缺，功力不足；二是郑小泉在此之前并没有什么特别成功的审判成果，在行政庭全体成员中还不能成为出类拔萃的佼佼者；三，郑小泉平时对自己要求不甚严格，说话口无遮拦，行动自由散漫，授人以柄的地方较多，如此重要的审判，难免会出现纰漏；四，身为行政庭庭长，拥有三十八年法院工作经验，我愿出任该案审判长，请审判委员会考虑。"

李乾坤说这番话时，像早有准备一样，有条不紊，流利晓畅。此言既出，会场上顿时出现了特别的寂静。有人在喝水时，不小心把茶杯盖跌落在桌面，发出清脆的声响。

陈默雷看看众人，又看看郑小泉，说："郑小泉，你汇报完了吗？"

郑小泉镇定一下自己，说："还有一句话。我感谢李乾坤庭长指出了我的弱点和缺点，但我向审判委员会保证，我一定克服弱点，克服缺点，完成好这次审判任务。"

陈默雷："你可以走了。"

郑小泉起身，拿起材料，离开会议室。

陈默雷面向众人说："郑小泉已经离开会场，现在是审判委员会全体成员在开会。我也反对自由主义，反对会上不说、会下乱说。我现在首先回答，行政庭李乾坤庭长为什么不能担任本案审判长。因为，此案在李乾坤庭长手里积压了两年多，这种积压本身就是一种司法过失，应该得到追究；再者，民工为什么堵住了法院大门？一是因为案子积压不办，二是因为民工从新闻报道中看到吴西江家人给法院送来了一块刻有'大法官'的牌匾。而吴西江案从死刑判决到无罪判决，是近年来春江中院为数不多的重大错判。过去作为刑事庭庭长的李乾坤同志，身为吴西江案的审判长，在此次重大错判中，也应该得到追究，承担重要责任。所以，院方不能同意李乾坤庭长担任此次案件审判长的请求。郑小泉同志正像刚才所说，年轻，阅历浅，经验少，没有特别突出的审判成果，平时也有一些毛病。但年轻并不意味着无知，毛病总会在成长中克服，成果的诞生也必须从第一次开始。春江中院的审判工作任重道远，大胆起用年轻法官是我们从今往后开展工作的基本思路。长江后浪推前浪，这句话不能光喊在口头上，它必须实打实地落实到春江中院的工作环节之中！最后，我还要指出的是，作为领导干部，要讲究领导艺术。对郑小泉同志缺点弱点的指出是应该的，但在即将开庭的前夕，公然当面指出郑小泉没有资格担任审判长，这跟我们领导干部的素质要求不相匹配。郑小泉组织合议庭、担任本案审判长已经有一段时间，如果对此存有异议，这么长时间为什么不向院方反映？开庭在即，现在是兵临城下，剑拔弩张，突然提出临阵换将，重打锣鼓，这合适吗？曹刿论战，曾提出一鼓作气，再而衰，三而竭，这不是起码的常识吗？越是具有三十八年工作经验的老同志，越不应该出现这样的失误。"

李乾坤听罢陈默雷的一席话，说："申明一点，我李乾坤并没有拿三十八年的工作经历作资本。我知道如今的时代

是什么时代，改革的时代嘛！改革改什么？改来改去还不就是冲着老同志使劲？三十八年算什么？现在很多人不都是托关系找门路改户口？希望自己在改革的形势面前年轻起来，今年五十四，明年四十五？我只是想说，一个辛辛苦苦工作了三十八年的老同志，临了不能落下两个字：追究！要说这桩行政诉讼案积压了两年多，要追究，可追到以前的两位院长，前是肖亦白，后是杨铁如！"

陈默雷："这桩案件立案之时，老院长肖亦白正面临离休；而杨铁如主持工作之后，作为行政庭庭长，你是否向杨铁如作过汇报？汇报过几次？他表过什么态？"

李乾坤："那也不能把账记到我一人头上。再说吴西江的错判，当时的审判委员会为什么要通过？"

陈默雷："我并没有说是你一个人的责任。我只是说，作为吴西江案的审判长，你负有重要责任。"

李乾坤："就算我有责任，错判的事情也不光发生在我一人身上。林子涵刚刚判决的那桩故意杀人案，投毒致死人命，只判十五年，法院追究了没有？追究了什么？怎么追究的？况且，为什么会出现这样的判决结果？林子涵作为第三者，以第三者的复杂情感导致判决的天平发生倾斜，院方是想包庇纵容还是想瞒天过海？"

陈默雷听罢，站起来，思忖片刻，说："对不起，请原谅我站起来说话。也许我们在努力避免，但仍然会存在这样那样的错判漏判。可我必须说，错误是不能攀比的！不能因为别人也可能有错误，从而让自己的错误改变性质，随之消融！正视错误，改正错误，这不能称其为美德，而是做人的基本原则。是的，林子涵判决的那桩故意杀人案，已经被检察院提出抗诉，但在最终的判决诞生之前，我们没有理由认定这桩案子属于错判！还有，第三者的问题，没有文字，也没有认定，这股风声就悄悄流传起来了。王杏花案是经过审判委员会集体讨论的，在座的都参加过这次讨论，我们最终认定了王杏花是第三者吗？认定了王杏花毒杀丈夫是因为红杏出墙、见异思迁，出于第三者的动机吗？如果这样认定，审判委员会为什么不同意判处王杏花死刑？现在又说林子涵也在充当第三者。什么是第三者？第三者是插足别人家庭、破坏美满婚姻的特指，谁有证据证明林子涵做了这事或正在做这种事情？法官有恋爱的自由，林子涵同样有恋爱的自由！没有证据，指鹿为马的小道消息就是流言蜚语！大家想想，中文的'乱'字怎么写？左边是个舌头的舌，右边是个竖弯钩。人为什么如此造字？这就是说，舌头一卷就是乱！当前的社会风气的确有些问题，流言蜚语满天飞，听风就是雨，谁越是优秀偏偏越朝着谁来。我所以站起来，就想宣布一条，春江中院这幢大楼是公平公正的天地，只要没有事实确立，任何捕风捉影的流言蜚语都不能给它留下一尺一寸的地盘！"

4

刑事庭办公室内，聂小倩正在电脑前不停地敲击键盘。听到敲门声后，她头也不抬地喊："请进。"

推门而进的是郑小泉。聂小倩匆匆瞥他一眼，又埋首于键盘，说："我没空搭理你。"

郑小泉："谁说找你了？自作多情！林子涵呢？"

聂小倩头也不抬地说："正在开庭。"

郑小泉："什么案子？"

聂小倩："拦路抢劫。"

郑小泉轻声嘀咕一句："拦路抢劫。"说着，便来到聂小倩的电脑前。聂小倩在不停地敲击键盘，郑小泉一声不吭地站在聂小倩一侧。聂小倩的双手终于停止了敲击键盘，她抬起头，看着郑小泉说："告诉你子涵姐在开庭，你还站这儿干吗？"

郑小泉说:"你还不允许一个热血青年六神无主啊?"

聂小倩转过身来,说:"哟,你还有六神无主的时候?"

郑小泉叹口气,说:"对,我这人就这样,心比天高而命比纸薄,胸怀大志又无计可施。"

聂小倩听到这里,离开电脑,站起身来说:"行啊郑小泉,第一次听到你这么谦虚,看出来,你要进步了。"

郑小泉拍拍脑袋瓜,说:"进步了那也是党和人民的,不长出息那才是我自己的。"

聂小倩点点头,说:"嗯,进步还不小。你找子涵姐干什么?"

郑小泉反倒坐在了电脑前,在转椅上旋转了几下,说:"痛苦!"

聂小倩:"怎么着,情场失意?"

郑小泉:"谁像你,老大不小一把年纪了,还玩那些少年维特之烦恼!"

聂小倩:"我可没惹你啊,别惹我,我也烦着呢!"

郑小泉来来回回地在转椅上转圈,说:"你烦什么?不就是离婚吗?告别前夫,另结新欢,乐还乐不过来呢,有什么好烦的?"

郑小泉话音未落,聂小倩抓起办公桌上一本杂志扔向郑小泉。

郑小泉随手接过杂志,看着封面上的两个字,慢慢地念道:"《生活》。"随即,他转向聂小倩说:"小倩,不开玩笑了。我很认真地问你,你说,生活是不是一件特别痛苦的事?"

聂小倩:"不知道,我还没开始生活呢。"

郑小泉:"你又想偏了,青春期的人怎么老往那上面想?我不是说夫妻生活,我是说……"他用双手比画着,"生活,广义上的生活,从日出到日落,一天又一天,周而复始,循环往复,这中间是不是有很多痛苦?"

聂小倩看着表情认真的郑小泉说:"郑小泉,你不会是急着想当庭长吧?"

郑小泉:"你骂谁啊?你才想当庭长呢!就凭我们李大爷坐的那把椅子,我坐上去不长痔疮也得长牛皮癣。"说到这里,他似乎突然意识到什么,拍一下自己的嘴巴,说:"嗨,又说多了,算我没说啊。我要管住自己这张嘴,非得嘴两边一边站一个警察,还得是刑警,带枪才行。"

聂小倩:"不一定站两个警察,警察可是吃国家财政的。站两个民工就行,你一张嘴,一人一锨土给填进去。"

郑小泉笑着站起来,说:"算了算了,不跟你扯了。老这么跟你练嘴皮子,我这张嘴该调防暴警察来管了!"说着,便往门口走去。

聂小倩在身后喊住了他:"哎,你那桩案子是不是要开庭了?"

郑小泉站住,答应一声:"是啊,难得你百忙之中还想着这事。"

聂小倩:"听我爸说,那县长王玉和很可能是副市长人选。"

郑小泉:"什么意思,看我胆小,吓唬我?"

聂小倩:"我提醒你一句怎么了?"

郑小泉:"这有什么好提醒的?他当他的副市长,我办我的案子,谁碍着谁了?克林顿还当总统呢,说上法庭还不是照样上法庭?说到这儿了,提醒你一句,美国那个独立检察官写的《斯塔尔报告》你可不能看啊,你太年轻,那书太黄。"

聂小倩:"我跟你说正事呢,你瞎扯什么?"

郑小泉:"什么正事?不就是县长王玉和要当副市长吗?这些日子,这话我听多了,听见就烦!他就是当地球球长又怎么样?我就不信这个!舍得一身剐,你知道后面那句话怎么说吗?"

聂小倩:"不知道。"
郑小泉:"不知道正好,憋死你!"
聂小倩:"滚吧!"
郑小泉笑着走出办公室,出门前又冲聂小倩喊一声:"散庭以后,让林子涵给我打电话!"

5

刑事法庭大法庭内正在审理一桩拦路抢劫案。坐在审判长席位的林子涵正在宣读判决书:"根据《中华人民共和国刑法》,本院作出判决如下,全体起立。"

林子涵率先起立。

法庭内所有人员也都起立听候判决。

林子涵:"判处被告人刘义福死刑,剥夺政治权利终身,并处罚金人民币八千元整。审判长林子涵,审判员潘军右、周平。"稍稍停顿之后,林子涵宣布:"现在宣布散庭!"

在审判长林子涵宣读判决完毕之后,两名法警给被告人刘义福戴上了手铐。

林子涵和潘军右等人走下审判席,来到被告人面前。林子涵把判决书递给被告人刘义福,表情严肃地说:"刘义福,你的判决书当庭送达,如不服本判决,可在十天之内,向省高级人民法院提起上诉。签字!"

手拿判决书的案犯没有动手签字,而是目光凶巴巴地看着林子涵。

林子涵再说一遍:"签字!"

案犯刘义福却突然迸发出一阵狞笑。他在狞笑中对林子涵说:"老子在江湖闯荡多年,没想到你个小女子一句话就让我死了!我可还有几个弟兄在外面漂着呢,你不怕他们背后给你抹了脖子?就你这美人胚子,他们肯定会先把你干了,再给你递刀子!"

潘军右上前一步制止:"住嘴,签字!"

案犯又是一阵狞笑。两个法警上前钳制住案犯刘义福强迫签字。

林子涵说:"慢着!刘义福,我要是怕你这种恐吓,我就不会坐到审判席上。你听清楚,你面前站着的这名女子,要亲自把你送上刑场;你身后那几个帮凶,也会是我一一把他们全部送走!"

案犯再次进出狞笑。在法警的强迫下,案犯刘义福潦草地写下了自己的名字。法警迅即把案犯刘义福拎起来,挟持着走出法庭。案犯刘义福边走边喊:"美人,你听着,老子二十年后又是一条好汉,到时候,我娶你当老婆!"

案犯刘义福在两名法警强硬的拖曳、推搡和呵斥中走出法庭。

潘军右恨恨地说:"这种混蛋,一年总要碰上一个两个!"

林子涵说:"杨铁如在的时候说过一句话,什么叫不杀不足以平民愤?有些人天性恶劣,怙恶不悛,十恶不赦,对这种人,一个也不能饶恕!"

6

杨铁如双手抱头伏在办公室的办公桌上。桌上的电话铃一响再响,杨铁如丝毫不为所动,任电话铃声漫长地响着。

秘书小赵推门进来,把一摞报纸放到杨铁如的办公桌上。小赵看看杨铁如的神态,又看看响着铃声的电话说:"杨主任,你怎么不接电话?"

杨铁如抬起头,看见了站在眼前的小赵,摇摇头说:"不接了。"

小赵看看杨铁如的神情,搭讪地说:"今天的报纸,我给送过来了。"

杨铁如扯过桌上的一张《春江日报》,扫了几眼,便说:"《春江日报》都快变成文件了,天天在发表市委书记的重要讲话。你看看,孙书记仅仅在谈鸡蛋价格问题,一上报纸,就变成关于菜篮子工程的重要讲话了。"

小赵随口说:"只要书记开口,修公共厕所也是重要讲话。"

杨铁如苦笑一下,收拾起眼前的东西,说:"我先走了,你帮我把办公室门关好。"

杨铁如说着,走出办公室。

秘书小赵望着杨铁如闪出的背影,一脸沉思的表情。他回头朝杨铁如的办公桌望去。办公桌上放着一个精致的盒子。他好奇地把盒子拿起,小心翼翼地打开,看到了一支金光灿灿的派克钢笔……

还是那一缸优哉游哉的热带鱼。在碧绿的水草和温暖的灯光映衬下,热带鱼翩翩起舞,怡然自得。杨铁如蹲在鱼缸前聚精会神地看着。他神情专注,敛声屏息,仿佛那些舒展自如的热带鱼能给他提供什么,传达什么。

妻子刘早春从里屋走出,喊一句:"看什么呢,吃饭了。"

杨铁如仍旧蹲在那里,目不转睛地盯着鱼缸。

刘早春走上前,说:"看起来,你跟有多少闲情逸致似的,你盯着鱼缸一看,我就知道你又在琢磨什么事了。"

杨铁如站起身来,问:"正大呢?"

刘早春:"他一个同学过生日,几个人凑起来去吃麦当劳了。"

杨铁如皱起眉头,随即扔出一句:"小毛孩子,牙口还没长齐,过什么生日!"

刘早春:"这年头,要都跟你一样,一点纪念也留不下,活着不也太没意思了?"

杨铁如:"我怎么没有纪念?到现在我还无时无刻不在想着法庭,想着法院,这不叫纪念?"

刘早春:"你可得分清楚啊,活着跟工作可是两码事。"

杨铁如听罢此言,来到沙发上坐下,点上一支烟,说:"头一回听说,活着跟工作是两码事。不工作活着干吗?吃喝拉撒睡、坑蒙拐骗偷?这话要是别人说出来,我还不以为然,可从你这大学老师嘴里说出,我有点咽不下去。"

刘早春听到这里,微微一笑,说:"你这人啊,根本就不懂生活是怎么回事,还装模作样在那儿欣赏热带鱼呢。我这话咽不下去,我做的饭总该咽得下去吧?快吃饭吧,抽什么烟?"

杨铁如吐出一口浓浓的烟雾,摇摇头说:"饭我也咽不下去。"

刘早春闻听此言,也来到杨铁如对面的沙发上坐下,说:"怎么了?你把家当成办公室了?我都不能随便说句话?"

杨铁如沉默片刻,说:"早春,你还记得,在大学里,临毕业那天晚上,咱俩躲在图书馆的楼后面,我都跟你说过些什么吗?"

刘早春在杨铁如突如其来的话语面前一时没有作出回答。

杨铁如:"也许你忘了,可我记得很清楚。咱们七七级学生是冬天毕的业,那晚下着大雪,校园里一个人也没有。躲在图书馆楼后面,我用劲攥着你的手说,我要努力,我会成功,我要做中国一流的法官。那时候年轻,说话无所顾忌。我记得跟你说的最后一句话是,过去有黑脸包龙图,今后有法官杨铁如!我说完这句话,你哎哟了一声。我以为你在笑话我,不相信,原来是我的手太用力,把你的手给攥疼了。那天晚上,风雪连天,我们从图书馆后楼走出校园,一直走到天亮才回来。那一晚,我们究竟走了多远我记不清楚了,可我闭上眼睛,总能记起那晚的风雪。我现在说起那个晚上,你应该不会忘记吧?"

刘早春听罢杨铁如这番话,沉吟片刻,说:"你怎么突然说起这个来了?"

杨铁如:"不是突然,是我经常在想。这一阵子,可以说天天在想。"

刘早春:"谁没有个青春岁月?我所在大学里的那些男孩女孩,临毕业前说的豪言壮语、海誓山盟跟我们当时如出一辙。可是,学校毕竟是学校,一走出校门,多少年过去,皱纹慢慢都上来了,想想过去,那真是空中楼阁,看看现在,却又是一地鸡毛。"

杨铁如:"可一个人应该说话算话,落地有声。说出去的话,泼出去的水,如果那天晚上我跟你所说的一切只是纸上谈兵,墙上画饼,那就不是我杨铁如了。"

刘早春听到这里,似乎意识到什么。她看着杨铁如一脸严峻的表情,说:"铁如,我听出来了,你话里有话,你不是要说什么事吧?"

杨铁如:"我要重回法庭!一天不回去,我就如坐针毡,永无宁日。"

刘早春:"你怎么回去?如今的法院院长是人家陈默雷的!"

杨铁如:"你错了,我早已打消了当官的念头,去当什么法院院长。我重回法庭,是为了那天晚上在下雪天里我对你说过的话。那不是一般的说话,那是诺言。是诺言就要兑现,不兑现就是大话空话。转眼之间,人生半百,我杨铁如不想做一个曾说过大话空话的人。"

刘早春沉吟片刻,说:"那,市里能让你调回法院吗?"

杨铁如摇摇头,说:"怎么可能!"

刘早春:"那你怎么回到法庭?"

杨铁如斩钉截铁吐出两个字:"辞职!"

杨铁如讲出这两个字,妻子刘早春惊讶得说不出话。

杨铁如:"辞去官位,辞去公职,辞去表面上热热闹闹实际上空洞无物的一切!我有律师资格证书,我相信我会成为法庭上一名出色的律师。"

刘早春听罢此言,站了起来,说:"你怎么会有这种想法?"

杨铁如:"这想法不是刚有的,这些日子我一直在想。"

刘早春:"你想这些的时候,你同时想过也该为家庭负点责任吗?老婆无所谓,女人一老就成了婆娘,可你想过孩子吗?"

杨铁如:"我当我的律师,与老婆孩子有什么关系?"

刘早春:"可你失去了工作,失去了社会身份,你知道你那样做的直接后果是什么?你一个自以为是的杨铁如将要把档案关系落脚到街道居委会,让那些小脚老太太来管理!"

杨铁如听完这话,也站起来说:"小脚老太太来管理又有什么丢人现眼?她们管理的只是一份档案,一摞纸,可我杨铁如重新回到了法庭,我自由了,我终于又可以干我想干的事情!我这叫改革,改我自己,革我自己!你可以同意你的儿子大把花钱去吃麦当劳,为什么不同意我重操旧业,重回法庭?你是大学老师,你比别人更知道,那么多大学毕业生找不到工作,自谋生路,自己创业,他们能行,我为什么不能行?你过去说我虚荣,现在你比我还虚荣。你以为我一个政策研究室主任能给你、能给这个家庭的脸面上贴多少金,添多少彩?"

刘早春压抑一下自己的情绪,努力平和地说:"假如我不同意你这样做呢?"

杨铁如回答得很干脆:"我已经决定了。"

刘早春:"那还有什么好说的?你是一个说话算话、信守诺言的人。"说完,她扭头走向里间的屋子,把屋门关得嘭嘭作响。

杨铁如站在空空的客厅里。他似乎还想再说什么,却一时找不到倾诉与发泄的对象。他在原地兜了一圈,转身走出了家门。

叮咚一声门铃响起,刘早春打开屋门,看到了背着书包站在门口的孩子杨正大。孩子一边抹着嘴,一边说:"妈,撑死我了。"

刘早春问:"吃的什么?"

孩子:"一个巨无霸,两包炸薯条,两杯可乐。"

刘早春:"吃饱了,喝足了,做作业去吧。"

孩子问:"我爸呢?"

刘早春长长地叹出一口气,说:"不知道!"

7

杨铁如来到了江面大桥上。天凉了,江面大桥空荡无人;夜渐深,桥面上的汽车也显得稀疏。杨铁如俯身趴在桥面栏杆上,鸟瞰着偌大春江城的万家灯火。

凉风袭来,杨铁如表情如一,姿势如一,像一尊雕塑般俯在栏杆上岿然不动。

挺长时间以后,一辆车驶来,在杨铁如身后停下。开车的是陈默雷。陈默雷按了几声喇叭,然后从汽车驾驶座上走下,来到杨铁如身后,说:"怎么了?站在这么高的地方,想往哪儿跳?"

杨铁如依旧趴在栏杆上,说:"这么晚叫你出来,骂我了吧?"

陈默雷:"没有,我以为你要请我吃饭呢!"

杨铁如:"我也没吃饭,正想让你请我呢!"

陈默雷笑了,说:"我请就我请,不过,这一次,潮州菜我请不起了,没带钱。正好,我今晚想去看看我家老爷子,顺便蹭顿饭,走吧,跟我一起去,咱俩一起蹭。"

杨铁如:"你去看老爷子,我就不去了。"

"非得下馆子,吃潮州菜?"陈默雷上前拉一把杨铁如,"走吧,家里就老爷子一人,巴不得有人去热闹呢!见识见识我家老爷子,喝酒,聊天,唱京戏,比你我活得自在多了。"

杨铁如在陈默雷的力邀下,上了陈默雷的汽车。汽车驶过江面大桥,驶向远方的万家灯火。

陈默雷的父亲家是普通的居民平房。饭桌上也是几个普通的菜肴。陈父端起茶杯对杨铁如说:"来,喝了这杯酒,尝尝我的饭菜。别看我这菜不起眼,外面的大宾馆根本吃不到。这野菜是我老头子一人到山上采的,宾馆的厨师谁肯下这力气?来,先喝了再吃。"

杨铁如与老人碰杯,说:"这杯酒敬老人家。"

老人:"敬酒不喝!喝酒嘛,就是一乐子,跟下棋一样,得棋逢对手才有意思,敬什么敬?来来来,干!"

老人把一茶杯酒咕咚咕咚喝下。杨铁如看着手中的茶杯说:"这杯子也太大了。"

陈默雷说:"老爷子喝酒,从来不用酒杯,就用茶杯。"

杨铁如犹豫一下,也咕咚咕咚喝掉一茶杯酒。

老人看着杨铁如喝完了酒咂嘴咂舌的表情说:"喝酒是一大乐子!是不是?老百姓,就图个风调雨顺,太太平平,端个酒盅,听个小曲儿,自在!"

陈默雷笑着对杨铁如说:"听着吧,老爷子开聊了。"

老人给杨铁如递烟,自己也点上一棵说:"聊天,侃大山也是一大乐子。我常跟默雷说,别看你小子又局长又院长,我老头子就一个退休工人,可我活得比你自在。喝个酒,咱云里雾里;聊个天,咱天南海北;唱个戏,咱想吼就吼。你小子能吗?我就常跟他说,你小子所以不如老子自在,一是得夹着尾巴做人;二是得想着给老百姓办点实事,

343

得让老百姓舒舒坦坦端个酒盅,唱个小曲,摆个龙门阵。要想让老百姓自自在在,你这个芝麻官就别想着找自在。"

杨铁如笑着对陈默雷说:"老人家说的蛮有道理。"

老人忽然站起身来,说:"我还有瓶自己炮制的酒,我去拿来。"

杨铁如试图阻拦,老人执拗地走出屋去。

陈默雷问杨铁如:"你怎么拿定了这样的主意?"

杨铁如:"我不拿定这主意,怎么重回法庭?你当院长,你有本事把我调回去?"

陈默雷:"世界上哪有一成不变的事情?流水不腐,户枢不蠹,谁没有暂时的困顿?"

杨铁如:"我离开市委,辞去公职,这不就是流水不腐吗?"

陈默雷:"留得青山在有什么不好?"

杨铁如:"我就怕给自己留下一座荒山。"

正说着,陈默雷的父亲又拎着一瓶酒进来,乐呵呵地说:"再尝尝这瓶酒,这里面泡了十几味中药,也是我一人到山里采的。"说着,老人又把杨铁如的茶杯倒满。

老人坐下,又端起茶杯对杨铁如说:"来,尝尝!"

陈默雷说:"爸,让铁如少喝点。"

老人:"咋了?"

陈默雷:"他这阵子,心里头塞了不少事。"

老人:"这算啥,我这酒就是通气开窍、舒筋活血的酒。来,心里头越有事,越得喝!"

无奈,杨铁如又跟老人碰杯。

喝罢酒,老人放下茶杯,美滋滋地说:"人活着,谁心里头没点事?小时候我就让默雷跟我听包公戏。黑脸包公算人物吧?你看那戏文里唱的,铡陈世美,他是一唱三叹,又挠耳朵又跺脚。还有一出包公戏,叫《探阴山》,听过吧?为了那个平民女子柳金蝉受冤屈死,黑脸包公下到阴曹地府去申冤。申冤容易啊？不容易，遭罪！那包公站在望乡台上，想着自己一肚子的不容易，连着给自己唱了四个可怜。所以我说，谁让你们年轻呢？年轻想干点事，就得给自己打个预防针，遭罪，不容易！"

陈默雷听到这里，突然对父亲说："爸，既然说到这儿了，你干脆给铁如唱两嗓子吧。"

老人："唱两嗓子？我想唱，可你那胡琴还能拾得起来？"

陈默雷笑着说："我试试。"

说着，陈默雷起身，从墙上摘下了一把京胡。他坐下，试了几下弓弦，对杨铁如说："从小跟老爷子听戏，摸过两下子。"

杨铁如："唱什么？包公戏？"

"我爸就爱唱黑头，不信你听听，还有点裘派味道呢。"陈默雷说着，又对父亲说："爸，就唱你刚才说的《探阴山》吧，包公下地狱，站在望乡台上唱自己可怜。"

老人又喝一口酒，抹一把嘴，站起来说："行，《探阴山》。"

陈默雷抖弓，京胡声响起。老人亮开洪亮的嗓门，用十足的底气唱起了京剧《探阴山》中包拯的著名唱段：

> 扶大宋锦华夷赤心肝胆
> 为黎民无一日心不愁烦
> 都只为那柳金蝉屈死得可惨
> 错判了颜查散年幼儿男
> 我且到望乡台亲自查看
> ……
> 又只见小鬼卒大鬼判
> 押定了屈死的亡魂项戴铁链
> 这悲惨惨惨悲悲阴风绕

吹得我透骨寒
……
正南方一阵明一阵黑暗
望开封那就是我自己的家园
牙床上睡定了无私铁面
王朝马汉睡卧在两边
可怜他初为官定远小县
可怜他断乌盆又被人参
可怜他铡驸马险些遭难
可怜他为查散下阴曹
又过五殿哪得安然……

　　京胡酣畅，唱腔高亢。陈默雷和父亲沉浸在京剧的一板一眼之中。
　　杨铁如在老人的京剧唱腔面前也许受到了触动。在包拯望乡台上的感慨面前，他紧紧地抱住了头颅。

十三

- 我希望有一天,我躺到这儿来的时候,有人向我真诚地鞠躬,或者是朋友,或者是陌生人。
- 世界上真有这样的人,没有一点弹性,也没有一点弯度。如果不认识你,我真不敢相信。

1

黄昏时分,审判员郑小泉打开了行政审判法庭的门。即将进行的金城县人民政府行政诉讼案就要在这里审判。此时此刻,审判法庭空空荡荡,分外寂静。郑小泉把法庭的灯光渐次打开,顿时,黄昏的法庭在灯光的映照下明亮如昼。

郑小泉站在法庭中央,前后左右地环视着他所熟悉的一切。

之后郑小泉登上了审判席。他来到审判长席位前,试探着拉开了审判长的坐椅,略一沉吟,便坐到了审判长的席位上。

坐在审判长席位上的郑小泉面对的是灯光如昼而又空空如也的法庭。

他清清嗓子,像是在模拟即将开庭的景况,试探性地说一声:"全体起立!——请坐!"他看看原告席和被告席说:"原告代表李长明;被告——"他顿了顿又说:"原告代表李长明;被告代表金城县人民政府县长王玉和——"

似乎对自己的声音与口吻不太满意,郑小泉又努力清清嗓子,提高了声音,正经八百地重复一遍:"原告代表李长

明；被告代表金城县人民政府王玉和。"稍微停顿一下，他又演练般说一句："现在开庭！"说罢，似乎对自己的演练还不甚满意，他再次提高声音大声说一遍："现在开庭！"

几乎在郑小泉说话的同一瞬间，院长陈默雷推开法庭的门，走了进来。

陈默雷清清楚楚地听到了郑小泉独自一人正在模拟的开庭宣言。他微微一笑。

郑小泉看见突然进来的陈默雷，不好意思地站起来，羞涩地喊道："陈院。"说完，便慌慌张张地要离开审判长坐席。

陈默雷连连摆手，边说边往审判席走："别动，别动！你坐着，这位置原本就是你坐的嘛！"

陈默雷这句话让郑小泉站也不是，坐也不是。他略显尴尬地挠挠头，冲陈默雷嘿嘿笑。

陈默雷走到审判席前说："怎么，不敢坐了？"

郑小泉站在那里说："马上要开庭了，我，我过来看看。"

陈默雷指着审判长席位说："那就坐下吧。热热身有什么不好？"

郑小泉仍旧站在那里说："陈院，真要开庭了，我才感觉到压力。说实话，这压力从来没有过。我这压力一上来，才忽然明白，你这当院长的头上顶着多大的雷子！"

陈默雷听到郑小泉开始如此说话，脸上的笑容便显得欣慰而从容。似乎在安慰自己，又似乎在安慰郑小泉，陈默雷说："我当院长也不过就是想想、说说、走走、看看，真正顶在第一线干工作，还得靠你们，特别是靠你们年轻人。"

郑小泉："年轻人有年轻人的毛病。那天，在审判委员会汇报时，李乾坤庭长说的也有道理。"

陈默雷听到这里，便指指审判长高高的椅背说："你坐下。"

郑小泉:"不用,我站着就行。"

陈默雷用毋庸置疑的口吻说:"坐下!"

郑小泉在审判长席位上坐下,面对着审判席下站立的院长陈默雷。

陈默雷认真地说:"小泉,谁都是打年轻时过来的。那些批评你的人,他们也曾经年轻过。那天我批评你,今天我鼓励你。在任何时候,任何情况下,年轻都不是一件坏事。我打个不确切的比喻,年轻就是资本,有资本才可能有经营,有利润,有剩余价值。什么叫剩余价值?别人想不到的,你想到了,别人做不出来的,你做出来了。不但做出来,还做出了意想不到的成果与效益,这就是年轻人的骄傲之处。批评嘛,当然可以听。但人要学会察言观色,听话听音,有些人批评的可能不是你的年轻,而是因为这年轻有可能带来的剩余价值。"

心气高傲的郑小泉充满钦敬地听着陈默雷的话,然后说:"陈院,要是有一副年轻人的身躯,再加上你这么一个成熟的头脑,我郑小泉就算活出来了。"

陈默雷听完这话笑了。他笑着看看空空荡荡的法庭,说:"我成熟?你说说,成熟是个贬义词还是褒义词?你不知道,有时候一个人一旦成熟起来,有多么可悲,又有多么可怕!我可能能把这个院长当下来,尽量当得称职一点,可我不敢保证我坐到审判长的椅子上会比你做得更好。我为什么让你坐下,坐在这把椅子上?我不希望你去刻意地学什么所谓的成熟。往这儿一坐,你就是你,你就是法律的化身。枝枝蔓蔓,沟沟坎坎,前有狼后有虎,七大姑八大姨,对你来说,脑子要保持一片空白,越空白越好,越一张白纸越好。用句外国人的口头禅,那就是 let it be!"

郑小泉笑了,说:"let it be! 在北大时,我们把这话翻译成:去他妈的!"

陈默雷:"所以说,坐到这把椅子上,我不一定比你强。"

郑小泉："那是因为管你的人太多了。我能坐上这把椅子，能在这椅子上坐稳了，是因为有很多事你给我们挡着。这一点不光我知道，现在，很多人都开始明白了。要把咱法庭比作足球场，你的位置本该是教练，可现在你在踢清道夫的位置。我刚刚听说，金城县政府这桩行政诉讼案，连市委孙书记都给你施加压力，剩下的，可想而知了。"

陈默雷："你听谁说的？"

郑小泉："这年头，什么话不传？你没看因特网上对谁都敢指鼻子瞪眼！"

陈默雷："传言不可信，舌头卷死人。对你郑小泉来说，什么话都不要听，听见了也要当耳旁风，你面对的只是法庭。"他回头指指法庭，说："就是这个！"

郑小泉点点头。

陈默雷转过身来，面对法庭，感慨地说："你看看咱们的法庭，一桌一椅、一砖一瓦都那么新！"说完，他凝视法庭片刻，说："我先走了，别忘了关灯。"

陈默雷说着，向法庭门外走去。郑小泉站起来，看到陈默雷的背影消失。他重新坐定在审判长席位上，看着空荡荡的法庭，沉默良久，然后认真地说一句："现在开庭！"

天知道什么原因，郑小泉话语结束的同时，法庭内如昼的灯光骤然熄灭。

临近夜色的法庭只呈现出一个模糊隐约的轮廓。一个模糊隐约的身影仍旧坐定在审判长席位，那是年轻的郑小泉。

2

一个很大的柚子被一把锃亮的水果刀缓缓地切开。柚子很大，柚子皮很厚，水果刀切割柚子并不十分容易。在省城某宾馆一间套房里，春江市委书记孙志正在沙发前的茶几上切割着这个诱人的而又需要下一番功夫的柚子。

秘书唐学风按响门铃之后走了进来,说:"孙书记,今晚会议上安排了文艺演出,别的市委领导都下去了,你也去吧。"

孙志正在一点一点地切割硕大的柚子,头也不抬地说:"什么演出?"

唐学风:"歌舞。"

孙志:"歌舞,歌舞升平啊!可咱春江市哪有歌舞升平这份心情?你没看这次省里开会,春江市的经济增长速度在全省排名中下滑了几位?我有什么心情去看唱歌跳舞?"

唐学风走到孙志面前,要接过孙志手中的水果刀,说:"孙书记,我来吧。"

孙志没有把水果刀递给他,而是耐心地切割着,说:"柚子这东西真有意思,个头越大,皮就越厚,剥开一层还有一层,到最后,也就那么一丁点肉。"

唐学风附和着说:"所以大家都不怎么喜欢吃柚子了,市场上成堆成堆地摆在那儿,卖不动!"

孙志:"你以为我是在跟你说水果?"

唐学风不知该怎样应答。他对孙志说:"既然不看演出,那我给你放好热水,泡个澡,早点休息吧。"

孙志终于抬起头说:"不用了,今晚咱们赶回春江。"

唐学风惊异地说:"今晚就往回赶?"

孙志:"会开完了,还有什么必要在省城泡热水澡?"

唐学风:"走夜路不安全吧?"

孙志:"一百多公里的路,个把小时回去了,以前又不是没走过,怎么就不安全了?社会主义康庄大道,还是高速公路,白天黑夜不是一样走?"

唐学风听罢,便说:"那好吧,我去通知司机。"

孙志递上切成一瓣的柚子,说:"给,尝尝!"

唐学风接过那瓣柚子,吃了一口,说:"孙书记,不好吃，苦的。"

孙志把一瓣柚子塞到嘴里，咀嚼着说："柚子嘛，总是多少带点苦。苦瓜不是更苦？毛主席他老人家几乎顿顿饭离不开苦瓜炒辣椒。"

唐学风笑着，咀嚼着那瓣略显苦涩的柚子走出孙志的宾馆套房。

孙志的轿车疾驰在通向春江市夜色茫茫的公路上。

车内，坐在后排坐椅上的孙志问："明天都有哪些活动？"

唐学风回头认真禀告："上午十点，你刚刚布置了要开市委常委会，传达这次全省经济工作会议精神；下午两点，前任市委书记曲志恒举行遗体告别仪式，你去参加，估计有半小时时间；韩国那家投资公司来谈修建大型娱乐城的事，聂副市长来电话说，谈判进展不错，下午五点你要赶到春江宾馆，出席送行宴会。目前，排上日程表的，暂时就这些。"

孙志："我这市委书记当的，让你一个人安排得团团转。"

唐学风笑笑说："要不就说，官身不由己嘛。"

孙志感叹道："这人哪，也怪。昨天还觉得一身精神头，一觉醒来，就觉得老了，体力、精力都觉得跟不上趟。早晨照镜子，看见一撮白头发，就免不了要叹出口气。哎，那个大诗人李白有句诗怎么说的？"

唐学风："白发三千丈，缘愁似个长。"

孙志："不是这句，'黄河之水天上来'那首。"

唐学风："君不见高堂明镜悲白发，朝如青丝暮成雪。"

孙志："大诗人就是大诗人哪，说话总说到点子上，所以才能千古流传。李白也是被白头发弄伤了心，所以才有了那句'人生得意须尽欢，莫使金樽空对月'。"说到这里，他哈哈笑起来，说："这个李白哪！"

唐学风讨好般地说:"孙书记,你还正当年呢!几根白发算什么?焗焗油比原来还黑。"

孙志没再说什么。

唐学风回头又说一句:"对了,孙书记,金城县政府那桩案子明天也要开庭。"

孙志:"为什么要连夜往回赶?我这市委书记就是个针线笸箩,针头线脑、零打碎敲什么都往里装!"说到这儿,他长长地叹出口气:"听听音乐吧,这人脑子里总不能一天到晚一针一线缝了这个再去补那个,听听音乐。"

司机打开轿车内的音响。激光唱盘里传来了市委书记孙志爱听的美国歌曲《当我们正年轻》。

在怀旧婉约而又音质极佳的歌曲声中,市委书记孙志的轿车在茫茫夜色中离春江市越来越近。

夜已深沉。春江市一个路口,围拢了上百号人。在围拢的人群中间,一个水果摊已彻底坍塌,各种各样的水果滚落四方,遍地都是。而在散落一地的水果中,有一个中年男子躺倒在血泊里。围拢的众人七嘴八舌,有的说:"先送医院吧。"又有人说:"先打110!"还有人说:"打120!"

在七嘴八舌的议论之中,那个躺倒在血泊之中的中年人已奄奄一息。

司机说:"前面怎么了?那么多人!"

司机这么一说,市委书记孙志和秘书唐学风的目光都透过车窗朝外望去。围拢的人越来越多,几乎要堵塞整个马路。孙志的眉头皱起,说:"停车!"

司机把车停在了离人群不远处的马路一侧。

孙志对唐学风说:"你赶紧下去看看,这么晚了,到底怎么回事?"

秘书唐学风急忙下车,跑向人群。

孙志在车内叹口气,说:"下岗职工,农民上访,现在又冒出个法轮功,我一看见春江马路上的人扎成堆,我这心脏就怦怦直跳。"

司机安慰着说:"也许是交通事故。现在这人,就喜欢凑成堆看热闹。"

正说着,唐学风气喘吁吁跑过来,直接打开轿车的后车门,说:"孙书记,出大事了!"

孙志威严地问:"什么大事?"

唐学风:"一个派出所所长为了买水果,和卖水果的老板发生了争执,那……那派出所所长居然掏出枪开枪了!"

孙志厉喝一声:"什么?"

唐学风:"现场有很多人看见了,说得有鼻子有眼,开枪的警察姓什么叫什么都说得出来。"

市委书记孙志的脸色顿时阴沉无比,问道:"人呢?"

唐学风:"开枪的警察开车跑了,那个水果店老板还躺在地上,有人打了110,也打了120!"

市委书记孙志当机立断:"去,先用这车把那人送医院!"他指着司机说:"一切你办,先救人!跟医院就说我孙志的命令!"孙志说完下车,指着秘书唐学风说:"你留下。"

市委书记的轿车迅速奔向围拢的人群。司机下车走到人群里,站在不远处的孙志和唐学风看着众人七手八脚正把受害者抬向孙志的轿车。

孙志一指唐学风说:"给我拨通公安局长的电话!"

唐学风急急忙忙用手机拨通公安局长的电话,递给孙志,说:"通了!"

孙志拿起电话,愤怒地吼道:"我是谁?你说我是谁?你给我赶紧从床上爬起来,跑步到公安局,听听群众报了什么警!我现在就回办公室等你的消息!"

孙志说完,啪地扣掉电话,把手机扔给唐学风。

稍稍喘定一口气,孙志又对唐学风说:"市委分管副书记,政法委书记,公检法,还有,纪委、监察局,让他们立即到我办公室集合。"

唐学风:"这么晚,你不休息了?"

孙志火冒三丈,一指不远处聚拢在一起的人群,说:"你是看不见还是故意装傻,这是睡觉的时候?我睡得着?"

孙志话音未落,一片闪烁红灯的警车、救护车发出尖厉的笛声呼啸而来。

3

深夜,市委书记孙志铁青着脸色在宽大的办公室踱来踱去。

沙发上已经坐满了孙志点名到来的一行领导干部。法院院长陈默雷和检察长张业铭也坐在那里。孙志不说话,只是踱步,室内气氛令人窒息。有人点燃一棵烟,点烟的声音都显得分外突出。

孙志走到办公桌前,刚端起茶杯,秘书唐学风走进来,怯怯地喊一声:"孙书记。"

孙志端着茶杯,说:"说!"

唐学风显得吞吞吐吐:"刚接到电话,那……那个……那个水果摊老板,还没送到医院人就死了。"

孙志闻听此言,把端在手里的茶杯"啪"的一声摔碎在地面。茶杯的碎片和茶水四处迸溅。

分管的市委副书记见状赶紧站起身,说:"孙书记,你沉沉气。"

孙志一屁股坐到办公桌前,闭上了眼睛。众人都面面相觑,秘书唐学风站在那里无所适从。分管的市委副书记对唐学风说:"小唐,公安局刘跃进怎么回事,怎么还不过来?"

唐学风刚转身走出,公安局长刘跃进气喘吁吁、满脸是汗跑着来到了市委书记孙志办公室。他进门看看室内的阵势,傻愣愣地站在屋子中央,抹一把汗,几乎是带着哭腔地喊出一声："孙书记。"

孙志先是平静地问："你那派出所所长抓到了？"

公安局长刘跃进："全局都出动了，分成几个小组，各个路口封堵。"

孙志："人抓着了没有？"

刘跃进低声道："还……还没有。"

孙志断喝一声："人没抓到你跑我这儿来干什么？让我去给你抓？"

刘跃进羞愧难当，正要转身往外走，他手中的报话机响起呼叫："01！01！"他对着报话机喊一声："讲！"

报话机里传出声音："王大凡已抓到，已抓到。"

刘跃进冲报话机吼一声："关起来！下枪，下警服，上手铐、脚镣！"

报话机里传出声音："明白！"

刘跃进收起报话机，喘出一口粗气，怯怯地看着市委书记孙志。

孙志半天说一句："你先坐下。"

刘跃进站在那里，不敢移动脚步落座沙发。

孙志冲站在那里的刘跃进问："警察的枪是干什么用的？"

刘跃进低下头没有回答。

孙志又问："谁指挥枪？"

刘跃进仍然说不出什么。

孙志提高了声音又问："我问你谁指挥枪？"

刘跃进颤抖着说："党指挥枪。"

孙志："市委派你去当公安局长，你怎么指挥的枪？你指挥的枪就是为了向一个水果摊上讨价还价的无辜百姓开枪？我告诉你，人已经死了！被你公安局的警察，被你的派出所所长打死的！你这一枪打给了谁？你打了市委，打了春江市八百万老百姓！"

刘跃进在市委书记的严厉训斥面前汗水滚落,他抖动着嘴唇说:"我没管好队伍,我失职,请市委处分我。"

孙志:"我处分你能把这一枪还回来?能把一个无辜百姓救活了?现在我要问你,事情出了,该怎么办?"

公安局长刘跃进不停地擦着汗水,说:"我连夜调查,连夜讯问。"

孙志站起来说:"如果事情真像现场众多老百姓说的那样,没有出入的话,一定要严惩不贷!这种事情,不杀不足以平民愤!不杀就证明我们的市委班子不堪一击,是无能之辈!我提议,市委分管的于副书记和政法委周书记担任调查组正副组长,纪委、监察局进入调查组。另外,公检法联手行动,特事特办,重事重办,哪怕你们把手头的所有事情都放下,也要先把这一枪给我解决掉。这一枪解决不掉,我市委书记孙志没法向全市人民交待,在座的每一位也会被八百万人民一人一口唾沫给淹死!你们大家都表个态吧。"

分管的市委于副书记说:"立说立行,我这调查组组长马上到位。"

政法委书记说:"这事出了,我作为政法委书记也有责任。"

纪委和监察局的干部也纷纷表态:"请孙书记放心。"

孙志看看刘跃进、张业铭、陈默雷说:"你们公检法打算怎么配合?"

公安局长刘跃进只是站在那里一个劲儿地擦汗。

张业铭说:"检察院会积极响应孙书记要求,特事特办,重事重办,先把其他事情暂时搁置起来,首先解决这件不可思议的案件。通过此案,我们还要把检察院正在进行的形象工程具体化,给每一个检察官敲响警钟,绝不允许在我们检察官身上有发生这种事情的苗头出现。"

孙志看一眼陈默雷,问:"你呢?"

陈默雷简洁地回答:"我们按司法程序认真办理。"

孙志:"程序当然要讲,过程当然要走,现在是,牵牛要牵牛鼻子,抓矛盾要抓主要矛盾。这一枪打在春江市的心脏上,这就是最重要最核心的矛盾,一切的鸡毛蒜皮都要给它让路,明白吗?"

陈默雷点点头说:"明白。"

孙志最后面向公安局长刘跃进说:"你把汗擦干净,把腿站稳了。你还是春江市的公安局长,你现在要预防的是这一枪可能会产生的后果。子弹不长眼,你公安局长要长眼,如果在处理善后问题上再出现纰漏,留下后患,影响全市的稳定大局,到时候,你这公安局长到别的地方去擦汗,别站我办公室再让我看你的腿打哆嗦!"

刘跃进擦着汗说:"孙书记放心,我知道该怎么办。"

孙志最后向众人说:"最后,我再给大家说一句,经济暂时下滑,可以出主意,想办法,这样那样的问题可以动脑子去解决,但稳定是最大的政治。各个单位,各个部门,都要以稳定大局为重,谁也不能站在部门的利益、部门的立场上无视这个大局,对春江市安定团结的政治局面带来一丝一毫的影响!今天夜里我就说这些,散会!"

市委书记孙志话语一出,众人纷纷起身离去。分管的市委于副书记说:"孙书记,这事交给我了,你就放心吧。"

张业铭说:"孙书记放心,检察院会向市委交一份合格的答卷。"

孙志对陈默雷说:"我没记错的话,你们法院是不是要审金城县那桩案子?"

陈默雷:"明天开庭。"

孙志:"话我已经说了,不再重复,你先把重点给我放到这一枪上。另外,金城的案子,你们该怎么开庭怎么开庭,但有一点,不能引出其他的乱子,别让我摁下个葫芦再起来个瓢。"

陈默雷点点头,说:"我知道了。你刚从省城回来,也早点休息吧。"

一行人陆陆续续走出市委书记孙志的办公室。只有公安局长刘跃进站在那儿不动。孙志看他一眼,说:"你还站这儿干什么?"

刘跃进:"孙书记,我想让你再骂我一顿,我给你,给市委惹下这么大的乱子。"

孙志的态度稍稍缓和下来,说:"骂,我刚才不是骂完了吗?我这人的脾气你也知道,明月松间照,清泉石上流,藏不住也掖不住。这事出了,你要学会让坏事变好事,吸取教训,想想以后怎么把你的公安局长当好。"

刘跃进在孙志的态度面前,稍稍宽松一点,说:"实在对不起孙书记对我的培养。我马上赶到现场,亲自参加审讯。"

孙志摆摆手。刘跃进赶紧走出孙志办公室。

孙志站在空空荡荡的办公室,重重地叹出一口气,用手指掐住了自己的人中穴位。

秘书唐学风走进来,说:"孙书记,明天上午十点的常委会还开不开?"

孙志:"为什么不开?"

唐学风:"天都快亮了,你还没睡觉呢!"

孙志:"又是睡觉!你让我学孔繁森还是学王宝森?"

检察长张业铭和法院院长陈默雷并肩走出市委大楼。两辆轿车停放在楼前。

上车的一刹那,张业铭拍着陈默雷的肩膀说:"真想不到会出这种事。默雷,因为这一枪,咱俩可又得打交道了。"

陈默雷笑笑说:"一个检察院,一个法院,咱俩还不是天天打交道?"

"这倒是。嗨!"张业铭叹口气说,"法院的情况我比较了解,刑事庭人手也不算兵强马壮,这么重大的案子不会又落到林子涵头上吧?"

陈默雷听到这里,努力压抑住心中的情绪,继而又笑笑说:"看你说的,你那边还没起诉呢,我哪会去想让谁接这个案子。"

"说起来,子涵这人也不错,怎么就……"张业铭摇摇头,"人啊,有时真没法说,一点小事,非得给人留个小辫子。"

陈默雷故意打个哈欠,说:"我发现你精神头比我还好,你看我,一到后半夜,就哈欠连天的,睁不开眼了。"

张业铭和陈默雷各自打开车门。上车的一刹那,张业铭又说:"哎,默雷,金城那桩案子让郑小泉当审判长,毛手毛脚的,行吗?"

陈默雷又打个哈欠,说:"行不行就那样了,试试吧。先回家睡觉吧。"

张业铭摇摇头,笑了笑,说:"我够呛,回家也不一定能睡得着。"

陈默雷朝他摆摆手,说:"不睡觉哪行?明天还有一天呢!"

两辆轿车一前一后驶出市委大楼。

坐在车内的陈默雷对司机说:"回法院。"

司机反问:"你不说要回家睡觉吗?"

陈默雷笑笑说:"刚刚打了个盹,现在醒了。"

陈默雷的轿车驶抵春江中院大楼楼前。陈默雷走下汽车,走进大楼。

深夜的春江中院大楼漆黑一片。在漆黑一片的大楼里,不一会儿,一间办公室出现了耀眼的灯光。灯光在漆黑的夜色里显得特别醒目。那是陈默雷办公室的灯光……

4

林子涵走进刑事庭办公室的时候,聂小倩、潘军右、刘兴魁以及其他几个人正围拢在一起,争看一份刚刚出版的《春江日报》。报纸在醒目的位置上已经刊登出夜间发生的那起派出所所长枪击无辜百姓案件,并伴有现场图片。人们在争看、议论的时候,聂小倩冲刚刚走进办公室的林子涵嚷一句:"子涵姐,天要降大任于斯人了。"

林子涵放下包,对聂小倩说:"咱不说文言文,说现代汉语行吗?"

聂小倩从众人手里抢过那张报纸,送到林子涵面前说:"你没看今天的《春江日报》吧?你看看,一个派出所所长,为买几斤水果,和人家卖水果的讲价钱,价钱没讲下来,就发生了争吵。"

林子涵说:"这有什么不正常?派出所所长就不能讲价钱了?"

潘军右走上前,把聂小倩拉到一边说:"你怎么说话这么啰嗦?就一句话,为讨价还价买水果,派出所所长向水果摊老板开了一枪,一枪就把人打死了。"

林子涵听罢,惊讶地扯过报纸,边看边说:"什么时候发生的?"

潘军右说:"昨晚。"

聂小倩:"正好有记者路过,照片都拍下来了。这案子判起来不难吧?照片上什么都有。"

刘兴魁一脸不解地边说边往办公室门外走:"枪是个啥玩艺儿?当警察的这点道理还不明白?还派出所所长呢,狗屁!"

潘军右说:"照这人这胆子,要把原子弹放他手里,他都敢点芯子!"

另一个法官接一句:"你以为原子弹是爆仗?还点芯子!放原子弹那是摁按钮。"

潘军右反驳道:"你见过原子弹什么模样?你家买了一个是怎么着?"

法官与潘军右顶撞起来:"你家才买了个原子弹呢!"

林子涵听到这里,说:"行了行了,原子弹又不是什么好东西,还抢着买啊!各人回各人办公室吧,别让领导撞见,大清早一上班就说我们扎堆聊天。"

几个法官陆续走出。那个与潘军右争执的法官出门之前拍拍潘军右的肩膀说:"军右,我家真买了个原子弹,送我盒中华烟,我领你回家看看。"

潘军右捅他一拳说:"你跟你老婆抱着玩吧,我不看!"

人们陆续走出之后,办公室只剩下聂小倩、潘军右和林子涵。聂小倩冲潘军右翻个白眼说:"潘军右,你这几天长本事了,和谁都不依不饶的。人家说个原子弹摁按钮有什么错?"

潘军右冲聂小倩说:"我说他没见过原子弹什么样,我有什么错?"

林子涵喊一声:"有病啊?人家报纸上说打了一枪,你们扯什么原子弹啊?"

聂小倩嘀咕一句:"有病!"说完,转身坐到电脑前,打开了电脑开关。电脑屏幕上开始出现一幅漂亮的图案。聂小倩的双手开始在键盘上赌气般敲打起来。

潘军右坐到林子涵面前,说:"姐,这案子真要交到法院来,让我当回审判长怎么样?"

林子涵:"哪个案子啊?"

潘军右指指报纸,说:"就这个,警察乱打无辜。"

聂小倩听到这里,从电脑前回转身,朝潘军右丢过一个极不满意的眼色。

林子涵:"当啊,谁不让你当了?你以为我是谁?当不当我说了算？"

潘军右："你说了至少算一多半。姐，让给我当一回吧，这案子有意思，我想过把瘾。"

林子涵还未说话，聂小倩头也不回地抛过一句："这案子不光有意思，影响还大得很呢。谁当这案子的审判长，谁可就跟着出名了。"

潘军右转向聂小倩，很认真地问："小倩，我惹你了？"

聂小倩转过身来，毫无惧色地反问："我惹你了？"

潘军右："你刚才那话什么意思？"

聂小倩："我自言自语。"

潘军右："你以为你是干部子弟，说话就可以高人一等？"

聂小倩："干部子弟算什么？关键是，你太想当干部，太想让你家儿子当干部子弟了！"

潘军右："你怎么这么说话？"

聂小倩："我没说文言文，我说的全是现代汉语！"

林子涵听到这里，再也听不下去，站起来说："一大早怎么了？净瞎扯些什么呀？昨晚吃得太饱，都撑得难受是吧？有话好好说，没话去干活！"

两个人不再吱声。聂小倩赌气般用力敲打键盘，潘军右站起，默默走出办公室。

潘军右走出办公室之后，林子涵说："小倩，你怎么回事？潘军右怎么就不能当审判长？还能老是我坐中间，他坐一边？王杏花那案子检察院正在抗诉呢，我被抗诉，有大案要案潘军右为什么不能接？"

聂小倩："谁说他不能接了？他也太明显了，什么案子能出风头他抢什么！吴西江那案子在那儿停了那么长时间，他怎么不抢着接？他以为他聪明，谁比谁傻多少啊！"

正说着，穿戴整齐、抱着一摞卷宗的郑小泉推门进来了。看见林子涵和聂小倩，郑小泉就说："哟，姐姐妹妹都

在，我来汇报一下，金城县政府那桩案子，我马上就要开庭了。"

聂小倩没好气地说："你开庭跑这儿来干吗？"

郑小泉："我想让你们送我一句吉言。"

林子涵笑笑说："瞧你这头发梳得一丝不苟，我敢保证，你一定能行。"

"真是我亲姐姐！"郑小泉说完，又对聂小倩："妹妹，你呢？"

聂小倩："向咱姐姐学着点，少说大话，多办实事。"

郑小泉眨眨眼，说："这话听起来虽然是批评，但有点像爱人的口吻。"

聂小倩："滚吧。"

郑小泉："不用你这么亲昵地赶我，我也得走了，马上到时间了！"

郑小泉说完，转身就要往门外走。走到门口，聂小倩冲他的背影喊一声："哎！"

郑小泉回头问："哎什么？"

聂小倩："这可是大事，你可得把住自己！"

"爱情啊，你来得真不是时候！"郑小泉边说边往外走，"朱丽叶，你为什么叫朱丽叶？我们叫做玫瑰的，如果不叫它玫瑰，它不也是照样芬芳吗……"

郑小泉的身影消失之后，聂小倩的手从键盘上移开，转向林子涵说："子涵姐，他这人怎么老爱这么胡诌八扯？"

林子涵会心一笑，说："他在背莎士比亚的台词呢，《罗密欧与朱丽叶》。"

正说着，电话铃响了。林子涵坐回到自己办公桌前接听电话："喂？"听出对方的声音之后，林子涵故意问："赵清华？赵清华是谁啊？我不是说过我不认识你吗？"

待对方讲了片刻之后，林子涵又对着电话说："我早说过，这事你早早晚晚吃不了兜着走。你侵犯了人权，人家当

然要把你告到法院，这就叫告你没商量。"

对方又在讲什么。林子涵说："我没时间，我也不认识人。就算我认识，我本身就是法官，我怎么会去干法官不允许干的事情？"

片刻之后，林子涵又对着话筒说："你说我能做什么？既来之，则安之，既然接到传票，那就准备上庭吧！"

林子涵说完，扣掉了电话。

聂小倩问："怎么了？"

林子涵："就我那同学，梦巴黎服装店老板赵清华，非要怀疑人家两个女孩偷了她的内衣，在服装店里脱掉了人家两个女孩的衣服，还守着个男保安。让人家给告到区法院，找我来了。"

聂小倩："那怎么办？"

林子涵："还能怎么办？上法庭啊！"

5

行政审判法庭内的旁听席上坐满了听众，其中绝大部分是民工。坐在法庭内的民工略加整肃，不再蓬头垢面，都大致换上了洗干净的衣服。仍然有人走进法庭，旁听席上已经没有座位，在法警的引导下，晚到的旁听者只好有秩序地站立在法庭的过道里。

原告席上坐着正襟危坐的民工李长明，身侧是聘请的律师。李长明身穿一件新西服，价格虽然廉价，但依然显示出庄重。律师凑到李长明耳边，悄声地跟李长明说着什么，李长明在律师的嘀咕中频频点头。

被告席上的位置却一直空着。没有被告，也没有委托代理人。

书记员已经坐在了自己的位置。

一名法官匆匆走进，看看旁听席上座无虚席的听众，又看看空空荡荡的被告席，然后匆匆走出。

旁听席上的民工们看到被告席上空空的席位，开始悄悄议论起来。

陈默雷站在法院大厅迎面巨大的獬豸壁画面前。他神态若定，从壁画前缓缓转过身来。

郑小泉和一名法官来到陈默雷面前，说："陈院，被告方到现在没有代表到庭，也没有委托代理人。"

陈默雷问："现在几点？"

郑小泉说："差五分九点，九点开庭。"

另一名法官说："旁听席上人都坐满了，过道里都站着人。"

陈默雷："九点开庭就是九点开庭。也许他们执行的是格林威治时间，可我们执行的是北京时间九点整。"

陈默雷说完，转身走开。他步履稳健，一步一步踏上楼梯。

郑小泉对身边的法官说："走吧。"

法庭内石英表的时针准确地指向九点整。郑小泉和两名合议庭成员踏着准确的时针走进法庭。

书记员宣布："全体起立！"

在众人的起立中，郑小泉和两名合议庭成员分别在审判长和审判员席位上落座。

书记员宣布："请坐！"

众人坐下。旁听席上的很多听众困惑地看着被告席上空空的位置。

郑小泉看看被告席上的空位，然后，神清气定地宣布："现在开庭！"

6

市委书记孙志坐到市委常委会议室主持人席位上，神色沉重地宣布："现在开会。"

宣布开会之后，孙志并没有接着讲什么，而是从眼前的桌面上拿起一张《春江日报》，然后展现给在座的所有市委常委说："想必今天一大早大家都看到了这张《春江日报》。本来今天会议的主题是传达刚刚结束的全省经济工作会议精神，可在传达会议精神之前，我想先谈谈这张报纸。没错，现在讲效率，讲速度，时间就是生命，所以，昨天夜间发生的一桩事情，今天一大早就见报了。可我现在就想问问，这样的效率，这样的速度，对春江市的整个大局有什么好处？昨天夜里我还在讲稳定，讲安定团结，现在，报纸用这样的版面，这样的篇幅，这样的照片，宣传一桩警察枪击平民百姓的事件，这是不是惟恐春江不乱，惟恐天下不乱？《春江日报》是党报，我想问问办报的人站在什么立场上来办我们的党报？我不是不提倡新闻监督，你怎样监督？站在哪个角度监督？事情发生之后，我们正在采取紧急行动，缉拿凶犯，为民申冤，惩恶扬善，整肃队伍，以此为突破口，在执法人员中敲响警钟。市委的态度坚定明确，你报纸怎样报道的？你以为《春江日报》是地摊上那些破烂书刊，闻到哪儿腥就往哪儿扑？还居然说什么，市委书记的轿车亲自把受害者送到了医院，我这市委书记的轿车去做这样的事情是一件光荣的事？可夸耀的事？这就叫是非不分，立场不明，视红肿之处艳若桃花！前几天我就想说说这张报纸，只是这事那事没腾出工夫。不谈改革如何深化，不谈我们如何逆水行舟，破浪前进，一天到晚歌星影星时装模特，这是共产党人在办报还是街头小痞子在扯闲篇？无稽之谈，何以至此！"

孙志说到这里，把手中的报纸重重地摔在了桌面上。

沉吟片刻，孙志又说："我一夜未睡，想了很多。昨天夜里我就说，这一枪打在了春江市的心脏上；今天一大早，这张报纸又把这一枪像导弹一样，轰炸了全市。我真担心我们坐在这儿正开着常委会，群众已经集合起来，把市委大楼

给堵个水泄不通。我想，今天的常委会先就这事拿出个意见，如何安抚受害者家属，如何在社会上做好正面宣传，把这一枪带来的负面效应降到最低限度。形势逼人，时不我待。我们的前任市委书记曲志恒同志曾经语重心长地跟我说过一句话：不怕做事，就怕惹事。这句话我今天算是听明白了。说到这里，我再补充一句，曲志恒书记下午举行遗体告别仪式，除非有极其特殊的情况，大家都要去告别一下。春江市能有今天，曲书记是功臣。"

雷声响起，雨水如注。雨水和着哀乐缠绕在殡仪馆遗体告别厅内外。

一行人举着雨伞，排着长长的队伍，在雨水和哀乐声中缓缓走向遗体告别大厅。

告别厅内，市委书记孙志等一行领导在花圈和挽幛丛中向静卧在鲜花丛中、覆盖着党旗的一位老人鞠躬告别。随之，他们绕行一周，来到死者家属面前，向泪水涟涟的家属致意慰问。

市委书记孙志握着曲志恒老伴的手，说着安慰的话语。

在长长的告别队伍中，杨铁如、陈默雷以及金城县县长王玉和的身影也夹在其中。

长长的队伍鱼贯而入，又在例行的告别仪式后鱼贯而出……

市委书记孙志在秘书唐学风高擎的雨伞下缓步走向殡仪馆停车场自己的轿车。刚刚走到轿车前，杨铁如从背后溅着一脚泥水疾步追上，喊一声："孙书记！"

孙志回头看到疾步来到眼前的杨铁如。他没说什么，只是看着他。

杨铁如从口袋里掏出一份报告递给孙志，说："孙书记，我有份报告要交给你。"

孙志阴沉着脸说："这是在殡仪馆，交什么报告？"

杨铁如从容不迫地说:"因为我很难有机会见到你,而这报告又必须当面呈交。"

擎着雨伞的唐学风说:"孙书记昨晚刚从省城回来,到现在还没合一下眼呢。"

杨铁如:"那也对不起了,因为我不能再等了。"

孙志打开车门,对杨铁如说:"你把它交给唐秘书吧。"

在孙志上车的一刹那,杨铁如说:"孙书记,我交给你的是辞职报告。"

正欲抬腿上车的孙志听到这句话敏感地又挪下脚步,说:"你说什么?"

杨铁如:"我要辞去政策研究室主任职务,辞去公职。这是我的辞职报告。"说完这句话,杨铁如把辞职报告递到孙志手中。

孙志:"你不是在戏言吧?"

杨铁如:"军中无戏言!况且,殡仪馆也不是说戏言的地方!"

孙志略一沉吟,便说:"杨铁如,在殡仪馆我也跟你说句殡仪馆的话。人固有一死,或重于泰山,或轻于鸿毛。为个人的利益计较得失,属于鸿毛之举。军中无戏言,赌气非好汉,何去何从,你三思而行,好自为之!"

孙志说完,上了车,并重重地关上了车门。秘书唐学风看一眼杨铁如,困惑不解地收起雨伞,坐到了司机的旁边。

杨铁如站在雨水中,看市委书记孙志的轿车缓缓驶出。

殡仪馆停车场内,一辆又一辆汽车渐渐驶出。在不断驶出的轿车前,陈默雷和金城县县长王玉和站在一起攀谈。两把雨伞下的陈默雷和王玉和的脸上都挂着微笑。

陈默雷说:"本来,我想到你会来参加曲志恒书记的遗体告别仪式,也就会顺便参加今天上午的开庭,结果,我站在法院大厅里左等右等,就是等不到你王县长的身影。审判

长告诉我说,到点了,要开庭了,我还跟他开了句玩笑,说王县长可能执行的是格林威治时间。"

王玉和听到这里,笑起来,说:"说好了的,让一名分管副县长带一名办公室副主任过来,你不说我还不知道,他们居然没来。我特意跟他们讲,这张纸可不是一般的纸,是传票。我也跟他们开了句玩笑,我说,别看法院的公章跟咱县政府的公章一般大,你看人家法院那公章,血红血红的。"

陈默雷接上说:"血红血红的公章还是没把你的人请来。合议庭向我请示说,按照司法程序,也可以进行缺席审判。我告诉他们说,没那么悲观,王县长不至于不明白这点道理。作为县长,万事缠身,可县政府总归还有别人呢!合议庭听从了我的意见,因此,上午的开庭只是展开了单方的法庭调查。"

王玉和:"默雷,我回去也要跟他们说明我的意见,法院让去,你们就得去!"

陈默雷笑笑,说:"所以嘛,你王县长总得给我这个法院院长个面子。毕竟我陈默雷刚刚上任,就让你金城县的几百号农民堵住了大门。"

说到这里,王玉和开始了唉声叹气:"默雷呀,说句交心的话,我那县政府的大门堵了多少回?过去我跟杨铁如就说过这话,在基层当个芝麻官,不比你们坐在市里的大高楼上,难哪!可杨铁如梗着个脖子就是不肯相信!我相信默雷你是通情达理的人,这难处,不用我说,你心知肚明。今天一大早,还没睁眼呢,市委孙书记就把电话打到我家里了,说全省经济工作会议,春江市的经济排名下降了几个位次,给我们又定指标,又压担子,连指标带批评,弄得我连口饭都没吃,先奔县政府琢磨着怎么把咱的经济指标再往上拉动拉动。"

陈默雷听到这里,说:"你难,我知道。法院的审判也不是为了给你添难为,是为了让农民不再堵你县政府的大门，为你经济工作的顺利运行扫清障碍嘛！"

王玉和笑着说："默雷，有你这句话，我心里踏实了。"

陈默雷："你总不能让我法庭上的被告席老是空着吧？"

"我回去再跟他们说。"王玉和说罢，又摇着头说："默雷，你说当个干部可怜不可怜？辛辛苦苦老黄牛，到头来还得当回被告。我还有一肚子委屈想告呢！你说让咱告谁去？唉！"

陈默雷："别走了，我留你吃晚饭。"

"别吃饭了。你手下留情，别早早把我送到这儿来，提前向我告别遗体就行了。"王玉和说着，打开了车门，"我得往回赶了，一百里路，穷乡僻壤啊！再见！"

陈默雷挥挥手，县长王玉和的轿车鸣笛驶离。

殡仪馆停车场上的汽车已经显得稀疏。陈默雷站在空旷的停车场上，任雨水敲击雨伞。他一转身，发现了站在不远处的杨铁如。杨铁如站在那里，擎着雨伞，望着陈默雷。

两人互相走近，渐渐靠拢。

陈默雷长长地叹出一口气，对杨铁如说："要是有一天，你来参加我的遗体告别仪式，看我一眼就行了，千万别给我鞠躬。"

杨铁如："为什么？"

陈默雷："活到现在，总觉得自己不值得人们向我弯腰致敬。"

杨铁如："那到时候，你给我鞠躬吧。"

陈默雷："我为什么要给你鞠躬？"

杨铁如："我辞职了。从遗体告别厅鞠完躬出来，我正式向市委书记递交了辞呈。"

"你……"陈默雷一时不知该说什么，四周看看，叹口气说："天底下只有你杨铁如能做得出来，递辞呈都选在火化场。"

杨铁如:"正因为我看到了死亡,我才要活出我杨铁如想要活出的模样。我希望有一天,我躺到这儿来的时候,有人向我真诚地鞠躬,或者是朋友,或者是陌生人。"

陈默雷沉吟片刻,说:"人生如梦,你这个梦太长了,从生一下做到了死。"

杨铁如:"因为,我太看重死,所以,我更加看重生。"

雨水不断地在雨伞上噼啪作响。两人都不再说什么。他们共同转过身,看着火化场里高高的烟筒。在连绵的雨水中,一缕淡淡的轻烟正从火化场的烟筒里飘然升起……

7

夜晚,杨铁如走进他的办公室。他把散落在办公桌上的稿纸、文件、报纸之类的东西归置整齐。

他拉开抽屉,把抽屉里一部分公用的文件之类搁置在办公桌上。把属于私人用品的东西放进了自己的公文包:比如印章,比如茶杯,比如一个精巧的打火机……打火机拿出的时候,他不自觉地撅开了开关,打火机冒出蓝色的火焰。他没有点烟,只是任其蓝色的火焰在眼前闪烁。片刻之后,他把打火机放进了自己的公文包。

他拿出了一个精致的盒子。那个盒子里装着市委书记孙志送给他的那支金光灿烂的派克钢笔。他打开盒子,对钢笔端详良久,在犹豫中还是将钢笔装入了公文包。

最后,他从抽屉里拿出了一盒磁带,那是林子涵在不久前送给他的那盒磁带。他在抚弄这盒磁带并把它放入公文包的一刹那,那首熟悉而又伤感的歌曲《昨日重现》仿佛又蓦然响起……

这是一曲回忆往昔,反观如今,令人心潮起伏的英文歌曲。杨铁如把磁带装入公文包。他站起来,环顾四周正要离开的时候,政策研究室的秘书小赵推门进来。

秘书小赵默默地看着杨铁如。

杨铁如走上前去，冲秘书小赵笑笑，拍拍小赵的肩膀。

小赵没说什么，只是把目光从杨铁如的视线中转移，移到杨铁如归置整齐的办公桌上。

杨铁如掏出一串钥匙，耐心地解下其中的一把，递到了小赵的手中。

杨铁如再次拍拍小赵的肩膀，这一拍，像寄托了无限的话语。随后，杨铁如便携带公文包，走出了办公室。秘书小赵追至办公室门口，只见杨铁如头也不回，沿长长的走廊毅然决然地向前走去……

杨铁如来到街头的一个公用电话亭前，拨通了一个电话。他对着话筒诉说着什么。

杨铁如打完电话，踟蹰徘徊在秋风萧瑟的春江街头。

直到一辆轿车驶来，车上匆匆走下林子涵，杨铁如才停止了他来来回回的踱步。

林子涵来到杨铁如面前。两人相视许久之后，杨铁如苦笑一下，说："也不知你正在干什么，就给你打电话了。我，我特别想找个人说说话。"

林子涵："想哭还是想笑？"

杨铁如："哭不出来，也笑不出来，只是想说说话。"

林子涵沉默片刻，说："上车吧。"

杨铁如这才注意到那辆停在近前的轿车正不停地闪烁着尾灯。他问一句："谁的车？"

林子涵："方正的，我正跟他在一起，接到你的电话，便自己开车过来了。"

杨铁如："那好，让我过过车瘾吧。"

两人上了轿车。杨铁如坐到驾驶座上，轿车一溜烟开走了。

杨铁如什么话也不说，将车开得飞快。坐在驾驶座一侧的林子涵默默地注视着他。

汽车在夜深人静的春江城市飞驰,掠过一条条马路,一幢幢楼房,一座座桥梁,一排排红绿灯。杨铁如不说话,只是把握方向盘,目不转睛地盯着前方。林子涵也没说话,只是默默地盯着开车飞奔的杨铁如。

万籁俱寂的春江城市,杨铁如发疯似的开起了飙车。

这是一次风驰电掣般的奔驰,也是一次漫长无言的奔驰!

……

最后,杨铁如把车戛然停止在一个近乎于城郊的地方,车灯映亮了眼前的一团漆黑。杨铁如双手撑在了方向盘上,长长地吐出一口粗气。

林子涵说:"我刚才都做好了思想准备,时刻准备着车毁人亡,跟一个志同道合的人殉葬在春江市的随便一个角落。"

杨铁如无语,面对车灯映亮的前方。

林子涵:"法律是天使,也是魔鬼,它能让一个人无所顾忌,从骨髓到头发梢全都充满它的气息。"

杨铁如仍旧沉默。

林子涵又说:"世界上真有这样的人,没有一点弹性,也没有一点弯度。如果不认识你,我真不敢相信。"

杨铁如还是沉默不语。

林子涵:"无官一身轻。可去当一个律师,有你想象得那么轻吗?"

杨铁如不作回答。

林子涵:"你不是要说话吗?为什么一言不发?"

杨铁如沉默少顷,从方向盘上收起撑着的双手说:"不说了。"随即,他用双手揉揉眼睛,搓搓脸面,用更大的声音慨叹一句:"不说了!"

汽车又猛然发动起来,在原地干脆利落地转弯调头,然后,一溜烟地向前驶去。远处是灯火辉煌的春江城市,汽车正一点一点地向那个偌大的城市融入。汽车的红色尾灯在不停地闪烁，直至渐渐消失，彻底消失……

十四

- 我每天要做的就是向一切对你无理取闹的人宣战!
- 请记住,今后你去跟权力握手的时候,别再让我成为目击者!

1

春江市人民检察院的一辆宣传车缓缓游走在市中心的马路上。宣传车两侧装饰了写满标语的牌匾,牌匾上写着"严格执法,依法办事"、"树立人民检察官崇高形象"之类的标语,宣传车的前后左右还不同程度地装饰着彩旗和宣传画。

宣传车上字正腔圆的播音在城市上空飘浮。播音的主要内容是春江市人民检察院正在开展的形象工程,播音中传出:"严格执法,文明执法,依法办事,文明办事,是每一个人民检察官的必备素质。春江市人民检察院正在展开的形象工程,就是以此为核心,严明纪律,整顿队伍,提高素质,树立起人民检察官的崇高形象。这项工程的开展,既顺应时代,也顺应民心……在这项工程的开展过程中,春江市人民检察院为自觉接受社会和群众监督,特别对每位检察官制定了十条纪律,八项措施。我们的投诉电话是6969211,我们的举报信箱是春江市233号信箱……"

宣传车的播音在城市的嘈杂声中时隐时现,浮动在城市上空,四处弥漫,挥之不去。

在窗外隐约传来的宣传车的播音声中,刑事庭办公室内,书记员聂小倩和郑伟秋隔着办公桌对面而坐。聂小倩把头扭向窗外,在越来越清晰的播音声中,紧盯着聂小倩的郑伟秋脸上的笑容渐渐消失。他终于一拍桌子站起来，指着窗外，说："聂小倩，现在满大街的人都在说警察如何开枪乱打无辜，我不希望时间不长，满大街的人又开始议论你们法官如何执法犯法！开枪的那个警察不是已经抓起来了？你以为你干法院的为所欲为就没人管，没人问？"

聂小倩转过头来，冷静地看着郑伟秋说："郑伟秋，这是在办公室，请你坐下说话。"

郑伟秋仍然激动地说："你这态度，怎么让我坐下？"

聂小倩："坐不下，证明你表演不下去，终于跳出来了。"

郑伟秋："我不跳出来又怎么样？我就不相信这世界上还真许州官放火，不许百姓点灯！"

聂小倩："你到底想让我干什么？"

郑伟秋："跟我结婚！"

聂小倩："凭什么？"

"凭法律！"郑伟秋掏出结婚证，"结婚证有没有法律意义？你提出离婚，区法院不予判决，这是不是法律意见？你一天到晚从头到脚都是法律法律，为什么在事实面前不肯承认？"

聂小倩："郑伟秋，你如果不坐下，站着听也行，我很愿意为你作出司法解释。正因为我尊重法律，我才会正式向人民法院提交离婚诉讼；作为公民，对于区法院的判决，我有保持申诉的权利。只要区法院一天不对我的离婚诉讼予以支持，我就有二十四小时的时间主张自己的权利。所谓法律意见，那是以判决书的下达为标志，你和我共同等待的只是早早晚晚区法院要下达的离婚判决书。至于结婚，那是你自己的事，你和别人的事，与我无关。"

郑伟秋听到这里，脸上便有了某种歇斯底里的表情，他吼道："聂小倩，你既然把话说到这份上，连点渣滓都不留，那你再跟我说说，当初你为什么跟我登记，去领这张纸，去照这张照片？你以为我郑伟秋是弱智，可以拿我随便开涮？你以为这是旧社会，你可以无法无天？"

聂小倩把头扭向一边，没有回答。此时此刻，办公桌上的电话铃响起，聂小倩转身刚刚拿起话机，郑伟秋强硬地抓过话机，把电话重重地扣上。

聂小倩："你要干什么？"

郑伟秋："你把话说清楚！"

聂小倩："郑伟秋，正因为这是新社会，我才有了离婚的自由；正因为你不是弱智，你太聪明，才迫使我不得不选择离婚。我跟你离婚合理合法，正如我当初跟你登记结婚一样光明正大。"

郑伟秋："可你欺骗了我的感情。"

"感情？"聂小倩冷笑一下，"郑伟秋，我希望你保护一下感情这个词汇，别让它受到伤害，成为阴谋和私利的借口。要说感情，我就是这条道路上的一名失足青年。所以，走出虚伪感情的婚姻圈套是我改过自新的惟一表现。"

办公桌的电话铃再次响起，聂小倩再次抓起电话，再次被郑伟秋强硬地扣死。

聂小倩站起来怒斥："你！"

郑伟秋："怎么着？"

聂小倩指着门口，说："请你离开我的办公室，出去！"

郑伟秋："你别喊，也别叫。我这叫执着，明白吗？"

聂小倩转身走到另外一张办公桌前，抓起电话，拨通了一个内线号码，说："法警队吗？我是刑事庭办公室。请你们上来一趟，有人在办公室无理取闹，影响办公！"

聂小倩放下电话，跌坐在椅子上，背向站立在那儿的郑伟秋。

郑伟秋并没有在聂小倩的电话面前露出胆怯，反倒嘿嘿地笑着说："还法警队？想吓唬谁啊？你要是今天能把防暴警察调来，咱俩一块儿，不上《新闻联播》也上《焦点访谈》。"

郑伟秋话音刚落，两名法警猛然推开刑事庭办公室的门闯了进来。进门的法警问："怎么回事？"

聂小倩转身一指郑伟秋："就是他！"

法警看看站在那里的郑伟秋，走到他的近前问："你是干什么的？"

郑伟秋反倒表现得很沉着："我是她丈夫，春江市地税局的郑伟秋。"

两名法警听到这里，不禁一愣。郑伟秋扯过办公桌上的结婚证，对法警说："这是什么，看清楚了吧？"他打开结婚证，将两人的合影照片呈现给两名法警，"这是结婚证的内容，放心了吧？"

一名法警对聂小倩不满地嘟囔一句："聂小倩，这算怎么回事嘛！"

聂小倩："请你们让他离开办公室，离开这座大楼！"

两名法警略显为难地相互看看。

聂小倩站起来大吼一声："让他赶紧走！"

一名法警见此情景，便对郑伟秋说："既然她这么说了，你还是先回去吧。这儿毕竟是办公室，有什么事你们下班以后再说。"

郑伟秋却突然冲说话的法警发起火来，吼道："我跑到法院来都有理讲不清，下班以后你让我到哪儿去讲理？我到哪儿去找她？和谁说？"

法警："这是办公室，请你冷静一点。"

郑伟秋："我他妈没法冷静！这算哪门子稀罕事，你们手中有点权力，就可以拿无辜的人开刀？我是他的合法丈夫，我就不信，我争取做丈夫的合法权利就可以让她动用你们法警队！法警队有什么了不起？法警队就可以无视法律，不让我做她的丈夫？"

法警："你真这么大喊大叫，我们真要把你请出办公室

了。"

郑伟秋:"你来呀,动手呀!你带枪了吗?你可以朝我开枪啊!公安局那警察不就一枪把水果摊老板放倒了?有胆的,你们也给我一枪,把我放在这儿!来啊!来试试!"

不明事情原委的两名法警在郑伟秋狂躁的叫喊声中竟一时手足无措。

恰此时,林子涵推门进来了。她对两名法警说:"你们走吧,我来跟小郑谈谈。"

两名法警看看林子涵,又看看聂小倩和郑伟秋,摇摇头叹气走出。

屋里瞬时只剩下聂小倩、林子涵和郑伟秋三人。聂小倩在局促和匆忙中向林子涵投来乞求般的一瞥。林子涵没有理会聂小倩,而是平静地坐下,微笑地指着一把椅子对郑伟秋说:"小郑,坐下,有话坐着说,啊?"

剑拔弩张的气氛似乎被林子涵的从容和平静完全冲击掉,站在办公室中央的郑伟秋坐也不是,站也不是,呈现出与刚才迥然不同的尴尬。

林子涵再次微笑,再次指着椅子说:"小郑,坐下嘛!你看,我们都坐着,就你站在那儿,我想说句话都不知道该从哪儿说。"

在林子涵的如此语气之中,郑伟秋只好垂头丧气地坐下。

林子涵对聂小倩说:"小倩,要不你先出去呆一会儿,我跟小郑单独谈谈?"

聂小倩闻听此言,赦免一般匆匆起身走出办公室。

在聂小倩起身的同时,林子涵也从自己的座位上起身,随手给郑伟秋倒上了一杯水,端至郑伟秋面前,说:"我叫林子涵,跟小倩同事,平时她都一口一个姐的叫我,我想,从年龄上来说,我也可以给你做姐姐了。你们的事情,我知道个大概,你先喝口水,有什么想不通的,可以跟我这个做姐姐的说说。要是你觉得我不像个姐姐，咱们就当是朋友聊天。"

林子涵说完，坐在了郑伟秋的对面。郑伟秋望着眼前水杯里袅袅上升的热气发愣。

林子涵笑笑说："刚进走廊我就听到这办公室吵上了。什么开枪啊，警察啊，这是谁跟谁，哪跟哪啊？感情上的事情还能有刀光剑影啊？金庸的小说我看了几本，你看人家书上写的那些侠客，包括那些杀人不眨眼的，一碰上感情的事，个顶个英雄气短，儿女情长。谈得拢，女人这一生就交给他了，男人就顶天立地地保护她；谈不拢，男人一翅膀远走高飞，杳如黄鹤，不怨天，不怨地，只在无人处叹一个缘分不够。人家金庸的小说为什么赚钱？就因为人家会写男人，把男人写到点子上了，写得恰如其分。所以，这样的书，男人爱看，女人更爱看。就连中央电视台这么高傲的单位，现在也抢着拍《笑傲江湖》。我原先还想不通呢，话说到这儿，我想明白了，不管怎么着，俗归俗，闹归闹，人家那里边有做人的道理。"

郑伟秋用手抚弄着茶杯不说话。

林子涵又说："我几乎天天跟小倩在一起。以前小倩说起你来，千言万语，最多的评价是一句，不笑不说话。说真的，我听了以后都很羡慕。现在的男人越来越不会笑了，好像天底下的苦难都压在他一个人肩膀上，不一脸沧桑，不苦大仇深就显不出他深沉。我身边这样的男人就不少，我常拿这话打击他们。所以，小郑，不管遇到什么事，你该怎么笑还得怎么笑才行。笑才说明你成熟，说明你把这世界看明白，看透彻了。你想想，笑着活一辈子跟哭丧着个脸活一辈子，谁比谁更居高临下呀？再说，笑还是一种美，一种魅力嘛。高仓健不笑，阿兰·德隆也不笑，德·尼罗偶尔笑一下比哭还难看，可这些毕竟是电影上的，观赏观赏可以，真走进生活中来，人们还不是对他们敬而远之？说到这里，你跟小

倩的事，既然是笑着开头，也应该笑着结尾。就算小倩最终离开了你，冲你这笑，她想起来也会有遗憾。反倒是你今天把微笑变成了咆哮，人一咆哮，心态浮躁，说话走调，那还不等于你给人家竖了个梯子？本来这事她是咯噔一声跳下来的，结果，你让她顺着你搭的这梯子，利利索索走下来了。"

郑伟秋听到这里摇摇头，长长地叹出一口气。

林子涵又说："很惭愧，我大你很多岁，至今还是个单身。爱情这事，经历过，但说不上有多深的理解。可我总觉得，处理爱情这事，稍有莽撞举动，后果就会放大十倍。我至今没结婚，就因为年轻时的莽撞把对方伤了，结果把自己伤得更惨。如今回头想想，有什么呀？分手就分手呗，何必要去莽撞那么一下子，出十分钟的气，换回十几年的窝囊心情，这算是赢还是输？你看看现如今你跟聂小倩这事，院长找了，法庭上闹了，今天又把我们法警队惊动了。就算你想出口气，把聂小倩搞个遍体鳞伤，你没想过作用力跟反作用力相等啊？聂小倩臭名昭著了，咱不也跟着她一起名声不好吗？你这年龄，日子刚刚开头，往后不打算过了？真要闹出什么后果来，将来你再碰上倾心的女孩，首要任务是先张开一百张嘴去开脱自己。你跟聂小倩的婚姻走到今天已经够麻烦了，你还想把这麻烦继续下去，让它没完没了地跟着你啊？你想想，值吗？"

郑伟秋听到这里，站起来说："我先走了。"

林子涵也站起来，说："也许我有说错了的地方，你别计较啊！"

郑伟秋走到门口，回头说一句："先撂下我和聂小倩的事不说，你挺像个姐姐。"

郑伟秋说完，走出刑事庭办公室。

林子涵在舒出一口气的同时，又怅怅然坐下。不一会儿，电话铃响了，林子涵抓起电话，电话里传来聂小倩的声音："他走了？"

"还没走远,你要是留恋,我再把他喊回来。"

放下电话不一会儿,聂小倩走进来。她冲林子涵问一句:"他没跟你闹吧?"

林子涵:"又不是跟我离婚,他跟我闹什么?"

聂小倩坐下来,委屈和怨恨涌上心头,开始抽抽搭搭抹眼泪,边哭边说:"他还口口声声跟我谈法律?我本身就是法律工作者,区法院为什么不给我判决离婚?为什么不能保护我的正常权益?"

林子涵劝说道:"你也别哭了。就算区法院判你离婚,也不能说明谁对谁错。在所有法律体系中,只有一项判决很难有是非可言,那就是离婚。"

聂小倩趴在桌子上,开始抽搐肩膀。

电话铃再次响起。林子涵抓起话机,听到对方的声音,便说:"请我吃饭?我知道你这是鸿门宴,黄鼠狼给鸡拜年。赵清华,别的事情,不用说两肋插刀,把刀插在心口窝上都行,这事,我确实不能帮你。我一天到晚坐在审判席上人五人六的,我怎么可能跑到背后去给你疏通关系?"稍停片刻,林子涵一下愣怔了:"什么?你胜诉了?怎么胜的诉?你背后使什么小动作了吧?"再次倾听片刻,林子涵又说:"清华,这事你别高兴得太早。我劝你一句,你千万可别把一桩糟糕透顶的事情弄成两个。法律不像你想象的那么随意,那只是区法院的判决,如果那两个女孩不服判决,提出上诉,我先给你泼盆冷水,你赢不了,笑不到最后。"

林子涵说完,扣下了电话。

渐渐地,窗外又飘来马路上宣传车的播音声:"严格执法,文明执法,依法办事,文明办事,是每一个人民检察官的必备素质……"

林子涵看一眼趴在办公桌上抽搐不已的聂小倩,重重地叹出一口气……

春江市人民检察院彩旗摇曳的宣传车缓缓地游移在春江市中级人民法院门前的马路上。

马路上行人车辆稀疏,宣传车的播音声分外清晰嘹亮。

一辆轿车刚要驶进春江中院院内,突然间停下来。车上走下院长陈默雷。陈默雷凝视着从眼前走过的宣传车,在字字分明的播音声中,目送宣传车走出很远很远……

2

宣传车的播音声飘到市委门前,和市委大院传出的广播体操的乐曲声交相驳杂。

机关干部们例行公事般地做着广播体操。惹人注目的是,市委书记孙志站在队列的前排,随着广播体操乐曲中传出的口令,动作幅度很小地伸臂踢腿。

广播体操的乐曲已接近尾声。在最后一节的跳跃运动中,孙志几乎没有跳跃,只是动作很小地摆动四肢。秘书唐学风和检察长张业铭站在队列一侧,远远地观望着。

随着原地踏步走的口令和乐曲,队伍渐渐散开。散开以后的人们纷纷走向办公楼。有人和孙志打着招呼,孙志点头应承着,与渐渐走上前来的张业铭走到一起。

广播体操的乐曲声消失,外面宣传车的播音声显得格外清晰。

张业铭对走上前来的市委书记孙志说:"真没想到,孙书记还和大家一起做广播体操。"

孙志:"我又不是过去紫禁城的皇帝,怎么就不能跟大家一起活动活动?"

张业铭:"咱春江市的大小机关,坚持做工间操的可已经不多了。"

孙志:"我要是不坚持,市委这广播体操也早就不做了。机关嘛,总得有点朝气蓬勃的形象,一天到晚憋在大楼里,那还不变得越来越迂腐，越来越死气沉沉？"

张业铭："真是这样，市委机关的形象与书记的个性有很大关系。"

孙志抬腕看看手表，说："我马上要出去，有什么事你就在这儿说吧。"

张业铭："我来就是向书记汇报一下，按照你重事重办、特事特办的要求，那个开枪乱打无辜的警察王大凡已经被我们检察院批捕，公诉书已经拟定，马上就可以移交法院判决。"

孙志沉默少顷，说："我一直纳闷，一个警察，还派出所所长，不会不知道枪在他手里的重要性，怎么能说开枪就开枪呢？"

张业铭："检察院的提审我参加了，王大凡一个劲儿哆嗦，哭都找不着调门了。直接的原因是，那天晚上他喝多了酒。"

孙志："喝了酒就可以开枪，可以杀人？喝酒是理由，是原因吗？"

张业铭："当然不是。主要是我们执法人员平时忽视了素质教育，自以为高人一等，是特殊公民。"

孙志指着张业铭说："特殊公民，这个概念很重要。你们公、检、法、司，还有工商、税务，还有什么？凡是穿制服的，都要借此好好反省一下，你们怎么就特殊了？特殊在哪里？"

张业铭："我们检察院正抓住这个事件举一反三，大搞形象工程。今天一大早，我们还特意组织了一辆宣传车，向全市进行正面宣传，一是请社会监督，二是挽回这一枪打出去造成的不良影响。"

孙志："我听见你们的宣传车了，一大早就听见了，你不提这事我还忘了说。搞形象工程重在落实，重在练好内功，有什么必要提着个喇叭全市到处嚷嚷？这套形式主义的做法完全没有必要,还会让人厌烦。春江市的噪音污染已经够严重了,你今天往大街上一凑合,春江市上空又提高了不少分贝!"

正说着,市委书记孙志的轿车驶抵眼前。秘书唐学风赶紧上前打开车门。孙志在上车的一刹那,突然又回转身对张业铭说:"哎,杨铁如递交了一份辞职报告,你听说了吧?"

张业铭:"听说了,真不知他怎么想的。"

孙志感叹一句:"事到如今,我也只能说一句,人各有志了。"说到这里,他似乎又想起什么,忽然对张业铭问一句:"你到现在还坚持认为杨铁如不适合干法院院长?"

张业铭在这种突然的发问面前,揣摩不出孙志的心思,难以作答。

孙志看看张业铭尴尬的神态,便说:"杨铁如的事情,至少让我明白了一个道理。有些干部,可以是万金油,涂到这里抹到那里都能行,但治不了大病;像杨铁如这样的,能治大病,但如果用错了地方,不但治不了病,还会惹出其他麻烦。你手底下大大小小也有不少干部,使用干部,就像医生开处方,什么药治什么病,什么药用在什么地方,你可得掂量好了。庸医司性命,可万万要不得!"

孙志说完走上自己的轿车。

张业铭莫名其妙而又诺诺地点头应承着,目送市委书记孙志的轿车远去。

已是深秋,落木萧萧。张业铭站在落叶缤纷的市委楼前,再次听到大街上时断时续传来的宣传车的播音声。此时此刻,对张业铭的心境来说,那时断时续的宣传车的播音像一种聒噪,是那样的刺耳,那样的不合时宜……

3

杨铁如站在校园门口,放学的学生拥出校门,纷至沓

来。校园广播喇叭里正传出一首遥远的久违了的儿童歌曲:

> 我在马路边捡到一分钱
> 把它交给警察叔叔手里边
> 叔叔拿着钱对我把头点
> 我高兴地说了声叔叔再见……

久违而又亲切无比的童声歌曲让杨铁如沉浸其中,仿佛又回到了某个时代的记忆之中。然而,这种沉浸被骑着自行车正要走进校园的女教师魏娟娟打断了。女教师魏娟娟从自行车上下来,冲杨铁如喊一声:"杨主任!"

杨铁如看到眼前的魏娟娟,马上恢复神情,说:"哟,魏老师。"

魏娟娟笑着说:"刚想喊你杨院长,话到嘴边才想起,你不当院长当主任了。"

杨铁如苦笑一下,说:"主任也不当了,平民百姓一个。"

魏娟娟惊异地望着杨铁如。

杨铁如解释说:"我刚刚辞职。我是学法律的,别的干不了,我想当律师,刚刚注册了一个律师事务所,还没开张呢。"

魏娟娟叹口气说:"真是时代变了,你这么大的官居然也辞职。"

杨铁如笑起来,说:"还我这么大的官!我什么官啊?市委大院,论官位排队的话,我只能站最后一排。"说完,他指指校园说:"也不是时代变不变的事,有些事从一开始就攥在手心里,多少年都变不了。刚刚我在听你们学校里放的这歌,多少年了,听起来一点没变。"

魏娟娟:"还没变?早就走调了!好多学生跟我说,一分钱还值得去捡啊?捡了就捡了,还交给警察,傻不傻呀?

说真的,孩子们这么说,我都不知道该怎么回答。连这首歌的歌词都让学生们改了。"

杨铁如好奇地问:"改成什么了?"

魏娟娟:"我在马路边捡到一百元,高高兴兴跑进了游戏厅里边,我对老天爷鞠躬许个愿,别再刮风别再下雨天上光下钱。你听听,现在这孩子就这样,才多大呀,就满嘴的钱钱钱!"

杨铁如苦笑一下,说:"所以说,你们当老师的,责任比谁都重。"

魏娟娟:"不能不说社会风气让人忧虑,孩子懂什么?说起来,你要当律师,责任也小不了。你没看前几天的报纸啊,警察买水果为了几块钱就开枪,还有一个服装店老板怀疑两个女孩偷了她的内衣,光天化日之下脱了人家的衣服。两个女孩告了,官司竟然打输了。真不知道法院怎么判的,律师怎么当的!要这么弄下去,这社会上还有点正事吗?我们在课堂上掐破耳朵教育学生,一走出校门,全完了,说了白说。"

杨铁如敏感地说:"警察那事我知道,已经抓了。你说的那两个女孩登在哪天的报纸?"

"就这两三天啊!也不知那两个女孩怎么想的?要换了我,这官司在春江市打不赢,我跑进中南海也得把它打赢了!"

杨铁如听到这里,郑重地点点头。随即,他又看看手表说:"正大也该放学出来了吧?"

魏娟娟惊奇地说:"你看,光顾着瞎聊了。正大今天不是请病假了吗?"

杨铁如诧异万分,眉头一皱道:"请病假?"

偌大的电子游戏厅内,在吱哇乱叫的电子游戏机前,有大人也有孩子,都聚精会神地盯着游戏屏幕,手忙脚乱地玩弄着各式各样的电子游戏。

孩子杨正大正十分投入地坐在一架游戏机前,全神贯注地闯着游戏机上的一道道关隘。

杨铁如来到游戏厅,用眼扫了扫乌烟瘴气的四周之后,发现了角落里的孩子杨正大。他来到孩子身后,目光阴沉地盯着全神贯注玩耍的孩子。

正玩得兴致勃勃的杨正大被身后的一只大手阻拦了他的游戏。

孩子猛然回头,不可思议地发现了站在身后的杨铁如。孩子顿时面呈怯色,颤颤抖抖、吞吞吐吐地喊出一声:"爸……"

"你病得不轻啊!"杨铁如说完,拎起孩子的衣领,拖曳出游戏机前的座位。

孩子挣扎着,还恋恋不舍地盯着游戏机上的画面,喊:"我就要赢了!"

杨铁如不说话,只是拖着坠地打滚挣扎的孩子往外走。

游戏厅老板走上前来阻拦,问:"怎么回事?怎么回事?"

杨铁如大吼一声:"闪开,我是他爸!"

杨铁如回到家后,坐在客厅的沙发上闷闷不乐地抽烟,儿子躲进了里屋。许久以后,杨铁如对坐在沙发一侧沉默无语的妻子刘早春说:"你让他出来。"

妻子刘早春起身走进里屋。不一会儿,妻子刘早春连拉带拽地把孩子带到客厅。刘早春坐下,孩子站在两人面前,怯怯地耷拉着头。

杨铁如掐灭烟头,对孩子杨正大说:"你把头抬起来,看着我。"

孩子仍然耷拉着头。

杨铁如厉喝一声:"看着我!"

孩子终于抬起头。妻子刘早春在杨铁如的厉喝声中瞟他一眼,杨铁如努力压抑一下自己的情绪。

"你告诉我,世界上最可耻的两个字是什么?"

孩子杨正大怯怯地望着杨铁如回答不出来。

"说啊!"

孩子仍然不作回答。

"我告诉你,是谎言!没有比谎言更可耻的了!说谎的人不但一事无成,终生都不会有一个朋友!所有人都唾弃他,远离他,都与这样的卑鄙小人决裂!这就叫好鞋不踩臭狗屎!你知道在法庭上说谎是什么?是犯罪!一句谎言就可以让你成为罪犯!手铐,那手铐不光是冲着杀人放火、流氓强奸、贪污腐败来的,它还随时准备铐住每一个在法庭上斗胆撒谎的人!"

妻子刘早春听到这里,看看孩子的一脸可怜相,冲杨铁如不满地说:"你好好说话不行吗?什么手铐脚镣的,有你说得那么严重啊?"

杨铁如气咻咻地站起来,说:"那好,打游戏机的钱是你给的,你来教育吧。"说完,他就要往门口走,走到门口,又站住对妻子说:"你可以继续给他钱,继续这么纵容下去。我这辈子上不了法庭不要紧,你将来可以把你的儿子送上法庭,只不过,他只能坐在被告席上!"

杨铁如刚要出门,妻子刘早春怒气冲冲站起来,喊一声:"杨铁如!"

杨铁如回头站住。

"这是三口之家,你少拿法庭来比喻这家,你这么比下去,等于在伤害这个家庭,破坏这个家庭!别以为法庭是这个世界的全部,人不到万不得已,谁稀罕去和你的法庭打交道?你以为你抓住法庭二字就抓住了全世界?这恰恰证明你是井底之蛙,目光短浅,自以为是,幼稚可笑!"

杨铁如在妻子刘早春针锋相对的话语中,缓缓说道:

"我愿做这样的井底之蛙,别人觉得可笑,可井底下的青蛙永远不觉得自己可笑!"

杨铁如说完,甩门而去。

孩子杨正大怯怯地喊一声:"妈,你别生气了,我错了。"

刘早春转身面向孩子,眼里涌出了泪水。

4

夜色中的东方大型商场灯火辉煌。面色严峻的杨铁如随电动扶梯徐徐升上来。他走下扶梯,来到扶梯一侧站立的两个女孩跟前。这两个女孩正是在梦巴黎服装超市被强行脱去衣服的受辱少女。

杨铁如走上前说:"对不起,我来晚了一步。"

一个女孩望着陌生的杨铁如问:"你是谁?"

杨铁如:"我叫杨铁如,钢铁的铁,如果的如。下午,我费了很大周折才跟你们通上电话。"

另一个女孩警惕地问:"你为什么约我们到这儿来?"

杨铁如看一眼身侧上上下下徐徐升降的电动扶梯说:"这儿离我家近点,又是公共场所。"

一个女孩问:"你找我们干什么?"

杨铁如:"我刚从报纸上看到你们在梦巴黎服装超市受污辱的事。怎么说呢?我是一个老法律工作者,又是一个新律师,刚刚注册成立了律师事务所。如果你们需要上诉的话,我愿担任你们的律师。你们可能觉得奇怪,一般都是当事人去找律师,而现在我这个律师却找起当事人来了。如果你们能够答应,这将是我律师生涯中的第一次辩护。"

两个女孩听到这里,互相看看,眼睛里充满了狐疑的目光。

一个女孩说:"我们不准备上诉了。"

杨铁如:"为什么?"

女孩说:"我们不再相信还有真正的公平,坚决不信了。"

另一个女孩说:"我们也不想让自己绝望到底。上次在法庭上,我们抱头痛哭了一场;再上法庭,再哭一场的话,活着真是太黑暗,太没有意思了。"

杨铁如听到这番话,沉默片刻,说:"既然你们想抱有希望生活,就应该把属于你们的公平争取到手。我以一个二十年法律工作者的直觉告诉你们,你们会笑到最后,不会再抱头痛哭了!"

一个女孩说:"上次我们请的律师也是这么说的。可结果呢?有钱能使鬼推磨,真是老百姓说的,大盖帽两头翘,吃了原告吃被告。一次判决就把我们的心凉透了。"

杨铁如摇摇头说:"上次的律师是上次的律师,而现在的律师是我。大盖帽两头翘,这也是以前的事了,你们没发现,如今的法官不是已经摘掉大盖帽了?"

女孩问:"你准备收我们多少钱?"

杨铁如长长地叹出一口气,说:"一分钱不要。"

两个女孩互相看看,又问:"那你凭什么为我们辩护?"

"这,说起来话长了。"杨铁如看看上下升降的电动扶梯说,"也许是为你们,也许是为我自己,也许,是为了你们不再相信的那两个字:公平。"

两个女孩再次相互看看,眼神中开始有了信任的成分。一个女孩说:"别在这儿站着了,干脆到楼上,咱们一起喝杯茶吧。"

杨铁如苦笑一下,说:"行,如果你们真相信我这个律师,你们付出的费用就是这杯茶水钱。"

三个人相继走上电动扶梯。扶梯徐徐上升,三人的背影升至顶端,渐渐消失……

5

春江中院巍峨的大楼自上而下垂挂起两条红色标语。标语长长地悬挂下来，显得十分醒目。一条标语上写"严格执法，依法办事"，另一条标语上写着"树立人民法官的崇高形象"。

院长陈默雷的轿车驶抵楼前。走下轿车的陈默雷抬头就看见了这两条垂挂而下的标语。他站住，定睛看了一会儿，然后缓缓走上台阶。在楼门前，他问一句站岗的法警："这标语什么时候挂上的？"

法警："今儿一大早。"

陈默雷没说什么，迈步走进大楼。

陈默雷推门走进法院办公室时，办公室主任宋修正在结结巴巴接电话："这、这怎么好？已、已经上路了？这、这事，我、我得跟院长汇、汇报一下。好，再、再见。"

陈默雷站在一侧，耐心地等办公室主任宋修接完电话。

宋修站起来刚想说什么，陈默雷抢先问："老宋，大楼上这标语怎么回事？"

宋修："警、警察打了那、那一枪，不是给公检法惹、惹了麻烦吗？检、检察院出、出了一辆宣、宣传车，刘、刘副院长说，咱也不能落、落后，就让我挂上这两、两条标语。"

"检察院出宣传车跟咱们法院有什么关系？"

"老、老院长肖、肖亦白在的时候，检察院干什么，咱也干、干什么，决、决不落后。"

陈默雷长吁一口气，说："你先派人把标语摘了，刘副院长那边，我去跟他说。法院就是法院，挂什么标语！不挂标语，你就不严格执法了？这种表面文章以后少做，甚至不做。"

宋修诺诺地答应着:"行、行,我、我去摘。"

陈默雷刚要往外走,宋修又喊住他:"哎,陈、陈院,刚接了个电话,金、金、金城县政府办公室的电话。"

陈默雷敏感地问:"说什么?"

"他们、要、要给咱们法院送两车大、大、大棚蔬菜,现在,车已、已经上路了。"

陈默雷听到这里,便笑了:"好事啊!咱的法官辛辛苦苦,正好借此机会给法官们搞点福利呗。不过,你得去了解一下市场价格,按价付款。钱从哪儿出,回头我跟几个人研究研究,再告诉你。"

宋修:"他、他们不、不要钱。"

陈默雷:"世上哪有免费的午餐?哪有不要钱的蔬菜?人家真要是一番盛情,按批发价付款也行。老宋,你可听清楚啊,批发价是底线,你要守不住这条底线,这两车蔬菜我让你一个人吃了!"

陈默雷笑着说完,走出办公室。

宋修站在办公室刚刚叹出一口气,几个年轻人拥进来。宋修一指他们:"正好,干、干活!"

有人问:"干什么活呀?"

"把大楼上的红、红绸子摘、摘了!"

6

行政庭庭长李乾坤将剥开的一粒六味地黄丸塞到嘴里,慢条斯理地咀嚼着。在缓慢的咀嚼过程中,电话铃响了。李乾坤不情愿地接起电话,听清对方的声音以后,含着一嘴药丸说一句:"你先稍等,我把这药丸咽下去。"

电话机暂时搁置一侧,李乾坤吞下药丸,用水漱口,随即又抓起话筒。

李乾坤可能听到了对方的嘤嘤而泣,便说:"你哭什么?

昨晚你妈半夜三更就把我弄醒,连哭带数落。你想想,你是我自家的亲生闺女,你的事情我能不急?昨晚我跟你妈就急了!你们以为我还是过去的我?我跟你妈说了,人家把你闺女改革下来了,指不定哪天还要把我改革下来呢!搁在从前,我跑趟金城,找找人家县里,王县长不看僧面看佛面,总归还能给个面子,可现如今,王县长在这里不压着一桩官司嘛!"说到这里,李乾坤看看门口,压低声音说:"咱要给人家把这官司捂住了,你丈夫的事我再跑趟金城,这事也许能说和下来;可现在这官司咱没给人捂住,你让我怎么有脸去跟人家说?你也别哭了,告诉你那口子,有本事挣大钱自己想辙,没本事挣大钱吃上饭就知足。你爸这辈子不容易,别再给我出难题了。我要是一个跟头栽地下,到时候你还得接着哭,比这哭得更惨。赔个三万五万就认了,哭也哭不回来,行了吧?这是办公室,我不多说了啊!"

李乾坤放下电话,在叹气的同时,捏起桌子上的药丸壳子,在沉思中把药壳捏得又瘪又扁。他随即起身,端着茶杯,走出办公室。

郑小泉正和两名合议庭成员在一摞卷宗前研究案情。他推开卷宗,叹出一口气,说:"改革二十年了,没想到有的农民还这么艰难!我虽然一再告诫自己,这是审判,不能有感情倾向,可通过法庭调查,通过这摞卷宗,我还是想掉泪。我老想起上大学时,我同宿舍的上铺来自农村,为了供他念书,他父亲拖着一条瘸腿去城里卖血。每回接到汇款单,我那上铺就趴在床头上哭。"

一位法官说:"你那同学后来一定长出息了。"

"狗日的,那小子后来一蹽子窜到美国,再也没回来。"

"那他爹娘呢?"

"还不是在乡下,苦挣苦熬过日子!咱中国太大,八亿农民里头还有不小的数字过得太难,太可怜了!"

端着茶杯的李乾坤踩着郑小泉话语的尾音走进了办公室。他进门就问:"说谁可怜啊?"

郑小泉看见蓦然闯入的庭长李乾坤,忙说:"说闲话呢,说我大学一个同学。"

李乾坤笑着说:"我就不信,堂堂北大学生,还有可怜的!世界是你们的,也是我们的,但归根结底还是你们的。八九点钟的太阳,冉冉升起,光芒四射,还可怜,有什么可怜的?"

郑小泉和两名法官尴尬地相互看看,不约而同地笑了笑。

李乾坤没有坐下来的意思,仍然站在那里说:"像我这样的,日薄西山,一天到晚三粒六味地黄丸撑着,那才真叫可怜。"

其他两名法官搭不上话,郑小泉便来一句:"庭长,我可专门研究了一下六味地黄丸,那基本上是养药,不是治病的药。你这么个吃法,不返老还童也得长命百岁。"

李乾坤:"郑小泉,你这么夹枪带棒地说话,不是在记我的仇吧?"

郑小泉:"记仇?我跟你当庭长的有什么仇啊?要说仇,我就仇那个把我老婆拐走的大个子。后来想想也不仇了,谁让人家个子长到一米八六呢,跟长颈鹿似的,每次接吻都把头深深低下,多谦虚啊!"

郑小泉说完这话,李乾坤和两名法官都笑起来。一名法官问:"那以前你跟你老婆怎么接吻的?"

郑小泉:"挺直腰板,高抬头颅,还得偷偷翘着点脚后跟。现在想想,这姿势是有点高傲,也有点生猛,不那么平易近人。"郑小泉说到这里,忽然有所醒悟,"你小子,问我这个干吗?你说说,你跟你老婆怎么接吻啊?"

问话的法官摆摆手,说:"还接吻?那都是从前的事了!这把年纪了,还接什么吻?我要真想跟老婆接吻的话,吓她一跳不说，最终，也跟开会过组织生活似的，没意思大了，还不如自己买根冰棍吮拉两口呢！"

郑小泉笑着说："你说那外国人是吃肉吃习惯了吧？你看人家男的女的，不管多大年纪，见面就啃，就跟饿极了看见牛排似的。"

李乾坤端着个茶杯，止住谈兴勃发的几个年轻人，说："行了，刚才说什么呢，怎么让你郑小泉绕这么大个弯，拐到这亲嘴上来了？说点正经的，我这把年纪了，有时候批评批评你们，会上批评也好，会下批评也好，总而言之一句话，用心良苦。你们要记恨我，我也没办法。现成的例子不就在那儿摆着吗？刑事庭那个小丫头聂小倩，刚刚登了记又接着闹离婚，结果让人家丈夫闹到法院来，连法警队都出动了。你说，这种事出在人民法院，像话不像话？还有那林子涵，你听听外面传的！咱不说了，话说回来，我那天在会上说你郑小泉几句，话可能尖锐了点，一切可都是为了你好。"

郑小泉："这我知道，打小我爸妈常拿这话说我。"

李乾坤叹出一口气，问："金城的案子怎么样了？"

郑小泉："为了确保证据充足，还得继续开庭审理。"

李乾坤："他要一直闪着那个被告席的位子怎么办？"

郑小泉眨巴一下眼睛，说："那咱就学那一米八六的大个子，谦虚点，低下头来跟他接吻。"

李乾坤："说正经话！"

郑小泉："没什么可犹豫的，他要一直把被告席闪着，成文法里面有好多条款都在等着他。不管他怎么样，合议庭保证严格执法。"

郑小泉说出最后这句话时，态度严肃认真，还透着一种坚决。李乾坤又叹出一口气，说："严格执法，好啊！可有些事我也摸不着勺子把，咱这法院大楼，前脚挂上条严格执法的大标语，后脚就再给摘下来。我老了，有些事咱是越来越看不懂，越看越花眼了。"

李乾坤说完,端着水杯唉声叹气走出办公室。

望着李乾坤走出的背影,一名法官对郑小泉说:"你要不来上这一通接吻亲嘴的,李大爷还不知道又对咱们合议庭指什么手画什么脚呢!"

郑小泉扯过眼前的卷宗,说:"行了,刚才那通接吻都快让我的嘴脱皮了,干活吧!"

一位埋首卷宗的法官抬起头,说:"我总觉得李庭长和这桩案子有什么关系似的。这案子在他手里压了两个多月不说,就咱合议庭成立以来,几次了,他都含含糊糊,欲言又止的,有时听起来像话里有话。"

另一名法官接过来,说:"这还不要紧,我真怕关键时候,他站出来干预那么一下子。"

埋首于卷宗的法官站起来,说:"真要干预怎么办?毕竟是咱们的庭长啊!"

郑小泉若有所思,沉默不语。

一名法官问:"郑小泉,你怎么不说话了?"

郑小泉:"捍卫法律的大话咱不说了。既然大家都有这感觉,再往后,李大爷只要来咱们合议庭,咱就回避开案子,一起跟他扯闲篇。今天咱不就扯上接吻了吗?他老人家要还不过瘾,咱就从亲嘴开始顺着给他往下说。我估计,他老人家要做正人君子,咱说不到裤腰带以下,他一准往外跑。"

两名法官笑起来。一名法官说:"你这审判长当的,这馊主意都蹦跶出来了。"

郑小泉认真地摇摇头,说:"看起来,我刚才在笑,说实话,我从心里头想哭。"

7

坐在办公桌前的陈默雷听到笃笃的敲门声,收拾起眼前的材料，说："请进。"

进门的是办公室主任宋修。宋修进门便说："陈院，两、两车蔬菜来了。"

陈默雷显然已经忘记了这件事，问："两车蔬菜？"

"啊，就金、金城县政府送、送来的两、两车蔬菜。"

"看我，把这事忘了。"陈默雷恍然大悟，他抬腕看看手表，说："金城县政府效率很高嘛，说送就送来了。"

宋修接着说："张、张检察长也、也来了。"

陈默雷抬头一怔："在哪儿？"

"刚、刚到接待室。"

陈默雷赶紧站起来，笑着说："你老宋真有意思，先说蔬菜来了，后说张检察长来了，好像蔬菜比张检察长还重要似的。"

宋修说："我觉得蔬菜和张、张检察长来都、都是大事。"

陈默雷："蔬菜就交给你办公室主任去处理吧，意思我都跟你说明白了；张检察长来了，我得亲自去迎接。检察长到咱们法院来，肯定有重要事情。"

陈默雷踏着法院接待室落地钟的报时声来到室内。

坐在接待室沙发上的检察长张业铭和另外两名检察官看到进门的陈默雷都不约而同地站起。陈默雷笑着走上前，与检察长张业铭热情地握手，说："你检察长亲自上门，也不事先打个电话，让我被动了不是？"

张业铭也笑着寒暄："我也是匆匆忙忙就拉着他们来了。熟门熟路的，一来我就直接坐在了接待室。以前，我可是没少在这屋子里开会。"随即，他又向陈默雷介绍身旁的两位检察官："这两位是咱们检察院刑事处的老张和小张。"

"巧不巧，今天咱们检察院来的三位一律姓张，都是弓长张吧？"陈默雷与两位站立的检察官握手，边说边招呼着：

"请坐,请坐!"

张业铭坐下,笑着说:"还真是巧了,一律弓长张。"

陈默雷坐下,说:"原先都说赵钱孙李周吴郑王,其实,咱中国姓张的最多。这不,往这儿一坐,三张一陈。"

陈默雷说完这话,几个人都笑起来。

张业铭:"默雷啊,走进这法院大楼,上上下下一看,精神面貌比以前好,干得不赖啊!我们检察院得小步跑才能跟上你的步子。"

陈默雷笑着说:"你这话可像批评我了!大楼是你张检察长在这儿干书记时盖的,要说精神面貌,也是你们前任领导的心血。我初来乍到,能干什么?"

张业铭:"这就是你默雷的优点,什么时候都这么谦虚。现如今,咱们有些年轻干部跟你的作风可有点不一样,得理不让人,无理争三分,功劳都是自己的,错误都是别人的。那句广告是怎么说的来?不一样就是不一样。"

陈默雷笑着摆手,说:"好了好了,别往下说了,我知道你张检察长今天来可不是要转着圈子表扬我。"

张业铭哈哈笑起来,笑过之后,说:"默雷,按照市委孙书记重事重办、特事特办的要求,那个向无辜百姓开枪的警察王大凡已经于五天前批捕,这几天,我让刑事处的同志们昼夜奋战,以高效率完成了侦察、审讯和起诉书的拟定工作。"他指指旁边的两名检察官,说:"你看他们俩,到现在眼圈还发黑呢!我今天专程跟他们一起来,就是向法院正式移交起诉手续。"

陈默雷:"孙书记提出要求的时候我也在场。既然检察院已经完成了前期工作,下一步,我就要要求我们刑事庭向你们的效率学习了。"

张业铭:"这案子关系重大,影响恶劣,我来是想跟你商量一下,一呢,咱们应该向市委集中汇报一次;再有就是,审判之前,是不是有关部门召开一个联席会议,集中讨论一下，定一个审判基调，然后再征求市委的意见，以免出现被动，你觉得怎么样？"

陈默雷在张业铭胸有成竹般的口吻面前，思索片刻，说："我同意你的意见，向市委汇报一次，报告一下案情的进展情况，因为此案孙书记关心，市委关心，市里还专门成立了联合调查组，应该汇报；但第二点建议嘛，我这么考虑，不管这是个什么案子，毕竟只是一桩案子，应该按法律程序有步骤地进行。要是此案在启动审判程序之前，召开联席会议，确定审判基调，与我们的法律原则不相符合。因此，审判的事情还是由审判机关来独立承担，这样可能更会体现公平、公开、公正。"说到这里，陈默雷的目光对准了两名检察官说："你们的意见呢？"

两名检察官对陈默雷点头，又看看张业铭，终于不敢作出回答。

张业铭听到这里，便说："我这么提议也是出于稳妥起见，当然，默雷你说的也有道理。既然咱们要向市委汇报一次，不妨在汇报的同时顺便征求一下孙书记的意见。那天你也看见了，这一枪让孙书记多么恼火！不光孙书记恼火，你说你不恼还是我不恼？本来社会上就对咱公检法说三道四，民谣编了一串又一串，再加上这一枪，还不把咱公检法的形象全给打光了！所以孙书记说，对此案不杀不足以平民愤，我也这么想，就为了给咱公检法挽回个面子，在判决上，也不能有任何心慈手软，决不能姑息迁就。"

陈默雷端起眼前的茶杯，喝一口水，说："张检察长也是老法院出身，这一点应该放心。法律就是法律，有章有节有条有款，我相信我们的判决会严格按照法律的尺度来进行。"随即，他问身旁的两名检察官："起诉书的主要内容是什么？"

一名检察官回答道："刑事附带民事起诉。"

陈默雷点点头，说："这样，我让他们把有关人员找来，正式办理一下起诉手续吧。"

张业铭突然插话说:"默雷,还有一点。鉴于此案的重要性,我提议此案的审判工作是不是应该暂时回避掉刑事庭的林子涵?当然,我也知道林子涵是刑事庭的主力,也不能说没有水平,还是法院学历最高的法官,但她毕竟在上一次的刑事审判中遭到了检察院的抗诉,而且,背景你也知道,林子涵作为审判长做出如此判决是有个人原因的。法官不光要有水平,还要有人格力量,有道德素质嘛!我们检察院正在开展的形象工程,我就重点在强调这个方面。因此,对林子涵回避此案的提议,不代表我个人,算是代表市人民检察院的郑重提议吧。"

陈默雷的目光再次转向了两名默不作声的检察官,平静地问:"上次林子涵审判的王杏花故意杀人案,二位检察官都参加了起诉吗?"

那名年轻的检察官看看张业铭,又对陈默雷说:"我是公诉人之一。"

年轻的检察官说完这话,不自然地把头低下,信手捻动着眼前卷宗上露出的一根装订线头。

陈默雷的目光转向张业铭,笑着说:"既然检察院郑重提出建议,我如实反映,和其他几位院领导认真商量研究。"

张业铭接过话来,说:"默雷,有一点我先申明,我个人对林子涵没什么成见,从毛丫头看着她长大的嘛!所以这样提议,都是为了把工作做好,怎么说呢,都有一颗红亮的心嘛!"

陈默雷笑着说:"这句话可多年没听过了。"

"《红灯记》上唱的嘛!"张业铭说完哈哈大笑。

接待室一侧的落地钟再次敲响。

8

夜色降临,春江中院大楼不同的楼层不同的窗口上都有灯光亮起。

林子涵在空荡荡的办公室里,把办公桌上的台灯打开再关掉,再打开再关掉。如此往复,几个回合之后,她呼出一口气,摸起电话,拨通了方正的手机:"方正,我现在还走不了,我们院长要找我谈话呢,让我在这儿等他。我也不知道要等到什么时候!你到底有什么重要事情啊?好,不说算了,有耐心你就等吧。"

放下电话,她思忖片刻,又拨通了陈默雷办公室的电话:"喂,陈院,我林子涵,我还要再等吗?"听了一会儿,她说一句:"那好吧,我等。"

陈默雷独自坐在办公桌前,双手麻利地把一副崭新的扑克牌洗好,然后,又魔术一般把扑克牌在手中摊成一个漂亮的扇面。他盯着扇形的牌面出神入化。

再洗牌,再摊开扑克牌的扇面,在盯紧的同时,他从中抽取了一张红桃A。斟酌片刻,扔进了抽屉里。随即把整副扑克收好,放到办公桌一侧。

他站起身,朝办公室门外走去。

陈默雷走进林子涵办公室的时候,林子涵站起来嗔怪道:"陈院,你忙什么呢,让我等这么久,准备请我吃饭啊?"

陈默雷一笑,说:"没准备请你吃饭,也没忙什么,我自己在办公室摸了两把扑克牌。"

两人相对而坐。林子涵说:"什么意思啊?你让我等你,你……你打的什么扑克呀?"

"因为在此之前我没有想好,也无法确定,打打扑克,找找感觉。"

林子涵困惑地望着对面的陈默雷。

陈默雷说:"子涵,有桩案子,就是那桩警察向无辜平民开枪案,已经从检察院移交到法院来了。本来,这样有重大影响的案件应该由最优秀的法官来承担审判任务,可就在我下楼前的一刹那,我已经决定,让你回避掉这桩案件的审判。"

林子涵:"就这事?"

陈默雷默默点点头。

林子涵平静地说:"这没什么,很多人都可以承担本案的审判。再说,我也不是你所说的最优秀的法官。"

陈默雷:"本来是一件并不复杂的事,但我在作出决定时却那么困难。我不像杨铁如那样果断和决绝,他有一种逆水行舟的勇气;而我,在局面扑朔迷离,看不清楚的时候,我往往是先选择顺流而下。我不知道这是缺点还是特长,但有句话我想告诉你,虽然你回避掉本案的审判,但你是名优秀的法官,甚至是最优秀的。"

林子涵:"一桩案子不让我担任审判我能理解,可你刚才这番话,我怎么听不太懂?"

陈默雷:"我也不太明白,所以,无法跟你解释清楚。就像打扑克,如果牌面杂乱无章,我即使有再好的牌握在手中,也只能谨慎出手。"

林子涵愣怔半天,说:"还是因为王杏花的案子?我跟方正的事?"

陈默雷稍作沉默,便问:"他离婚了吗?"

林子涵点点头。

陈默雷长吁一口气,站起来说:"也许是这事,也许不是这事。我真的说不清楚,因此,请你理解我语焉不详,也请你理解我在此时此刻作出的决定。另外,在你和方正的事情上,你认准了,我就祝福你们。我先走一步吧。"

林子涵坐在座位上，愣愣地看着陈默雷朝外走。

走到门口，陈默雷回头问："你认为，这桩案子谁担任审判长合适？"

林子涵镇定一下自己，说："潘军右。"

陈默雷没说话，走出办公室。

独自坐在办公桌前的林子涵又开始不自觉地揿动台灯上的开关。台灯光一灭一亮，在林子涵困惑的脸面上闪烁不定。过了一会儿，她抓起电话，拨通了方正的手机，神情茫然、声音低沉地说："你有什么重要的事情，说吧。"一会儿之后，林子涵的声音一下提高起来："有什么见不得人的事情不能在电话上说？"

9

方正和林子涵并肩走进一个高档餐厅。在迂回曲折而又富丽堂皇的餐厅过道里，林子涵站住，说："方正，你的重要事情就是领我到这儿来吃饭啊？"

方正站住，笑着说："没有，吃饭是过场，重要的事情应该在吃饭之后。"

"我今天没有心情。"

"你今天最应该有好心情。"

林子涵："你知道不知道，你跟我的事情都快弄成连续剧了！"

方正一怔，随即说："连续剧也有最后一集，走吧走吧，先吃饭。"

方正走上前扳起站立不动的林子涵的肩膀。

方正和林子涵来到餐厅一个豪华套间时，餐桌前已经坐就了市委书记孙志和他的夫人。两人走进来，市委书记两口子便站起。孙志笑着说："方正，你这女朋友可是千呼万唤始出来啊！"

方正赶紧引领林子涵来到孙志面前,说:"子涵,这是市委孙书记,这是阿姨。"

林子涵愣怔怔地伸出手与孙志及其夫人相握,喃喃道:"孙书记好!阿姨好!"

孙志站在那里,打量着林子涵,说:"方正,搭眼一看,子涵可是大家闺秀!"

方正谦逊地笑着,林子涵不知所措地站着。

孙志的夫人问一句:"在哪儿工作?"

林子涵还未回答,方正抢先一步说:"孙书记,阿姨,子涵在春江中院工作,因为我俩相爱,她还被人指责为充当第三者的法官呢!也不知这一状告没告到孙书记那里?"

孙志闻听此言一怔,随即脸上又露出笑容,说:"我这书记还管得了谈情说爱啊?来来来,坐下,坐下说话。"

方正招呼林子涵坐下,林子涵拘谨而不自然地面对这意想不到的场面……

方正驾车行驶在春江市的夜色之中。林子涵坐在一侧面无表情,默不作声。

方正看一眼林子涵,说:"一走出餐厅,我就看出你不高兴。"

林子涵默默盯视前方,不作回答。

方正:"总不至于不跟我说话了吧?"

林子涵:"吃顿饭有什么好说的!"

方正笑道:"我说过了,吃饭只是过场,重要的事情不是吃饭。"

林子涵:"那你吃你的饭,让我来干什么?炫耀你的能耐还是赏赐给我光荣?我总不至于跟市委书记吃顿饭就身价倍增吧?你也不至于靠能跟市委书记共进晚餐来打动我、征服我吧?真是这样的话,你用了全世界最拙劣的手段。"

方正:"我没拙劣到如此地步!我只是想不再让你背着

第三者的恶名,不再让你被那些影影绰绰、闪烁不定的黑影扰乱你的心情!你说过,你我的事情正被编成连续剧肥皂剧,我希望这部拙劣的戏剧赶紧收场!"

林子涵:"身正不怕影子斜,我厌恶一切动用权力的伎俩!"

方正:"那你为什么心情不好?检察院又为什么公开向你叫板,不再让你担任王大凡案件的审判长?"

林子涵一怔:"谁告诉你的?方正,你每天到底都在做些什么?"

方正:"除了我的事业,我每天要做的就是向一切对你无理取闹的人宣战!"

林子涵:"你认为权力能征服一切?"
方正:"因为他们在使用权力!"
林子涵:"然后你又怎样买通了更高的权力?"
方正:"我有与权力握手的自由!"

在你来我往的对话之中,汽车渐渐行驶到行人稀疏的黑黢黢的江边公路。

林子涵喊一声:"停车!"
方正继续朝前开。
林子涵又喊一声:"请你停车!"

方正把车停下来。林子涵说:"请记住,今后你去跟权力握手的时候,别再让我成为目击者!"说着,林子涵欲打开车门下车。

方正一把拽住了林子涵:"子涵,即使我有不妥,你也不该这样。尤其是今天,你不该有这样的心情。"

林子涵:"你想让我有什么心情?"
方正:"诗情画意。"

林子涵:"这顿晚餐无法改变我的心情。你想诗情画意,我就送你两句:'安能摧眉折腰事权贵,使我不得开心颜!'"

林子涵说着,挣脱开方正的手臂,打开车门,走下汽

车。

方正无奈地叹出一口气,趴在了汽车的方向盘上。

走下汽车的林子涵站在车门前稍稍站定,稍稍犹豫,还是迈步向前走开。

方正的轿车就停在林子涵身后。林子涵头也不回,缓缓向前走去。她缓缓地走,坚持不回头,不停步。直到江边的晚风将一曲撩拨人心的歌曲传到她的耳畔时,她犹豫了一下,站住了。

还是那曲《深深的海洋》。

她站住,背向远处方正的轿车。聆听片刻,她转过身时,突然看到方正轿车前的车盖上燃起了一片烛光。她愣愣地看着那片烛光,半天没有缓过神来。烛光中,她清晰地看见方正站在车前,默默地注视着她。

在一阵阵飘忽而来的歌声中,林子涵望着远处的一片烛光踌躇再三。在踌躇和犹豫中,她突然醒悟一般意识到什么。在一瞬间,她迈动双腿,开始向前跑去,迎着《深深的海洋》,跑向远处那片摇曳的烛光和伫立的方正。

林子涵来到方正的面前站住。烛光摇曳中,方正微微一笑,说:"最重要的事情是,今天你三十八岁。"

烛光在林子涵的眼睛里开始点燃起什么。

方正抬举起两只手,说:"你首先是我的爱人,然后才是法官。祝你生日快乐!"

两人在响亮击掌的同时,林子涵不可遏止地拥入方正的怀抱。

月明风清,夜色幽远。烛光照亮了天地间真诚炽热的激情……

十五

- 没有公平就没有人间天堂,再丰衣足食也无济于事。
- 既要走路,又要修路,也许我们就难在这里,累在这里,想哭想喊想跳起来骂人都是因为这个。

1

肃杀的秋天,风吹落叶,随意飞扬。一片枯黄的落叶悄悄落在看守所岗楼上值勤哨兵的肩头。孤独的哨兵小心翼翼拿下这片枯黄的叶片,端详良久,然后吹出一口长气,将手中的落叶吹向远处。簌簌秋风中,这片枯黄的落叶从森然的铁丝网中穿过,随高高的围墙悠悠而下,最终跌落在满地翻卷的落叶之中……

法官潘军右和另外一名法官走进看守所昏暗的长廊。随着一阵哗啦哗啦的金属撞击声,迎面走来镣铐加身的开枪警察王大凡。潘军右和另外一名法官站住,看着迎面而来的王大凡在狱警押解下缓缓地走近。

王大凡站定之后,潘军右问:"你叫王大凡?"

王大凡神情漠然地点头。

潘军右:"春江市人民检察院以故意杀人罪对你开枪致死人命案提起公诉,我们代表春江市中级人民法院向你送达起诉书副本,接过去吧。"

王大凡接过潘军右递过去的起诉书副本。

潘军右把钢笔递过去,说:"签字。"

王大凡毫不犹豫地接过钢笔,在签字单上签上了自己的名字。

潘军右说:"你曾经干过警察,对法律并不陌生,关于被告在审理过程中享有的权利我想你应该清楚,需要我再给你复述一遍吗?"

王大凡摇摇头,说:"不用,该知道的我都知道。"

潘军右:"你还有什么话要向法庭转达?"

王大凡问一句:"什么时候开庭?"

潘军右:"日期一旦确定,我们会提前三天通知你。"

王大凡沉默片刻,说:"从天堂到地狱,其实用不了多长时间,一秒钟就够了,甚至是百分之一秒,千分之一秒。"

潘军右听到这里,便说:"在法庭上,我们会给你说话的时间,你享有自我辩护和最后陈述的权利。"

王大凡摇摇头,说:"如果有可能,请向受害者的家人转达我的歉意吧。当然,我在地狱也会遇上他,不是冤家不碰头!"

王大凡说完这句话,转身走开。在狱警的押解下,王大凡走得缓慢,步履蹒跚。潘军右和另外一名法官站在原地不动,凝视着王大凡的背影走出很远很远,走向走廊尽头……

潘军右驾驶汽车刚刚开出看守所缓缓开启的大门,突然把车停了下来。他回过头,注视着看守所高高的围墙上孤独而威武的哨兵。

坐在一侧的法官困惑不解地看着潘军右,问:"怎么了?"

潘军右注视着哨兵,说:"多少个警察出生入死,流血牺牲,可偏偏出了个王大凡。就像一张白纸,王大凡滴上滴黑墨水,得让多少个警察,费多大力气,才能把它给擦干净!"

坐在一侧的法官听到这里,便说:"王大凡就是王大凡,一人犯罪一人当嘛,他还能把整个警察都给染黑了?"

"我宁愿一辈子不当审判长,也不愿有这样的事情发生。"潘军右从哨兵身上收回目光,长长地叹出一口气,"走吧。"

汽车缓缓启动,渐渐远离看守所门口。

看守所岗楼上的哨兵仍在瑟瑟秋风中纹丝不动地站立……

2

昏暗的看守所监舍内,王大凡蹲坐一隅,默默地读完起诉书副本,而后,用起诉书副本遮挡住脸面,遮挡住一声悠长的叹息。同监舍内一名年轻犯人看到王大凡如此模样,便凑上前,拍拍他的肩膀,说:"哥们儿,是不是要开庭了?是阳关道还是独木桥?"

王大凡不回答。

年轻犯人一把抢过王大凡遮挡住脸面的起诉书副本,说:"你现在不是还活着吗,怎么不说话?"

王大凡坐在那里怒吼一声:"别惹我!我他妈是杀人犯!"

年轻犯人惊恐地望着突然暴怒的王大凡。正在这时,旁边一位一脸阴鸷的大胡子犯人说:"别理他!拿来我看看,他杀了几个人。"

年轻犯人把抢到手的起诉书副本交给大胡子。王大凡试图起身争夺,大胡子随口说一句:"让他安安静静坐着。"

年轻犯人和几名犯人一起上前按住了挣扎欲起的王大凡。

大胡子犯人翻看了一下起诉书副本,突然阴冷地笑起来。他扔掉手中的起诉书副本,说:"松开他。"

几名犯人同时松开了按住王大凡的手。

大胡子犯人走到王大凡面前。王大凡坐着,大胡子站着。大胡子先是阴冷地笑笑,然后又说:"不看不知道,一看吓一跳。恭喜你,走到我们这队伍里来了。"

王大凡直愣愣地看着站立在眼前的大胡子。大胡子的目光变得越来越阴鸷:"告诉我,你凭什么要让人家水果摊少收你三十块钱?我们也偷,也抢,也杀过人,我们知道自己不是东西,干这些的时候都躲在暗处。你怎么就敢明打明地抢?抢不成还敢在大街上开枪杀人!告诉你大哥,谁给了你这么大的胆子?你凭什么?"

大胡子说话的同时,那个年轻犯人捡起地上的起诉书副本,看了几眼,诧异而又悄悄地对其他几个犯人说:"他原来是个警察,还派出所所长呢。"

大胡子再向前逼近一步,说:"说啊,你凭什么?"

王大凡在大胡子直逼的目光面前,把头扭向一边,不再与大胡子对视。几个犯人同时围拢到王大凡面前,虎视眈眈地看着他。

大胡子说:"'老子下馆子都不要钱,吃你个烂西瓜还给钱?'这话谁说的?这他妈鬼子汉奸说的!你以为你一个派出所所长就成当年的鬼子了?这些年当警察,缺你吃还是缺你喝?鞍前马后多少人伺候你,明里暗里多少人供奉你,你他妈还不过瘾,人家水果摊一次伺候不好,你就开枪!你那枪该冲着我们这帮下三烂使劲,你他妈冲人家卖水果的使什么劲?"说着,他指指身旁围拢的案犯说:"这帮小瘪三,我连看都不稀罕多看一眼,可你这号的,你大爷就想跟你较量较量!起来!"

王大凡把头扭向一边,蹲坐在地上不动。

年轻犯人上前扯一把大胡子,说:"大哥,跟这号人没理可讲,先揍一顿再说!"

大胡子把年轻犯人拨拉到一边,对王大凡说:"我知道你站不起来,在我们这号人跟前你没脸站起来!不站起来也行。"他指着身旁的犯人,说:"你们给我排队站好,把大胯分开,我让这小子从你们裤裆底下钻过去!不为别的,就让他知道,咱是下三烂,这小子比咱还他妈下三烂!"

犯人们喧嚷着站好,把两腿分开,兴奋地看着大胡子和王大凡。

大胡子一把抓住王大凡的衣领,问:"你自己爬还是让我帮你?"

把头扭向一边的王大凡回头盯住了大胡子。他眼睛充血,怒不可遏,高声骂道:"我操你妈!"起身与大胡子扭打在一起。几个犯人见状,纷纷上前与镣铐加身的王大凡厮打成一团。

难解难分之时,监舍的铁门咣当一声打开了。两名狱警威严地站在门口,厉喝一声:"住手!"

众犯人纷纷坐下,装出规规矩矩的模样。镣铐加身的王大凡站在监舍中央,脸上还有刚刚抓挠出的几缕血痕。一名狱警走上前来,问:"王大凡,怎么回事?"

王大凡目光呆滞,不说话。

狱警提高嗓门:"说话!"

王大凡愣怔片刻,缓缓说出一句:"我该打……"突然,他又爆发出吼声,对规规矩矩坐在那里的犯人喊道:"来呀,把我打死!来打呀!打吧!打死我!"

说着,王大凡用带铐子的双手猛烈击打自己的头颅。

狱警上前,强有力地制止。

王大凡在狱警的制止下渐渐冷静下来。他倚住墙,缓缓蹲下,双手捂面,发出持久而痛苦的哭声。

狱警弯腰捡起地上已踩满脚印的起诉书副本。他看看蹲在墙角的王大凡,王大凡在剧烈的抽搐中,头抵墙角,哭得彻头彻尾,一塌糊涂……

3

庄严的国徽下，审判长郑小泉和两名合议庭成员端坐在审判席上。农民状告金城县人民政府的行政诉讼案正进行再一次的开庭审理。被告席上的座位依然空着。李长明身旁的辩护律师正站在那里，面对空空的被告席慷慨陈词：

"权力是什么？权力不是一个孤立的概念，它与责任和义务相统一。失去了责任与义务的权力应该称之为权力意志，这个概念代表了欲望膨胀和自我扩张，以征服和压倒一切作为其全部内容。在民主与法治的今天，人民政府没有理由让权力这个概念向着权力意志作任何形式的转移！金城县人民政府所使用的权力，伤害了被告的切身利益，让他们在贫穷的道路上越走越远，这样的权力已经失去了责任。有目共睹的事实就在眼前，金城县人民政府的所谓改革举措，所谓高效农业，所谓农村产业化道路，正逼迫越来越多的青壮年农民逃离土地，逃离家园。为了生存，他们来到城市的最底层，用最苦最咸的汗水来承担最脏最累的工作，而乡间田野，只剩下鳏寡童叟和无助妇女。我这里有材料证明，在金城县人民政府的年度报表上，农业生产总值和农民收入在数字上连年翻番，可在这数字背后，牺牲了多少农民的利益，掩盖了多少农民的血汗！报表上农业在丰收，阳光下土地在荒芜！这种失去了责任的权力，难道不应该得到法律的追究？在这里我还要指出，金城县人民政府的权力正在和它的义务相脱离。从第一次开庭到现在，大家可以看到，被告席一直空着。空着的席位说明了什么？说明了金城县人民政府对法庭、对法律的无端藐视！作为被告，你有义务来到法庭接受审判，无论你掌握什么样的权力，也无论控告你的对方身份如何，贵贱如何。没有谁能回避掉作为当事人的法律义务，而现在，这样的义务正在丧失！因此，我们要求法庭尽快对本案作出缺席判决,同时还要求法庭追究被告在诉讼过程中对法律的不尊重乃至亵渎!'普天之下,莫非王土;率土之滨,莫非王臣'。在今天,这个'王'已不是帝王的'王',而是至高无上的法律之王。我希望尊敬的法官能够理解我们对法律的公平期待!我的辩护发言完了,谢谢法庭!"

辩护律师慷慨激昂地讲完之后,坐定在自己的位置。坐在审判长席位上的郑小泉看着原告席上的李长明说:"原告代表李长明还有什么陈述意见?"

李长明拘谨地看看律师,犹豫片刻之后,在律师鼓励的目光中站起身来,说:"最初,俺打官司告县政府,是为了讨回在大棚蔬菜中荒废掉的庄稼,讨回罚款,因为那是家家户户的柴米钱、油盐钱、点灯熬油钱、孩子读书钱……可日子长了,俺这伙人还坐在这里打官司,不再是为那些钱了。如今俺铁定了心坐在这儿,是想在法庭上能跟县里的领导见上一面。俺想告诉他,过去的事,罚了也就罚了,过去也就过去了。俺不是成心跟县里过不去,俺只想跟县里说一句,别再像以前那样瞎折腾了,俺农民经不住折腾,折腾怕了,越折腾越穷……俺其实不愿呆在城里,城里再好也不是俺家,金窝银窝不如自家狗窝。俺想让县里领着俺开山、引水、修路、架电线……俺不想再穷下去,想让县领导实打实地领着俺走出穷坑……俺有的是力气,只要领导给俺指路,俺舍出命来都不怕……上次开庭,俺买了件西服,第一回穿在身上。这西服不值个啥价钱,可这是大伙儿你一点我一点凑起来买的。大伙都以为天底下没有比法庭更高的门楼了。可俺穿上西服,来到这最高的门楼里,还是见不着县里的领导,连影子也见不着……俺和大伙儿一直在等,等到今天,俺心里没多少指望了。毕竟俺是农民,人家是衙门,不可能平起平坐……这话,俺娘以前说给俺,俺不信,到这时候,俺信了……律师刚才有些话俺听不懂,可俺知道他是好人,他在帮俺这些破衣烂衫的穷人说话,俺这辈子忘不了他……

世上有好人,俺活着就有指望。俺想最后跟法官说一句,为这官司,法院跟着俺操了不少心,俺也不想再给法院添难为了,钱不钱的俺无所谓,有好人在帮俺说话,法庭也相信俺说的是实话,俺就知足了……"

郑小泉看到李长明说到这里,眼里有泪光闪烁,稍稍的沉默之后,问一句:"讲完了?"

李长明点点头,哽咽着说出一句:"完了。"

郑小泉说:"请坐吧。"随即,和两名法官互相看一眼,然后宣布:"今天的法庭调查和审理暂到这里,现在休庭。"

4

市委书记孙志从办公桌前站起身来,对坐在沙发上的检察长张业铭和法院院长陈默雷说:"王大凡的案子,我是说过重事重办、特事特办,这是在当时情况下,我针对特殊问题提出的特殊要求。现在,人已抓了,案子立了,我同意陈默雷的意见,以后的事情就按法律程序办。总不能我市委书记一句话,让王大凡说枪毙就枪毙,说活下来就活下来吧?普法这么多年,我孙志还没糊涂到那个地步!你张业铭是检察长,怎么能想起让我来定个审判基调?事无巨细都让我一人包揽,还要人民法院,还盖那么高的大楼干什么用?这种主意以后你们少出!我要真按你说的主意去做了,看起来是在捧我抬我,实际效果会怎么样?丑话说在前头,我这人椎间盘突出,架不住你们这么哄抬,三抬两抬,非把我抬散了架不可!"

张业铭在孙志这番话面前低下头,双手尴尬地搓着沙发。

这时,秘书唐学风敲门进来。他尚未开口,孙志抬腕看看手表,说:"我马上就去。"

唐学风点点头,退出办公室。

陈默雷看一眼检察长张业铭，说："孙书记看来还有事，咱们先这样吧。"

陈默雷和张业铭同时站起身来。

孙志说："市委机关要搞歌咏比赛，机关党委专门通知我，让我市委书记带个头。人家排练十次，我总得去站上个一次半次吧。"

张业铭急忙说："我们检察院也正在向全社会征集《人民检察院之歌》。"

孙志听罢，随意"唔"了一声，然后对张业铭说："这样，你先走一步，我有几句话跟他们法院说一下。"

陈默雷站在那里没动，张业铭不太情愿地离开市委书记孙志办公室。出门的一刹那，他还是控制不住地回头瞟了一眼站在孙志对面的陈默雷。

孙志开门见山地问："王大凡的案子究竟怎么判？"

陈默雷说："案子虽然影响很大，但案情本身并不复杂。法院刚刚成立合议庭，判决结果还要等待合议庭的意见。"

孙志点点头，接着又问："金城县政府的案子怎么样了？"

陈默雷稍稍思量，便说："审判过程出人意料地复杂，原因在于金城县政府在该案审理过程中一直不予配合。从目前法庭调查掌握的大量证据来看，金城县政府的某些行为确实存在着严重的行政过失。几百个农民堵住法院大门绝不是无缘无故的。"

孙志听到这里，突然问一句："你也认为金城县的王玉和种不出大棚蔬菜？"

陈默雷笑笑说："那倒不是。前些日子金城县政府还特意给我们法院送来两车蔬菜，蔬菜货真价实，品种也很丰富，我们还利用这两车蔬菜给法官们搞了次福利。"

孙志叹口气，说："金城县的自然条件你也清楚，王玉和毕竟在那里兴建了蔬菜基地嘛！有一是一，有二是二，这一点，看得见，摸得着，谁也不能否认。以经济建设为中心，从这个角度看，春江市像王玉和这样的县长不是多了而是少了！当然，要做事就免不了磕磕碰碰，特别是跟农民打交道，磕磕碰碰、跌跌撞撞的事情更是少不了，农民问题历来是中国革命和建设中的老大难问题嘛！金城县的王玉和在这个问题上磕一下碰一下，我们应该帮助他，帮助他调解矛盾，减轻压力。如果说他真触犯了法律，那也跟警察王大凡无缘无故向老百姓开枪是两码事嘛！要正确区分两类不同性质的矛盾，不能什么事都瞪起眼来，煞有介事。法院院长之所以让你来当，就因为你具有驾驭复杂局面的能力，不像杨铁如，在形态各异的事情面前，思维方式一成不变。我是市委书记，既要保护法律，又要保护干部。前一阵子，春江市出了个周士杰，已经让我们焦头烂额，总不能把咱春江市的大小干部都拉到法庭上听一回惊堂木吧！"

陈默雷听完这番话，下意识咬咬嘴唇，没说什么。

孙志就势揽一下陈默雷的肩膀，说："走吧走吧，咱们边走边说，也别让大家等我太久。"

陈默雷跟从孙志走出市委书记办公室。

孙志和陈默雷来到大合唱的排练场外时，场内正传出大合唱《走进新时代》。

孙志突然问陈默雷："哎，我没当过法官，不知道法官的感受。比如这个开枪的王大凡，一旦让你们判处死刑，作为法官，是高兴还是痛心？"

陈默雷说："这得看从哪个角度说。"

孙志又问："周士杰枪毙以后，杨铁如告诉我，他终于睡了个踏实觉；而我则连续几天睡不着。你跟我说说，这是为什么？"

陈默雷："可能也是角度不同吧。"

孙志突然又说："说到杨铁如了，他现在在哪儿？干些什么?"

陈默雷说:"他辞职以后,我也没见到他。"

孙志看看陈默雷的神情,便说:"真奇妙,一个人一旦消失,会无影无踪,一点消息都没有。好了,我得进去了。"

孙志刚要迈进排练场,又突然站住,回头问一句:"哎,你们法院有个林子涵?"

陈默雷警觉地点点头,道:"有。"

孙志又问:"这人怎么样?"

陈默雷:"是个有水平、高素质的法官。"

孙志听完这句话,便说:"既然是这样,那就应该压重担、多培养。对优秀人才,应该求贤若渴才对!另外,还得注意,越是优秀的人,越容易招惹闲言碎语。你可要记住,抓矛盾要抓主要矛盾,看人要看大方向,千万别把洗澡水和婴儿一块都泼出去!"

孙志说完,转身走进大合唱排练场内。

陈默雷站在原地没动。他在咀嚼着什么,思考着什么。在原地的站立中,他透过敞开的门扉,不经意地朝排练场内投去一瞥。

这时他才发现,《走进新时代》的歌声早已停了下来。随着市委书记孙志的进入,排练场内爆发出一阵热烈的掌声。他看见市委书记孙志在掌声中向众人挥着手,然后站到了大合唱队列中第一排的中间位置。

在指挥的带动下,音乐重新响起,《走进新时代》的嘹亮歌声再次唱响。市委书记孙志精神饱满地站在前排中央,跟机关干部一起齐声合唱……

5

刑事庭办公室内,聂小倩仍在电脑前敲击键盘,林子涵在办公桌前的一堆稿纸上写着什么。潘军右走进来,坐到林子涵办公桌对面,默默地注视着认真书写的林子涵。

林子涵在这种注视中抬起头来,看着对面的潘军右,说:"干吗呀,这么看着我?"

潘军右认真地说:"我刚从看守所回来。"

林子涵不知道潘军右究竟要说什么,只是愣愣地看着他。

潘军右接着说:"去给王大凡送达起诉书副本。"

林子涵显得有些莫名其妙:"王大凡?"

"就那个向水果摊老板开枪的警察王大凡。"

坐在电脑前的聂小倩不经意地回头看了一眼潘军右。林子涵也恍然大悟般的"噢"了一声,随即说道:"终于当上审判长了,什么时候请客?"

林子涵说话间,聂小倩起身,哗啦一下推开身下的坐椅,跑到一侧倒一杯水,然后咕咚咕咚喝下,随即又回到电脑前,再哗啦一下把坐椅拉回身边,坐下时弄出很大的声响。

潘军右把聂小倩这些动作都看在眼里,他还是面对林子涵,说:"子涵,我知道我这审判长是怎么当上的。请你吃饭,请你喝茶,请你跳舞,我都想过,最后都一一否决了。我想,真正报答是我把这案子扎扎实实地办好。郑小泉也当审判长了,我不想落在他后面。一眨巴眼,我就到你这年龄了,我想跟你一样出色,这就是我潘军右的全部想法。你要真是我姐,扶上马送一程,让我把这个审判长当好。"

林子涵听到这里,看着对面的潘军右,什么也没说,笑起来。

潘军右:"我可是很认真啊,你笑得我心惊肉跳。"

林子涵笑着说:"潘军右,你想让我说什么?像雷锋那样表态?"

潘军右:"你只要不笑,说什么都行!"

林子涵收敛起笑容,认真地说:"那好,就一句话,我

420

真是你姐。"

潘军右听到这,站起来说:"有你这句话,我不要雷锋了,我要我姐。"

潘军右转身刚要往外走,林子涵又喊住他:"哎,等等,还有一句!"

潘军右充满忐忑又充满期待地等待林子涵的话语。

林子涵站起来,说:"你能行!我保证,我肯定。"

潘军右把右手的拳头往左手的掌心里一捅,什么也没说,就往门口走去。走到门口,他忽然又想起什么,对坐在电脑前的聂小倩说:"小倩,我跟你说句话。"

聂小倩盯着电脑屏幕,手不停地敲击键盘,说:"说吧。"

潘军右:"你能不能停一下?"

聂小倩停止了键盘的敲打,从电脑前转过身来看着潘军右。

潘军右说:"小倩,我也希望你鼓励我当好这次审判长,就像我一直鼓励你能当上审判员一样。别老往私心杂念上想我,啊?就算我这人有那么点私心杂念,你再帮着我一块儿想,那还不等于给我的私心杂念推波助澜、火上浇油啊!"

聂小倩听到这里,脸色一红,说:"谁那么想了?"

潘军右:"真没那么想?"

聂小倩:"你愿那么想我也没办法。"

潘军右笑起来:"那你脸红什么?"

聂小倩:"精神焕发。"

潘军右:"怎么又黄了?"

聂小倩脱口而出:"永远不变我黄色的脸。"

潘军右郑重地说:"从今往后,你就黄着脸看我,别再红着脸看我了啊!"说着,走出办公室。聂小倩望着潘军右的背影,愣神片刻,重新把目光调整到电脑上来。

林子涵倚在办公桌前,双手环抱在胸前,微笑地看着这

一切。等聂小倩的双手又开始在键盘上击打时,林子涵说:"小倩,潘军右想当审判长没什么不好!谁都有这么个过程。我刚到法院来的时候,总是杨铁如坐中间,我坐一边。终于有一天我忍不住了,直接跟杨铁如嚷着说,什么时候我也坐回中间,当回审判长啊?那情形跟如今的潘军右一模一样。"

聂小倩从电脑前回过头来,说:"那,杨铁如怎么说?"

林子涵:"杨铁如那人你还不知道?从来不会笑,我这么一说,他破天荒笑了。"

聂小倩问:"他笑什么?"

林子涵:"他说,早等你这句话了,就看你有没有这出息!"

正说着,电话铃响了。林子涵顺手抓起电话,刚"喂"了一声,就笑了:"你说巧不巧,说曹操,曹操就到,我们正在背后说你坏话呢,你没打喷嚏?"

对方不知在说什么,林子涵对着话筒问一句:"你在哪儿?"

6

这是一个繁华路段,路边有座电话亭。杨铁如走出电话亭,点起一支烟。

天气已渐有凉意,大街上行人的着装也都有了些微妙的变化。杨铁如喷着烟雾,看着大街上的过往行人和车辆。凉风吹来,吹动杨铁如的风衣和头发,他的脸庞可以略略看出一丝瘦削,目光却更加炯炯有神。

不一会儿,一辆出租车驶抵杨铁如眼前,车停下,车上走出林子涵。

林子涵走到杨铁如身边,开口说道:"就好像你一辈子都给我们当院长,你一声召唤,我就得火烧火燎往这儿赶,的票你给报销啊?"

杨铁如："我兜里还攥着一把的票，正想塞给你呢！"

"那你还是先攥着吧！"林子涵打量一下杨铁如，又说："你怎么看出瘦了？"

杨铁如："多事之秋，傻瓜才可能发胖。"

林子涵："只要你活着，就不可能有一天清静日子！"

杨铁如："风这么大，咱们边走边说吧。"

林子涵跟从杨铁如在风中行走。风一阵紧似一阵，风中的林子涵不得不缩紧肩膀，竖起衣领。杨铁如却似乎没有什么感受，只是平静地说："我开始当律师了，接手的第一桩案子是一桩上诉案件，直接上诉到春江市中级人民法院。"

林子涵开玩笑般说道："按照法律规定，律师可不能跟法官有私下接触，你不会来找我做什么勾兑吧？"

杨铁如却一脸严肃地说："这案子牵扯到你。"

林子涵惊讶地说："我？"她甚至在惊讶之中站住了。

杨铁如一指前方，说："走走走。"

林子涵只好跟从杨铁如在扑面而来的风中不断前行。

杨铁如："我接手的案件是一桩民事诉讼案。也许由于律师的失职，也许基层法院的法官背后真做了什么勾兑，我的两个当事人在一审判决中遭到了不公平的败诉。败诉之后，两个年轻的当事人甚至对法律失去了信心，她们还是在我的一再鼓励下，重新走上了上诉的道路。"

"那跟我有什么关系？"

杨铁如："当事人就是在梦巴黎服装超市遭受污辱的两名少女。根据我的调查，你当时在现场，是整个事件的目击者。"

林子涵再一次站住，惊讶地说："你的律师就从这桩案子做起？"

杨铁如也站住了："对，我请你出庭作证。"

林子涵一下子愣在那里。

杨铁如看看林子涵的神情，叹出一口气，说："真是巧了,偏偏是你撞上了我的枪口。"

林子涵脱口而出:"我什么时候逃出过你的手掌?"

杨铁如:"不管怎么说,那天你在现场是客观事实。告诉我,你是不是目击了事件的整个过程?"

林子涵稍稍侧身,沉默不语。

杨铁如:"是不是?"

林子涵仍然不作回答。

杨铁如见状,提高了嗓门说:"你怎么不说话了?请你尊重我这个律师的调查!"

林子涵:"我看到的不是整个过程……"

杨铁如:"那你有没有看到两个女孩被脱去了衣服?知不知道脱去衣服的原因是因为她们遭到了莫须有的偷盗指控?"

林子涵在杨铁如直逼的目光下,被迫地点头。

杨铁如:"是不是你让两个女孩穿上了衣服,帮两个女孩结束了这场劫难?"

林子涵的目光直直地盯着咄咄逼人的杨铁如,什么也说不出。

杨铁如:"回答我,是,还是不是?"

林子涵:"是又怎么样?你为什么单单要找到我?"

杨铁如:"因为恰恰是你在现场,所以我必须要找到你!你虽然不是这个事件的全程目击者,但你目击了这个事件的核心部分。我需要的就是这个核心。作为律师,我不是要求你对我简单说一个是或不是,而是要求你以目击者的身份,以证人的身份,在法庭上予以证明。"

林子涵愣愣地看着杨铁如说不出话。半天,她喃喃出一句:"你知道我跟梦巴黎服装超市老板是什么关系?"

杨铁如:"无论什么关系,面对诉讼,你有不可回避的作证义务!这义务你在书本上学过,在考试中考过,现在,我只是请你身体力行去实践一次。"

林子涵说:"离开我,这场官司就不能打赢吗?"

杨铁如:"你说呢?你是法官,离开了证据你怎样判决?如果你坐在法庭上,面对证人,特别是重要证人的推脱回避,你将怎么办?己所不欲,勿施于人,这道理还用得着我来讲?"

林子涵沉默片刻,说:"我如果作证,我和赵清华几十年的友谊将会彻底失去。"

杨铁如:"同样,你如果回避,将使法律的公平化为泡影。"

林子涵把头扭向一边,半天憋出一句:"你当你的主任,去研究你的政策,高高在上,悠闲自在,有什么不好?"

杨铁如的脸色显得更加严峻起来,一字一句说道:"子涵,这不该是你我之间的对话!我是谁,从哪里来,到哪里去,没人比你更清楚!你也不会是那种人,站在旁观者的立场上可以欣赏我,一旦触及个人利益又可以立即贬损。你我所以成为好朋友,就因为我们是一类人!再说,这事,即使我杨铁如不找你,早早晚晚还会有另外的人要找到你!这叫什么?这叫法网恢恢,疏而不漏!"

林子涵在杨铁如咄咄逼人的语言面前已经无话可说。风吹乱她的头发,也吹乱她的表情。她把目光转向繁忙的街道。一辆又一辆汽车在她的眼前倏忽而过,一闪又一闪,渐渐幻化成一幅飞速奔驰的激烈画面……

7

林子涵走进灯火辉煌的梦巴黎服装超市大厅时,正看见赵清华站在排成一行的服务生面前来回走动。赵清华最终站在队列中间,面对一排面呈怯色的服务生说道:"我开这个服装店,是让你们卖钱,不是让你们卖笑!你们光学会微笑服务,就是没学会挣钱,这有什么用?说顾客是上帝,你们就真以为顾客是上帝了？那都是假的！谁是上帝？利润是上帝，钞票是上帝！光学会对顾客微笑那不是本事，真本事就是一边微笑一边把顾客的钱掏出来！掏出钱来他就是上帝，掏不出钱来他就是孙子，没工夫陪他微笑，让他该干嘛干嘛去！丑话说在前头，如果本店营业额再上不去，不怨我赵清华薄情寡义，到时候，每个人的工资袋里都能见出分晓。解散！"

　　赵清华说完，一排服务生分散而去。

　　转过身来的赵清华，突然发现了站在不远处正盯着她的林子涵。她稍稍一愣，在片刻的犹豫中走向林子涵。

　　来到林子涵面前的赵清华直接问一句："你还认识我赵清华？"

　　林子涵："刚刚听完你对手下的训话，我更认识你了。我到你的服装店来也没准备掏钱，是不是我也该干嘛干嘛去？"

　　赵清华听到这里一笑，转而说道："哪有你这样的朋友！人家把我告到法院去了，你不管不问不说，还一个劲地咒我，恨不能我身败名裂，赔了夫人又折兵！"

　　林子涵："没有我，你那官司不也照样打赢了？"

　　赵清华："赢是赢了，可那两个小妖精又上诉了。你说你们法院是不是一天到晚吃饱了撑得难受？那么多杀人放火、贪污腐败你们不管，抓住我这么点芝麻，你们偏偏要当成西瓜！再怎么说我也是纳税人啊，你们还保护不保护纳税人的利益了？"

　　林子涵："保护啊，法院保护一切公民的正当权益。"

　　赵清华："那好啊，你不来我还正想找你呢。我这事，是诉到你们中级法院，就在你眼皮子底下。这回，你不会见死不救、袖手旁观了吧？"

　　林子涵略一沉吟，便说："清华，我来，是想请你吃顿饭。"

赵清华迅即变得兴奋起来："别，我正想请你吃饭呢。"

林子涵和赵清华来到一座豪华雅致的餐厅，落座一隅。赵清华喝掉一杯啤酒说："我以前听你说起过杨铁如，根本没在意。没想到这个人这么各色，明明已经判我胜诉了，他非得去鼓动那两个女孩上诉！我跟他前无冤后无仇，谁都不认识谁，碍着他什么了？怪不得法院院长当不上，市委研究室主任也干不成，他这种人活在世上，目的只有一个，自取灭亡！"

林子涵看着忿忿不平的赵清华，问一句："你知道的还真不少，这都谁告诉你的？"

赵清华："没有不透风的墙，这年头，花一百块钱就能买来一堆消息。"

林子涵长叹一口气，说："你们有钱人就是不一样，什么东西都能买到。"

赵清华："别挖苦我了，这案子已经到了你们中院，你得给我拿个主意，该怎么办？"

林子涵："你告诉我，你上次的官司是怎么打赢的？"

赵清华："你问这个干什么？"

林子涵："就想问问。"

赵清华："没什么好说的，就是通过正常的司法程序赢了呗。"

林子涵听到这里，笑笑说："那就行了！既然你通过正常司法程序赢了，还怕什么上诉？中国的法律走到哪儿都一样，《民法通则》就那么一本，你继续等着再赢一次就是了。"

赵清华听到这里，似乎听出了林子涵的弦外之音，便说："子涵，我听出来了，你话里有话。你是不是在暗示我什么？"

林子涵："我暗示你什么了？"

赵清华："明说了吧，你们法院也不是铁板一块。即使是铁板一块，也总有一物降一物的办法。你说吧，我该怎么打点？你指路，我来做。"

林子涵："要让我给你指路，你就老老实实把输赢交给正常的司法程序。虽然上诉审理还没有展开，但我以法官的基本判断告诉你，你输定了。"

赵清华听到这里，冷冷一笑，说："这就是你给我拿的主意？你别忘了，我可是曾经赢过。"

林子涵："我不问，你也不用说，你心里明白你是怎么赢的。"

赵清华："能赢第一次，我就能继续赢下去，即使我没有你这个法官朋友，我也敢这么说，你信不信？"

林子涵："不光我不信，我也劝你别信。真的，清华，这样的侥幸不会有第二次了。"

赵清华："为什么？就因为杨铁如给她们当律师？"

林子涵："因为你错了！你伤害了别人，道理的的确确不在你手中。"

赵清华一声冷笑，道："我错了？你说这个时代谁不犯错误？你看看这餐厅，像我这样自己掏钱请客吃饭的有几个？他们大把大把花着纳税人的钱，吃喝嫖赌，他们没错？他们错了，他们为什么不用吃官司，为什么一赢再赢，越赢越多，越赢越大？你也甭在我跟前故弄玄虚，你们法院'刑不上大夫'那些事老百姓见多了，那点猫道狗道傻瓜也能看得出来。你帮不帮我无所谓，但你别劝我，拼了命我也要打赢这场官司，我就不信天底下的人都跟你长着同一个面孔。"

林子涵听到这里，便说："你凭什么说'刑不上大夫'？财政局长周士杰就是让我判了死刑，你怎么说？"

赵清华又冷冷一笑，说："那是因为他没掩藏好，有人把他推出来了。牺牲一个人，掩盖一大片，用一个替死鬼换一个反腐败的好名声，这不就是你们一天到晚口口声声都在忙活的所谓正义？别看我站在那儿就是个卖服装的，什么人披什么皮，里头穿什么，外头穿什么，我看得清清楚楚。"

林子涵笑笑说："没想到你这么火眼金睛，那你说说我穿着什么衣服？"

赵清华："你呀，你里里外外只配穿工作服！今天请你吃这顿饭，我冤枉死了！"

林子涵端起酒杯，对赵清华笑着说："你要觉得冤枉，这顿饭我来付钱好了！来，喝杯酒，压压火。什么事呀，自己做错了，反倒觉得全世界的人对不起你！"

赵清华端起酒杯与林子涵碰杯。赵清华将酒干掉，林子涵见状也把酒喝光。

赵清华放下酒杯，说："不说那些没用的了，我也不指望你到法院给我做手脚，免得影响你前途。我只求你一件事，找杨铁如说说，与人方便，与己方便，这总可以吧？"

林子涵："不用我找他，他已经找到我了。"

赵清华听罢一愣，问："他找你干什么？"

林子涵："出事那天我在现场，他以律师的身份请我作证。"

"作证？请你？"赵清华瞪大眼睛。随后她笑了，笑容里有一丝不可思议："作什么证？给谁作证？"

林子涵："给整个事件作证。"

赵清华："证明什么？"

林子涵："两个女孩受到了污辱和伤害。"

赵清华："他让你怎么证明？"

林子涵："把事情经过原原本本讲清楚。"

赵清华："他为什么要把你搬出来？"

林子涵："法庭需要证据。"

话说到这里，气氛一下子严肃起来。许久，赵清华问一句："你答应了？"

林子涵用手捏着眼前的酒杯说："清华，在法律面前，

人人都有作证的义务。我，我只是不想因此伤害你我之间的友谊。"

赵清华咕咚咕咚喝掉杯中的啤酒，把啤酒杯猛地往桌上一放，说："见鬼！什么他妈的友谊，友谊早就让狗吃了，早他妈死了！"她试图再往酒杯里倒酒，林子涵伸手拦住了她。赵清华猛然推开林子涵的手，吼一声："你是谁啊？别管我！"说罢，又倒上一杯酒一气喝掉。

林子涵也倒上一杯酒，说："你既然想这么喝，我奉陪。"

林子涵也喝掉杯中的啤酒。

呈现出醉态的赵清华颤颤巍巍地端着啤酒杯，说："我不用你奉陪，你去给我作证好了，用你的权力，用你的王法，把我置于死地，我到底要看看我赵清华怎么栽到你手里……你现在可是人物了，高高在上，想让谁活谁就活，想让谁死谁就死……你现在是小母牛泡在酒缸里，你开始最（醉）牛×了……想当年你忘了你怎么当狗崽子，在我家一躲就是半年；你忘了你怎么失恋，怎么抱住我呜呜大哭……今非昔比，都过去了……时间就是他妈的一条狗，过去了的事情一口全吞了，连点渣子都不留……连点骨头都他妈不留……"

赵清华说到这里，有泪水溢出。

林子涵的眼睛里也饱含泪水。她说："清华，别这么说，你这么说，我很难过。我看重这份友谊，三十年了，我甚至比你看得还重。说实话，我不愿看到你有今天这种遭遇，如果仅仅是你的朋友，我可能会回避不去作证，可我不仅仅是你的朋友……真的，我很为难……"

赵清华抬起头，问："你说实话，你为什么要去作证？"

林子涵把头扭向一边。

赵清华："你是为了证明我是个混蛋，还是为了证明你比别人更大公无私？"

林子涵仍然不作回答。

赵清华："说话呀！"

林子涵重新面对赵清华："清华，我再说一遍，人人都有作证的义务，不为你，也不为我，只是为一种起码的公平。"

赵清华听到这里猛然站起身来，说："你少给我口是心非地上课！如果这里头没有你自己的利益，你决不会跳出来给我作证！我算看透了，利益可以让人出卖一切！你就不怕有一天我也会给你作证，证明你道貌岸然，见利忘义，为追求大款出卖色相，去充当可耻的第三者？你记住，人人都可以作证，谁都可以把对方证明成一个混蛋！"

赵清华说罢转身要走，林子涵一把拉住她，喊一声："清华！"

赵清华一把甩开林子涵的胳膊，说一句："我不认识你！"

赵清华略显踉跄地走出餐厅。

林子涵双手捧面，有委屈的泪水溢出指缝。许久之后，她将杯中的啤酒一饮而尽。与此同时，林子涵的手机响起。林子涵接听手机，语气突然变得激烈起来："我知道你是杨铁如！你说我在干吗？我在哭！"

8

夜深人静的江面大桥，杨铁如和林子涵伏在栏杆上，远眺着江面上的盏盏渔火和对岸的一片霓虹。晚风吹拂中，杨铁如的话语似乎也透露出些许伤感："失去一个朋友，你哭了。可有多少次，我想哭都哭不出来。自从走上这条道路，我失去的何止是一个朋友。你毕竟还有法庭，还有自己的人生位置，而我呢？血气方刚，一腔热血，却像个流浪汉一样在茫茫人海中找不到自己的方向。我想哭，哭不出来；想喊，没有人能听到。多少个夜晚，我只能一支又一支拼命抽烟，看着自己九死一生的灵魂在烟头上燃烧。有时候我也想不通，我们这些以追求公平为天职的人，却偏偏遭受着莫大的不公平。哭不出来喊不出来的时候，我就在想，公平对一个人多么重要！没有公平就没有人间天堂，再丰衣足食也无济于事。我辞去官位，辞去公职，就是为公平二字奔波；我请你出庭，请你作证，也是为公平二字努力。你说你为此失去一个朋友，这更验证了一点，公平二字写起来笔画简单，做起来有多么多么的艰难。"

杨铁如说完这番话，点起一支烟。望着杨铁如喷吐而出的烟雾，林子涵的情绪也渐渐恢复过来，渐渐沉浸到杨铁如的话语情境之中。林子涵说："你一直在这条路上走，横着走不通就竖着走，竖着走不通就跳着走，走来走去，你不觉得累吗？"

杨铁如长长地叹出一口气，说："累。"

林子涵："可你为什么乐此不疲？"

杨铁如深深地吸进一口烟，长长地吐出，然后说："我也说不出为什么。也许，我是在给自己强打精神。其实，这本来是一条直着向前走的通天大道，用不着这么难，这么累，走就是了；可在眼下，这条道路却人为地让它变得坑坑洼洼，坎坷不平。既要走路，又要修路，也许我们就难在这里，累在这里，想哭想喊想跳起来骂人都是因为这个。"

林子涵重复着杨铁如的话说："既要走路，又要修路。那么说，我今天晚上就是因为这哭了。"

杨铁如面向林子涵微微一笑，说："谢天谢地，你总算化解了对我的怨恨。"

林子涵："我本来是怀抱一腔怨恨来的，可没办法，你总是会这么巧言令色，强词夺理。"

杨铁如听到这里，苦涩一笑，说："我要是会巧言令色，强词夺理，就不会是今天的杨铁如了。"

林子涵:"今天的杨铁如怎么了?"

杨铁如:"你说怎么了?一个人在大街上跑来跑去,惶惶如丧家之犬。"

林子涵:"别说了,我知道你是谁,从哪里来,到哪里去。告诉我吧,什么时候开庭?"

杨铁如:"时间不会太长,到时候,我会提前通知你。"

"好吧,那我先走了。"林子涵转身想走,突然又回头说:"还是少抽几支烟吧,九死一生的灵魂不一定要燃烧在烟头上。"

杨铁如把烟头扔在地上,看着林子涵走去的背影。少顷,他忽然想起什么,喊一句:"哎,要不要我送送你?"

林子涵回头站住,嫣然一笑,说:"难得你有这份心情,不用了,我想自己走走。"

林子涵转身走去。杨铁如目送林子涵的背影在江面大桥上越走越远。

晚风袭来,远处有隐约的汽笛声传来。风声笛声更加衬托出夜晚的静谧。林子涵沿江面大桥的灯柱一路走去,在走下大桥的一刹那,行走中的林子涵拿出了手机,她一边行走,一边按动下一串熟悉的号码,对着话筒,她轻声呼唤一声:"喂,方正吗?是我。我没在哪儿,一个人在路上走。"

林子涵沿江边公路长长地行走。在空旷寂静的夜晚,在凉意袭人的晚风中,一个人的行走孤独落寞。孤独的行走中,始终伴随着林子涵的手机与方正通话的声音:"你不要来接我,千万别来,我就想一个人走走。没错,我心里很乱。你别问了,我没心情把发生的事情再重复一遍。我就想跟你说说话,你只要在听就行了。我也不知道我做了什么,也不知道我在想什么。对了,你帮我猜个谜吧。我在法国读书的时候,这个谜一直就没有猜透。你听着,非洲有座最高的山叫乞力马扎罗山,那里海拔很高,长年积雪,人迹罕至,有一天,探险家来到山的顶部,突然发现山顶上有一具

豹子的尸体。你想想，那里没有食物，没有足够的氧气，没有可供生存的任何条件，简直就是一个死亡地带，你说，这只豹子跑到山顶上去干什么呢？"

林子涵说到这里的时候，停顿片刻，然后又摇摇头说："不是，它没有迷路，因为山顶上无路可走。"

稍稍倾听片刻，她又说："也不是，也不是在冒险，动物学家说豹子没有冒险的本性。"

再倾听，再说："更不是了，它自己跑到山顶上去有什么风头可出？出风头给谁看啊？"

说话间，林子涵已经来到了地铁的站台。站台上人流稀疏，林子涵的手机持续在打着，对方不知在说些什么，行走中林子涵突然停下了脚步。她对着话筒的语气变得异常温柔："方正，你真的愿意跟我一起把这个谜语猜到底？可它也许要猜一年，猜十年，猜一辈子。"林子涵说到这里的时候，眼睛湿润起来，"不，还是你说吧。你告诉我，一辈子有多长？"稍稍倾听之后，林子涵又说："我听见了，我相信你说的，一辈子的长度就是两个人共同的长度。我真想听你把这句话再说一遍。"话一出口，林子涵又突然说："不，你别说了。方正，咱们结婚吧！"

恰在这时，一列疾速行驶的地铁轰轰隆隆奔驰而来。林子涵和方正突然涌现的激动被地铁的长鸣覆盖了，淹没了……

9

法院院长陈默雷款款登上春江中院大楼前高高的台阶。走进大厅时，他突然像想起什么，从大厅门口退出几步，来到站岗值勤的法警面前问一句："对不起，今天星期几？"

法警在陈默雷的询问面前认真回答："陈院长，已经星期五了。"

陈默雷点点头,刚要回头走开,突然又说一句:"哎,天冷了,站在大厅门口风很硬,制服不可不穿,里面要多加点衣服。"

值勤法警在这种突然的话语面前唯唯诺诺没有说出什么。陈默雷微微一笑,径直走向大厅深处。

陈默雷走进办公室,在自己的办公桌前坐定,翻开眼前的台历,刚刚试图拿起钢笔在台历空白处写上什么的时候,办公室的门敲响了。陈默雷喊一声:"请进。"旋即,他看见了民事庭审判员范伯年。

陈默雷一怔,笑着说:"哟,老范,我印象中,你是第一次进我办公室。"

范伯年来到陈默雷跟前,拘谨地说:"院长太忙。再说,没什么大事,我也不能直接找院长。"

陈默雷再次笑笑说:"坐下坐下,听听你的大事。"

拘谨的范伯年站在那里说:"不用不用,我站着说就行。"

陈默雷见状,便站起来打趣道:"既然这样,我就只好站起来听了。"

范伯年闻听此言,看到陈默雷果真站了起来,便慌忙说:"院长,你坐,你坐。"一边也不安地坐下。

陈默雷看到坐在自己对面的范伯年,问一句:"多大的事呀?"

"是这样,我接手了一桩民事诉讼案,很快就要开庭审理了。可我刚刚得到消息,原告所请的律师代理人是过去的杨院长杨铁如,听到这事我有点发蒙,一下子不知道该怎么办了。"

陈默雷听到这里,暗暗舒出一口气,说:"杨铁如当律师,当代理人,跟别人有什么两样?"

范伯年拘谨万状地说:"过去,杨铁如是院长,他坐在台上讲话,我们坐在台下听,拿笔记本做记录。可现如今

……"他想了想,又说:"陈院长,你知道,在法庭上审判长坐在哪里,代理人坐在哪里,位置这么一调换,我总觉得……不是个事……不好意思。"

陈默雷听到这里,站了起来。范伯年见状也紧随其后站起来。陈默雷赶紧制止范伯年:"你坐,你坐着听我说。"他向前迈出一步,回头对着惶惶而坐的范伯年说:"老范,这事可不像你说的是一桩大事。杨铁如已经不再是院长,而是一名普通的原告代理人,在法庭上,该坐在哪个位置当然应该坐在哪个位置。况且,你要相信,杨铁如辞去职务,甘心当一名普通律师,走进法庭时,杨铁如自己会找准自己的位置。你是审判长,你有你的席位,你应该知道,这个席位不是给你范伯年设置的,而是给一个公正的法律执行者设置的。如果你坐在这个位置上心有不安,如果杨铁如面对你坐的位置心理不平衡,那法庭就不叫法庭了,那应该叫餐厅,叫祠堂,叫寺庙,论资格排次序,论大小设牌位,这可能吗?不用说杨铁如,就是我陈默雷走进法庭,不该我坐的位置我也决不敢沾一下屁股。我相信杨铁如比我更清楚,我也相信你范伯年知道该怎么做。这样一件事,还需要我再往下说吗?"

范伯年听到这里,有些诺诺又有些释然地点头说:"我听明白了,你这么一说,我心里有底了。"

陈默雷接着说:"老范,在咱们法官队伍中,你算是老资格了。我知道你兢兢业业,每年的结案率都很高,但我衷心希望你像刑事庭的刘兴魁那样,不光做一个好法官,还要做一部好法典。"

范伯年听到这里,便说:"可我听说法官的竞争上岗要开始了,我真担心,像我这种年龄,咔嚓一刀就给切下来了。"

陈默雷听到这里笑了,说:"还咔嚓一刀,你这一形容,把文绉绉的事情说成暴力了。竞争也好,改革也好,是让我们的审判工作越来越适应现代社会。这么说吧,你是法院系统的老模范,该给你披红戴花一定要给你披红戴花;可话必须说回来,如果再因为类似一个杨铁如的位置问题,你作为大事来找我,我也不敢保证在未来的竞争中你一定能获胜。我从内心深处尊重你的人品,可现代司法制度有它的规则。要想保证这个制度,人人都要走进规则,我是这样,你老范也是这样。"

范伯年听到这里,站起来说:"院长,我听明白了。那你忙吧,我回办公室准备卷宗。"

范伯年说着就往门口走,陈默雷又喊住他:"哎,老范,这阵子心脏病怎么样?"

范伯年叹口气,说:"平时不会有啥事。昨晚我家老婆子还在对我嚷嚷,说我长了个好心眼,却没落下个好心脏。"

陈默雷说:"要保重。"

范伯年点头答应一声,走出办公室。几乎就在同时,行政庭审判员郑小泉风风火火走进来。看到站在屋子中央的陈默雷,郑小泉一屁股坐在沙发上说:"陈院,我必须坐下跟你认认真真地说说。"

与范伯年的拘谨相比,郑小泉的风风火火让陈默雷再次微笑。他只好也坐下来,说:"按正常的道理,你要坐下来跟我交谈,应该有个预约吧?"

郑小泉拍拍头,嘿嘿一笑,说:"我又没记住。总觉得都是来自五湖四海,为了一个共同的革命目标,走到一起来了。"

陈默雷笑笑说:"那就赶紧说吧,我后面还有一堆事。"

郑小泉变得认真起来,说:"陈院,经过我们几次开庭和法庭展开的各种调查,目前已经认定农民状告金城县政府的案子可以结案了。虽然金城县政府在整个审理过程中一直不予配合,但合议庭经过充分合议,认为可以缺席判决,因此,合议庭建议此案抓紧向审判委员会作全面汇报。"

陈默雷说:"可以。但我要求在审判委员会会议上,从审判程序到实体认证必须听到你滴水不漏的汇报。"

郑小泉点点头,接着说:"如果一旦判决,我希望院方加大对本案的执行力度。我知道本案的执行难度很大,官对官,硬碰硬,但没办法,如果执行不了,判决书跟一张废纸没什么两样。谁让你是院长呢,我们只好向你提出这个要求。另外,在审理本案的过程中,我们合议庭每个人都受到了一次震动。"

陈默雷:"震动什么?"

郑小泉:"我要说出来,你不会认为我又是信口开河吧?"

陈默雷:"现在是我让你说。"

郑小泉:"那我就说了。农民苦,农村穷,农业危险。不是危言耸听,也不是要抹煞改革开放的大好形势,这三句话至少在金城县是铁的事实。可令人不解的是,我翻看昨天的《春江日报》,金城县这个悲剧的事实却被一整个彩色版面给覆盖了。县长王玉和在报纸彩版上面带微笑手持电话的照片登得这么大一块。我把电话打给我报社一个同学,开口我就对他说了句你他妈的。可我那报社同学立即回敬我一句,你才他妈的呢!一个彩版,人家掏十万块钱,凭什么不登,凭什么不出彩版?我算了一下,十万块,可以弥补李长明他们这些下苦力的几百个民工所受损失的一半。我不是总理,连科长也不是,按说,这事轮一万个人也轮不到我来操心,可昨晚我没睡着。没睡着倒不是因为这桩案子,我心疼这十万块钱。说实话,真是心疼,就好像我家里的十万块钱让人给偷走了。偷走了不说,还没地方报案。"

陈默雷听到这里沉默不语。

郑小泉在陈默雷的沉默中有点惶然:"陈院,我这张嘴是不是又忘记了带开关?"

陈默雷咬紧嘴唇,仍然没说话。

郑小泉不知道陈默雷在想什么，自我解嘲似的说："其实，我昨晚要是按时睡觉就好了，不该想那么多。反正我家里又没丢钱，就算丢了，也是块儿八毛的，十万块钱摞在一起什么样我还没见过呢！"

陈默雷听完郑小泉这番话，站起来说："小泉，你刚才这番话都是跟谁讲过？"

郑小泉："就跟你一人讲过。虽然你我是上下级，你当院长之前咱们也不认识，但我打心眼里相信你。还是那句话，虽然五湖四海，总觉得走到一起来了。"

陈默雷没有微笑，而是认真地说："小泉，感谢你信任我，对我说了真心话。真心话总是让人感动。但你记住，刚才那番话你说到我这儿，可以终止，不要再往外说了。我可以接过你的话，在适当的时候，适当的场合，以适当的方式继续说下去，说到关键的地方去，说到点子上去，但你不能再这么说。你身子骨还单薄，容易让人抓住把柄，从反面给你做文章。记住了，你这些话可能有一天会从我嘴里说出来，那是因为我知道该在什么时候说，说给谁听。我身子骨目前比你结实点，该承受的让我来承受。我现在要求你的只有四个字，守土有职。做好你的工作，审好你的案子，当好你的法官，这是你当前的目标和任务，能做到吗？"

郑小泉听到这话也站起来，说："我知道了，陈院。我争取做得比你期望得更好。"

郑小泉话音未落，办公室主任宋修匆匆忙忙闯进来，说："陈院，王、王县长来了。"

陈默雷一怔："哪个王县长？"

宋修："金、金城县政府王、王玉和县长，还、还带来两车蔬菜。"

正当陈默雷和郑小泉闻听此言彼此交换眼色时，走廊外已响起一片杂沓的脚步声和喧嚷声。县长王玉和和两名随从人员拥入了陈默雷的办公室。进门的王玉和一脸灿烂，笑逐

颜开，又拍陈默雷的肩膀又握手寒暄："默雷呀，什么叫衙门？我可算领教了！进你的大门我还要给值勤的哨兵签字，一边签字我一边开玩笑说，在金城，我一落笔签名，那可都是钱啊！"

宋修礼貌地笑着，说："规、规矩嘛！"

陈默雷也笑着说："你王县长这么一开玩笑，肯定把我们值勤的法警给吓着了。来来来，坐，坐！"

陈默雷和办公室主任宋修招呼县长王玉和一行落座，郑小泉尴尬地站在那里，看一眼陈默雷。

宋修忙活着给客人们添茶倒水。

陈默雷看一眼站在那里的郑小泉，向王玉和介绍："对了，顺便介绍一下，这位是我们法院行政庭法官郑小泉。"

王玉和一听介绍赶紧站起来，说："嗬，这就是郑小泉郑法官！不是重名重姓的话，你现在可是正掐着我这个七品芝麻官的脖梗儿，对不对？"

郑小泉微微一笑，说："王县长把我说成武打明星了，我哪会掐脖梗儿，你说的是李连杰他们吧！"

王玉和不以为然地笑着说："小伙子幽默，幽默，我原来还以为郑法官有多深沉呢！"王玉和笑道。转而，他对陈默雷说："默雷，你说咱那几个农民兄弟怎么就认准你们法院了呢？他们就认准了你们的大楼高还是怎么着？正好，郑法官也在，我来就想说说这事。小郑，你也坐下，同着你们院长，咱一块说合说合。"

郑小泉并没有坐下，而是直冲着王玉和说："对不起王县长，我作为这起诉讼案的审判长，程序上要求我拒绝跟当事人有私下会谈，请你谅解。"

王玉和闻听此言，一怔，随即又说："看你小郑说的，这哪是私下会谈？你们院长不是在这儿坐着吗？"

郑小泉："院长规定，法律规定，法庭之外的任何场合都属于私下场合。这是院长办公室，不是法庭。王县长，我其实很想与你见面，但在法庭上一直没有看到你。希望你抽出时间，莅临我们的法庭。对不起，我先告辞了。"

郑小泉说完，走出陈默雷办公室。陈默雷没有什么表情，宋修只是尴尬地给客人添水。

倒是县长王玉和一脸泰然，指着郑小泉的背影，对着陈默雷说："你看看默雷，你我是不是老了？你看看，年轻人多可爱，有个性，多有个性！"

陈默雷笑笑说："王县长也不要误解，回避制度是必须遵守的，他不走，我也得撵他走。再说，你这么忙，能跑到中院来，肯定是来找我说话的，对不对？"

宋修赶紧插一句："王县长还带来两车蔬菜。"

王玉和赶紧转移话题："无污染、无公害蔬菜，百分之百的绿色食品。"

陈默雷："说起来真不好意思，种个蔬菜不容易，你们种，我们吃，于心不忍啊！"

王玉和："种蔬菜就是让人吃的嘛！哪有不吃五谷杂粮，不吃萝卜青菜的人？谁不吃谁就不食人间烟火嘛！默雷，你看看我这张脸，就为了这蔬菜，为了这绿色食品，我这张脸都给种绿了！"

陈默雷笑着打量一下王玉和说："不仔细看没觉出什么，你这么一说，还真看出有点瘦了。"

王玉和："你还不瘦？也瘦了！干司法局长那阵子，哪次见你，都觉得你那张脸像演电视剧的。现在可不大一样了，你看看你这气色，要演电视剧也演不了主角了。"

陈默雷笑着说："你别给我安排个反派角色就行。"

王玉和又发出爽朗的大笑，随即说道："默雷，就凭你我现在这张脸，全说明白了，当个公仆，难！你也好，我也好，咱是实心踏地给人民当公仆，俯首甘为孺子牛，春蚕到死丝方尽，可到头来怎么着？有时候人民他就是不领情。当然不是说全体人民，可就有那么一部分人，跑断腿磨破嘴就

是伺候不到他的心口窝上。我还不是个现成的例子？参加工作二十八年，转了十几个单位，什么差事也干过，什么职务也当过，没想到，当这当那当到今天，当了回被告！你说新鲜不新鲜？做梦也没想到咱命里还安排了被告这么个角色。关起门来说话，咱当这个不大不小的干部肚子里也不是没有点苦水。是不是？"

陈默雷听到这番话，便说："金城县是个百万人口的大县，你的压力和困难我能想象得出来。"

王玉和："问题是你也不是不难啊！所以，干脆想通了，当干部就是个难差事，不难让咱当这个干吗？好就好在咱想通了，怕也怕在咱想通了，一想通，那就明知山有虎，偏向虎山行，对不对？说句带觉悟的话，你也好，我也好，多亏咱都有颗红亮的心！"

陈默雷一怔，笑着说一句："这话我听着耳熟。"

王玉和："《红灯记》上唱的嘛！李铁梅唱他爹，李玉和！"

陈默雷点点头，说："你这么一说，这话，我就更熟了。"

王玉和说到这里，看看表，说："闲话咱不说了，市委孙书记想约见你我，我估计，孙书记把你我叫到一起，肯定是为了咱那几个农民兄弟的没完没了。"

陈默雷听到这里，便说："我可没接到孙书记的电话。"

王玉和站起身来，说："我这不来了吗？我还敢假传圣旨？走吧走吧，时间也差不多了。"

陈默雷站起来，一行人纷纷起身。

陈默雷、王玉和一行人走到法院大厅时，迎面走进大厅的是杨铁如。陈默雷、王玉和等人显然看见了杨铁如的到来。王玉和站住，喊一声："铁如兄！"

杨铁如也看见了陈默雷、王玉和一行，来到他们面前。

杨铁如与王玉和握手，说："没想到在这儿碰见王县长了。"转而又对陈默雷说："默雷，该不是王县长也调进这法院大楼来了吧？"

王玉和搭讪地笑着说："铁如，你跟我可是从来不在宾主友好的气氛中进行会谈。你说，这么高的大门楼，我能调得进来？"

杨铁如微笑着说："法院大门朝外开，四面八方都能来。进得来进不来，那得看王县长的造化了。"

王玉和听罢此言，转向陈默雷说："默雷，听见了吗？这大楼不愧是铁如一手盖起来的，说起来一套一套。"

杨铁如："王县长对我的评价一贯如此，我杨铁如充其量也就是个盖楼的。"

王玉和仍然一脸笑容："铁如，再这么说，我跟你急！自己溜了，连个招呼也不打，逮住机会，罚酒我可得罚你个三碗五碗的。"

杨铁如："有酒你还是跟默雷喝吧，县长对院长，官员对官员，你们喝起来那才叫有意思。"

陈默雷终于插上话语："大白天的，怎么说起喝酒来了？铁如，干吗来了？"

杨铁如："一个普通律师参加一场普通的民间诉讼。"

陈默雷笑了笑，问："几点开庭？"

杨铁如："九点。"

陈默雷："到时间了，那咱们就各忙各的吧。"

杨铁如对王玉和说："王县长，真有机会，我还想再听你唱段李玉和。"

王玉和笑着说："你忙完了，我连李玉和他娘李奶奶一起给你唱了！"

杨铁如笑了，与王玉和握手，说："再见。"然后，径直走向大厅深处，登上楼梯。

大厅内的陈默雷和王玉和都不约而同地看了一眼杨铁如

的背影。王玉和慨叹:"杨铁如也真算个人物,怎么长就是不长年龄,也不知他手里的皇历是哪儿出的。"

陈默雷没说什么,和王玉和并肩走出大厅。与此同时,一阵逼人的警笛声驶抵楼前。

随着刺激逼人的警笛声,一辆囚车驶抵法院大楼前。警笛声消失的同时,陈默雷和王玉和一行正走下法院大楼的台阶。醒目的囚车映入眼帘,囚车打开,在法警的押解下,戴着手铐的犯罪嫌疑人王大凡正押解下来。王玉和不由得在台阶中央站住脚步,看着法警押解着神情恹恹的王大凡正走向楼前。

陈默雷招呼一声:"走吧。"

王玉和指指王大凡,问:"谁啊?"

陈默雷:"也算是个公仆了,公安局的派出所所长,一枪打死了个无辜百姓,今天开庭。"

王玉和问:"不会是走火吧?"

陈默雷:"不是走火就是入魔,看审判结果吧。"

县长王玉和站立在台阶上没动,看着法警押解下的王大凡缓缓走上台阶,与之相距不远地擦肩而过。在不经意间,神情恹恹的囚犯王大凡对注视着他的王玉和淡淡地瞟去一眼……

十六

- 权力就是子弹！其实，这颗子弹在我手里攥了多少年，只不过一瞬间飞出去罢了。
- 当官要想为民做主，首先不能去卖红薯！你自己去卖上红薯了，怎么可能再去为民做主？

1

林子涵推开法院办公室的门时，办公室主任宋修正结结巴巴地给各部门打电话下通知："还是跟上回一样，按人分，到、到行政科去、去领。"

看到林子涵到来，宋修放下电话。还没等宋修张口，林子涵便问一句："老宋，你知不知道陈院长在哪儿？"

"去市委了，市、市、市委书记召、召见。"

林子涵听罢，点点头说："那就算了吧，谢谢你老宋。"刚想转身出门，她回头又站住，喊一声："哎，老宋……"这一句喊出，林子涵显得有些欲言又止。

此时宋修已经又抓起电话，看着林子涵的神态，他重新把电话扣上，问："有、有事？"

林子涵说："你……你是办公室主任，我……"

看到林子涵吞吞吐吐、欲言又止的样子，宋修站起来，说："说、说呀！我结巴，你、你怎么也结、结巴上了？啥、啥事？"

林子涵羞赧一笑，说："假如……假如我想结婚的话，有些必要的手续，还得从你这儿办吧？"

宋修听完这句话，挠挠头，嘿一声笑道："好、好你个子涵，这么大的法官，还不知道该怎么结、结婚。好事！好、好事！说、说实话，我攥、攥着个公章等着给你办，办结婚手续，都等十、十几年了。盼、盼星星，盼月亮，可、可把你给盼、盼出来了。"

林子涵说："还指不定哪天哪，到时候，我会来麻烦你。"

宋修也笑了："看你子涵说的，这、这么好的事还说什么麻、麻烦！出证明，盖、盖公章，给别人盖一个，我、我恨不能给你盖、盖仨。早就该，早就应、应该了嘛！要、要说烦，我就烦那些熊、孩子，前脚盖章结、结婚，后脚找我再、再盖章离、离婚！聂小倩那熊孩子就这样，我给她离婚盖章时，连、连印油都没用，就拿公章冲嘴上呵、呵了口热、热气。"

林子涵听到这里，笑笑说："老宋，聂小倩也有聂小倩的道理，这种事，外人很难理解。"

宋修连忙说："那、那倒也是。你、你谈个恋、恋爱，也有人吹、吹胡子瞪、瞪眼。吹、吹什么胡子，瞪、瞪什么眼？越有人吹、吹胡子瞪眼，就干、干脆结、结婚给他看看！把喜糖往、往他们手里一、一放，让那些说闲话的人吹、吹灯拔蜡！"

林子涵听罢，再次微微一笑，说："老宋，你忙吧，我先走了。"

宋修说："坐、坐会儿，说、说说话嘛！"

林子涵："潘军右当审判长，正在审王大凡的案子，我想去旁听一下。"

宋修随即摆摆手，说："没、没啥好听的，又、又死一个，定、定局的事。"

林子涵："我走了。"

林子涵刚走到门口，宋修又喊住她："哎，通知你们刑事庭所有人，到、到行政科领、领蔬菜。"

林子涵回头问："什么蔬菜？"

宋修叹出一口气："糖、糖衣炮弹，金、金城县政府又、又送来两车。"

林子涵略一思忖，点点头说："知道了。"说完，走出办公室。

宋修重新回到办公桌前，拿起电话，拨通一个号码："喂，什、什么事？你、你说什么事？通知你的人，发、发蔬菜！"

2

时针已经指过九点，嘹亮的广播体操乐曲清晰地传进市委书记孙志的办公室。孙志不在，偌大的办公室内只有法院院长陈默雷和县长王玉和端坐在沙发上。

陈默雷抬头看看钟表的时针，再看一眼市委书记办公桌前空空的坐椅，最后把目光投向正掏出中华牌香烟的县长王玉和。

王玉和对陈默雷投来的目光心领神会，他笑着说："默雷，再说一遍，不是我假传圣旨，昨晚孙书记给我打电话，明明白白说的是上午九点。我也不知咋回事，再等吧。官越大，越由不得自己啊！"说着，他抽出烟要递给陈默雷，"来一支。"

陈默雷摆摆手，说："不抽。"

王玉和晃动着烟盒，说："中华烟！"

陈默雷微微一笑，说："中华烟也有尼古丁，烟盒上肯定写着吸烟危害健康。"

王玉和不以为然地笑了笑，说："写是那么写，可卷烟厂巴不得全国人民都抽烟。现在这事，都是说一套做一套。你猜都猜不出来，就这么一盒烟，一年给国家上缴多少税

收!还危害健康,听他们扯淡!"

陈默雷淡然一笑,说:"人只要有嗜好,总是有无可辩驳的理由。"

王玉和点上烟,抽一口说:"我给说个笑话。我们县有个老同志,活得特别仔细,小心翼翼,对身体一点不敢马虎。快退休了,忽然觉得心律不齐,怀疑自己是心脏病。到医院去查,查来查去,查不出到底是什么原因。医生就问他,是不是抽烟太多?他说从来不抽烟;医生又问,那是不是喝酒太多?他说一辈子滴酒不沾;最后医生问他,是不是性生活过于频繁了?老同志摇头说,这把年纪,床上那点事早就不干了。医生听到这里,收起病历,递给他说,那你回去吧,这病甭看了,不抽烟,不喝酒,不过性生活,活着还有什么意思?干脆死了算了!你听听医生这话,是不是有点道理,啊?"

王玉和说完,独自哈哈大笑。陈默雷敷衍般笑着起身,朝窗外望去。窗外空地上广播体操的乐曲已进入尾声,嘹亮的口令在音乐声中高亢有力。

在王玉和的笑声和陈默雷的凝望中,市委书记的秘书唐学风走了进来。王玉和赶紧止住笑声,站起身来对唐学风说:"唐秘书,我们可是按指示分秒不差前来应诏,怎么就不见书记人影啊?"

唐学风笑着对二人说:"对不起二位,孙书记想另约一个地方跟你们见面。"

温度适宜、水面清澈的室内游泳池里,市委书记孙志正在动作娴熟地游泳。游泳池很大,里面却只有孙志一人,游泳激起的水浪增添了一丝空旷中的波动和喧哗。孙志在长长的泳池中从此岸游向彼岸。

秘书唐学风引领着陈默雷和王玉和来到游泳池。两人显然被市委书记孙志约到这样一个地点感到困惑,有点懵懂地站在泳池边,看着孙志在水中自由地徜徉。

市委书记孙志像没有发现二人的到来,仍旧沉浸在清澈见底的蓝色水池中重复着从此岸游向彼岸的劈波斩浪。

秘书唐学风见状,对站立的二人说:"稍等片刻吧,孙书记正在兴头上。"

当孙志从泳池一端游回,来到两人站立的池边位置时,他从水中抬起头,看着站立在泳池边上的陈默雷和王玉和说:"站着干什么?脱衣服,下水!"

王玉和显示出一种尴尬,他对着水中的市委书记孙志说:"孙书记,不怕你见丑,我……我只会狗刨。"

"狗刨什么样我还没见过呢,你下来刨一下让我见识见识!"孙志说着,随即对站立旁边的秘书唐学风说:"唐,领他们去换衣服!"

孙志说完又转身游去,渐渐游向远方。

唐学风对站立的两人说:"王县长,陈院长,跟我来换衣服吧。"

陈默雷和王玉和只好跟随唐学风而去。王玉和边走边感叹一句:"孙书记可真有意思,今天是哪壶不开要提溜我哪壶了。"

陈默雷换上游泳裤头,不由得伸了伸双臂,感到舒展多了。王玉和因身体发福,挑了个大号裤头,勉强遮住了臀部。二人先后跳进了游泳池,以不同的泳姿游了起来,池水也跟着动荡不止。

这时,市委书记孙志已经游到了池边,停靠在池沿上。随即,陈默雷也游了过来,停靠在孙志身旁。两人倚靠着池沿,看着笨拙的王玉和正吃力地扑腾着,慢慢向他们靠近。

陈默雷看到王玉和吃力笨拙的姿态摇头一笑。

孙志却面无表情地看着正向他扑腾而来的王玉和。王玉和使足了力气,两臂激起硕大的浪花,终于扑腾到孙志和陈默雷面前。他倚靠在市委书记孙志另一侧,抹一把脸上的水

珠,气喘吁吁地说:"不行了,不行了,再让我游,我就沉下去,让你们把我捞出来。"

孙志面对王玉和:"你真让我见识了什么叫狗刨!狗刨就是不得要领,一个劲儿地乱扑腾。"

王玉和:"能扑腾过来就算不错了,我哪比得了默雷,他年轻。"

孙志:"他年轻,我呢?我总不比你年轻吧?"

王玉和:"你是书记,我当然也不敢比。"

孙志:"这是脱光了衣服在游泳池,什么书记不书记。我们三个泡在水里,只是在比胳膊腿,谁身上也没有多余的东西,更没有乌纱帽。"

陈默雷插话:"王县长,我印象中,金城县有不少水库,平时你也该锻炼锻炼。要是坚持游泳,你这肚子也不会鼓这么大了。"

王玉和拍拍凸起的肚皮说:"我也恨自己这肚皮,不知道的,还以为这里边装着多少腐败呢,其实,也就是一副清正廉洁的好下水。别再劝我游泳了,我这人,见水就晕。"

孙志接过一句:"你不光见水就晕,你最近有些时候老犯晕。"

泡在水中的王玉和与陈默雷听到孙志这句话,都从不同的角度警觉起来。王玉和气喘吁吁地终于平静下来,他看着中间的孙志说:"孙书记,你现在可真是在脱光了衣服批评我。"

孙志:"我也脱光了,陈默雷也脱光了,你以为就你自己脱光了?我今天把你们叫到这儿来,就有两重意思:一是脱光了衣服说话,谁都别藏着掖着,掩着盖着,有什么事,有什么话,干干净净、利利索索、赤条条抖搂干净;还有一重意思,这是游泳池,游泳是什么?是运动,生命在于运动,运动是向前走,向前看,奥林匹克那句话,更快更高更强!所以,我没在办公室见你们,选择了这一池子水。我的话，你们两个听明白了？"

孙志说完看着两人。王玉和困惑地点头，陈默雷也微微点头。

孙志："别光点头，你们说说听明白了什么？你王大县长先说。"

"书记的意思可能是说……"王玉和想了想，忽然一指陈默雷："还是默雷说吧，我干的活多，他念的书多。我要说不好，怕把书记的意思给曲解了。"

陈默雷笑笑说："孙书记刚才那番话，我的理解是把正常的工作道理做了个形象化的比喻。比如脱光了衣服说话，实际上在说要有实事求是的精神；再比如生命在于运动，更高更快更强，也是在说我们这些当干部的，不管从事哪种职业，要争取不断把事业推向进步，也可以说，一步一步向现代化推进。"稍稍停顿一下，陈默雷谦逊一笑，又说："也可能我理解得不全面，孙书记要说的意思远不止这些。"

王玉和笑着说："默雷不愧是知识分子，思考问题从大处着眼。像我这个干县长的，更多的是考虑解决问题，解决问题就要从小处入手了。要让我理解孙书记这番话，明说了吧，我认为孙书记是在指农民当原告，我王玉和当被告，你陈默雷站在原告被告中间朝两边看的事。几百个农民兄弟认死理，非要把我给推出来，推到你们法院，这事，总得有个说法。孙书记的意思，是不是想让我跟默雷在这儿脱光了衣服把话说穿，这事究竟该怎么办？老有这么个事在这儿吊着，说大不大，说小不小，方方面面的工作不会不受影响。工作一受影响，生命还怎么运动？还怎么开奥运会？怎么去弄那些个更快更高更强？我这人脾气直，肠子里没有弯弯绕，好在我是孙书记一手培养起来的，要是说错了，书记可以立马打我的板子，反正我现在光着屁股。"

孙志在两人的谈话中，微微闭上了眼睛。陈默雷和王玉和在孙志如此状态面前不再吱声。

少顷，孙志睁开眼睛说："公说公有理，婆说婆有理。真是书上说的，一千个读者就有一千个哈姆雷特。既然各说各的，我也尊重你们各自的理解。现在，我就想分别问问。我先问王玉和，农民告状把你告到法院，你接没接到法院的传票？接到传票以后你做了些什么？你到过法院几次？沟通过什么？说明过什么？为什么不登法院大门，不沟通，不交流？你这边是人民的县长，他那边是人民的法院，你告诉我，你究竟怕什么？"

王玉和听罢这番质问，吞吞吐吐地说："孙书记，怕倒不是怕，是忙，这阵子太忙。"

孙志："你忙下天来，能比我这个市委书记还忙？为这事，我还过问了法院好几次呢！说白了，你是不是觉得你做出了贡献，立下了功劳，几百个农民在你看来就不足挂齿？农民堵住了法院大门，再堵，就要堵我市委大门了！这种后果你不去想，你就是给我把蔬菜种到天上也功不抵过！你刚才说现在到了解决问题的时候，还说解决问题要从小处入手，你跟我说说，你准备从哪里入手，怎么解决？"

王玉和叹口气，说："我工作没做好，给市委添乱，对不起孙书记。默雷也在，我，我也向法院道个歉吧。要说这几百个农民的问题……唉，农民问题一说起来我就血压升高，头疼脑热！但从解决问题的角度出发，为了不再给市委添乱，不再让法院作难，我就咬咬牙，让县财政勒勒裤腰带，把钱还给他们算了。我也想开了，金城县百万人口，种蔬菜我也不差他们这几百亩地了。话说到家，千百年来农民的传统观念不是我王玉和一个人能改造过来的。要检讨的话，我就说一句，想把自己当成救世主，那纯属我王玉和不自量力！我姓王没错，可这个王，充其量也就是三横一竖，既不是老虎头上那个王，更不是《还珠格格》里那些王。有一点请孙书记放心，这事解决好解决不好，都不会影响我干工作，我仍然会按照市委部署，脚踏实地当好老黄牛，拉好大板车。"

孙志问一句王玉和："你说完了？"

王玉和："我先说这些。"

孙志又看一眼陈默雷，说："那我再问你陈默雷，农民打官司的目的是什么？是不是想解决问题？我虽然不太懂法院工作的具体程序，但我想问问，解决问题的办法是不是只有一个？把他王玉和拉到你们法庭上过堂，那当然是解决问题的方法，可这是不是惟一的方法？除了这个方法，还有没有别的道路可走？你刚才谈到了实事求是，那么，你就实事求是地给我说说你心里到底是怎么想的？"

陈默雷用手拨动一下水面，略一沉吟，抬起头同时面对孙志和王玉和说："农民打官司的目的当然是为了解决问题，这个答案是肯定的。解决问题的方法也当然不是只有一条途径，可现在农民把解决问题的途径推向了法院，法院只好通过法律手段来解决。这正所谓：民不告，官不究；民有告，官必究。当然，法院工作还有一个重要职能，就是法律调解。可是因为王县长太忙，或者因为认识角度不同，这种调解机制一直没能达成，以至于法院不得不开庭审理。如果既不调解，也不开庭，从工作角度来看，我担心孙书记会批评我们玩忽职守。所以说，走上法庭，王县长觉得难为情；不严格执法，我陈默雷对孙书记难交待。这是个两难问题。话说回来，说难也不难，这毕竟是一场行政诉讼，法院只想在原告和被告双方公平判决，这跟封建社会五花大绑、棍棒相加的过堂完全是两个概念。"

王玉和在陈默雷说话的同时，撩起一捧水洗了一把脸。

孙志问陈默雷："你的意思是，要开庭，要下判决书，然后再兴师动众拉上你的法警队去执行金城县人民政府？"

陈默雷笑笑说："开庭早就开庭了，开庭之前我还专门征得了孙书记的同意。既然开了庭，当然会有一份判决书，这是法院工作的必需程序。至于法警队……"他再次笑笑，

"那根本没必要。王县长刚才表过态,我只在这里请求王县长能够尊重法院的判决。我陈默雷还糊涂不到那个程度,不会滥用权力,向人民的县政府动枪动炮。这一点请孙书记放心,我肯定会把握分寸。"

王玉和听到这里,便说:"过去杨铁如就给我拉过去一车法警,不光手上有枪,头上还有钢盔。"

孙志打断王玉和的话,说:"那是杨铁如,现在是陈默雷在说话嘛!法院的意思你也听了,你接受不接受?"

王玉和:"我看这事最好还是别通过法院,交给我来处理算了,解铃还须系铃人。说实话,法院这两个字挺吓人,好好的一个人,更甭说一个干部了,只要听说这人被弄进法院,被法院怎么着了,这人就算名声坏了,白面小生也给弄成个黑头花脸,以后不好做人,更不好做事。好在我也是孙书记手下的一名干部,我可以把自己这张脸当成老榆树皮,乌鸦在上面筑个窝就筑个窝,咱豁出去了,可咱不能给孙书记的脸面弄上一丝一毫的蜘蛛网,你说对不对,默雷?"

孙志听到这里,不耐烦地对王玉和说:"解决你们自己的问题,少拿我说话!春江市大大小小的干部都可以说是我手下的干部,枪毙了的周士杰也可以说是我的干部之一,他不要脸面了,短了我的眉毛,还是少了我的门牙?"

王玉和在孙志的训斥面前,迅即感到了话语的闪失,赶紧解释道:"那倒是,那倒是。是我没把意思表达准确,我的意思是力求给市委添彩不添乱,描红不抹黑。"

陈默雷在这样的时机中也紧接话头:"王县长,你我都是孙书记一手培养起来的干部,正是为了维护孙书记的形象,我觉得更应该有章法、有原则地处理问题。谁都知道,孙书记一直支持法院的工作,如果法院公正判决了,农民就会觉得他们有可信赖的党委、政府。别看打官司的只有几百个农民,可一传十,十传百,口口相传,就会成为口碑,口碑就是王县长说的添彩和描红。王县长,我这么说你认为咱们是不是目的一致,仅仅是方式方法有所区别?"

王玉和在陈默雷这番话面前无言以对,只得再次以手撩水,不停地洗着脸面。

孙志不再说什么,而是从泳池中站起身,抬腿走出。陈默雷和王玉和见状,也只好起身,相继跟从而去。孙志走在前面,两人在后面与孙志拉开一段距离。王玉和把浴巾搭在背上,对陈默雷话里有话地搭讪一句:"默雷,我种的蔬菜你尝过没有,味道还不错吧?"

陈默雷笑笑说:"味道不错,价格也还合理。县里的财政也不宽裕,我特别嘱咐办公室主任说,王县长种蔬菜可不是为了送人,咱不能给王县长添难为,起码要给人家个批发价。"

王玉和哈哈大笑,说:"你个默雷,玩笑开得跟真事一样。要是哪天宣布萝卜青菜也叫腐败,咱的英特纳雄耐尔也就三年五年的事了。"

两人跟随市委书记孙志的背影,闪出室内游泳室。

三人换好衣服,来到游泳室外的会客室,坐到一张雅致的咖啡桌前。服务小姐端来三杯碧绿的清茶,一一放在三人面前。王玉和掏出烟来刚想点上,孙志看看王玉和的中华牌香烟,微微皱眉,说:"别在我跟前抽烟!我这人可以在水里泡一整天,就是受不了烟熏火燎。"

王玉和尴尬地收起烟盒,装进口袋。

孙志呷一口茶,说:"我找你们来,是让你们谈解决问题的方法,我不会主观武断下定义,解决问题还是要靠你们自己。我只想提醒你们,既然都是党的干部,你们也承认其中或多或少有我的培养,那你们之间决不能把对方看成假想的天敌。这话怎么讲?你王玉和不能因为陈默雷按法律办事,就理解成穿小鞋,抓小辫。毕竟不是'文革'时期嘛,所以,抵触情绪要不得,为这事影响团结更要不得。反过来讲,你陈默雷也不能因为农民告了王玉和,眼睛就开始斜视,把一个好同志看歪看扁,特别要注意,尤其不能抓住一点不顾其余,更不能掺杂谁踩谁的肩膀出风头、争高低的私心杂念。问题怎么解决,你们互相沟通拿出办法,但要记住,打了盆子说盆,打了碗说碗,谁也不能拖泥带水,纠缠不休。当断不断,必受其乱!春江市不怕别的,就怕一个乱字。前边有一个周士杰,后边又有一个开枪的警察王大凡,这已经够乱够糟了!你们别再给我整出个乱字来,谁乱了方寸,我找谁算账。另外,说点题外话,你们的工作干好干孬,群众看在眼里,市委更看在眼里,谁都别在我跟前表演。再好的演员一摆到现实中,总是相形见绌,蹩脚可笑。我给你们一人写了一幅字,一会儿让唐秘书转给你们。字写得不好,可我花费了一个晚上。送你王玉和的两句话是:明月以不常满为心,大海以真能容为量。送你陈默雷的两句话是:云若无心常淡淡,川若不竞岂潺潺。这几句话我是从书上随便摘下来的,你们自勉,我也共勉。"

话刚说到这里,身后突然响起几个孩子清脆的喊声:"爷爷!""爷爷!"

三个人回头看去,只见两男两女四个山区孩子站在了微笑着的秘书唐学风身边。孙志看见孩子,面部表情迅即由严肃变得和蔼可亲。他甩开二人,起身来到孩子跟前,亲热地拉着孩子的手,上前询问着:"可见到你们几个小家伙了!跟爷爷说说,这阵子学习怎么样,考试了没有?"

孩子们争先恐后地回答。孙志拍着孩子们的头说:"慢慢来,一个一个说。"

看到陈默雷和王玉和不解的神情,秘书唐学风走过来说:"你们不知道吧,孙书记每月都从自己的工资袋里掏出钱,资助这四个家庭困难的山里孩子上学。隔上一段时间,逢上周末,孙书记就把他们接过来,比对自己的孙子还亲热。"

听罢此言,陈默雷和王玉和再次把目光投向孙志和四个山区的孩子。孩子们无拘无束,跟市委书记孙志谈笑得亲密无间。

王玉和幽默地感叹一句:"我要是个上不起学的穷孩子就好了,哭着闹着也要让市委书记领养我。"

陈默雷听到这里淡然一笑。

正这时,西装革履的方正走了过来。他来到市委书记孙志和孩子们面前,微笑着对孙志说:"孙书记,午饭怎么安排?"

孙志一指坐在那里的陈默雷和王玉和说:"他们俩咱就不管了,他们找得着吃饭的地方。你就给我把这四个小家伙安排好就行了,也不用山珍海味,一人先来一碗红烧肉。"

方正点头微笑说:"我去安排。"

孙志忽然想起什么,摆手约方正来到陈默雷和王玉和面前。陈默雷和王玉和不约而同地站起,孙志指着二人说:"介绍一下,这是法院陈院长。"

方正与陈默雷握手:"陈院长好。"

孙志再指着王玉和说:"这位,春江市最大的县长,百万人口的金城县县长王玉和。"

方正握着王玉和的手说:"你好!久仰!"

孙志最后向陈默雷和王玉和介绍方正:"这就是本座大楼的主人,也算是年轻有为的企业家吧!方正,方方正正两个字。"

方正矜持地笑笑说:"孙书记过奖了。"

孙志忽然想起什么,指着陈默雷说:"对了,默雷,方正可很快就是你们法院的家属了。"

陈默雷一怔。孙志脱口而出:"他的女朋友是你们的法官嘛,林子涵!"

3

法院大法庭内,开枪致死人命案的王大凡案件正在审理之中。法庭内坐满了人,林子涵坐在法庭的一个角落,拿着笔在笔记本上认真地记录着什么。坐在审判长席位上的潘军右宣布:"现在宣布,休庭十五分钟,十五分钟后,继续开庭!"

法警上前给坐在被告席上的王大凡戴上手铐,押解出法庭。

旁听席上的人纷纷起身。审判席上的潘军右离开审判席的一刹那,突然看见了从旁听席上站起的林子涵。潘军右停住脚步,目光投向林子涵。

林子涵向审判席上的潘军右颔首致意,无声地给予鼓励。

潘军右微微一笑,充满自信地离开审判席。

戴着手铐的王大凡在法警押解下来到犯罪嫌疑人羁押室指定的位置坐下。

装束整齐的法警面无表情地站立一侧。法警问一句:"你需要方便一下吗?"

王大凡摇头,把戴着手铐的双手放在了桌面上。忽然,他对站立一侧的法警说:"我想抽支烟。"

法警看看他,没有应答。

王大凡接着再问一句:"我能抽支烟吗?"

法警犹豫一下,说:"抽吧。"

王大凡:"对不起,我得借你一支烟抽。"

法警好奇地看看王大凡,想了想,掏出一盒烟,抽出两支,扔到王大凡眼前。王大凡拿起烟,在鼻子上嗅了嗅,又说一句:"对不起,再借个火吧。"

法警再次掏出打火机，走到王大凡跟前给他点上烟。

王大凡说："谢谢！"随之，饱满地、贪婪地吸进深深的一口浓烟。浓烟在嘴里停留了很长时间，他才缓缓地张口吐出。站在一侧的法警把王大凡抽烟的细微动作看得清清楚楚，便问一句："你很久没抽烟了吧？"

王大凡说："抽烟要有资格，我把抽烟的资格丢了。"

法警不再说什么，王大凡的目光却盯紧了法警腰带上的手枪。他忽然问："你身上的手枪装子弹了吗？"

法警警觉地瞪他一眼："你想干什么？这是你该问的事儿？"

王大凡凄然一笑，说："是啊，说话的资格也丢了，都丢了。"他摇摇头，喷吐出烟雾说："枪里边还是别装子弹好。我那天晚上要是手枪里不装子弹，今天就不会坐在这儿向你借烟借火了。我打个比方，不装子弹的手枪带在身上，这人还能收敛得住；装上子弹的手枪带在身上，就成了一种权力。权力可不是好东西，权力就是子弹，它让你慌，让你躁，让你沉不住气，忘了自己姓什么叫什么。"

法警："当警察的不止你一人，装子弹的也不光你自己，可坐这儿向我借烟借火的警察你是第一个。"

王大凡："我他妈也不明白是我把子弹顶出去了，还是让子弹把我给顶出去了。一秒钟，还没有一秒，我就坐到这儿了。老兄，这支烟这辈子我是还不了你了。"

法警："有话你到法庭上去说吧，有你说话的时间。"

王大凡用烟头接上另一支烟，说："法庭上那么多人，我没脸张口。其实，那天晚上也是碰巧了，我派出所辖区内正抓捕一个持枪抢劫犯。等了几天几夜，终于把他等来了。当时不知那小子有枪，抓捕时他开枪拒捕。那一枪就从我耳朵根上擦了过去，我要死在那一枪上，好歹也能算个烈士。几个人拼命追，好不容易把他摁住了，那小子疯狗一样咬掉了我手下一个民警半边耳朵。人抓了，我那个民警兄弟也送进了医院。从医院出来，弟兄们老觉得惊险，也为抓了个大抢劫犯高兴，就喝起了酒。人都活在心情上，那样一种心情，一喝就多了。喝完酒，我还想回医院再看看我那位咬掉耳朵的民警兄弟，便在去医院的路上来到了水果摊。掏掏口袋，钱没带够，可水果摊老板一分钱也不肯让。也不知是酒顶着还是气灌的，我心想，老子差点连命送掉，我那兄弟耳朵都被咬去一半，你们还他妈这么认钱不认人！争着吵着，枪就出手，子弹就飞出去了。说来说去，那天晚上就是我的劫数。那坏小子一枪没打死我，我就这么自己把自己给打死了。"

　　法警听到这里，便说："可你也打死了一个无辜的人。"
　　王大凡深深叹出口气，说："是啊，在看守所，我没睡过一个囫囵觉，老在想这颗子弹怎么就飞出去了？"
　　法警："你还觉得飞出这颗子弹应该？"
　　王大凡："应该我就不在这儿说话了。不应该啊！太他妈不应该了！不应该就不应该在这些年太拿着自己当回事，老觉得高人一等，老觉得老子有功，由不得别人斜眼看我，冷眼看我，更不用说低着眼皮看我了。高人一等是什么？是权力！所以我说，权力就是子弹！其实，这颗子弹在我手里攥了多少年，只不过一瞬间飞出去罢了。"
　　王大凡话音刚落，另一名法警走进羁押室，喊一声："王大凡，上庭！"
　　王大凡站起身来，戴铐子的双手捧着燃烧到尽头的烟蒂，又贪婪地抽上最后一口，然后才把烟头恋恋不舍地扔下踩掉。出门的一刹那，王大凡对那位看守他的法警说："谢谢你这两支烟。"
　　两名法警押解着王大凡走向大法庭。三人的背影渐渐融入法庭敞开的大门……

　　王大凡案件的庭审正在进行之中。审判长潘军右宣布：

"下面是被告人陈述时间。被告人王大凡,请你在法庭上做自我辩护和最后陈述。"

王大凡盯着审判席上方高悬的国徽,久久没有说话。

潘军右:"王大凡,你没有什么要审辩和陈述的吗?"

王大凡仍然没有说话。

潘军右提高了声音:"被告人王大凡,请回答法庭的问话!"

王大凡终于开口,嗓音颤颤巍巍:"杀人偿命,自古而然。我找不出任何理由为我的杀人行为辩护……我面对的是国徽,我没有脸看它……要是法庭允许我为自己说一句真心话,我虽然知道它不可能,可我还想把它说出来……"

潘军右:"请讲。"

王大凡:"我知道我必死无疑,不会有任何别的机会。可我真想这样去死:无论是拿着菜刀、手枪,还是绑着雷管、炸药的歹徒,我会不眨眼皮地扑上去,哪怕炸我个粉身碎骨,皮毛不存……毕竟,毕竟我曾经是一个人民警察……"

4

这是全市最豪华的一座大宾馆,在高档餐厅单间,卡拉OK的电视画面上正轻轻传来那曲软绵绵的歌曲《心太软》:"你总是心太软,心太软……"检察长张业铭在餐厅内一桌摆好的酒筵面前来回徘徊。几个来回之后,他抬腕看看手表,对坐在桌前跟随县长王玉和的两名人员说:"你们王县长到底怎么回事?快两个小时了,还要等到什么时候?"

两名来自金城县的随从人员面对检察长张业铭显得局促不安,急忙掏出手机联系,但手机很快又扣上了。一名随从人员叹口气说:"张检察长,手机还是关着,打不通。"

张业铭听到这里,来了牢骚:"这么大一个县长,一点时间观念也没有。王玉和我跟他不是一天半天了,二十年前就是战友。他这人从来就这样,不管走到哪儿,总觉得是躺在自己家那二亩自留地上,想怎么着就怎么着!让你们来之前,他就没给你们说,他到底干什么去了?"

一名随从人员说:"来这儿的路上,王县长突然在车上接了个电话,什么也没说,先让我们到这儿来等着,然后,他就跟司机走了。"

张业铭在桌子中央坐下,招呼两人说:"不管他了,咱们先吃。"

两名随从人员互相拘谨地看看,然后说:"张检察长,还是再等等王县长吧。"

张业铭见状,笑笑说:"嗬,看得出你们是真怕你们县长,他不来,你们连筷子都不敢动!"说着,他抄起筷子夹起一块点心塞到嘴里,说:"我可是真饿了,先垫垫肚子。"在咀嚼的过程中,他忽然停下来,眉头稍稍皱起,问:"你们王县长不会出什么事吧?"

……

县长王玉和略显醉意地走进宾馆大厅,司机下意识地搀扶一下,王玉和一把摆脱司机说:"没事,没事,这点酒不多,不多。"说着,他看着司机拿在手里的一幅卷轴,说:"这个给我。"

司机说:"我来吧。"

王玉和执拗地说:"那不行,我来拿。"

打着酒嗝的王玉和从司机手里接过那幅卷轴。这时一位身着旗袍、身材窈窕的宾馆服务小姐迎上前,礼貌地询问:"请问先生,在哪儿用餐?"

王玉和大声说:"张检察长指到哪儿,我们就打到哪儿。"

小姐笑笑说:"那好,请跟我来吧。"

这时一名身着检察院制服的年轻人匆匆走来,上前询问:"请问,你是王县长吧?"

王玉和:"金城县王玉和,王知县!"

身着检察制服的年轻人谦恭地说:"我们张检察长等你好久了,请吧。"

一行人在服务小姐的引领下走向餐厅。王玉和问一句:"年轻人,你在检察院干什么?"

年轻人赶紧回答:"给张检察长当秘书。"

王玉和笑着拍拍年轻人的肩膀,说:"当秘书不容易!小伙子,吹喇叭抬轿,站夜岗放哨,全是你的活!"

说话间,服务小姐引领他们来到餐厅门前。小姐上前把餐厅门打开,首先飘出的是那曲《心太软》的甜腻歌声,然后张业铭几个人不约而同地从桌前站了起来。王玉和在门口举手作揖,笑着说:"对不起,张大检察长,本县来晚了,来晚了!"

服务小姐伸出一只手礼貌地邀请王玉和等人步入餐厅。王玉和刚迈进一只脚,突然在餐厅门口站住,面对服务小姐说:"小姐,你是不是姓李?"

小姐略显惊讶地问:"先生怎么知道的?"

王玉和哈哈大笑,一根指头在服务小姐面前比画着:"怎么知道的?一看你这脸蛋,我就想起了李铁梅。知道李铁梅是谁吧?"

服务小姐摇摇头,说:"你是说我们以前的大堂副理吧?她也叫李什么梅,挺漂亮的,听说后来到新加坡了。"

王玉和听罢开怀大笑,对着张业铭说:"听见了吗,张检察长?这小姐连李铁梅都不知道,咱当年反修防修那些事算他妈白忙活了!"

张业铭没有笑,一脸严肃地说:"玉和,快进来坐下吧,别在门口嚷嚷了!"然后,又对莫名其妙的小姐说:"小姐,你先去忙吧。"

服务小姐微笑着点头离开。

王玉和进门就开始脱外衣,脱去外衣的同时,手里还不忘攥着那幅卷轴坐到张业铭身旁。张业铭埋怨一句:"干什么去了,大家等你这么长时间?我们都饿着肚子,你看你,不知到哪儿先喝上了。"

王玉和:"敢把你检察长甩在这里,肯定有比你更大的官召唤本县。要不然,本县岂敢太岁头上动土,惹怒你老人家。"

张业铭无奈地笑笑说:"一听这话就喝了不少!那也不至于连手机也关掉,电话也打不通吧?"

王玉和:"首长指示本县,关掉手机,拒绝来电,不管是谁,包括张检。"

张业铭摇摇头说:"真喝多了。你说,这饭还怎么吃?这酒还怎么喝?"

王玉和一指丰盛的酒筵说:"喝!继续革命,喝!我王玉和喝酒,从来不打酒官司。白酒、啤酒、红酒,加起来就算超过水位警戒线两米,我也敢在里边畅游长江,还胜似闲庭信步。"

张业铭给王玉和倒上一杯酒说:"那先罚一杯再说!"

王玉和端起酒杯,说:"先问一句,你今晚是不是打算让本县下榻本店?"

张业铭:"你这么大的县长,四星级以下也对不起你呀!"

王玉和一指门口,说:"你要有能耐,能否让刚才那个李铁梅今晚陪陪本县共消残酒?"

张业铭听到这里,脸色一沉,看看其他几个人,正色道:"说什么呢,不分场合,随便开玩笑!算了算了,你别喝了,越喝越不像话了。"

王玉和醉意弥漫,笑着指点张业铭:"你总是心太软,心太软!办不到就说没本事,别来这一套。李铁梅怕什么?

关起门来咱叫她李铁梅,热热乎乎看似一家人,天一亮,门一敞,各走各的,谁认识谁?《红灯记》上怎么说的,你姓陈,我姓李,你爹他姓张!"王玉和最后几句话拖着戏剧的长腔调,边拖长腔,边咕咚一声喝掉了杯中酒。

张业铭这时才看到王玉和手中攥着的那幅卷轴,便指着问一句:"你手里拿了什么宝贝,喝酒还不忘攥着它。"

王玉和把手中的卷轴一晃:"这?领了道圣旨!钦此!"

张业铭似乎听出了什么,忙对众人笑道:"今晚王县长不知在哪儿喝高兴了,咱不管他,来,咱们喝咱们的。"

众人举杯,纷纷起身与张业铭相碰。王玉和也晃晃悠悠起身,与张业铭抢着碰杯。张业铭试图阻拦他,说:"你算了,别喝了!"王玉和却摇摇晃晃摆着手,说:"一定要喝!首长指示,奥林匹克,重在参与!"

王玉和与众人把酒杯碰得叮当响,又一气把杯中酒干掉。

张业铭看着王玉和说:"玉和,看起来,你今天兴致蛮高啊!"

王玉和竖起大拇指,说:"高!实在是高!"他突然降下声调,说:"这儿没外人吧?"

张业铭瞪王玉和一眼,看看周围没说话。王玉和却酒酣耳热,话语刹不住车:"有外人也都是咱自己家里的两个外人,对不对?这么说吧,今天上午,首长把我泡在水池子里,泡得我上不着天,下不着地,感觉像要淹死;晚上,突然又把我泡进了革命小酒,把我泡了个豪情万丈,气冲霄汉。白天水一泡,晚上酒一泡,本县进春江城泡了一天,直到现在,才泡出个明明白白我的心。"

王玉和试图再说下去,张业铭赶紧拦住他:"别说了,别说了,云里雾里,胡扯些什么呀?告诉你,你现在最糊涂!冲你这糊涂劲,罚你,非把你这舌头罚得喝直了,什么话也说不出来才行!"

王玉和端起酒杯："罚？"

张业铭："罚！"

王玉和果然认罚，咕咚咕咚又喝掉一满杯。抹一把嘴，王玉和对张业铭说一句："你不让我说了，唱，唱行吧？"

张业铭："你赶紧唱吧，醒醒酒。"

王玉和站起身来，把那幅卷轴放在椅子上，拿起了麦克风，对众人说："王玉和学习李玉和，面对鸠山不哆嗦；唱个京剧小选段，《红灯记》里'狱警传'！掌声鼓励！"

众人鼓起掌来，张业铭没有鼓掌，只是小心翼翼把王玉和放在坐椅上的那幅卷轴放到了桌子上。

王玉和一脸兴高采烈，用力气吹吹话筒，咳咳嗓子，声音洪亮地唱起了京剧《红灯记》中李玉和的著名唱段：

> 狱警传似狼嗥我迈步出监
> 休看我，戴铁镣，裹铁链
> 锁住我双脚和双手
> 锁不住我雄心壮志冲云天
> ……

王玉和神情饱满地唱着。张业铭看一眼桌上的卷轴，再看一眼放声高唱的王玉和，悄悄地叹出一口气，神情复杂而困惑。

5

一列地铁呼啸着驶抵地铁车站。在人头攒动的上下车的人流中，杨铁如登上地铁车厢。

车厢里已经没有座位，杨铁如站定在拥挤的通道上，用手抓起车顶上垂挂下来的吊环。片刻之后，列车启动前行。在飞快的行驶中，站台上的一切疾速掠过，列车进入了黑暗的隧道。

杨铁如身侧的一个戴墨镜的女人缓缓侧过身来。她无意间看一眼杨铁如，旋即就把他盯紧了。手握吊环的杨铁如毫无察觉，只是一脸严峻地面向窗外。

盯紧杨铁如的女人轻轻咳一声，杨铁如仍旧无动于衷。

女人对着杨铁如说："你就是那个杨院长杨铁如吧？"

闻听此言，杨铁如才缓缓侧身，看见了正盯紧他说话的女人。面对戴墨镜的女人，杨铁如似乎很陌生，他问："你是……"

女人摘下墨镜，说："咱们见过。"

杨铁如一下子认出了眼前的女人，脱口而出："邵红！"

邵红神情复杂地一笑，说："没错，一个贪污腐败分子死刑犯的妻子。"

杨铁如点点头，说："咱们是见过面。"

"你这么大的院长怎么也跟老百姓一样拥着挤着来坐地铁？"

杨铁如不卑不亢地回一句："我就是老百姓，院长我早就不当了。"

邵红一笑，叹口气说："你才知道你是老百姓，不当院长了？我可能都比你知道得早。"

杨铁如听到这里，警觉地问一句："你什么意思？"

邵红却显得悠然，说话也不疾不徐："没什么意思。我只是想说，当个老百姓比当个阶下囚要好，比当个死刑犯不知要好上多少倍，不是这样吗？"

杨铁如追问一句："你是不是有什么话想跟我说？"

邵红："我没什么话可跟你说！一个死刑犯的妻子跟一个宣布我丈夫死刑的人怎么可能说到一块儿！我只是觉得有意思，跟我们在舞台上唱戏一样，前边的锣鼓点敲一阵急急风，把观众的胃口吊住，大幕一拉开，胡琴才慢悠悠响起来，西皮呀流水呀慢板呀，好戏总是排在后头，一板一眼

的，悠着来。你只有沉下心，才可能看到好戏。"

杨铁如："真可惜，我很少看戏，也不懂戏。"

邵红一笑，说："不懂戏就没戏了！我早就知道你不懂戏，懂戏你也就不到这儿来坐地铁了。"

杨铁如反问一句："我坐地铁怎么了？"

杨铁如问出这句话时，疾驰的列车已停靠在了一个站台。邵红重新戴上墨镜，边说边走向车门："坐地铁好啊，就是老在地底下。对不起，我到站了。"

邵红随下车的人流涌向车门，在走出车门的一刹那，邵红回头对杨铁如说道："你别在意，我有神经病！他们说我有神经病！"说完，便匆匆走向站台。

神情复杂的杨铁如盯着邵红的背影在人流中越走越远。

突然，杨铁如一手松开吊环，箭步奔向车厢门口。然而，就在同时，车厢的门关闭起来，列车又开始启动前行。杨铁如扒着车门，已经看不到邵红的身影。

列车很快又驶进了黑暗的地下隧道……

一束明亮的车灯光直射过来，照亮了站在江边某黑影处的杨铁如。车灯光在杨铁如身上照了许久，才缓缓熄灭。车停下，车门打开，车上走下陈默雷。陈默雷来到站立的杨铁如身旁，问一句："你怎么过来的？"

杨铁如："我还能怎么过来？过去我开的车现在让你开了，我只能坐地铁、换公交车，前后近一个小时。"

陈默雷笑笑说："体验一下平民生活，对你也没坏处。"

杨铁如："这生活不用体验，我就是平民。你约我到这么个黑咕隆咚的地方来，想说什么黑话？"

陈默雷："谁找你说黑话？黑夜给了我黑色的眼睛，后面那句怎么说来着？咱们七七级上大学，最流行的可是这两句。"

杨铁如："行了，别跟我绕了，有什么事说什么事吧！"

陈默雷拉扯一下杨铁如:"走,咱边走边说。"

杨铁如只好跟随陈默雷沿黑黝黝的江边行走。行走中,陈默雷突然说一句:"铁如,今天上午,我被拉下水了。"

杨铁如瞪他一眼:"什么意思?"

陈默雷笑着说:"你别吓一跳,没什么事。只不过我被市委书记孙志叫到了游泳池里,泡了半个上午;同时下水的还有王玉和。"

杨铁如听到这里,脸上现出不屑的一笑,说:"好啊,水中月,镜中花,花非花,月非月,用句流行的话说,看上去很美。"

陈默雷:"你别用这种口气跟我说话,我要是听讽刺,听挖苦,何苦要把你找来?我自己想想就知道该怎么给自己措辞。"

杨铁如听到这里,态度一下子变得有些激越:"不是我想讽刺挖苦你,不用想我也知道你们泡在水里说了些什么,做了些什么!你说,金城县这么一桩普通的行政诉讼,用得着费这么大周折?他王玉和再深奥,能比周士杰还深奥?我知道你处事沉稳,可你也太沉稳了吧?司法独立,审判独立,这既是你的权力也是你的责任,大事小事你动不动就跑市委、找书记,权力不找你,你上赶着找权力!权与法不搅到一起你不过瘾是吧?明说了吧,这院长要让我当,这案子不仅早就判决,执行我都执行他三回了!农民都堵住法院大门口了,你还想让他们怎么着?起义?暴动?当官不为民做主,赶紧回家……"杨铁如说到这里停顿一下,叹出口气,"你自己知道该回家干什么!"

陈默雷问一句:"说完了?"

杨铁如:"你还想让我说什么更难听的话?我现在离开官场了,是非由我一人担着。你说,你想听什么吧,我全说给你听!"

陈默雷:"我知道你今晚就是这么一段开场白!你这些

台词,我刚才在路上开车时早就给你背过了!我是缺少你身上雷厉风行的作风,但你怎么可以认定我唯唯诺诺,甚至不敢秉公执法?当官要想为民做主,首先不能去卖红薯!你自己去卖上红薯了,怎么可能再去为民做主?你可以说这是明哲保身,但我说这是留得青山在!现在的事情,像你想象得那么简单就好了!我容易复杂,你容易简单,我们两个应该加起来除以二,往中间走走,这才有可能真正实现公平公正!我把你请来,不是请你来给我作正义演讲,我是请你来出主意,想办法。我们的司法实践现在不可能做到两点一线、横平竖直,这至少是我们目前的现实处境吧?你又不是不明白,如果我们的现实处境一马平川,你也不会落到今天这个样子!"

杨铁如看到一向沉稳的陈默雷如此激动地说出这番话,便盯紧了陈默雷的表情说:"看来,你今天上午泡在游泳池里,真泡出什么事来了。"

陈默雷:"其实,事一直在我心里头攒着,只不过,今天上午让水一泡,泡开了。"

杨铁如:"什么事?"

陈默雷:"现在不是我主动去找市委书记,而是市委书记主动找我。王玉和不登法庭,却登我院长办公室的门,一车又一车给法院送蔬菜。你想想,如果仅仅是工作失误,行政闪失,至于吗?你在法院主持工作时,行政庭审判过多少案子?比王玉和大的,比王玉和小的,都有吧?有哪一桩案子像这场官司这么难?行政诉讼,诉讼行政,很普通的事情,用得着搞得这么神秘,这么复杂?事情一旦复杂起来,扑朔迷离,闪烁其词,不值得让人深思?"

杨铁如听到这里,便说:"默雷,对法官来说,在没有证据的前提下,包括在没有通过依法手段取得证据的前提下,必须就事论事,简单的事情也不能人为地让它复杂起来。"

陈默雷站住了，说："你想知道，我为什么不让行政庭对这桩诉讼案尽快结案吗？"

杨铁如："还不是因为你沉着谨慎，前怕狼后怕虎？"

陈默雷："你把我看扁了！你练硬功，我练内功，在功夫上，你我可能旗鼓相当。"

杨铁如："你的内功练出了什么？"

陈默雷："金城县的案子，案中有案！"

杨铁如一怔："你凭什么这么说？"

陈默雷："我手里早就攥着十几封检举揭发的匿名信，全是来自金城。"

杨铁如大吃一惊："你什么时候接到的？"

陈默雷："到法院报到，下车伊始。那天，我兜里揣着检举揭发材料，双手接过了老百姓敲锣打鼓送来的牌匾。"

杨铁如上上下下打量着陈默雷，半天才开口说："行，你真不愧叫陈默雷，这么大的雷子你攥在手里，一直攥到现在，可真是沉得住气。"

陈默雷："沉不住气又能怎样？你想想，我们是法院，我们只有审判职能，没有检察职能，写信的人不会不明白这一点。既然明白，仍然一封信接一封信地寄到法院来，这说明什么？我们的纪委在干什么？检察院在干什么？你闭上眼睛再想想，更高级的领导又在干什么？今天上午我看到了这么一幕，市委孙书记自掏腰包资助了四个山区的贫穷孩子上学，这不能说孙书记不是以民为本的书记吧？可几百户农民，上千人口的损失怎么总是半推半就，分量抵不过四个孩子？在这种情况下，我不沉住气，你让我做什么？"

杨铁如没说话，点上一支烟。连抽几口之后，他问："这口气，你准备还要沉多长时间？"

陈默雷："这是我找你来要向你询问的问题。"

杨铁如长长地吐出一口烟，说："说一句名人名言吧。"

陈默雷："说吧。"

杨铁如:"不在沉默中爆发,就在沉默中灭亡!"

6

老院长肖亦白家的门铃清脆地响起。

坐在轮椅上的老院长肖亦白目不转睛地盯着电视屏幕上的动画片画面,丝毫不为清脆的门铃声所动。肖亦白的老伴急忙跑去开门。当看到陈默雷和杨铁如同时站在屋门前时,肖亦白的老伴感到一丝诧异。她急忙招呼着:"哟,怎么是你们俩?快进屋,快进屋。"

陈默雷、杨铁如和肖妻招呼着,来到屋内。一进大厅,两人看到了坐在轮椅上的老院长肖亦白面对电视屏幕上的背影。老伴赶紧招呼着:"老头子,你快看看谁来了?"

肖亦白盯着电视画面,说:"客人到家,请坐上茶。"

老伴指点着肖亦白的背影,对陈默雷和杨铁如说:"这老头子,返老还童了,一天到晚盯着电视上的动画片看个没完没了。"说完,招呼两人落座。

陈默雷和杨铁如在沙发上坐下,只看到肖亦白的背影和热热闹闹的动画片画面。老伴走上前,把肖亦白的轮椅缓缓转过来说:"你看看,默雷和铁如来了。"

转过身来的肖亦白面向坐在沙发上的陈默雷和杨铁如说:"当过院长的,当着院长的,都来了,上茶呀!"

老伴忙活着给二人泡茶,两个人起身客气着。

肖亦白:"在你们少壮派眼里,我是个老朽,还是个儿童啊?"

老伴一边忙活着,一边瞪肖亦白一眼:"人家轻易不来一趟,你就不会好好说句话?真是个孩子了!"

肖亦白对老伴说:"来这个家有什么难的?这个家门槛不高,也没门卫守着,敲门就进,有什么轻易不轻易?"

一句话说得陈默雷和杨铁如面面相觑,不好意思起来。

老伴抢白一句:"他们忙,哪像你一天到晚闲着!"

肖亦白:"忙也要看忙到点子上忙不到点子上。好了,茶已上,你退堂,回避。"

老伴起身往里屋走,对陈默雷和杨铁如说:"你们坐啊,甭怕他,三句话他就给顺过来了。"临走前,老伴关掉了电视。

杨铁如说:"老院长,我的情况你可能也知道了,总觉得不好意思到你家里来。"

肖亦白:"有什么不好意思?"

杨铁如:"辜负了你手把手对我的培养。"

肖亦白:"我手把手是想培养出一个合格的法院院长,没想到培养成一个无业人员。"

陈默雷赶紧说:"老院长,你可能还不知道,铁如已经当上了律师。"

肖亦白:"当律师也不是我培养的目标。你杨铁如不用不好意思,不是你辜负了培养,这里头有故事。我一天到晚在家里看动画片才看明白,一个故事想编起来要多热闹有多热闹。"

陈默雷抓住谈话的契机说:"老院长,有些事情我跟铁如就是想来向您老请教。"

肖亦白:"我正想问你,人民法院的大门让人民给堵住了,这事,你怎么把人家给打发走了?"

陈默雷听到这,难为情地摇摇头说:"老院长,这件事,一言难尽。"

肖亦白:"有什么一言难尽!一语道破天机,行政案件难以审判,里面一定掺进了刑事案件;普通案件有人阻拦,肯定是案中有案,一环扣一环的连环案。我凭什么这么说?凭直觉!凭我一辈子在法院坐烂的那把椅子!我观念老化,跟不上形势,法理思路比不了你们更现代。但有一点,你们也不能把我干了一辈子的院长仅仅看成是个无产阶级专政的工具，我一说刑事案、连环案，你们就以为我在这里划分阶级，搞阶级斗争。现代司法制度不得不要，可历史的经验也必须值得注意。"

陈默雷笑笑说："老院长，看你说的，我们怎么会那样去想你？"

肖亦白："不那么想更好。我就好比一个老理发匠，剃头的，带出了一帮徒弟。比起那帮徒弟来，我不如他们更会玩花样，敢把头发染成红的绿的，可要论动剪子动剃刀，什么人什么头，我比他们更明白先从哪里下手。徒弟有徒弟的手艺，师傅有师傅的功夫。这句话，你们不来，我不会找着你们去说，这是我肖亦白一辈子的性格；既然你们来了，我就想说给你们听听。有益无益，权且听着，言者无罪，闻者足戒，有则改之，无则加勉。"

陈默雷听到这里，便说："老院长，我们来向你请教晚了。"

肖亦白："我不愿听请教这个词，我就想说两个字：忠诚。我虽然坐在轮椅上，大门不出，二门不进，可我睁眼闭眼都在盯着你们，盯着你们是否忠诚职守，忠诚法律。杨铁如一甩膀子干律师，我心里哭，脸上笑，他身上有忠诚二字。要说培养，我没培养出一个官位，却培养出了一把骨头。现在是你陈默雷坐在第一把交椅上，忠诚二字，我盖不了棺定不了论，这结论还早着呢，要让时间、让历史来给你下定义！"

陈默雷点点头说："老院长，你放心，这两个字我会永远记住。"

杨铁如："老院长，有件事我一直不明白。既然你说我忠诚，可你又曾很严肃地批评过我的所谓忠诚，就是在张业铭担任市人民检察院检察长那件事上。"

肖亦白："我老了，有老眼昏花的时候；你年轻，也有童言无忌之处。我老眼昏花视力模糊，你童言无忌惹火烧身。这事，你也别跟我老头子纠缠，我肖亦白知错不言错，一辈子的习惯。你要追究，你我各打五十大板。"

杨铁如和陈默雷听到这里相视一笑。

肖亦白："笑什么？你们还能笑得出来？一个法官在法庭上找不到位置，一个法院大门让农民给堵住，这是该笑还是该哭的事？听我一句话，没有一手遮天的如来佛！县委上面有市委，市委上面有省委，省委上面还有中央，谁挡着你们还是谁拦着你们了？有什么过不去的火焰山？有火焰山就有铁扇公主，有妖精就有金箍棒！我一个老头子，天天在家里看《西游记》，我不是看热闹，我是看门道。"

杨铁如和陈默雷心有所悟地点了点头。

老院长肖亦白的轮椅缓缓移动，边移动边说："自从我听说法院大门让农民给堵了，我夜里老做噩梦。法院是人民的法院，却让人民来给你堵大门，再这么发展下去，后果将会不堪设想！这后果，你们忙，你们不想；可我闲着，我一天到晚坐在轮椅上，我想！党群关系，干群关系，是不是还像当年打江山时那么水乳交融？你们自己问一问自己，我不多说了。你们听听，当年老百姓怎么来唱红军。"

肖亦白说到这里，移动轮椅到音响前，揿动开关，音响里迅即传来一曲久远的歌曲《十送红军》：

　　一送里格红军介支个下了山
　　秋风里格细雨介支个缠绵绵
　　山上里格野鹿声声哀号
　　树树里格梧桐叶呀叶落完
　　问一声亲人红军啊
　　几时里格人马介支个再回山
　　……

曲调是那样的熟悉，歌词是久违的陌生。《十送红军》，未成曲调先有情。陈默雷和杨铁如在突然响起的歌曲中一下子凝坐在那里,凝视着花白头发的老院长肖亦白,也凝视着音响上闪烁跳跃的线条波纹……

7

空旷洁静的法院大厅。醒目威严的獬豸壁画。

陈默雷办公室内,陈默雷站在墙壁前,面对市委书记孙志亲笔书写的那幅横轴。在陈默雷的脑海中,一组并不遥远的画面与市委书记孙志的书法叠映在一起:陈默雷背起双目失明的李长明的母亲;村道上的盏盏马灯和憧憧人影;乡亲们吆喝着从泥水中抬起陈默雷的轿车……

陈默雷从墙上摘下市委书记孙志赠送的书法,双手利索地卷起,搁置在办公橱一个角落……

杨铁如走进法院大厅。一进大厅,他便看见了站在大厅迎面獬豸壁画前的林子涵。杨铁如径直走到林子涵身边,林子涵看着他没说话。

杨铁如说:"谢谢你将走上法庭为我作证。"

林子涵说:"作为律师,你应该有更专业的用语。"

杨铁如问:"我说错了什么?"

林子涵:"即便走上法庭,我也不是为你作证。我只是在法庭上为事实作证。"

杨铁如微微一笑。

正说着,林子涵看见赵清华和几个人也走进了法院大厅。赵清华瞥一眼站在獬豸壁画前的杨铁如和林子涵,像什么也没看见,高傲地走过他们身旁。

林子涵喊一声:"清华!"

赵清华不回头地向前走。

林子涵往前追赶一步,又喊一声:"赵清华!"

赵清华站住,对林子涵冷冷地一笑,说:"对不起,小姐,你找错人了,我不认识你。"

赵清华说完回头走去。林子涵看着她的背影,叹口气,把目光转向大厅门外。阳光正直射进大厅,在一瞬间,林子涵忽然觉得刺目的阳光晃得她睁不开眼睛。

十七

- 对很多律师来说，胜诉可能重于一切；可我跟别人不一样，我不要输赢，只要公平。
- 越是现代社会，人越应该活得优雅一点，越应该活出风度。

1

金城县县长王玉和一觉醒来时，太阳已经升起很高。他打个哈欠，伸个懒腰，刚刚准备穿衣，突然转回头，看到了坐在一侧沙发上的春江市人民检察院检察长张业铭。

王玉和惊讶地问一句："你怎么坐在这儿？"

坐在沙发上的张业铭没有回答，只是在阴沉地抽烟。

王玉和又问："你昨晚没回去，还是今早上刚来？"

张业铭没有回答王玉和的问话，而是反问王玉和："王县长，既然你醒了，还是先让我问问你，你知道我现在是干什么的吧？"

王玉和瞪他一眼："你？"说罢，摇摇头，扯过床头上的衣服穿起来，边穿边说："我不光知道你是干什么的，还知道你干了些什么。这么说吧，除了你生身父母，春江市能喊出你张业铭小名的，我王玉和可能是第一个。就连你老婆，也就光知道搂着个检察长睡觉，哪知道你张业铭去澡堂一泡，无非跟人民大众一样，一搓就是一脸盆灰。"王玉和穿好衣服，趿拉着鞋子站到地上。

张业铭听到这里，掐灭烟头，说："我还没说你什么，怎么就惹出你这一大堆废话！"

王玉和面向张业铭，眨巴眨巴眼皮，说："天不刮风，天不下雨，大清早的，艳阳高照，你想说我什么？"

张业铭："你自己想想，你昨晚都说了些什么？"

王玉和："说什么了？我不就唱了一本李玉和？"

张业铭从沙发上站起身来，说："唱李玉和之前，唱李玉和之后呢？就算是喝醉了，也不至于什么场合、什么人都分不出来了吧？我一个劲儿拦你，可你那张嘴，就像脱了缰的牲口，拦都拦不住！"

王玉和听完张业铭的数落，便问："你想把我拦到哪儿？"

张业铭："你说我想把你拦到哪儿？我想给你这张嘴修条坝，安道闸！什么事，心里有数，自己明白就行了。这年头，谁不是揣着明白当糊涂？哪像你，舌头倒是长得不小，可就是连句话也堵不住。就算你不管不顾了，起码也得给我这检察长留个台阶吧！"

王玉和看着眼前发怒的张业铭，冷笑一声，说："你以为昨晚我真的喝醉了？我王玉和什么时候喝醉过？呸！我嘴里头这根口条就这样，有时候当县长，有时候当牲口。别说我昨晚没说什么，就算说了什么，我也是故意说给你这检察长听的！"说罢，他转身走开，一脚踢开洗手间的门，走了进去。

站在房间里的张业铭似乎被王玉和最后扔出的一句话堵住了，他愣愣怔怔地听着洗手间内传出哗啦哗啦的流水声。

王玉和面对洗手间墙壁上的镜子刮胡子、刷牙。张业铭来到洗手间门口，倚在门框上，看着王玉和一脸一嘴的白色泡沫。在王玉和忙忙碌碌的过程中，张业铭说："老兄，你我多少年的交情了，我说你一句，就算说错了，你也别搁心里去。我知道你这人的脾气，遇事爱激动，沉不住气。可现如今，有些事慌不得躁不得，非得沉住气，等着水到渠成不可。咱从年轻时就唱《红灯记》，唱了一辈子李玉和，李玉

和可贵就可贵在沉得住气，尽管你软硬兼施，密电码你休想拿走。有些事，还真得向李玉和学习，《红灯记》不能唱了白唱。"

正在刷牙的王玉和听到这里，将一嘴白沫"噗哧"一声喷在对面的镜子上，回头看着倚在门框上的张业铭。

张业铭困惑地问："怎么，我说错了？"

王玉和扯过毛巾，擦一下嘴角的白沫，说："让我学李玉和，你干什么？让我做掩护，抱着密电码往刑场走，你们该革命革命，该请客吃饭请客吃饭？都什么年代了，谁他妈信这个！我有时唱唱李玉和那是给自己壮胆，你以为我真拿着他做榜样？远的不说，周士杰被枪毙，就是学李玉和学的。周士杰要是早把他掌握的密电码交出来，也许判个死缓，判个无期，那口气到现在还喘着呢！可他偏偏就学了李玉和，什么事都自己担起来，妈的，担来担去担出个什么？密电码后面那些人都恨不能从重从快赶紧毙了他！你当时是法院党组副书记、副院长，讨论枪毙周士杰的时候，你是不是也把手举得老高？"

张业铭听到这里，厉喝道："玉和，你怎么回事？睡一觉起来净胡说八道！扯什么呢，怎么扯到周士杰身上来了？周士杰犯下那么大的罪过，没什么好说的，当然该枪毙！你不至于这点觉悟都没有吧？竟然为周士杰喊冤叫屈！"

王玉和没说什么，转身拧开水龙头，呼噜呼噜地洗脸。

张业铭看着王玉和的模样，叹出一口气，掉头悻悻走开。

洗漱完毕的王玉和走出洗手间时，张业铭又坐在沙发上沉闷地抽烟。王玉和见状，淡然一笑，坐到另一张沙发上。点燃一支烟时，王玉和问一句："怎么，生气了？"

张业铭极不满意地哼出一句，说："真不知道你都在想些什么？"

王玉和长长地吐出一口烟雾，说："我充其量也就是个

小小的知县，不像你当检察长的，宰相肚里能撑船。明说了吧，我心里就是想不通。只不过一帮农民瞎起哄，在春江城他们连东西南北都摸不着，可你从法院党组副书记、副院长到如今的检察长，两年多下来了，这么点鸡毛蒜皮的事情就摆不平。摆不平你就跟我说摆不平，还倒打一耙，埋怨到我头上来了。我昨晚为什么那么说话？我就想让你听听，你摆不平，有人能摆得平！"

张业铭叹口气，说："我张业铭在你王玉和手里算是解不开套了。农民跟你打官司，我在法院一捂就是两年多，说实话，到现在我手心还出汗呢。也多亏杨铁如走了，他要还在法院，板起脸来追究，这笔账还不得算在我头上？你们县的情况你也不是不知道，有些东西，要不是我给你攥得紧……"说着，他把头扭向一边，叹口气，又说："算了，人贵有自知之明。"

王玉和笑了，说："是，人贵有自知之明。你也得想想，杨铁如是怎么离开法院，你又是怎么当上检察长的。"

张业铭："拿这话来要挟我，你什么意思？"

王玉和连忙摆手，说："没什么意思，没什么意思！我是想说，让你当检察长，你就要把检察长当好，在其位，谋其政，我这话没错吧？实话说吧，杨铁如虽然走了，可陈默雷又紧跟着来了。别看他陈默雷不哼不哈，可我总感觉他盯上我了。他盯上我也不是为了那些泥腿子告状，谁知道他在琢磨什么事！现如今，咱共产党员不怕明着搞斗争，就怕背后有人盯。别说我一个县长，就连你这检察长也搁不住有人盯。这年头，盯一个，算一个，谁也跑不了。别忘了，咱可是天天在河边走的人哪！"

张业铭烦躁地说："你说你的事，别咱啊咱的，把我也搅进去。"

王玉和笑起来说："对不起，你纯洁，高尚，出污泥而不染，趟大河不湿鞋，行了吧？我忘了这跟谁在说话了，跟谁呀？张大检察长啊！"

张业铭："你除了这腔调，不会正儿八经说句话？"

王玉和："正儿八经说句话，行啊！现在陈默雷在盯着我，你给我传授点斗争策略吧。"

张业铭："我说你沉不住气你就是沉不住气。他盯上你什么了？怎么盯上你了？要真想把你王玉和盯住，那也是我检察院来盯，还轮不到他陈默雷。越是觉得有人在背后怎么样，越得在表面上把自己稳住。谁像你，嘴上少个开关，市委书记一会儿把你泡进水里，一会把你泡进酒里，心里那点底货全给抖搂出来。"

王玉和："这就是你给我的策略？"

张业铭："你还想让我怎么说？"

王玉和的嘴角浮现出一丝轻蔑的笑意："杨铁如当初在市委考察组跟前给你下的定语没错，你当检察长是有点不太合格。你确实不懂法律，所以，你也就根本不会斗争。别的，我也不期望你更多，你只是别让我增加这么一份担心，斗来斗去，招架不住了，你把我当李玉和给推出来。丑话说在前头，真有那么一天，我可要唱全本的《红灯记》，不光唱李玉和，还要唱王连举。"

张业铭看着王玉和，什么话也说不出来。

王玉和掏出手机，拨了一个号码，对着话筒说："喂，刘主任，告诉司机，把车开到楼下。春江城不是咱久留之地，打道回府，开车走人！"

说罢，王玉和站起身来，对张业铭笑笑说："张检，多谢款待，本县撤了。"

王玉和往门口走，张业铭喊住他："玉和，昨晚你跟孙书记都谈了些什么？你那副市长，到底有多大胜算？"

王玉和笑笑说："你让我沉住气，我就得学会沉住气。从现在起，我这张嘴不但要加上把锁，还要给自己设上密码，保险了吧？"

张业铭无奈地摇头苦笑,说:"真拿你没办法。"

王玉和叹口气说:"走了,还是回咱的穷乡僻壤吧!"

王玉和走到门口,刚把门打开,张业铭又喊住了他:"玉和!"

王玉和回过头来,看到张业铭从沙发上站了起来。

张业铭说:"路不好走,小心点!"

王玉和:"那是,一百万金城人民还等着咱改革开放呢!"

王玉和边说边走出了宾馆房间。呆站在屋里的张业铭清晰地听到王玉和在宾馆的走廊里吹起了口哨。他缓缓转过身,拉开窗帘,面向窗外。窗外雾气弥漫,景物模糊一片。

2

法院民事审判法庭内,法官范伯年宣布:"现在宣布,休庭十五分钟,十五分钟后继续开庭!"

宣布完的范伯年站起身来,朝原告席上的两名女孩及辩护律师杨铁如看一眼。杨铁如的目光并没有与范伯年的目光相遇,他只是掏出一盒烟,从中抽出一支,在桌面上颇有风度地磕了几下。

范伯年轻轻地嘘出一口气,走出法庭。

坐在被告席上的赵清华似乎把法官范伯年微妙的一切都看在眼里。她哼了一声站起来,朝杨铁如投过恶毒的一瞥,然后又对身旁的两位律师说:"两位律师,你们想喝点什么?"

杨铁如起身走出法庭。两名女孩见状,起身追逐而去。

来到休息室的杨铁如点燃一支烟,刚刚喷出一口烟雾,两名女孩尾随而至。她们站在杨铁如身后,一个女孩面对杨铁如的背影说:"谢谢你!没想到你为我们这样尽心尽力。"

杨铁如只是在喷吐烟雾,没有回头。

另一个女孩说:"我们商量好了,家里也同意,不管这官司是赢是输,我们都会一分不少地付给你律师报酬。"

杨铁如转过身问:"为什么?"

女孩说:"这个过程很难得,也很值钱。"

杨铁如缓缓地说:"你们出去随便走走吧,放松一下,我想自己呆一会儿。"

两个女孩互相看看,随即走出法庭休息室。杨铁如刚刚在休息室走了几步,赵清华推门进来。杨铁如看着走进的赵清华,还没说出什么,赵清华却开口了:"早就听说你的大名,今天我才刚刚领教。"

杨铁如定定地看着赵清华说:"我也看见了,从开庭到现在,你的眼睛一直盯着我。"

赵清华:"是,就像看一本天书,眼睛瞪得再大还是看不懂。我想问问你,打赢这场官司,对你是不是很重要?"

杨铁如:"作为原告的代理人,我肯定会尽力而为。"

赵清华:"真让人佩服。话说回来,如果我请你给我做律师,你是不是也会尽力而为,帮我打赢这场官司呢?"

杨铁如:"对很多律师来说,胜诉可能重于一切;可我跟别人不一样,我不要输赢,只要公平。"

赵清华:"这说明你还不是一个合格的律师。按照我的理解,律师也只是一种职业,一种谋生的手段,从本质上说,跟我开服装店赚取利润没什么两样。"

杨铁如:"正因为你这样理解一切事物,所以,这场官司你非输不可。"

赵清华冷冷一笑,说:"输掉这场官司又怎么样?我无非也就是破点小财。可你不要忘了,谁都有输的时候,你也不是没输过。皇帝肯定轮流坐,明年可能到我家。咱都悠着点吧,争取给我留个面子,谁也别让谁太难堪。"

赵清华说完,转身往休息室门口走去。

杨铁如在背后说:"等等!你最好在我面前保持沉默,你刚才那番话,我可以在法庭上作为证词!"

赵清华回头一笑,说:"你也太故作高深、假装正经了!我记得法院大楼明令禁烟,而你居然在这里公开地喷云吐雾,你是不是觉得你比别人更有特权?"

赵清华说罢转身走去。杨铁如不自觉地吸一口烟,喷吐而出的浓浓烟雾遮蔽了杨铁如瘦削的脸庞……

法庭审理继续进行。法官范伯年宣布:"请证人到庭。"

法庭的门打开,林子涵走进法庭,站定在证人席位,看着范伯年。

杨铁如和赵清华都以不同的目光看着林子涵。林子涵故意回避开两边的目光,只是看着审判席上的范伯年。

范伯年:"请向法庭说出你的姓名、身份。"

林子涵:"我叫林子涵,是春江市中级人民法院刑事审判庭法官。"

范伯年:"请向法庭保证,你所要证明的一切都将与事实无误。"

林子涵:"我保证。"

范伯年:"请坐。"

林子涵坐下来。范伯年宣布:"请原告代理人向证人发问。"

林子涵的目光转向了原告席上的杨铁如。杨铁如在对林子涵有片刻的凝视之后,站起身来,对林子涵发问:"请问十月十八日,你有没有到过梦巴黎服装超市?"

林子涵:"去过。"

杨铁如:"你有没有在那里见过我身旁坐着的两名女孩?"

林子涵认真地看一眼坐在杨铁如身边的两名女孩,说:"见过。"

杨铁如:"你见过她们,怎么见到的,她们在干什么?"

林子涵轻轻叹出一口气,没有吱声。

杨铁如的目光盯紧了林子涵:"请向法庭说出你看到的一切。"

林子涵回避开杨铁如的目光,而是盯紧了杨铁如身旁的两个女孩,说:"梦巴黎服装超市的经理赵清华是我的朋友,当时我推开经理室的门去找她,突然发现屋里这两名女孩被脱去了衣服,只穿着内衣站在那儿哭。我赶紧问怎么回事,赵清华告诉我,怀疑这两名女孩偷了她的衣服。我当时一听非常生气,首先把站在屋内的那名男保安呵斥出去,随后又把两个女孩的衣服拿来,让她们穿上。两名女孩很快穿上衣服,匆匆忙忙哭着跑了。"

杨铁如:"请问,梦巴黎服装店能让这两名女孩轻易跑走吗?"

林子涵:"因为当时我很生气地拦着赵清华,两名女孩才得以解脱。"

杨铁如:"那么,你有没有看到是谁脱去了两名女孩的衣服?男保安还是赵清华?"

林子涵:"没有看到,我进去时,她们的衣服已经被脱去了。"

杨铁如:"那么,赵清华对脱去两名女孩的衣服是赞成还是不赞成?"

林子涵咬咬嘴唇,没有回答。

杨铁如:"请你回答我的问题。"

林子涵:"我虽然没看见谁脱去了她们的衣服,但从赵清华当时的态度来看,她是赞成这一举动的。"

坐在被告席上的赵清华听到这里想站起来,被身旁的律师伸手拦住。

杨铁如:"你为什么这么认定?"

林子涵:"因为我记得赵清华对两名女孩说过一句话:

你们敢偷,我就敢脱!没让你们站在大庭广众面前算便宜了你们!我当时为这句话很生气。"

坐在被告席上的赵清华忽地一下站起身来,指着林子涵吼出一声:"你胡说八道!血口喷人!"

范伯年当即提高嗓门:"请保持法庭秩序!"

赵清华在身旁两名律师的劝解下重新坐下来。杨铁如看一眼暴跳如雷的赵清华,对林子涵点点头,说:"谢谢你回答我的问题。"然后他对坐在审判席上的范伯年说:"谢谢法庭,我的提问完了。"

杨铁如坐定之后,法官范伯年再次宣布:"请被告代理人继续发问。"

坐在赵清华身边的一位律师站起,面对林子涵说:"请问,你能不能肯定这两名女孩没有偷梦巴黎服装超市的衣服?"

林子涵:"我不能肯定,我也没做过这种肯定。"

律师:"既然你不能肯定,那么你刚才说你冲进经理室的时候非常生气,请问,你气从何来?"

林子涵:"我所以生气,是因为,即使她们偷了衣服,服装店也没有对她们实施惩罚的权力,尤其是用脱去衣服这样污辱性的惩罚手段。"

律师:"照你刚才的说法,是你制止了这起脱衣事件的继续?"

林子涵:"可以这么说。"

律师:"既然这样,我想问你,在此案的一审审理中,你为什么没有出庭作证?"

林子涵:"因为当事人的律师没有找过我。"

律师:"也就是说,在上诉过程中,是因为杨铁如律师找到了你,你才出庭作证的。"

林子涵:"是。"

律师:"你是否认识杨铁如律师?"

林子涵惊诧地面对律师说:"当然认识,我们是多年的同事。"

律师:"不仅是同事,杨铁如律师曾经是你的上司对不对?"

林子涵:"对,曾经是。"

律师:"那么,假如说,如果本案不是杨铁如律师来找你,而是其他律师,你不认识的律师请你出庭作证,你会不会来?"

法官范伯年听到这里,制止律师的提问:"提问与本案无关,法庭不予支持!"

范伯年话音未落,林子涵却猛然站起来,说:"对不起,我愿在法庭上回答这位律师的提问。不错,杨铁如曾经是我的同事,也曾经是我的上司,可赵清华跟我是拥有三十年友谊的老朋友,历史上她曾无数次帮助过我,让我难以忘怀。我今天走上法庭作证,不是冲哪个人来的,我有责任也有义务把我看到的事实真相提供给法庭!即使没人请我作证,我自己也应该具有走上法庭证明事实的勇气!这场纠纷谁输谁赢,那是法庭的判决,我只是为我经历的事实感到震惊和不安。越是现代社会,人越应该活得优雅一点,越应该活出风度。而一旦变为金钱的奴隶,不但会伤害别人,更是在伤害自己。"

林子涵话音未落,坐在被告席上的赵清华压抑不住地站了起来,她指着林子涵大喊:"林子涵,你说够了!我现在才明白什么叫满嘴仁义道德,一肚子男盗女娼!你不仁,我也不义,我今天就在法庭上给你剥去伪装!你告诉法庭,那天你到我的服装店去跟谁幽会了?你明明是见了大款拔不动腿,惟恐我跟你去争夺这个男人,才出卖良心给我栽赃陷害!告诉你,我要是金钱的奴隶,你就是金钱的婊子!"

在赵清华发疯般的指斥中,林子涵突觉眼前一阵晕眩,她强力支撑着身体,在天旋地转的视觉中,眼前突然一片漆

黑……她下意识地用双手捂住眼睛,跌坐在坐椅上……

3

黄昏,一辆轿车行驶在通往郊区的公路上。下雨了,雨刮器在车窗前有节奏地摆动,一片迷蒙的雨雾中,开车的杨铁如和坐在驾驶员副座上的陈默雷都一言不发……

许久之后,杨铁如说一句:"我没想到,她比我设想的还要从容镇定。"

陈默雷说:"这样的场面,以前只有从美国电影中才能看到。"

杨铁如沉吟片刻,又说:"但愿她今后别再这么受难为。"

陈默雷叹出一口气,说:"风吹竹,雨打萍,都是人间不平声啊!"

杨铁如对陈默雷伸出一只手,说:"我给她打个电话。"

陈默雷把手机递给杨铁如,杨铁如一边开车一边拨打手机,对着话筒说:"喂,子涵吗?是我,你在哪儿?"

熟悉的种子酒吧,熟悉的位置,林子涵和方正相对而坐。方正的手指捏起一杯白开水,轻轻地旋转杯口,林子涵突然仰起脸问他:"你有多少钱?"

方正看看林子涵,轻轻地摇头苦笑。

林子涵再次追问:"方正,你告诉我,你到底有多少钱?"

方正笑笑说:"我知道你心情不好,说点别的吧。"

林子涵:"你不想回答我?"

方正:"要让我回答,我就说,有钱不是罪过。"

林子涵:"你还是没回答我。"

方正:"有什么回答的必要!无论有多少钱,在你面前统统都不值钱,这一点我早就知道。"

林子涵的语气突然变得有些严厉,她放下手中的杯子,说:"你怎么知道钱在我眼里不值钱?我也是个女人,七情六欲,一样不少!我希望过好日子,希望有男人陪伴,希望有钱。我知道有钱可以买别墅买汽车;也可以想吃什么吃什么,想穿什么穿什么;还可以出手不凡,随心所欲,跑到酒吧来花很贵的钱喝一杯白开水!这些东西,不光你需要,别人需要,我同样需要!我可以为此不择手段、出卖良心、踩着别人的肩膀拼命去得到!我完全可以这样做,而且我已经这样做了!告诉我吧,你有多少钱,你到底给我准备了多少钱?"

林子涵一气说完这番话,把头扭到了一边。

方正困惑不解地看着对面的林子涵,说:"你怎么了,突然冒出这些话?"

林子涵扭过头来说:"你不告诉我,我就枉背了一个见钱眼开、见利忘义的骂名!"

方正:"奇怪,从你我认识到现在,一个又一个,总也摆脱不了这些骂名。"

林子涵:"因为你是个有钱人啊,可我到现在还不知道你这个有钱人到底有多少钱!"沉吟少顷,她说:"你不说算了,我走。"说罢,林子涵站起身来,拎起背包,走出种子酒吧。

方正看着林子涵的背影,无奈地将手中的白开水一气喝下。

下雨的夜晚,大街上行人稀少。走出种子酒吧的林子涵突然感到有凉意袭来,不由自主地缩了缩身子。随即,她就沿酒吧外的大街往前走。她走得很快,走着走着,她的脚步慢了下来。她慢慢地走,似乎在等待什么,脚步踩碎了跌落在路面积水中的片片霓虹。

她来到一个空旷的公共汽车站牌前。她停下来,身子倚靠在站牌的立柱上。

一辆又一辆汽车从林子涵眼前掠过,溅起路面积水,像她纷纭的心事。

一辆公共汽车驶来,在站牌前停靠下来。车门打开,有散落的乘客走下汽车。公共汽车门敞了一会儿,似在等待林子涵上车。林子涵倚靠在立柱上没动,公共汽车关上车门,远远地驶去了。

林子涵的脸上突然有泪水滑落。

不知不觉之间,林子涵的头上擎起了一把雨伞。等她转过头时,方正站在她的身边,默默地看着她。林子涵还没说出什么,方正说:"对不起,你如果真想知道我有多少钱,我现在就告诉你。"

林子涵的头又转向马路,面对大街上的雨水和疾驰而过的汽车。片刻之后,她摇摇头说:"我不想知道。其实我从来就没想知道,是他们老在说,在我背后说,在我脸前说,以至于在法庭上公开喧嚷。"

方正:"他们说又怎么样?你是法官,最应该知道,说永远说不成事实。"

林子涵:"可人言可畏!你知道阮玲玉是怎么死的?还不是让别人说死的!"

方正:"阮玲玉要活在今天,她肯定要拿起法律武器反戈一击。再说,一个人被人说死,这本身就是件挺荒唐的事,用不着你这么耿耿于怀。什么人言可畏,我从来就不相信!用不了我拿出多少钱,我就让那些可畏的人言立即停止聒噪,你信不信?"

林子涵:"我不知道,也许金钱万能。"

方正:"我没说金钱万能,我也不会为这种事去浪费金钱,那些无聊的口舌不值得让我用金钱去饲养。金钱那么无辜,凭什么去买他们的账!"

林子涵:"在你眼里,是不是一切逻辑都是金钱的逻辑?"

方正想了想,说:"子涵,你想想,为什么那些污言秽语没人在我跟前说,没人敢说到我当面?在他们眼里我是个有钱人,有钱人是一种力量,他们害怕这种力量,除了留下媚笑,什么都不敢说。我早看透了这点,才把哲学彻底扔掉。"

林子涵:"我可能也被你这种力量吓倒了。"

方正笑了,轻轻揽起林子涵的肩膀,说:"你?什么东西能把你吓倒?你忘了,那天晚上你在电话里给我讲乞力马扎罗雪山,讲探险家和那只豹子。对了,从那以后,我一直在猜,我猜出那只豹子跑到山顶上去干什么了。"

林子涵不语。

方正更用力地揽紧林子涵的肩膀,说:"想知道那只豹子要去干什么吗?"

林子涵:"干什么?"

方正卖了个关子:"现在不告诉你。子涵,跟我结婚吧,我要等到那天晚上再跟你揭晓谜底。"说完,方正紧紧地拥抱了林子涵。在雨伞的遮挡下,只看到两人依偎在一起的身躯。

又一辆公共汽车缓缓驶来,缓缓停靠。林子涵从方正的拥抱中挣脱出来,说:"我想上车。"

公共汽车的门缓缓地开启。

方正和林子涵坐在空空荡荡的公共汽车后排坐椅上。车内漆黑一片,有斑驳的霓虹投洒进来,投洒到黑暗中紧紧依偎的两人身上。

林子涵喃喃一句:"咱们去哪儿?"

方正揽住林子涵的臂膀说:"我跟你走,随便跟你去哪儿。"

林子涵依偎到方正的怀里,说:"我累了,想睡一觉。"说着,她果然闭上了眼睛,然后又说:"你给我报站名吧。"

方正轻轻抚摸着林子涵的头发,说:"刚刚过了幸福大街,现在正路过国贸大厦,前面是人人娱乐城,再往前是证券中心,再往前……"

林子涵忽然打断方正的话说:"你说,那只豹子为什么要跑到山顶上?"

方正笑笑说:"现在我不说。"

林子涵:"你说,我现在就想听。"

方正:"不行。"

林子涵:"不,我今晚就想听……"

空旷的大街上,一辆公共汽车在夜晚的霏霏细雨中渐渐驶向远方,驶向偌大城市的某一个角落……

4

早晨,林子涵踏上春江中院楼前高高的台阶,刚刚进入法院大厅,迎候在大厅内的法官潘军右上前喊住了她:"子涵,你昨晚到哪儿去了?手机和家里电话都打不通。"

林子涵站住,说:"昨晚你找我了?"

潘军右:"啊,上午审判委员会讨论王大凡的开枪案,让你参加。"

林子涵一怔,说:"潘军右,你没搞错吧?我一不是王大凡案的合议庭成员,二不是审判委员会委员,怎么会让我参加?"

潘军右:"陈默雷院长特意嘱咐,一定要让你参加!今儿一大早,陈院还特意到办公室问我通知到你没有?害得我赶紧跑下楼,在这儿围追堵截。"

林子涵听罢,若有所思地往楼梯方向走。潘军右在林子涵身后追问:"昨晚你到底去哪儿了?"

林子涵在楼梯口站住,面向潘军右:"我有没有权利保持沉默?"

潘军右迅即回答："没有。"

林子涵："你！"

潘军右嬉笑着说："你什么？不为别的，就因为你是我姐。你夜不归宿，必须征得全体弟兄们鼓掌通过才行。"

林子涵把背包狠狠地甩向潘军右，哭笑不得地嚷一声："讨厌！"

这一情景，被站在楼梯上的郑小泉和聂小倩看在眼里。郑小泉在楼梯顶上高喊一声："潘军右，休得无理！"说完，他噔噔噔跑下楼梯，聂小倩也尾随而至。

在楼梯口，郑小泉、聂小倩以及潘军右把林子涵围在中间。林子涵看看郑小泉和聂小倩，说："你两个从哪儿冒出来了？"

郑小泉对林子涵冒出一句："姐，昨晚你去哪儿了？"

这一问，让林子涵有些惶惑。她惶惑地看看潘军右，潘军右耸耸肩膀说："我什么也没说，什么也不知道！怎么，你……你昨晚没在家啊？"

聂小倩说："我在你家门口等了大半夜，还怕你想不开出事呢！"

林子涵："怕我想不开什么？"

聂小倩："你不是被你那好朋友当庭骂了一顿嘛！"

郑小泉赶紧接上聂小倩的话说："什么呀什么呀！我倒不是怕咱姐承受不了那几句泼妇骂街，我是怕你中了她的奸计，把刚刚到手的爱情的大好形势给毁于一旦。姐，她越是这么骂，咱越得高举爱情伟大旗帜，昂首阔步跨入二十一世纪，你说对不对？"

潘军右笑着，故意摇着头，说："真没办法，群众的眼睛就是这么雪亮！"

林子涵又好气又好笑地看看几个年轻人，无可奈何地叹出一口气，说："既然我让你们这么不省心，那我就赶紧把自己嫁出去算了！你们几个，赶紧攒钱凑份子，给你姐置办嫁妆吧！"

潘军右看看郑小泉和聂小倩，说："要不要搞个程序，咱们先鼓掌通过一下？"

郑小泉和聂小倩异口同声地说："鼓掌通过！"

几个年轻人果真兴高采烈地鼓起了掌。林子涵在掌声中走出，疾步走上楼梯，掌声仍在背后响起，林子涵回过头来，说一句："你们还有完没完？"

郑小泉停下鼓掌，冲着楼梯上的林子涵说："姐，你听，给你奏乐了！"

站在楼梯上的林子涵突然听到法院大楼前传来了嘹亮的《国歌》声。

伴随着嘹亮的《国歌》声，法院楼前的旗杆上，一面鲜艳的国旗正徐徐升起。

法院会议室内，正在召开审判委员会会议。会议讨论的主题是开枪致死人命的警察王大凡案件。作为本案的审判长，法官潘军右正在向审判委员会汇报本案的有关情况。他从笔记本电脑前抬起头，说："以上，我就王大凡案件的详细情况向审判委员会作了介绍，现在，我就合议庭拟定的判决意见向审判委员会作出汇报：根据《刑法》的有关规定和涉及本案的有关事实，经合议庭认真讨论，拟判处被告人王大凡死刑，缓期二年执行，剥夺政治权利终身。同时，合议庭认为，本案判决应包含附带民事责任，按《民法》和《赔偿法》有关规定，被告人王大凡应向受害者家属赔偿人民币三万元，春江市公安局负有民事连带责任，也应向受害者家属赔偿人民币三万元。"

主持会议的法院院长陈默雷说："请向审判委员会阐明合议庭的判决理由。"

潘军右："关于本案刑事部分的判决，之所以对被告人王大凡如此量刑，原因有三：一，被告人王大凡在案发一刹那，并没有明确的杀人动机，虽然最终结果是致死人命，但其中包含过失杀人的很大成分；二，案发后王大凡有投案自首情节；三，第三点嘛……"说到这里，潘军右突然变得吞吞吐吐，他用询问的目光看着陈默雷。

陈默雷面无表情地说："继续讲。"

潘军右："第三点考虑就是，在本次案发之前，王大凡可以说是一名优秀的公安干警，历史上曾有两次立功表现；本案案发当晚，王大凡还参与抓获了一个持枪抢劫团伙，并与歹徒有过激烈搏斗，表现英勇突出。在量刑问题上，合议庭经过多次争论，多次讨论，最终达成现在的意见，拟给王大凡留下一线改造的生机。合议庭形成这项意见的依据，是出于对被告人王大凡功过是非的综合评估，以期望在公平判决的同时，更能体现法律的人道主义深度。"

林子涵听到这里，不自觉地将身体向前靠了靠，目光炯炯地看着潘军右。

陈默雷问潘军右："讲完了？"

潘军右："合议庭的意见就汇报到这里。"

陈默雷的目光从潘军右身上转移开，面对全体人员，正了正身体，说："现在请审判委员会全体成员就本案以及合议庭意见进行讨论。"

看守所昏暗的走廊内，响起一阵敲击铁门的咣当咣当的声音。

两名狱警循着声音的方向，从走廊尽头走来，来到一间狱室的铁门前站住。咣当咣当的敲门声仍在继续。一名狱警打开铁门的小窗，看到了趴在铁门上满脸胡楂的王大凡。狱警问："王大凡，你有什么事？"

王大凡："我有话想说。"

两名狱警交换一下眼神，旋即打开了狱室的铁门。

两名狱警来到狱室，站在了王大凡面前。一名狱警说：

"什么事？说吧。"

王大凡态度恳切地说："我有个请求……我，我想见见我女儿。"

两名狱警再次交换眼色，另一名狱警说："在你判决下达之前，看守纪律不能答应你这个要求。"

王大凡失望地垂下眼帘，低声说："我知道。"只是一瞬间，他很快抬起头，更加恳切地看着两名狱警，说："我实在是想见见我女儿。不知哪天，我就要被执行了，我想看着女儿过完十周岁生日……过去当警察，一天到晚不着家，女儿十岁了，没给她过一个生日……临走前，我想看着她把十岁生日过了……请你们转告法院，我只有这一个请求……让我看一眼女儿吧……我想她，她也会很想我……"

王大凡说到这里，蹲了下来，双手捂住了脸面。

一名狱警说："我们会向法院转告。"

王大凡颤抖着说："求你们了！"

两名狱警互相看看，走出狱室。铁门咣当一声关上，蹲在地上的王大凡抽搐起肩膀。

法院会议室内，审判委员会会议继续进行。主持会议的陈默雷说："以上，大家发表了很好的意见。大家也看到了，今天，我们特邀了刑事庭审判员林子涵同志列席这次审判委员会会议。虽然她没有对王大凡案件判决的表决权，但我们还是郑重邀请她谈出对这起案件的个人意见。"说到这里，他把目光转向林子涵，说："开门见山，请发表意见吧。"

林子涵看看陈默雷，又看看大家期待的目光，说："我旁听了王大凡案件的整个庭审，对控辩双方的意见曾经认真考虑过。虽然我没有参加本案的审判工作，但从法官的基本判断出发，我个人不同意合议庭对被告作出的判决意见。理由是：其一，法律对执法人员佩带枪支、使用枪支有明确界定，而被告人完全是在不符合规定的情况下使用枪支，掏枪和开枪的过程就是犯罪动机形成的过程，应该认定为故意杀人罪，其间不存在动机不明和过失杀人的问题；其二，虽然案发后被告有投案自首情节，但这一情节并未产生其他法律效果，不属于法律所规定的重大立功表现，因此，不能构成减缓罪行的理由；其三，历史的功绩和光荣不能抵消现实的法律责任，这是刑事立法的基本前提。在我们的司法实践中，我们掌握的立功表现，是指与本案相关或在其他重大案件中确指有立功行为的，而被告在案发前所受的表彰显然不在这一范畴。在这里，我还想就法律所应体现出的人道主义深度发表一点个人看法。我认为，在公平的原则下，从立法者到司法者所要体现的人道主义，应更多地倾向于弱者。也就是说，人道主义的深度应该体现为法律对弱者的援助。而本案的被告王大凡是掌握国家机器的权力中人，作为权力中人，应该勇敢、理智而又慈悲地担负起权力赋予的责任，而不是适当其反，将权力置于责任之上，恃强凌弱，用权力作为武器，以至于开枪射杀无辜。如果法律保护这样的权力，恰恰是反人道主义的，这一点应该充分明确。鉴于以上分析，被告王大凡应该执行死刑，而不是缓期二年执行。另外，在本案民事部分判决中，春江市公安局应该负有领导责任，而不是民事连带责任。我们应该提出司法建议，让春江市公安局得到责任追究，而不应让其赔偿损失。以上是我与合议庭意见的不同。我尊重合议庭的意见，但既然让我参加今天的会议，我还是要把自己的意见表达出来，不当之处，请批评指正。谢谢！"

　　林子涵话音刚落，刚刚端起眼前的水杯，行政庭庭长李乾坤发问："请问子涵同志，同样是故意杀人罪，那个毒死丈夫的农村妇女王杏花可以判十五年有期徒刑，而本案的被告王大凡为什么不能判处死缓，两者的根本区别是什么？"

　　林子涵一怔，放下手中的水杯，沉吟片刻，说："王杏花杀人案和王大凡杀人案没有可进行类比的任何条件。如果问两者有什么根本区别,我可以用一句话概括:王杏花杀人案是对强权的反抗而被迫杀人,王大凡杀人案则是利用强权进行杀人,这就是两者之间的根本区别。"

这时,主持会议的陈默雷突然说道:"对了,在今天的审判委员会会议上,我顺便给大家宣布一下。我们刚刚接到省高院发来的刑事判决裁定书,省高院认为,关于王杏花故意杀人案,我们的判决实体公正,量刑准确,依法驳回春江市人民检察院的抗诉请求,维持原判,此判决为终审判决。"

众人听到这里,互相议论一下,用钦佩的目光看着林子涵。

陈默雷的目光也转向林子涵,问:"对王大凡案件,你还有意见要表达吗?"

林子涵摇摇头,说:"没有了。"

陈默雷:"那好,请你和合议庭的同志退席,下面由审判委员会对此案进行表决。"

林子涵和潘军右互相看着,站起身来,走出会议室。

潘军右来到盥洗室,拧开水龙头,开始呼噜呼噜洗脸。当他水淋淋地抬起头,面向墙壁上的镜子时,镜子里映照出站在盥洗室门口的林子涵的身影。

水仍在哗哗地流着。潘军右从镜子里看到林子涵走来,站在他的身后。

林子涵冲潘军右的背影说一句:"对不起,请原谅我的直言不讳。"

潘军右对着镜子里的林子涵说:"你知道,这是我第一次当审判长。"

林子涵:"我不能因为你第一次当审判长,就使判决朝着不公正的方向走。"

潘军右:"可你说过你是我姐,我毕竟一口一个姐喊着你!"

林子涵："就算我是你亲姐姐，我也会这么做。"

潘军右没再说什么，抹一把脸上的水珠，掉头走出盥洗室。

林子涵站在原地没动，她看着潘军右的身影消失，再回头面向镜子。从镜子里，她看到了自己瘦削的脸庞。水龙头没有关上，水仍在哗哗流淌，她下意识地把手伸到水龙头下，让哗哗的水流冲洗着自己的手。之后，她伸手把水龙头拧上。水龙头显然出了毛病，尽管她一拧再拧，水龙头仍然滴滴答答。她转身走出盥洗室，出门的一刹那，她回头又看见了那无法关闭的水龙头在那里滴滴答答……

5

市委书记孙志头戴安全帽，在一群人的簇拥下，站在简陋的升降机上，来到某建筑工地正在施工的高层建筑顶端。从升降机上走下的孙志，站在楼顶俯瞰远方，一片鳞次栉比的高层建筑正拔地而起。孙志一手掐腰，一手指点着周围的建筑物，对身边围拢的人群说："你们看看，没几天工夫，这一片建筑物就起来了。想当年，这里可是有名的贫民窟，比老舍先生笔下的'龙须沟'还要糟糕。"

围拢的人群中，有人附和着说："这应该归功于市委、市政府的英明决策。"

孙志摆摆手说："不能这么说，这是改革开放的大势所趋。没有改革开放的大环境，市委、市政府再英明能英明到哪里去？依我看，改革开放最大的功绩还不是眼前这些楼，它的最大功绩是把人民群众的创造性、积极性全都调动起来了，这可是一项了不起的工程啊！"

周围的人纷纷点头称是。

突然，孙志的眼睛被瞬间闪亮的新闻灯晃了一下，他下意识一捂眼睛，再定睛看去，只见两名电视台记者正忙忙碌碌碌地给他拍摄。孙志脸上的喜悦表情随即有所改变，他对电视台的记者说："我不同意你们给我拍摄，有什么好拍的？这话我不止一次说过，我又不是电视明星，用不着一天到晚我走到哪儿你们给我拍到哪儿！"

孙志说完背转身向前走去，两名电视台记者顿时显得手足无措。孙志向前走出几步，突然回头对两名记者说："你们也别觉得我这市委书记事多，不好伺候。我无非就是到这儿来走走看看嘛，没有什么好报道的。如果你们想报道，你们就去拍拍他们。"孙志说着，随手一指不远处叮当作响、忙忙碌碌的一群建筑工人，"是他们一砖一瓦在春江市建起了一座又一座高楼。"

孙志说完，走向了那群叮当作响、忙忙碌碌的建筑工人。

正在施工的民工李长明觉察到有人来到身后，猛地回头，发现了一群戴安全帽的领导模样的人。孙志热情地伸出手，说："师傅，辛苦了。"

李长明看一眼自己满是泥水的手，说："对不起，手太脏。"

孙志随即上前拍拍李长明的肩膀，说："所以说你们辛苦嘛，是你们这双手托起了这么高的建筑。"

李长明回过头去继续干活，猛不丁冒出一句："不是辛苦，是命苦。"

孙志一愣，随即又笑笑说："哎，先别忙着干活，休息休息，跟我说说，你们是怎么个命苦法？"

李长明停下手中的活计，转过身来。其他几个干活的民工见状，也纷纷停下手中的活计，凑到李长明身旁。李长明对孙志说："你真想听啊？"

孙志："是啊，随便聊聊。"

李长明突然警觉地问一句："你是谁啊？"

有人想上前解释，孙志赶紧拦住那人，笑着对李长明

说:"别管我是谁了,你说你的。这么说吧,几十年前我也跟你们一样,干过小工,当过泥瓦匠。"

李长明听到这里,从口袋里掏出半盒皱皱巴巴的烟,点上一根,说:"你要是个大领导,今天俺就算碰上菩萨了。俺是民工,俺们这伙都是,这大楼俺跟着盖了一年多了,可到现在,只拿到三个月的工钱。俺找承包头,要死要活就是要不出钱来。这么大个楼,层层转包,你包给我,我包给他,要钱的时候也是你推给我,我推给他。到现在,俺也不明白这大楼到底是谁盖的!谁盖的楼俺不管,可工钱得给俺吧?谁家里没有老的少的,一家人还等着这钱过日子呢!"

孙志听到这里,看看周围的人问:"这怎么回事?"

周围的人面面相觑。沉默片刻,有人说:"孙书记,最近资金周转是有点困难,正想办法呢。"

孙志没有理睬那人的解释,而是对李长明他们说:"不给你们工钱,你们怎么还在这儿干?"

李长明吐出一口烟雾,说:"不干又怎么办?干还有人欠俺们的,真不干了,就得瞪着眼喝西北风去了!要不就说俺命苦呢,下辈子再托生,当驴当马也不当这下贱农民了!"

孙志听到这里,微微皱起了眉头,半天没说话。李长明见状,就说:"该说的都说了,您当领导的要是能催着把工钱给俺,俺给您磕头作揖。要说了白说,俺还不如抓紧干活呢!包工头钱发得慢,活盯得紧,一会儿又该骂俺耽误干活了。"说完,李长明招呼身边的民工:"干活吧,干活吧!命苦跟谁说也没用!"

围在李长明身边的民工刚要散开,孙志突然喊住了他们:"等等!"

李长明和众民工都看着孙志。孙志问:"你们是哪里的农民?"

众民工纷纷回答:"金城的。"

孙志又一怔:"就咱们春江市的金城县?"

众人纷纷点头,嚷嚷道:"我旗王乡的。""我三里河的。""他城隍庙的。"

孙志摆手,压住众人的嚷嚷声,说:"据我所知,金城县的农民不像你们说得这样苦吧?蔬菜基地和乡镇企业都搞得不错嘛!"

李长明扔掉手中的烟蒂,狠狠地踩灭说:"扯淡!那都是作践农民糊弄给上级领导看的!俺这伙人为啥撇家舍业跑到城里来打工?人家不给钱俺也照样卖命?还不是让那蔬菜基地给逼的!大棚修起来,不长蔬菜光长牛×,害得老百姓连粮食和油盐都快吃不上了。金城快变成养牛场了,一个比一个敢吹牛,一个比一个牛×。要不是为了上有老下有小,那狗日的县政府,俺早就给他拆了房子扒了庙!"

孙志听到这里,眉头紧锁,问:"既然这样,你们怎么不向上头反映?"

民工们嚷嚷起来:"上头在哪儿呢?看不见,摸不着,谁搭理俺这伙当农民的?""俺连法院的大门都给堵了,堵了也没用!""自打兴开穿西服,领带往脖子上一扎,老百姓算是解不开这扣子,再也看不见当官的胸脯了!"

李长明听到这里,弯腰抄起手里的家伙,说:"命苦就认命吧,别在这儿说这些没用的,瞎耽误工夫,干活!"

众民工吵吵嚷嚷地四下散开。

孙志看着背向他的李长明及众民工的背影,缓缓踱步,来到高层建筑的一个阳台前。众人看看孙志的表情,没有人敢跟过去。孙志的目光掠过眼前成排的建筑物,听着后面叮叮当当的嘈杂声响,长长地、深深地叹出一口气。

不知什么时候,秘书唐学风来到孙志身边。他对孙志悄悄说一声:"孙书记,金城县打来电话,说明天有个典礼,想请你参加。"

孙志皱着眉头问:"什么典礼?"

唐学风:"万亩大棚蔬菜基地挂牌仪式。"

孙志重重地吐出一句:"不去!"

6

夜晚,陈默雷办公室的电话铃声响起。陈默雷放下手中阅读的材料,抓起电话说:"喂,我是陈默雷。噢,是孙书记。这么晚了孙书记还在办公室?"稍停片刻,他又说:"好,我马上过去。"

陈默雷放下电话,立刻去见市委书记孙志。二人见面后,先寒暄了一番,接着孙书记让陈默雷汇报有关金城诉讼案的情况。陈默雷便概括地讲了一遍。

市委书记孙志仰靠在办公室的长沙发上,闭着眼睛细听。最后,孙志睁开眼问坐在对面的法院院长陈默雷:"你说完了?"

陈默雷说:"关于金城这桩诉讼案,卷宗在办公桌摞起来高达一尺,我只是挑选了主要情节向您汇报。"

孙志问:"高达一尺的卷宗有没有牵扯到别的问题?"

陈默雷想了想,说:"没有。只是法庭围绕本案做了许多艰苦细致的调查,卷宗中累积了各种各样的调查证据。"

孙志听到这里,欠了欠身,说:"默雷,我找你来,是想做个交待,也算明确一下我的态度。如果说前些天我把你和金城县王玉和叫到一起,是想寻求一种折衷的解决问题的方法,那么我向你检讨,我没有把这个问题提高到应有的高度来认识。今天我找你来就想说,如果事实充分,证据确凿,我建议法院对此案尽快依法判决。既然他县政府让人告了,他王玉和必须出庭接受审判,他不来我命令他来,你们法院该严格执法就严格执法,该怎么判决就怎么判决,明白吗?"

陈默雷听完这番话,看着市委书记孙志,若有所思,没有表态。

孙志看看陈默雷的神情,说:"怎么,你犹豫什么?"

陈默雷笑笑,说:"不是犹豫……"

孙志起身,打断陈默雷的话说:"你是在想我这态度为什么前后会有这种转变,对不对?告诉你,我是怕我保护了一个干部,惹怒了更多人。民心不可欺,众怒难犯,这些道理我想明白了,可悲的是,王玉和始终想不明白!他越是想不明白,越得让他过过大堂,让法律给他上一课!现在看来,不给他上这一课,他王玉和还掂量不出自己的分量!我这么做,也是保护干部的一项措施。我真怕咱们有些干部在改革开放中居功自傲,目中无人,这样的结果是什么?早晚让老百姓把你赶走!所以我说,这堂课早上比晚上好。早上这堂课,他王玉和还可能有大发展,这堂课上晚了,谁知道会出现什么后果!"

陈默雷点头说:"好吧,这桩行政诉讼案我们会尽快依法判决。"

孙志又问:"那个开枪警察王大凡,你们审得怎么样了?"

陈默雷:"我正要向您汇报,刚刚在审判委员会上形成判决意见,依法判处死刑。"

孙志在踱步中站住,长嘘一口气,说:"又死一个!如果这个王大凡有人早点给他上堂法制课,早敲警钟,他可能还是一名好警察。"

陈默雷:"王大凡的案子我们也想尽快宣判。"

孙志说:"这样,法庭宣判的时候,让市直机关各部门干部去参加旁听,这也是上课!虽说这不叫杀一儆百,但作为警钟长鸣总可以吧?"

陈默雷说:"行,一旦确定宣判日期,我会及时通知。"说着,他站起来,对孙志说:"孙书记,你早点休息吧,我回去。"

孙志摆摆手说:"回去也睡不着,你陪我出去走走吧。"

市委书记孙志的轿车行驶在灯火通明的春江市大街上。

汽车途经一幢高楼时，车内的孙志对陈默雷感叹起来："这是财政局大楼。这么好的大楼，偏偏出了个周士杰。每次走到这儿，我都在想周士杰是怎么面对判决给他的那一枪。"

陈默雷："那时，是杨铁如主持工作，我还没到法院来。"

孙志："听说杨铁如干律师了？"

陈默雷："对，前几天刚刚在法院出庭，担任了一起民事上诉案的辩护。"

孙志："他干律师应该很合格吧？"

陈默雷："很投入，也很敬业。"

孙志："关键他还精通法律。你说，杨铁如当初要干上法院院长会怎么样？"

陈默雷："应该会很出色。"

孙志没再说什么。汽车继续向前行驶，又途经一幢大楼时，孙志又一番慨叹："又是一幢大楼，市公安局。谁想到，这幢大楼里又出了个王大凡，无法想象这个持枪的警察又将如何面对判决给他的最后一枪。"

陈默雷也叹口气，跟着说一句："这样的事情原本不该发生。"

孙志："前边一枪，后边一枪，这一枪一枪就像打在我的心脏上。你法院院长不好当，我这个市委书记当起来更难啊！"

司机回头悄声问孙志："孙书记，咱去哪儿？"

孙志："地铁工地。"

地铁工地，一片挑灯夜战的繁忙景象。换好安全帽和工作服的市委书记孙志以及法院院长陈默雷在工地负责人的带领下，顺着木板搭就的斜坡走向地下隧道。工程负责人搀扶一下孙志，说："孙书记，这儿不好走，你小心点。"

孙志摆脱开工地负责人的搀扶，说："没事，我脚底下有数。"

市委书记孙志和法院院长陈默雷在工地负责人的引领下，一处又一处地察看着施工现场。工地负责人向孙志认真地介绍着情况，孙志这儿看看，那儿摸摸，不时地点头。

孙志在地下隧道的行走过程中对陈默雷说："坐在办公室，心里有时候就发虚。往往坐一天办公室，开一天会，回到家里就失眠，一夜都睡不着。到处走走，到处看看，虽说帮不上什么忙，可心里踏实。你说，我身上是不是还有工农干部的遗风？"

陈默雷："你可是标准的知识分子出身，再说，工农干部也有很多地方让人尊敬。"

孙志捡起脚下的一个杂物，扔到一边，说："我总觉得，当干部当久了，觉悟再高，也有把持不住自己的时候。一想到这，心就发慌，就逼着自己到生活里去趟趟浑水，沾一身泥，沾一身土，让自己别忘了是老百姓出身。周士杰也好，王大凡也好，如果有心思多沾沾泥土，就不会走那么远了。"

陈默雷点点头，没说出什么。

不远处，一群工人正在一堆钢筋骨架前焊接什么，喷溅的焊花映照出劳动的火热气氛。孙志对身后的陈默雷说："知识分子接受工农改造的时候，我还学了一手好电焊活呢！"说着，孙志走上前，俯下身对一名蹲在地上的电焊工耳语着什么。

只一会儿，电焊工站起身来，将手中的焊枪和眼罩递给孙志。工程负责人上前试图劝阻，孙志微笑着把工程负责人推开。

焊花很快飞溅起来。孙志一手持焊枪，一手拿眼罩，身子斜跨在钢筋骨架上和其他工人一起焊接起来。他姿势标准,干得投入、认真,乐在其中。

　　站在不远处的陈默雷默默注视着焊花映亮的市委书记孙志。

十八

- 我害怕阳光,我觉得从墨镜里看到的世界更真实。
- 他凭什么做我的克格勃和盖世太保?

1

早晨,阳光照耀着春江市中级人民法院大楼。大楼前出奇的安静,除了停车场上一片密密匝匝的车辆之外,没有人走动,也听不到喧哗。大厅前值勤站岗的哨兵显示出特别的庄严肃穆。

楼前高高的台阶中央,坐着一个十岁的女孩。女孩孤独地坐着,灵巧的手指将套在手上的红色网绳翻成各种各样的图案。阳光照耀着女孩,辉映着女孩神奇而纤细的手指。神奇而纤细的手指不断地跳跃着,活动着,红色网绳变换出眼花缭乱而又美不胜收的一个又一个图案。

林子涵在寂静的气氛中踏上法院大楼高高的台阶时,阳光照耀下的孤独女孩一下映入了她的眼帘。她停下脚步,好奇而不理解地看着女孩为什么孤独地坐在这冰凉的台阶上。她移动脚步,来到女孩身边,红网绳不断变换的图案深深地吸引了她。她不由自主地俯身看着,那是一双多么灵巧的双手,那是一些多么绚丽的图案啊……

女孩意识到有人来到身边,双手停下,抬起头。林子涵看见了女孩清秀的脸庞,那脸上似乎有凝固的泪痕。

林子涵对女孩笑笑,女孩没有表情地看着她。

林子涵轻声问:"你怎么坐在这儿?"

女孩只是定定地看着她，不作回答。

林子涵看看女孩的表情，又笑笑，说："有意思，不跟我说话。你是谁家的孩子？"

女孩说话了，只是话语有些突兀："我是我爸爸的孩子。"

林子涵又笑了。她觉得有意思，干脆蹲下来，说："我当然知道你是你爸爸的孩子，你爸爸在哪儿？"

女孩犹豫一下，回过头，用手指指法院大厅。

林子涵："你爸爸也在这大楼里面吗？叫什么名字？阿姨肯定认识。"

女孩脱口而出："王大凡。"

女孩话一出口，林子涵一下子怔住了。面对女孩，她一时不知说什么才好。看看垂挂在女孩手指上的红色网绳，再看看凝固在女孩脸上的泪水痕迹，她喃喃说出一句："你，你到这儿来干什么？"

女孩："我要见我爸，我妈说，我很快就能见到我爸了。"

林子涵仍然有些嗫嚅："你，你妈呢？"

女孩用手指指身后的法院大厅，然后说："我妈不让我进去，让我在这儿等。阿姨，你是法官吗？"

林子涵点点头。

女孩："你们要给我爸判刑吗？"

林子涵不知道应该怎么回答。

女孩："阿姨，我爸以后还能当警察吗？"

林子涵不知是点头还是摇头，她的身体动了动，用手指钩起女孩手中的红色网绳，说："告诉阿姨，你叫什么名字？"

女孩回答："王欢。"

林子涵喃喃自语般重复："王……欢……"

女孩接着说："我爸最喜欢听刘欢唱《便衣警察》，就给我起了这个名字。"

　　林子涵用手指将女孩手中的红色网绳扯直，沉默片刻，说："要不，你跟阿姨到楼里边去吧，外面冷。"

　　女孩固执地摇摇头，说："不，我妈让我在这儿等，哪儿也不能去。"

　　林子涵的手指松开红色网绳，站起身，沉吟片刻，说："那我先进去了，阿姨还要上班。"

　　女孩没说什么，只是把红色网绳拿到嘴边，用牙咬住。林子涵抬腿缓缓拾级而上。她缓缓地走到楼厅前，向值勤站岗的法警出示证件。

　　林子涵走到大厅中央，看到迎面的獬豸壁画时，又停住了脚步。

　　这时，刑事审判大法庭内传来潘军右的声音："根据《中华人民共和国刑法》第××条，本院判决如下：判处被告人王大凡死刑，剥夺政治权利终身……"

　　林子涵疾速回转身，来到法院大厅门口，在出门的一刹那，她的脚步停住了。她惶惑而又痛苦地看着坐在楼前台阶中央的女孩。女孩在空旷而高高的台阶上是那样孤独，太阳照耀着她，给她单薄瘦小的身躯镀了金边……林子涵下意识地闭上了眼睛。

　　……

　　刑事庭办公室内，林子涵若有所思地站在窗前朝远处凝望，拥挤而庞大的城市在她的视线中变得越来越模糊。许久之后，她回过头来，看到法官潘军右正站在她不远的身后。

　　林子涵问一句："宣判了？"

　　潘军右点点头。

　　林子涵又问："他没有提出上诉？"

　　潘军右摇摇头，说："当庭表示服从判决，不上诉。"

　　林子涵不自觉地叹出一口气，双手紧紧地抱在了胸前。潘军右看看林子涵的神情，说："在我所经历的审判中，你

总是胜利者。这回，你又胜利了一次。"

林子涵苦笑着摇摇头，坐到自己的办公桌前。潘军右也坐到林子涵的对面，说："子涵，我说的是真心话，没别的意思。我真的很敬佩你。那天，总以为自己第一次干审判长，听到不同意见就开始顾忌面子，现在我知道了，法律不是别的，法律不讲情面。我要是再为了虚荣心，为了面子工作，以后我可能再也当不成审判长了。"

林子涵说："跟我做检讨来了，你把我当成谁了？院长陈默雷啊？"

潘军右认真地说："我还是把你当成我姐。"

林子涵说："你姐也有讨人嫌的时候。"

潘军右："法治不健全，你就讨人嫌；法治水平提高了，没人比你更可爱。别人提高不提高我不管，这次，我是提高了，所以，你就成了我亲爱的姐姐。"

林子涵笑了，说："你少把我提高到政治高度来认识啊！想吓唬我？"

潘军右："没有，我是把你提高到法治高度来认识！不说这个了，有个事我还得请教你。王大凡向法庭提出要见一下女儿，最好能安排在女儿过生日那天，你觉得，法庭应该怎样答复这一要求？"

林子涵一下子闪现出坐在法院台阶上孤独的女孩。她看着潘军右没吱声。

潘军右："不说话是什么意思？你想考我？"

林子涵："你把日子定下来，告诉我，我也去。"

潘军右怔怔地看着她。

林子涵站起身来，说："真的，我一定去。"

2

电子蜡烛鸣响的《祝你生日快乐》的乐曲在看守所的高

墙和铁丝网中飘起。

看守所接见室内,生日蛋糕上的十支蜡烛摇曳着红红的烛光,将王大凡和他的妻子、女儿映亮。

陈默雷、林子涵、潘军右以及两名合议庭成员,透过窗户看到王大凡和妻子围拢着女儿吹灭了生日蛋糕上的十支蜡烛。在余音未绝的音乐声中,陈默雷对紧盯着窗口的两名狱警说:"咱们先离开窗口一会儿吧。"

狱警和陈默雷一行人的身影渐渐从窗口离开。

蜡烛吹灭了,蛋糕切开了,王大凡和妻子及女儿却谁也没动。妻子的眼里含着泪花,孩子依偎在妈妈怀抱,怔怔地看着王大凡。王大凡伸出双手说:"欢欢,到爸爸这儿来。"

孩子怯怯地看一眼妈妈,妈妈擦拭一下眼角,把孩子推到王大凡怀里。王大凡用力揽过孩子,什么也说不出来,只是用力地嗅着孩子的头发。

妻子垂下头,说:"既然来了,你就跟孩子说两句话吧。"

王大凡把头抵到孩子身上,半天没抬起来。

在令人窒息的静默中,孩子双手抱起王大凡的头,轻轻地喊一句:"爸爸……"

王大凡把孩子抱得更紧,头深深掩埋在孩子怀抱中,肩膀在不停地抽搐、抖动。孩子看一眼妈妈,妈妈垂头啜泣。孩子从衣兜里掏出那根红色网绳,说:"爸爸,你再跟我翻一次绳吧。"

王大凡的肩膀只是更加剧烈地抽搐、抖动。

孩子摇晃着王大凡,喊声中也开始掺杂进哭腔:"爸爸……爸爸……"

王大凡抬起头来,擦一把脸上的涕泪,把孩子揽进自己怀抱,说:"欢欢,爸爸不能跟你翻绳了,从今往后,你自己翻,跟妈妈翻……妈妈不在家,去看爷爷、奶奶,让爷爷、奶奶跟你翻……"

孩子把红网绳咬到嘴里,说:"不,爸爸,我等你回家,等你回家跟我一起翻绳。"

王大凡抚摸着孩子的头,说:"欢欢,别再翻这根红绳子了,啊……爸爸今天给你过了十岁生日,就想让你记住,过了这个生日,你就长大了……别人家的孩子,十八岁才长大成人,可欢欢,你跟别人不一样,你再也不会跟别人一样了……从今往后,不光要自己管好自己,爸爸把妈妈、爷爷、奶奶都交给你了……这些事,爸爸没法交给别人,只能交给你……等妈妈老了,爷爷、奶奶更老了,你得好好孝顺他们,伺候他们,给他们养老送终……"

妻子坐在一边,双手抱头啜泣,哭着说:"别给孩子说这些了……"

孩子的两行泪水默默流下来。

王大凡哽咽着对孩子说:"欢欢,记住爸爸的话,别长病,也别生灾,好好上学,上学放学过马路,先让汽车走,没汽车,咱再走,千万别慌,千万别着急,啊……"

孩子哇的一声哭出来:"爸,你早点回家吧,我想你……"

孩子扑到王大凡怀里,哭声响彻在接见室内外。

看守所接见室外,走廊上的狱警和陈默雷一行人都听到了孩子的哭声……

王大凡的妻子、女儿离开之后,陈默雷、林子涵、潘军右等人走进看守所接见室。稍稍平静下来的王大凡抬起头来对众人说:"谢谢,没想到你们会答应。"

众人都沉默。林子涵在沉默中说:"你女儿很聪明,将来会有出息。"

王大凡低下头说:"谢谢!"随即又说:"给我上械具吧。"

潘军右看看两名狱警,两名狱警上前给王大凡戴上手铐、脚镣。镣铐加身的王大凡冲站在对面的陈默雷说:"执行的时候,给我开一个公判大会吧。"

陈默雷问:"为什么提出这个要求?"

王大凡:"别让老百姓对政府太失望了!我是败类,我知道自己那一枪打出了什么后果。别让老百姓把恨和骂都在心里攒着,拿我作个例子,让老百姓看看,败类有败类的下场。"

潘军右说:"你仍然有上诉的时间。"

王大凡摇摇头,说:"我不上诉,我愿意去死……杀人偿命,是谁都得偿命……越有权力越得偿命……我知道,法院把我判了,老百姓会拍手称快……只不过,像我这样的败类,政府中可能不止我一个,那些贪官污吏,那些徇私枉法、胡作非为的人,老百姓都盯着……什么时候,该抓的抓,该判的判,该杀的杀,就看你们的了……我曾经是个警察,我不愿因为我让警察背个黑锅,我愿意去死,越快越好,赶紧死掉……打一枪不解恨,可以打我十枪……"

王大凡说到这里,站起身来,缓缓向外走去。脚镣在水泥地面上发出冰冷的声音。狱警押解着王大凡走向狱室,冰冷的声音从走廊里一直传来。

众人看一眼陈默雷。陈默雷说一声:"回去吧。"

众人往外走去。林子涵忽然发现室内的椅子上有一根遗漏的红网绳。她走上前,将椅子上的红网绳拿起,在端详的瞬间,下意识地撑在了两只手上。

3

县长王玉和坐在市委书记孙志办公室的沙发上神情沮丧。他从衣兜里掏出烟盒,刚刚取出一支,忽然想起什么,对市委书记孙志说:"孙书记,你允许我抽支烟吧。"

坐在王玉和对面的孙志没说什么,板着脸从沙发上站起身来。

王玉和对起身踱步的孙志说:"那我就抽了。"说着,点上一支烟。

孙志说:"烟一熏,我刚才那番话就能把你熏陶明白?"

王玉和沉默片刻,说:"我还是不想出庭。"

孙志停下脚步,指着香烟缭绕的王玉和,说:"你就是一头雾水,乌烟瘴气,一点也不清楚!"

话音刚落,秘书唐学风推门进来,说:"孙书记,聂副市长电话找你。"

孙志不耐烦地挥挥手,说:"说我不在!"

秘书唐学风看一眼坐在沙发上一脸苦相的王玉和,赶紧离开房间。

孙志指点着王玉和继续说:"功劳归功劳,错误归错误,有大志向的人应该闻过则喜,有错必纠!你以为是我把你推上法庭?是农民把你推上去的!现在是怨声载道,民情沸腾,如果农民第二次再堵住法院大门,你王玉和就不仅仅是承担一个行政过失的问题,而是要让民众把你掀翻在地,再踏上一万只脚!什么叫水能载舟,也能覆舟?别说你还不会游泳,就算你是游泳健将,真到了那一天,那滔天巨浪也会让你死无葬身之地!"

王玉和紧抽几口烟,说:"孙书记,你别生气。现在的问题不是我要跟农民过不去,而是陈默雷要跟我过不去!这已经不是农民在打官司了,而是官场之斗,政治之争。树欲静而风不止,人还在而心不死,'文化大革命'那一套又回来了!"

孙志听到这里,警觉地盯住王玉和,问:"你这话什么意思?"

王玉和显得有些激动:"陈默雷早就看上副市长这个位置了!不止一个人跟我说过,陈默雷到处炫耀自己年轻,有学历,又是市委重点培养的梯队,副市长人选非他莫属。他正是怀抱这份野心，才抓住这个小辫子不放，非要把我这个竞争对手搞垮搞臭，达到自己的目的！"

孙志听完，反问一句："一桩行政诉讼就能把你搞垮搞臭？"

王玉和："农民不是堵住了法院大门吗？他就想努力扩大这个案子的影响，动静不大他不肯罢休。这些日子，陈默雷明着用这桩案子吊着我，暗地里还在整我的黑材料。'文化大革命'的大风大浪咱见过，这点门道我还看不出来？孙书记，在这种情况下，你说我还能上陈默雷的法庭，听他给我宣判？"

孙志重新坐回到沙发上，面对王玉和，皱紧眉头问："陈默雷整你什么黑材料？"

王玉和叹口气，没吱声，接上一支烟。

孙志："你不会在我跟前杜撰吧？"

王玉和："孙书记，我在你手底下干了这么多年，怎么说也是老班底的人，你说我杜撰可是冤枉我了。"

孙志："我没什么班底，也不想让你受冤枉。你告诉我，陈默雷怎么在背后整你的黑材料，你又有什么黑材料让陈默雷整？"

王玉和几乎要拍着胸脯说话："孙书记，我能有什么黑材料？我这人身上，赤橙黄绿青蓝紫，各种颜色可能都有，就是不黑！可我就怕别人把我黑上了。别人只要把你黑上，你再清白，也会让你黑得伸手不见五指。我是百万人口的一县之长，过去一段时间，没有书记，我又主持全县工作，一百万人口中我难免得罪张三，磕碰李四；再加上有些人惟恐天下不乱，专门造谣生事，煽阴风点邪火，到处写人民来信。陈默雷就抓住几封人民来信，暗中找人调查核对。这明摆着是给我拆台阶，做裹脚小鞋嘛！他陈默雷这么做是不是违背组织原则？他既不是纪委，也不是检察院，未经组织同意，他凭什么做我的克格勃和盖世太保？"

孙志沉吟片刻，说："你这些话，属实？"

王玉和："你让我向谁发誓我就向谁发誓。"

孙志忽然抬起头，盯紧了王玉和。盯了半天，厉声问："王玉和，你跟我可得一五一十把话讲清楚。你这人到底黑不黑，黑到什么程度？"

王玉和略显尴尬地说："孙书记，你怎么这么问我？"

孙志："回答我。"

王玉和狠狠地捻灭烟头，说："真是会干的不如会算的，拉车的不如坐车的。孙书记，你要不相信我，我也没办法。这么说吧，你要说我黑，我就在这儿当场给你吐出墨水来，让你蘸着它练毛笔字。可孙书记，我能吐出来吗？我王玉和这些年吃的是草，吐出来的可全是奶啊！"

孙志听罢此言，双手抱住后头，仰靠在沙发上，闭起了眼睛。

这时，秘书唐学风推门进来，怯声怯气地对孙志说："孙书记，法院陈默雷来电话，说有急事。"

孙志睁开眼睛，恼怒地对唐学风说："我不是不在嘛！"

唐学风怯怯地赶紧退身："那好，我跟他说。"

唐学风刚走出门口，孙志又喊住了他："等等！"唐学风回头看着孙志，孙志起身走到办公桌前，说："把电话接进来吧。"

唐学风退出办公室，孙志接听电话："喂，是我。"他对着话筒，不断地"嗯"、"嗯"着，然后说："陈默雷，这件事，我已经跟王玉和谈了，他表示积极配合法院工作，准时出庭。农民的事，该判的判，该罚的罚，该道歉的就让王玉和亲自登门道歉！我做通了王玉和的思想工作，他愿意服从春江市的工作大局。我再跟你说一遍，春江市的工作大局是第一位的，安定团结也是第一位的，任何人都要服从这个大局，维护来之不易的稳定局面。他王玉和也好，你陈默雷也好，打官司不是你们的目的，目的是各司其职，做好工作。

我要求的是，官司之后，一切都要风平浪静，无论是谁，都不能再有新的兴风作浪！"

孙志说完，把电话重重地扣下。

王玉和站起身来，说："孙书记，我不理解，你为什么非要让我去陈默雷的法庭？"

孙志也站起身来，说："到底是谁的法庭，你搞明白没有？我是市委书记，我让你出庭，你必须出庭！"

4

检察长张业铭皱着眉头走出检察院会议室，把门掩上的同时，问一句跟在身后的年轻秘书："人在哪儿？"

秘书回答："在你办公室等着呢！"

张业铭对秘书说："你不要跟我来了！"随即，匆匆走向自己办公室。

张业铭推门走进办公室时，只见王玉和斜坐在自己的办公桌前，正翘着二郎腿喷云吐雾。

张业铭看着王玉和的模样，没好气地说："你要来，也不打个电话预约一下，我那儿正开着会呢！我走了，会怎么开？"说着，看看表，又对王玉和说："这样吧，晚上我请你吃饭。"

王玉和转过身来，说："我大老远跑来，可不是为了吃你那顿饭，金城县一百万人口早就把吃饭的问题解决了。再说，晚上我已经约好别人吃饭了！"

张业铭叹口气，无奈地坐到沙发上说："那有事抓紧说，一会儿我还要到会上总结发言。"

王玉和嬉笑着说："多纳税，少开会，这才是我党倡导的干部。"

张业铭看着坐在自己办公桌前的王玉和，指指身边的沙发，说："坐这里来说嘛！"

王玉和笑着站起身来,说:"我试试你这检察长的椅子坐热乎了没有。"说着,来到张业铭对面的沙发上坐下。

张业铭看着王玉和说:"你什么时候才能在我面前表现得像个县长?还一百万人口的大县!"

王玉和却板起脸,掐灭烟头,认真地说:"张检察长,我今天就是代表金城县人民政府向检察院正式举报有关司法腐败问题。"

张业铭愣愣怔怔地看着王玉和,说:"我时间有限,抓紧说正题行吧?"

王玉和:"你是检察长,我来向你举报,这还不是正题?"

张业铭看着王玉和没说话。

王玉和:"我向你举报,你傻什么傻!事情是这样,既然他陈默雷向我王玉和正式开刀,我王玉和也准备向陈默雷正式开火。人不犯我,我不犯人,保卫金城,保卫本县的自卫反击战正式打响。"

张业铭听到这里,起身走到门前,把门锁上,然后回到原位,说:"陈默雷怎么了?"

王玉和:"他让我出庭受审。"

张业铭:"还是民工的事?"

王玉和:"人家武装上阵,咱也得拿起刀枪。"

张业铭:"你准备干什么?"

王玉和:"义正辞严地揭露春江中院司法腐败!"

张业铭听到这里,脸上一阵痉挛,继而改变了颜色:"这……这……怎么回事?"

王玉和哈哈大笑起来:"你这呀那呀的紧张什么?你是检察长,你冲锋号不吹,我这自卫反击战怎么打响?所以,我特来向你举报,主战场还得摆在你这儿。"王玉和说到这里,脸凑到张业铭跟前,小声唱出一句:"你是灯塔,照耀着黎明前的海洋……"

张业铭一把推开王玉和:"别唱了!你到底什么意思?"

王玉和一笑,说:"还得唱!《红灯记》第一场,把李玉和从幕后推出来。"

张业铭沉默地看着王玉和的一脸冷笑,一脸讪笑,继而又一脸狂笑。

一座餐厅的包间,传出字正腔圆的现代京剧《红灯记》唱段。邵红正对着电视机上的卡拉OK画面,唱道:"听奶奶讲革命英勇悲壮/却原来我是风里生来雨里长……"

邵红身后的餐桌前,王玉和看着邵红的背影,独自喝下一杯酒。他抹抹嘴,试图夹菜,突然又把筷子放下,冲着邵红的背影喊:"别唱了,别唱了!"

邵红却不理睬,有板有眼地唱着李铁梅:"奶奶呀/十七年教养的恩深如海洋/今日起志高眼发亮/讨血债/要血偿/前人的事业后人要承当……"

王玉和干脆起身,走到卡拉OK前,啪的一声关掉电源。邵红的唱腔戛然停止,目不转睛地盯着王玉和。王玉和赔着笑脸说:"别唱了,行吗?你一人唱,我一人坐在那儿,心里发毛。"

邵红:"不让我唱,你请我出来干吗?"

王玉和:"吃饭呀!"随即,招呼邵红坐到餐桌前。邵红坐下来,看着一桌子美酒佳肴,说:"革命不是请客吃饭,不是做文章,不是绘画绣花,不能那样雅致,那样从容不迫,文质彬彬,那样温良恭俭让。"

王玉和听到这里,似乎领悟出什么。他从包里掏出一个鼓鼓囊囊的信封,递给邵红说:"对了,我还忘了,这个,你先收起来吧。"

邵红看着眼前鼓鼓囊囊的信封,故意问一句:"什么呀?"

王玉和:"小意思,小意思。他走了,你和孩子不容易。"

邵红问一句:"谁走了?"

王玉和:"你今晚成心跟我唱戏是不是?"

邵红又问一句:"他去哪儿了?"

王玉和无奈地叹出一口气,双手撑在桌面上支起头,说:"真唱上了。"

邵红拿起鼓鼓囊囊的信封,从中抽出一张百元钞票,在王玉和眼前晃动着那张钞票,说:"王县长,你得跟我说明白,这算什么呀?是他的抚恤金呀,还是他的误工补贴?"

王玉和夺过那张钞票,塞进信封里,扯过邵红的包,说:"祖奶奶,咱不提他那一壶行不行?这,什么也不算,算我孝敬您老人家的行不行?"

邵红笑笑,说:"你别在意啊,我有神经病!"

王玉和无可奈何地说:"又来了!又来了!"

邵红:"你们不是说我有神经病吗?"

王玉和:"你是菩萨,你是祖宗行了吧?当时不是想让你躲躲风头嘛!那一章早就掀过去了,咱得重打锣鼓另开张,迈向二十一世纪。你扳着指头数数,二十一世纪长着呢,还有整整一百年呢!"

邵红端起酒杯,说:"那好吧,王县长,祝你再活一百年,干杯!"

王玉和摆摆手,说:"你要老这么跟我说话,这酒没法喝。"

邵红放下酒杯,稍一沉吟,随即笑笑,重新端起酒杯,说:"不说了,你是老大哥,难得在这种时候,你还想着他有老婆、孩子,做人做到这份上,我敬佩你!他周士杰也算没白活,人死了,还落下你这个好人缘。干了吧!"

说完,邵红独自把酒饮下。

王玉和端起酒杯,说:"不提他了,咱们喝咱们的。"喝完,放下酒杯,王玉和说一句:"说实话,我这做老大哥的,早就想来看看你,一直对你放心不下。"

邵红:"担心我什么?"

王玉和又斟上酒,说:"你说我担心你什么?你大哥还不都是为你好?来来来,再喝一杯!"

邵红的酒杯再次和王玉和的酒杯碰在一起。

放下酒杯时,王玉和显得有些酒意弥漫。他红着脸,试图抓邵红的手,邵红把手抽回来,说:"你不至于喝这点酒就醉了吧?"

王玉和又自斟自饮一杯,说:"跟你李铁梅喝酒,我是酒不醉人人自醉。"随即伸出一只手,说:"来,跟你老大哥握握手。"

邵红:"王县长,你别忘了,他可是尸骨未寒。"

王玉和的舌头略显僵硬地说:"说哪里去了?我是你老大哥,敢对你动花花肠子?我只是对你不放心,来,握握手,老大哥有话要说。"

邵红:"那好吧,我洗耳恭听。反正,我是死过一回的人了,再也不知道什么叫怕。"说着,她把手伸给王玉和。王玉和高叫一声:"好!"紧紧抓住了邵红的手。

邵红:"有什么不放心的,说吧。"

王玉和一只手抓住邵红的手,一只手又端过酒杯,喝掉杯中酒,说:"你大哥我也给你唱段《红灯记》。"

王玉和抓住邵红的手,神情诡谲地唱起来:

> 小铁梅出门卖货看气候
> 来往"账目"要记熟
> 困倦时留神门户防野狗
> 烦闷时等候喜鹊唱枝头
> 家中的事儿你奔走
> 要与奶奶分忧愁

邵红的手让王玉和越抓越紧,在王玉和摇头晃脑的吟唱中,邵红用另一只手端起酒杯,手一抖,酒杯在地上摔得粉碎……

5

刺耳的警笛声响起。

一辆鸣着警笛的警车开到春江中院楼前。随之,一辆崭新的奥迪轿车也尾随而至。车门打开,奥迪轿车里走下检察长张业铭。他朝警车里走下的几名检察人员摆摆手,一行人匆匆登上法院大楼高高的台阶。

陈默雷办公室内,郑小泉和另外两名合议庭成员正在向陈默雷汇报。郑小泉说:"在被告缺席的情况下,我们已经在法庭作出大量的证据调查,为了保证证据确实,合议庭成员还专门到金城县做了大量的核实、验证工作。可以这样说,再次开庭,如果被告金城县人民政府提供不出新的证据,或者提供的新证据构不成有效证据,我们仍会坚持我们的判决意见,当庭宣判。"

陈默雷在踱步中站住,对郑小泉说:"判决意见,审判委员会专门讨论过。但那是在被告缺席的情况下产生的判决意见,这个案子,你们要做好被告提供新的证据的可能。"

郑小泉:"我们考虑过了。"

话音刚落,门被急促地敲响。随之,办公室主任宋修推门进来,神情紧张地说:"陈、陈院长,检、检察院来人了!"

陈默雷看着宋修紧张的神情,重复一句:"检察院?"

这时,张业铭等人已闪现在陈默雷办公室门口。张业铭一步跨进屋门,喊一声:"默雷,打搅你了!"

陈默雷看着突兀而至的张业铭及身后两名穿制服的检察干部,笑笑说:"又是突然袭击,你张检察长就爱做不速之客!"

张业铭却一脸严肃,对屋内的郑小泉等人说:"我们找陈院长有事,你们先回避一下吧。"

陈默雷朝郑小泉他们示意,郑小泉等人起身离开。陈默雷随即招呼:"坐,坐。老宋,给客人倒杯茶。"

宋修正开始忙活,坐下来的张业铭说:"不喝水了,老宋,你也出去一下吧。"

宋修看看张业铭的一脸严肃,再看看陈默雷,踌躇着离开办公室,把门紧紧关上。

陈默雷坐到张业铭对面,笑笑说:"什么事这么严肃?连杯水都不喝。"

张业铭:"默雷,我先给你介绍一下。"他指着身边坐着的两名检察干部,说:"这位是检察院反贪局的阎副局长,这位是王科长。"

陈默雷没有起身,与两位检察干部颔首示意。

张业铭:"默雷,不严肃不行啊!根据群众举报,春江中院行政庭庭长李乾坤有受贿嫌疑。检察院反贪局接到举报之后,通过寻访举报人和进行有关侦察,证明李乾坤的确涉嫌犯有受贿罪行。此事发生在司法系统,尤其是发生在春江中院,不得不引起我们高度重视。昨晚,我已向市委做了专门汇报。市委孙书记明确指示,司法腐败,特别是审判机关的腐败行为,影响恶劣,祸害无穷,应当机立断,决不手软。市委分管副书记于书记以及政法委书记也一致赞同孙书记的意见。所以,在对李乾坤采取措施之前,我先向你通报一下情况。"

陈默雷听完张业铭这番话,惊诧得半天没反应过来。冷静片刻之后,陈默雷问:"能不能透露一下有关案情?"

张业铭:"侦察工作还在继续进行当中,有关案情的详细情况还不能透露给你。但有一点是肯定的,在金城县人民政府那桩行政诉讼案中,李乾坤有严重的受贿行为。"

"金城县?"陈默雷听到这里一下子变得警惕起来。他掩饰一下自己的神情,端过杯子喝一口水,说:"要不要我召集一下院党组成员,你跟大家集体通报一下?"

张业铭:"党组成员由你通报就行了。"

陈默雷问:"你们准备什么时候对李乾坤采取措施?"

张业铭:"检察院已经批捕,立即逮人。"

行政庭庭长李乾坤嘴里咀嚼着一粒药丸,把手中的药丸壳子抛到办公桌上,药壳在平滑的办公桌上旋转起来。旋转结束,他用手指再次捏起这粒药壳时,办公室主任宋修推门进来。还没等宋修说什么,李乾坤便说一句:"老宋,再别说什么偏方治大病了啊!你送我那哮喘偏方,我老婆吃了压根儿不管用,喉咙就跟拉风匣似的,一阵比一阵紧。"

宋修站在李乾坤面前,只是愣愣地看着他,什么也没说。

李乾坤喝一口水,将嘴里咀嚼的药丸咽下,说:"老宋,怎么了,有事?"

宋修:"检、检察院的同志找、找你有、有事。"

李乾坤看着神情异样的办公室主任宋修,嗫嚅一句:"检察院?"

宋修叹一口气,随即走到门前,把办公室的门打开。检察院反贪局的阎副局长和王科长走了进来。两人径直走到李乾坤面前,阎副局长问一句:"你是李乾坤?"

李乾坤望着陌生的两人问:"你们是……"

检察院的王科长掏出一张逮捕令,说:"我们是春江市人民检察院的,你被指控涉嫌受贿罪名,市人民检察院已批准对你执行逮捕,请签字吧。"

白纸黑字的逮捕令推到李乾坤面前时,李乾坤的脸变得面无血色。他哆哆嗦嗦拿着逮捕令,看了半天,突然冲站在一旁的宋修喊一声:"老宋,这怎么回事?"

宋修唉声叹气,无可奈何地摇头。

李乾坤又面向检察院的二人,说:"我,我们院长知道吗?"

阎副局长说一句:"你是司法人员,有关司法程序你应该很清楚。"

李乾坤双手抱住头,半天没有动静。片刻之后,他颤颤巍巍说:"我都这把年纪了,不到一年就退休回家,我有多大罪过,非要跟你们走……"

阎副局长又说一句:"有什么话到检察院去说吧,先签字。"

年轻一点的王科长从李乾坤手里抽出那张逮捕令,用力往桌子上一按,说:"签字!"

李乾坤仍然双手抱头,半天又挤出一句:"和那些江洋大盗比起来,我,我只不过拿回家个铁钩子……我让他们害了……"

办公室主任宋修见状,走上前说:"老李,先、先把程序走了吧。"

李乾坤这才颤颤抖抖地在逮捕令上签字,又颤抖着手指在王科长递上的印盒上蘸上印泥,在逮捕令上按下红红的指印。

宋修见检察院的王科长掏出了手铐,忙上前说:"不、不用上铐子了吧?"

王科长一脸冷峻地说:"对不起,我们在执行公务。"

李乾坤伸出手,冰凉的手铐戴到了他的手腕上。阎副局长说:"走吧。"

李乾坤刚站起身,郑小泉和另外两名合议庭成员闯进了办公室。郑小泉刚喊一声:"庭长!"突然就看见了庭长李乾坤已戴上了手铐,夹在两名检察干部中间。郑小泉等人一下都蒙在那里,他不由自主地脱口问一句:"这是怎么回事啊?"

阎副局长说一声："走吧。"

李乾坤随着两名检察干部向门口走去。走到门口，李乾坤对宋修说："老宋，这事你别一下子说给我老婆，我怕她一口气喘不上来过去了，下半辈子，我可就指着她了……"

老宋答应着，把办公桌上的烟和火塞到李乾坤裤兜里。

两名检察干部把李乾坤拥出办公室。

办公室主任宋修和郑小泉等人跟着出了办公室，看着李乾坤夹在两名检察干部中间走向楼梯口。李乾坤的背影顿时显得佝偻、苍老。

郑小泉憋不住，向宋修问一句："老宋，怎么回事啊？"

宋修没有回答。

郑小泉着急地说："你说话呀！"

宋修指着行政庭庭长办公室的门，没好气地对郑小泉来一句："去，给我把办公室的门锁、锁好！"

陈默雷站在办公室的窗前凝思。很快，楼下传来了刺激的警笛声。警笛声由近及远，渐渐消失。

6

隆隆的地铁驶来，停靠在地铁车站。车门打开，络绎不绝的乘客拥向站台。杨铁如一边走出车门，一边展读一张报纸。他夹杂在熙熙攘攘的人流之中，脚步缓慢地走向出口。突然，他的脚步停了下来，目光定格在报纸一则醒目的标题下。那个黑体字的标题是《利剑斩向司法腐败》，内容是关于春江市中级人民法院行政庭庭长李乾坤的受贿案。杨铁如在熙熙攘攘的人流中站定，将那则黑体字标示出来的消息一气呵成地读完。

地铁又开始启动，隆隆地驶离站台。熙攘的人流也渐渐疏散，站台上出现了短暂的安静和空旷。杨铁如从报纸上抬起头，刚刚嘘出一口气，突然发现有个戴墨镜的女子正近在咫尺地看着他。

他刚刚一个愣怔，迎面的女子很快摘下了墨镜。杨铁如旋即认出，眼前风姿绰约的女子是周士杰的妻子邵红。杨铁如脱口而出："邵红！我怎么又在地铁车站碰上你？"

邵红："有些话说准了，不是冤家不碰头。"

杨铁如："冤家宜解不宜结，我不想跟你成为冤家。"

邵红："我该怎么称呼你？杨院长还是杨律师？"

杨铁如："你最好喊我的名字。"

邵红："那好，杨铁如，你可不可以单独找个地方请我坐一坐？"

杨铁如莫名其妙地看着眼前的邵红。邵红重新把墨镜戴上。此时此刻，又一辆地铁隆隆驶来，停靠站台时，发出沉重的制动声。

在一个相对僻静的咖啡屋，杨铁如和邵红面对面坐在一起。邵红的墨镜已重新摘去，阳光透过窗户照在她的脸上，显得妩媚动人。杨铁如点燃一支烟，默默无言地看着她。邵红轻轻搅拌着杯中的咖啡，说："我让你单独约我出来，你怕不怕？"

杨铁如淡然一笑，说："活到今天，我还从来没有怕过人。"

邵红："什么人都不怕？"

杨铁如："只要是人。"

邵红："那鬼呢？"

杨铁如愣怔片刻，又说："鬼是人扮出来的，所以，也没什么可怕。"

邵红："你这样说，是不是戴着一副有色眼镜在跟我说话。你总以为我是一个死刑犯的妻子，我的每一句话都带着嫌疑，是不是？"

杨铁如摇摇头，说："我没有戴有色眼镜，反倒是几次见你,你总是戴着墨镜。"

邵红拿过桌子上的墨镜戴上,说:"我害怕阳光,我觉得从墨镜里看到的世界更真实。"

杨铁如:"你让我约你出来,就准备戴着墨镜跟我讲话?"

邵红:"你办完周士杰的案子之后,如果顺理成章当上法院院长,我肯定戴着墨镜跟你讲话,或者只戴着墨镜在远处看着你,一句话也不讲;而现在,我可以把墨镜摘掉。"邵红说着,果然把墨镜摘了下来。

杨铁如:"我知道你有话想跟我说,可你刚才讲的,我听不懂。"

邵红:"我说句让你听得懂的话吧,周士杰害了自己,害了这个家庭,他还害了一个人,就是你!"

杨铁如沉默片刻,说:"我还是听不懂。"

邵红叹口气,说:"你怎样才能听得懂?"

杨铁如:"实话实说。"

邵红:"你凭什么让我相信你,要对你实话实说?"

杨铁如无奈地摇摇头,说:"凭什么?我哪知道我凭什么让你相信我?"随即,他把目光对准邵红,咄咄逼人地问:"既然你不相信我,你又凭什么让我约你出来,听你说这些模棱两可的话?"

邵红笑笑,说:"要不,咱们就不谈了。也许是话不投机,也许原因在我,我有神经病!"说着,邵红起身,做出要离开的样子。

杨铁如赶紧劝阻:"别别别!既然我想让你相信我,我就以人格保证,人格!说真的,除了人格,现如今我再也拿不出别的来了!"

邵红:"那你会不会以为我对你说的都是鬼话?"

杨铁如:"我会以平等的人格尊重你的谈话。"

邵红看到咖啡厅里陆陆续续又有不少的客人进来,在两人的周围落座。于是,她重新戴上墨镜,拎起包,说:"咱们换个地方再谈吧。"

邵红已起身离开,无奈的杨铁如只好起身追随而去。

城市的一个角落,正在拆迁的建筑物形成一个庞大的废墟。杨铁如跟随邵红来到这废墟前,邵红停下脚步,看着不远处正在拆迁的建筑物,说:"别介意,我戴着墨镜跟你讲话,因为这里不光你自己。"

杨铁如说:"随便。"

邵红踩着废墟上的瓦砾,说:"你是不是以为你对周士杰的审判是一次成功的案例?"

杨铁如:"我的审判经过了最高人民法院的核准。"

邵红:"那仅仅是核准了周士杰一个人的死刑。你觉得周士杰这个案子该死的是他一个人吗?是谁写的匿名信,谁检举的他,为什么要把他推出来,为什么推出来就要把他置于死地?这些问题,你在长达半年多的审理中就没有想过?周士杰当然罪该死刑,可你认为周士杰挨了一枪,这案子就彻底了结了?"

杨铁如沉默不语,点上一支烟。

邵红:"世界上没有简简单单的故事。周士杰活在一张网之中,只不过,他在这张网中的位置太显眼,太容易招惹风声,为了保住这张网,有人就赶紧把他推出来,宁死一个别满门抄斩。我所以把这张网告诉你,不是因为觉悟。我丈夫死了,那些人还逍遥自在,平安无事,这太不公平,我咽不下这口气!"

杨铁如踩灭烟头,说:"可周士杰并未向法庭作过任何交待。"

邵红:"所以我恨他,坚决不去见他最后一面!我跟周士杰过了十几年,我知道,他本性怯懦,胆小如鼠,他知道他说什么也是死定了,所以就咬紧了牙关,为的是给我和孩子留一条后路。"

杨铁如:"可检察机关的公诉书只给周士杰一人提供了确凿的证据。"

邵红:"所以,经办此案的人一步登天,提拔为副检察长兼反贪局局长。"

杨铁如闻听此言,嘘出一口长气,不禁抬眼眺望远方。不远处,一面巨大的墙壁正在拆迁工人的吆喝声中訇然一声倒下,弥漫的尘土正翻卷而来……

天近黄昏,杨铁如和邵红来到行人稀少的动物园。两人趴在动物园的栏杆上,看着铁笼内的孟加拉虎在悠闲地散步。邵红对杨铁如说:"周士杰贪污一百二十万也是死,二百二十万也是死,可你在审判过程中,一次又一次取证、认证,结果让周士杰的贪污罪行从一百二十万上升到二百二十万。你知道,你这么做让多少人提心吊胆?从那时起,很多人开始认识你杨铁如了,我也是从那时起知道你的。这案子你要再审下去,周士杰可能就咬不住了,周士杰咬不住,这张网将彻底撕破。这样的法官没法不让人怕你!你太较真,又太聪明,那些人传话给我说,没想到春江市出了你这么个把法律当成亲爹亲娘的人,这样的人,要多危险有多危险!现在你明白了吧?周士杰一死,有人很快提拔了,而你,却离开了法院大楼,开始跟老百姓一起坐地铁。"

杨铁如趴在栏杆上,只是听邵红讲,目不转睛地盯着铁笼里的孟加拉虎。

邵红看着杨铁如的神情,说:"你是不是不相信,以为我说的都是鬼话?"

杨铁如:"既然你掌握某些材料,为什么不向有关部门反映?"

邵红冷冷一笑,话从牙缝里挤了出来:"我有神经病,医院的诊断书和全社会的舆论都说我有神经病!一个神经病人说话有谁还会相信？再说，我也看不清这个世界，分不清谁是好人，谁是坏人，我不敢说。"

杨铁如："那你为什么想到要跟我说？"

邵红："因为你让周士杰害得跟我一样悲惨。"

杨铁如："我谈不上悲惨，辞去市委研究室主任我是自愿的，没有人逼迫我。"

"这恰恰说明你跟那些人不一样。"邵红沉吟片刻，又说："为了找你，我在地铁车站等了你好几天，因为我害怕。"

杨铁如："你怕？"

邵红从包里掏出一个鼓鼓囊囊的信封："你看吧，他们还没有忘记我，还对我放心不下。今天他们给我送钱，明天他们就会给我送刀！"

杨铁如接过邵红手里鼓鼓囊囊的信封，信封右下方一行清晰的红色印刷字体跃入杨铁如眼帘：金城县人民政府。他顺手一抽，从信封里抽出一沓厚厚的百元钞票。

铁笼里的孟加拉虎突然仰天长啸，深沉雄壮的虎啸回荡在天地之间。

心事重重、神情忧郁的杨铁如刚一踏进家门，就听到了孩子杨正大嘤嘤的哭泣。来到厅里，他看见孩子正依偎在妻子刘早春怀里伤心地落泪。妻子刘早春用虎视眈眈的眼神看着他。

杨铁如问："怎么了？"

妻子刘早春："你下午怎么去开的家长会？"

"家长会？"杨铁如一拍脑门，"哎呀，对不起，对不起。"

刘早春霍地站了起来："杨铁如，你现在一不当院长，二不当主任，今天下午你也没有当律师出庭的任务，天下大事总算不归你管了吧？可你一天到晚都在忙些什么？我就不明白,天下大事不归你管了,家里的事你还不能帮着分担分担?你不去开家长会,孩子明天就不能进校门了,你说怎么办?"

杨铁如压抑住自己,说:"别吵了,明天我领正大去跟老师解释。"

妻子刘早春的怒火越烧越旺:"你以为你是谁啊!那些官职比你大、能耐比你大的人物照样去开家长会,你怎么跟人家解释?你要想解释,你先给我解释解释,你今天下午干的事情是人命关天还是民族存亡?"

杨铁如坐下来,悲凉而无奈地说:"别跟我吵了,行吗?"

刘早春气咻咻地说:"你也有理屈词穷解释不了的时候!凭你现在这样,你有什么资格去跟学校解释?正大,走!"

妻子刘早春说完,牵起孩子的手,走向里间屋子,把门关得很响。

压抑不住的杨铁如终于站起来,冲着关紧的屋门高声嚷道:"刘早春,你听着!开不开家长会无关紧要,只要我杨铁如不死,我还活着,天下大事我还得管!"

7

夜晚,刑事法庭大法庭内只亮着几束幽幽的灯光。杨铁如坐在法庭内木栅栏围起的被告席上,跟在他眼前迈着四方步踱步的陈默雷说:"如果邵红跟我说的话是真的,我都能想象得出来,当初,周士杰坐在这把被告席的椅子上,心里怎样在嘲笑我。想想当时我那一脸骄傲的神情,真像是一个恶作剧!"

陈默雷站住,说:"不管怎么样,周士杰的判决没有任何错误。"

杨铁如:"可这个案子,仅仅判决了周士杰一个人,本身就是个错误!"

陈默雷:"你凭什么这么说?"

杨铁如:"凭直觉!凭一个法官的直觉!"话说出口,杨铁如沉默片刻,苦笑着摇摇头,说:"对不起,我早已不是个法官了。"

陈默雷伏在栅栏上说:"铁如,我相信你的直觉。不能说你不是个法官,你现在只不过是一个不在岗位的法官。看来,事情比我们想象的还要复杂。这几天,我老在想,我们不是纪委,也不是检察院,法官只具有审判功能而不能兼具其他。可在这种特殊复杂的背景下,面对大量的控告信、检举材料,我们不采取一定行动的话,审判将留下死角和暗角。有人可以受审判,有人可以不受审判,留有这样的死角、暗角,司法公正将无从谈起! 所以,我已经向省纪委、中纪委转送了有关材料。同时,出于法官的公正之心,我希望上级部门谨慎从事,认真调查,以辨析材料的真伪。但愿材料中所述的一切都不是真实的。"

杨铁如:"你什么时候去过省城?"

陈默雷微微一笑,说:"我是不是很深沉?"

杨铁如:"比我深沉多了。"

陈默雷:"有一点你要相信,如果这些材料没有基本的可信程度,我不会贸然行事。当然,我知道我没有侦察的权利,我不会犯规。"

杨铁如掏出一个鼓鼓囊囊的信封,说:"这是王玉和送给邵红的一万块钱,你掂量掂量吧。"

陈默雷把信封拿到手中,看到信封上那行字,笑笑说:"金城县人民政府的钱真是无所不在啊,法院行政庭李乾坤也是碰了金城县的钱。"

杨铁如用手比画着说:"我在报纸上看了,这么大的标题。"

陈默雷:"是啊,消息之快,标题之重,都可以说是春

江市前所未有。我记得，王大凡开枪杀人时，市委专门有指示，要求新闻媒体不要炒作，尽量减少负面影响；而现在，法院出了个李乾坤，所有新闻媒体都一起挥戈上阵了！"

杨铁如："贼喊捉贼，往往叫得最响。看来，春江市的问题春江市自己是解决不了了，还是老院长说得对，市委上面有省委，省委上面还有中央。"

陈默雷忽然问一句："哎，对了，你说的这个邵红是不是个唱京剧的？"

杨铁如："春江市著名青衣。"

陈默雷一扯杨铁如："走，跟我来！"

杨铁如跟陈默雷来到他的办公室。

陈默雷坐到办公桌前对杨铁如说："我曾接到一个女人几次打来的匿名电话，什么话也不说，只是唱。我给录下来了，你听听是不是她？"

陈默雷按下了电话机上的录音键。录音电话里迅即传出邵红的京剧唱腔：

  我只道铁富贵一生铸定
  又谁知人生数顷刻分明
  想当年我也曾撒娇使性
  到今朝哪怕我不信前尘……

夜深了，黑黝黝的法院大楼只有陈默雷办公室的窗口亮着灯光。

邵红的京剧唱腔似乎渗透出法院大楼，渗透进茫茫黑夜。

8

春江市委常委们在会议室坐列整齐，法院院长陈默雷以及检察长张业铭、公安局长刘跃进也列席会议。市委书记孙志板着面孔坐在主持人席位上，神情威严地说："我曾记得，春江市的人民群众曾经敲锣打鼓给春江市中级人民法院送去一块牌匾，上面镌刻着'大法官'三个字，《春江日报》为此在头版发了条很重的消息。为了这条消息，我特意赶到法院去。没想到，我前脚进去，后脚让老百姓把我堵在法院大楼里出不来了。当时我还不明白我为什么出不来，现在我明白了，你身为法官，索贿受贿，把一桩案子压到手里不办，这样的法院就该让老百姓堵住大门！法院是有至高无上的权力，可以枪毙周士杰，也可以枪毙王大凡，可判张三，可罚李四，可到头来，你不要搬起石头砸自己的脚！你敢砸自己的脚，就会有人管你，你掌握再大的权力也有人管！打铁先得自身硬，未正人要先正己，如果老百姓对我们的审判机关失去了信心，你让老百姓到哪里去打官司告状？从这个意义上说，李乾坤揣到兜里的钱比王大凡的那一枪影响还要恶劣！陈默雷，你向常委会说说吧。"

陈默雷低垂的头终于抬起，说："李乾坤的事，我很痛心。作为法院院长，我诚恳地作出检讨。我会向市委常委会提交深刻的书面检讨。"

孙志："这种情况下，你准备怎么审金城县人民政府的案子？"

陈默雷："其实，自从农民堵住了法院大门，这桩案子积压了两年多浮上水面以后，李乾坤一直没有介入这桩案件的审判工作。再说，李乾坤的事情虽然教训深刻，但他一个人不能代表法院的整体形象。李乾坤的案子可以另案处理，金城县人民政府的案子应按正常程序进行，不会受到影响。"

孙志："我建议在目前情况下，金城县的案子先放起来！腐败行为跟改革中的失误要严格区别开来。如果怕老百姓再闹事，市财政部门可以先想想办法，采取一点另外的措施。我现在终于明白，在此案审理过程中，王玉和不出庭有他不出庭的道理。你的意见如何?"

陈默雷正正身子,突然斩钉截铁地回答:"我不同意!"

孙志一怔:"为什么?"

陈默雷:"我不理解,李乾坤的受贿案早不检举,晚不检举,偏偏在金城案件面临宣判的时候冒出来!法律就是法律,法定诉讼程序就是法定诉讼程序,别说冒出一个李乾坤,就是冒出十个李乾坤也不能有任何更改。这个意见我代表我个人,代表院党组,也代表春江市中级人民法院!"

会场人员在陈默雷坚定的态度面前为之一震。

十九

- 党的干部,会上可以批评,会后可以提意见,但有一条,谁都不能做谁的克格勃!
- 项目不停,程序不乱,车轮照常跑,机器照常转,会照常开,歌照常唱!

1

一夜春风吹来,昨日的寒凝大地已不复存在。通往郊区的路上,两边的坡地里冒出点点新绿。方正驾驶汽车,林子涵坐在一侧。越往前走,点点新绿连成辽阔的一片,在轻烟薄雾的笼罩中满目葱茏。林子涵兴奋起来,指点着远处的景色,说:"方正,你看,到处都绿了,这么绿!"

方正笑笑,说:"其实,早就绿了。只不过,你前些天心情不好,没看见罢了。"

林子涵争执着说:"不可能,我对绿色特别敏感,不会看不见。"

方正:"我不跟你争。反正我知道,有灰色的心情,就不会有绿色的眼睛。"

林子涵笑着说:"方正,咱是商人,别搞得跟诗人似的!"

方正:"商人也有诗意,我就是一个充满诗意的商人。"

林子涵用欣赏的目光看着充满自信的方正。她突然喊一句:"停车!"

方正困惑不解地看着她:"又怎么了?"

林子涵嚷着:"停车!停车,快停车!"

方正把车停了下来,看着林子涵,说:"我没说错什么吧?"

林子涵嘿的一声笑出来,说:"我想开车。"

方正:"吓我一跳!我还以为咱俩之间的谈话也有法律规定,我哪句话又触犯了你的法律呢!"他说着,身体固定在坐位上没动。

林子涵欲打开自己身侧的车门,冲方正喊着:"下车啊,交换位置!"

方正一把拉住欲下车的林子涵,说:"我不下车,你要想交换位置就在这儿交换。"

"在这儿?"林子涵看看方正的神情,随即捶打方正一拳,说:"你又出坏主意!"方正就势抓住林子涵的手,一侧身子,将林子涵拥入了自己的怀抱。

车内的空间狭窄局促,位置的交换便免不了两人的耳鬓厮磨和紧密拥抱。在充满甜蜜的身体纠缠之中,两人有短暂的搂抱和亲吻,然后,位置交换了过来。

坐到驾驶座上的林子涵手执方向盘,脸上泛起幸福的红晕。她平喘一口气,对方正说:"我知道你手头有很多事,可还得谢谢你周末陪我出来。况且,不是到别的地方,是到监狱。"

方正把手搭到方向盘上,攥住林子涵的手,说:"开车啊!"

林子涵拿起方正的手,亲了一下,随即,发动了汽车。她在启动汽车的一刹那,摁响了车内音响的开关。音响中流淌出优美动人的《深深的海洋》,在面向大海的美丽倾诉中,汽车再次启动前行。

汽车在郊区公路上越驶越远。《深深的海洋》随着道路两旁的点点新绿,一路播洒……

女子监狱的开阔地上,一队女囚正排成整齐的队形,在统一的口令下,迈着统一的步伐,来来回回地行走在大墙之下。

站定之后,一名管教干部走来,对喊口令的管教干部耳语几句。

管教干部高喊:"王杏花!"

站在队伍中的王杏花高喊一声:"到!"

管教干部:"出列!"

身着囚服的王杏花跑步来到管教干部面前。

另一名管教干部对诚惶诚恐的王杏花说一句:"有人来探视,去吧。"

王杏花的脸上浮现出一丝诧异的神情。

监狱会见室,王杏花脚步匆匆来到时,一下子站定在屋内。在众多探视者和囚犯围成的一个个圆桌前,她环顾四周,没有看到自己的亲人。正在迟疑之间,坐在一张圆桌前的林子涵和方正站了起来。林子涵冲王杏花招手,王杏花似乎不敢相信自己的眼睛,犹犹豫豫地向她走去。

林子涵迎上前,拉住王杏花的手,说:"王杏花,还记得我吧?"

王杏花的眼神流露出胆怯,她颤抖着嗓音说:"你,你是林法官……"说着,手不由自主地要从林子涵手中抽出。林子涵更紧地握住了她的手说:"我来介绍一下,这是方正,我……我的男朋友,我爱人。今天正好周末,特意来看看你。"

方正向王杏花点头微笑,并问候一句:"你好!"

惊慌失措的王杏花不知该如何表示。她的目光在方正身上疾速地扫过一眼,便红着脸把头垂下,什么也说不出来。林子涵亲热地拉着她的手,说:"坐下吧,来,快坐。"

王杏花在林子涵的拉扯下,仍然不敢落座。她怯懦地说:"林法官,俺……俺站着就行……"

林子涵看一眼方正。方正说:"坐下吧,你看,周围的人都坐着,你不坐,咱就得一块儿站着了。"

王杏花在林子涵的拉扯下,终于坐下来。林子涵和方正坐在她的两边。王杏花低垂着头,始终不敢抬头看对方,拘谨的双手在衣角上捻来捻去。

林子涵轻轻问一句:"在这儿还好吧?"

王杏花只是低垂着头,用手捻动衣角,不敢抬头,也不敢回答。

方正看看如此窘迫的局面,便说:"王杏花,你还是跟她说说你在这里的情况吧。她一直对你很挂念,早就想过来看你。"

王杏花低着头,小声说:"政府对俺挺好的,不打俺,也不骂俺……"

"我看看,是胖了还是瘦了?"说着,林子涵用手抬起王杏花低垂的头,"让我看看嘛!"她认真地端详着王杏花那张清秀的脸庞,说:"胖瘦倒是看不出来,气色比以前好多了。你信不信,我做梦还梦见过你呢!"

王杏花不知该如何回答,她看一眼林子涵亲切的面孔,再次把头垂了下来。

方正看看王杏花,再看看周围。周围的囚犯们正和探视者在亲亲热热地交谈。

林子涵问一句:"黑子来看过你吗?"

这一问,触动了王杏花的神经,她先是一愣,继而有两行泪水从眼角溢出,随之,双手捂面抽泣起来。在抽泣中,王杏花的身体抖动得厉害。

林子涵与方正交换一下眼色。林子涵又问:"怎么,黑子没来看你?"

王杏花只是双手掩面,痛哭不已。林子涵把手搭到王杏花肩上,说:"告诉我,是不是黑子没来看你?"

王杏花在痛哭中摇了摇头。

林子涵试探着问："我猜他肯定来过。是不是我这么一问，你又想他了？"

王杏花只是痛哭，不作回答。林子涵抚着她的肩头，安慰她说："别哭，你想他，哭也哭不来。再说，这儿隔你家那么远，黑子也不可能老来看你。你不如在这儿沉下心，好好表现，到时候早点回家，那不就跟黑子天天在一起了？"

王杏花哭泣着摇头，含混不清地说："俺命里没有他……俺命里头……不该有他……"

林子涵说："什么叫命里头不该有他！你在法庭上喊，让黑子等着你，不光我听见，很多人都听见了。"

王杏花哭着说："他不等俺了……他走了……他一个人走了……"

林子涵似乎预感到发生了什么事情，她看一眼方正，方正示意林子涵继续询问。林子涵试图把王杏花的手拿开，问："别哭了，跟我说说，黑子怎么了？"

王杏花："他到这儿来看俺，回去的路上，拖拉机翻进了山沟，黑子就……"

说到这里，林子涵和方正惊讶地沉默下来。王杏花哭得伤心之至，哭声招惹了周围不少人的目光。许久之后，林子涵掏出一块手绢递给她，轻声说："别太伤心了，这种事谁也想不到……你得好好的，家里还有老人、孩子……"

王杏花接过林子涵递上的手绢，捂住嘴哭了半天，说："林法官，你还不如当初把俺枪毙了，俺死了也就跟他一块走了……人家都说，俺命不好，俺命硬，克男人……"

林子涵说："说什么呢！你以为枪毙一个人可以随随便便，随便谁说句话就行了？你可没有死的理由，你死了，法律判决就不公平了。我知道，黑子走了你很难过，可也不能绝望啊！老人、孩子还在家里等你，对上你是女儿，对下你是母亲，你舍得扔下他们不管？再说，你还这么年轻，要是能争取早日回家,往后的日子还耽误不了。别哭了,听话,啊……"

在林子涵的劝解之中,王杏花的哭声渐渐停息下来。

林子涵又说:"王杏花,你听我说,往后,家里有什么难处,你这里有什么难处,你就给我写信,能帮上忙的我尽量帮忙。想不通的时候,也给我写信说说。你要不出事,咱俩也认识不了;可既然有过那么一段,你就把我当成个大姐吧。你要认我这个大姐,就算黑子走了,你也不会觉得太孤单。"

说到这里,王杏花又把手绢捂在了眼睛上。

林子涵示意,方正从圆桌下提起一兜东西。林子涵接过来,推到王杏花面前,说:"这次我来看你,也没带吃的喝的,就给你买了几件内衣,还有点卫生用品,你收起来吧。"

王杏花用手绢捂着眼睛,一个劲地摇头。

林子涵:"怎么还摇头啊,东西你不要,再让我大老远地提回去?"

王杏花在林子涵和方正猝不及防的情况下"扑通"一声跪在地上,哭着说:"你是政府,你不杀俺,给俺留一条命,俺当牛作马都报答不了你……你还来看俺,给俺送东西,俺不敢……俺几辈子也还不起这么大的人情……"

林子涵和方正赶紧起身,搀扶跪在地上的王杏花。王杏花长跪不起,林子涵说:"王杏花,你再不起来,我可就生气了!"

林子涵和方正共同搀扶起王杏花。王杏花仍在呜呜地哭着,林子涵不知该如何安慰。她的目光扫视一下整个会见室,看见角落里一个稚气未消的孩童正在白发苍苍的老人怀抱里对着一名年轻的囚犯唱着咿咿呀呀的歌:"在那遥远的小山村/小呀小山村……/我那亲爱的小燕子可回了家门/女儿有个小小心愿/小小心愿/再还妈妈一个吻/一个吻……"

不谙世事的孩童天真无邪地唱着,对面聆听的女囚已是泪水涟涟……

2

夜晚,陈默雷办公室,电视上正在播一栏新闻节目。画面上传出播音员的声音:"震惊全市的'11.23'警察持枪杀人案已经在春江市中级人民法院审判结束。被告人王大凡今天被押赴刑场,执行枪决。此案的发生,在广大市民中引起了强烈反响。在杀人凶手王大凡执行死刑之际,本台采访了本市部分群众——"

电视画面上出现了电视台记者手持话筒在大街小巷采访到的群众场面。一名群众说:"听到这案子发生,我们吓了一跳!警察手里的枪朝老百姓开火,你说,老百姓这日子还有法过没法过?"一名老人面对记者的话筒说:"杀!该杀!王子犯法,庶民同罪。我看杀得好,杀得及时!"又一名年轻妇女说:"政府要树立形象,必须要严明法纪!跳出来开枪杀人的当然要判,那些躲在背后没有跳出来的,也可能就是隐患,也要下大力气清除。"

陈默雷盯着电视画面上的采访镜头,聚精会神地看着,听着。

采访镜头结束之后,电视画面又传出播音员的声音:"'11.23'案件发生之后,市委、市政府高度重视。为此,本台专门就此案的发生采访了市委书记孙志。"

电视画面上出现了市委书记孙志接受采访的镜头。陈默雷更加目不转睛地盯住电视画面。

孙志面对采访话筒,说:"王大凡案件影响重大,教训深刻。市委、市政府要求各部门,尤其是执法部门,要抓住这个案件,认真解剖,深刻对照,全面反省。可以这么说,王大凡开出这一枪不是偶然的,这是一种权力意识膨胀的结果。各级党员干部,尤其是执法部门的党员干部,都要借此问一下自己,党和人民赋予你的权力,你是否在违规使用、越权使用、滥用乃至于胡作非为!目前,我们司法机关暴露出来的问题绝不仅仅是王大凡案件,形形色色的腐败现象仍然时有发生。在所有腐败行为中,司法腐败危害尤甚。为此,市委、市政府决心,对腐败行为决不姑息,查出一个,惩办一个;同时,哪个部门出现了腐败行为,还要实行一把手领导责任追究制。只有这样,春江市八百万人民才能生活在一个清正廉明的大环境之中!"

市委书记孙志从电视画面上消失之后,播音员宣布:"这次的《新闻纵横》节目播送完了。"随之,花花绿绿的广告便占据了荧屏。

陈默雷关掉了电视机。他思索着站起来,在办公室来来回回走了几趟,突然回到办公桌前,拨通了市委书记秘书唐学风的手机:"喂,唐秘书吗?你好,我是陈默雷。我想问一下孙书记现在什么地方?"稍听片刻,他又说:"谢谢你,我知道了!"

陈默雷放下电话,略一沉吟,拎起公文包,大步走出办公室。

陈默雷开车行驶在春江市大街上。一幢幢大楼和一条条街道被各色霓虹灯装饰得五彩缤纷。他打开车内的收音机,收音机各个频道传来共同的嗲声嗲气、港台风格的主持人话语以及点歌、求医、诉说感情等形形色色的热线电话。形形色色的热线电话传达出这个时代花里胡哨的普遍心态。陈默雷边开车边听着主持人和热线电话的无聊应答,在不远的路口,遇上了红灯。

他把车停下,不经意地往车外一瞥,大街旁亮如白昼的灯光正映衬出一座庞大的娱乐城。他定睛一看,辉煌的灯光正照耀着从车内走出的金城县县长王玉和。也许是为了辨识和确认,陈默雷把车窗摇下。

他清清楚楚地看到县长王玉和在一行人的簇拥下晃晃悠悠、比比画画走进了那座庞大的娱乐城。

绿灯亮起，陈默雷升起车窗，继续前行。

地铁工地的夜晚仍然灯光辉煌。来到地铁隧道的陈默雷在建筑工人的指点下，看到了市委书记孙志正在不远处的一台挖掘机前。头戴安全帽的孙志一边听工程人员介绍着什么，一边关注着挖掘机的工作。

陈默雷来到孙志跟前。孙志看了陈默雷一眼，随即又对身旁的工程负责人说："你们接着说。"

工程负责人继续向孙志介绍着："从目前情况看，地铁二期工程的最大问题不在于施工进度，而在于施工质量。自从三号工地出现塌方事故之后，我们已组织工程技术人员集体会诊，根据特殊地质构造，制订新的施工方案。这样一来，施工速度将会受到一定影响。"

孙志："速度服从于质量，我当然没什么意见。现在你们的任务是，在保证质量的前提下，要尽可能提高速度，尽可能使整个工程按预定周期完成。"

围绕在孙志身边的工程负责人纷纷点头。

孙志又说："为什么要让你们提高速度？有人可能说，我孙志快到离岗年龄了，我心急等不得。真有人这么说，我也没办法。但我认为，提高地铁工程速度，是为了和快速发展的春江市经济速度相匹配。没有梧桐树，引不来金凤凰。后年，我们已承接了大型国际贸易洽谈会，我希望五湖四海的朋友来到春江之后，能看到我们的交通血脉比任何地方都通畅！所以，按时完成地铁二期工程，不是给我孙志个人树碑立传，它的意义比你们想象得还要大得多！"说完，孙志对身边的工程负责人说："好了，你们不用陪着我了，我随便走走，随便看看。"

几个工程负责人员看看站在孙志面前的陈默雷，自觉地躲闪到一边去。

孙志这时把目光对准陈默雷,问:"你怎么跑到这儿来了?"

陈默雷说:"白天找你,都说你在开会。晚上我打电话给唐秘书,说你在地铁工地,就过来了。"

孙志:"什么事?"

陈默雷:"法院明天要再次开庭审理金城县那桩行政诉讼案,我特意来向你汇报。"

孙志听到这里,皱起眉头,说:"市委常委会上,大多数同志不都同意你的意见吗?我当然服从常委会决议。你们的事你们自己干就是了,有什么好汇报的?刚才我跟他们说的话你可能也听见了,春江市的工作千头万绪,有芝麻也有西瓜,你总不能让我抱着你们一桩官司当西瓜啃吧?"说到这里,孙志指着正在工作的挖掘机,说:"你看看,这才是实打实的工作,实打实的效率。这挖掘机往前挖一米,春江市的发展步伐也就跟着往前推进了一米。这才是我孙志赞赏的工作风格,埋头苦干,脚踏实地!"

陈默雷看看气势磅礴的挖掘机,又对孙志说:"本来不该打扰孙书记的工作,因为这桩案子你过去非常关心,所以,我才专门赶来向你汇报。"

孙志:"我是为那些堵住法院大门的农民,才来关心这桩案子。原来,我把一切责任都推到王玉和头上,现在看来,堵你法院大门有你法院自身很大原因!在这种情况下,即使我命令王玉和出庭,王玉和也有不到春江不出庭的理由!"

陈默雷:"王玉和已经到春江了,我相信他是为出庭赶来的。"

孙志:"你怎么知道?"

陈默雷:"我今晚看见他和一帮人走进了人人娱乐城。"

孙志听到这里,极其不满地朝陈默雷瞥去一眼,说:

"陈默雷，什么叫人人娱乐城？是你看到的，还是你派人盯梢？细枝末节你怎么掌握得这么清楚？有句话我一直想跟你说，任何人的权力都是有限度的，没有人赋予你跟踪、盯梢、侦察的权力。王玉和是人民政府的一县之长，跟你一样都是党的干部。党的干部，会上可以批评，会后可以提意见，但有一条，谁都不能做谁的克格勃！越是司法机关，越应该做守法模范！"

孙志说完，气呼呼掉头走开，走向工地深处。

陈默雷看着身边的挖掘机，陷入进退维谷之中。挖掘机在呼呼隆隆地工作，巨大的土石方装入卡车车斗。泥土倾倒而出的一瞬，伴有沉闷的重响。

夜已深沉，万籁俱寂。陈默雷开车来到江面大桥。他孤独地趴在江面大桥的栏杆上，汽车停靠在他的身后。灯光勾勒出他的身影——一个孤独而伤感的思想者的身影。他沉默地望着滔滔江水，心中荡漾着无限心事。

寂静的思索中，一辆警车呼啸着从江面大桥驶过。陈默雷回过头，看着风驰电掣的警车飞速驶向远方。他转回头，再趴到大桥栏杆上时，一阵苍凉、嘶哑的喊唱从桥下传来："……我不知道/我不知道/我不知道/哪个更圆/哪个更亮/哎嗨哎嗨……"

循着怪模怪样的喊唱，陈默雷看到桥下江边上一个醉酒者正跟跟跄跄地行走。醉酒者在喊唱中跌倒在地，他爬起来，指着一江春水骂道："少来这一套！老子我没喝醉，我清醒着呢！我就骂你下贱，你就是个没有脊梁的下贱货！他有钱你就跟他睡，敢情谁有钱你就上谁的床！银行有钱，你怎么不和银行睡？保险柜有钱，你怎么不搂着保险柜睡？呸！"

醉汉指着江水骂完，又跟跟跄跄沿着江边走去。趴在桥面栏杆上的陈默雷又听到了那个渐行渐远的醉酒者传来的嘶哑的喊唱:"山上有棵小树/山下有棵大树/我不知道……/哪个更大/哪个更高……"

陈默雷直起身来,一回头,正看见对面的航标灯向他闪烁。航标灯一明一灭,似在跟陈默雷做无声的交流。他凝望片刻,健步走上自己的轿车。

轿车驶去。航标灯仍然一明一灭,像深夜的眼睛。

3

一辆轿车行驶到法院大楼楼前,车上走下王玉和和另外几个人。走下轿车的王玉和抬头看一眼高高耸立的大楼,对身边几个人说:"看见这大楼了吧?楼有多高,人有多高。人家高高在上,可上九天揽月;咱在穷乡僻壤,只有五洋捉鳖了!"

身旁一名随从人员说:"法院这么高的大楼,怎么就不修汽车通道?"

王玉和指指楼前高高的台阶,说:"从乡下来的吧?不知道了是不是?这是人家的规矩,想踏进这门槛,对不起,起步——走!"

王玉和与几个人踏上法院楼前高高的台阶。

陈默雷站在法院大厅的獬豸壁画前,看着县长王玉和等人走进来。他没有迎上前,等王玉和几个人走近,陈默雷伸出手,说:"欢迎你,王县长!"

王玉和走上前握住陈默雷的手,摇晃着说:"下官王玉和特向陈大院长报到!我今天来,就把这一百多斤交给你了。依法治国,法律就是皇上,你让臣死,臣不敢不死!"

陈默雷笑笑,说:"你能出庭,支持法院工作,我得谢谢你王大县长。"

王玉和笑着说:"还王大县长!你没听说,现在是部级干部一走廊,局级干部一礼堂,县级干部一广场。我这点芝麻官，人山人海，满世界都是！"说着，他又向身边的人介绍："介绍一下，这位就是陈默雷院长，人民的大公仆，咱们的贴心人！"

几个人纷纷上前与陈默雷握手。陈默雷边握手边笑着说："什么事经王县长嗓门一说，全都高了八度。"

王玉和也笑着说："陈院长，你别这会儿把我捧到天上，过会儿又把我摔到地下。别看我乐乐呵呵这模样，我不过少年壮志不言愁罢了。看在我心律不齐、血压偏高、神经衰弱、脂肪肝的份上，你老兄可得手下留情。救人一命，胜过一个七级屠户啊！"

陈默雷听罢，笑着说："王县长改革改的，屠户都有级别了。"随即，招呼众人说："开庭时间还早，先到休息室休息一会儿吧。"

陈默雷引领众人离开大厅前的獬豸壁画。

孙志的轿车驶进省城的宽阔街道。

车内，坐在后车座上的孙志正闭着眼睛，看不出是在休息还是在沉思。秘书唐学风回头说一句："孙书记，到省城了。"

孙志睁开眼睛，朝窗外望去。

唐学风问："要不要先休息一下？"

孙志严肃地说："休息什么？直接到省委大院！"

孙志的轿车开往通向省委大院的林荫大道。

法院行政审判法庭内，旁听席上坐满了民工。坐在原告席上的民工代表李长明神情略显紧张，身旁的律师叮嘱他说："不用紧张，法庭上的事由我来处理。你不是一直想见见你们县领导吗？正好他们来了，也是个机会。"

正说着，县长王玉和等几个人走进法庭。李长明和律师以及旁听席上的民工都齐刷刷向他们投去关注的目光。王玉

和走到被告席前,看着桌牌上的"被告"两字,不禁念出声来:"被告!"随即,又对身旁的几个人说:"不用问,这是咱今天坐的地方。"

几个人坐到被告席上。王玉和刚想坐下,突然想起什么,回头看了看原告席上的李长明及其律师。只是一瞬间,王玉和便来到原告席前,站到了李长明对面,说:"你就是那个叫李长明的吧?"

李长明看着王玉和的神情,什么话也没说出来。

律师说:"他是李长明,我是他们的律师,是本案的委托代理人。"

王玉和根本没有理睬答话的律师,而是对李长明笑笑,说:"早就想跟你认识一下,一直没找着机会。等这案子审完了,咱都得回金城,到时候,咱好好聊聊,有什么想不开的,统统跟我说说。我这人你是不知道,只要在自家屋檐下,天打五雷轰都不怕!"说着,王玉和还笑着拍了拍李长明的肩膀,神态悠然地回转身,坐到了被告席位。

郑小泉和两名合议庭成员走进了法庭。书记员喊一声:"起立!"

全体人员起立。郑小泉和两名合议庭成员在审判席上向众人致意。王玉和站起身时,投向郑小泉的目光复杂而神秘。

坐下之后,郑小泉宣布:"现在宣布开庭!"

春江市委书记孙志已经坐在了省委书记刘自强办公室。孙志向坐在对面的省委书记刘自强说:"刘书记,我专门跑到省委,就是有个思想疙瘩解不开。怎么突然之间,一夜之间,省纪委、监察厅、省高检就组成联合调查组进驻春江了呢?市委一点思想准备也没有,弄得好像突然袭击,让人措手不及嘛!"

省委书记刘自强微微笑着,端起茶杯,说:"想不通啊?"

孙志:"想不通,也可能我觉悟低了点。这事,最起码该提前打个招呼吧?"

刘自强微笑着问:"最近在忙些什么?"

孙志:"一个市委书记,还能忙什么?减轻农民负担、国有企业解困、地铁二期工程……哪一桩事都足以让人焦头烂额。现在更好了,天上掉下个林妹妹,联合调查组又进驻春江,真不知会热闹成什么样!"

刘自强放下手中的茶杯,说:"老孙,事情是突然了点,我也理解你的情绪。可情绪归情绪,这件事还要严肃认真正确对待。向春江市派驻联合调查组是经过省委常委集体讨论的,让春江市委保障调查组工作环境、协助调查组工作而不参与调查组工作,也是常委会的决定。所以我说要正确对待,严肃认真对待。春江市的工作不能耽搁,春江市的局面不能乱,这两点,也是省委对你、对春江市委的具体要求。我当然也希望联合调查组无功而返,你春江市皆大欢喜;但有一点你要相信,省委的决定也不是无源之水,无本之木。正视问题,揭露问题,这才是共产党人的气魄嘛!"

孙志叹出一口气,说:"刘书记,如果省委认为我本人以及春江市委有问题,可以采取组织措施;为什么联合调查组进驻春江,一级市委组织不能参与工作只能协助?"

刘自强笑笑,说:"孙志同志,可不能把你个人的情绪化语言强加到省委头上啊!我们的纪律检察有自己的程序和规范,调查组在春江市调查问题,你们应该回避和超脱出来,坦然接受调查嘛!这也是组织的一种考验。我对你们的期望就是,既来之,则安之,迎接考验,不怕考验!真金不怕火炼嘛,你们要以实际行动,证明你们是不怕火炼的金刚之身!"

……

孙志表情刻板地从省委大楼内走出。走下省委大楼的台阶,轿车开到他的身旁。秘书唐学风下车走上前,问:"孙书记,见到刘书记了?"

孙志什么话也没说。

唐学风看看孙志的表情,又试探着问一句:"咱们再到哪儿?"

孙志长叹一声:"哪儿也不去了,回春江。"

唐学风打开车门,孙志缓缓走上汽车。上车的一刹那,他抬眼看了一下庄严的省委大楼。

孙志的轿车缓缓驶出省委大院……

行政审判法庭内,庭审正在进行。坐在被告席位上的县长王玉和正在发表意见:"……说实话,坐在这'被告'俩字后面,我心里不是滋味。当年,焦裕禄离开兰考到开封治病,送行的老百姓挤满了大街小巷,冲这感情,焦裕禄要能活下来,累死累活也得把兰考县栽满梧桐;孔繁森死了,西藏的老百姓光哈达就送了一卡车,冲这车哈达,孔繁森要不死,也肯定不会想调回山东。可我就不一样了,我这金城县的县长被咱金城县的百姓送上了法庭,弄成了被告。昨晚洗脚,从脚面到小腿,我这身上,一按一个坑,回不来。一边洗脚,我一边就想,这些年,该跑的腿跑了,该受的罪受了,为改革,为致富,自己努力比着焦裕禄追,比着孔繁森学,虽然我只种蔬菜不栽梧桐,没去西藏留在金城。可追来赶去,对照着榜样比葫芦画瓢,这被告还是不折不扣地当上了!问题出在哪儿,我想不太明白。是我王玉和没把焦裕禄、孔繁森学好,还是咱老百姓不适应搞改革、搞市场经济?这事想不明白,往后的工作就没法干。改革肯定要牺牲一部分人的利益,肯定要付出代价。我今天坐在被告席上,也许就是代价之一。但我既然来了,也只好听从法院判决。我的态度就是,有则改之,无则加勉,交给法院,听从宣判。"

审判长郑小泉问一句:"被告的意见是否阐述完毕?"

王玉和回答:"这话题阐述不完,今天只能说到这儿。"

审判长郑小泉和身旁的两名审判员交换一下意见,然后,挺直身板,说:"下面宣读春江市中级人民法院行政判决书。"

一辆轿车和一辆面包车驶抵春江中院大楼前。一行人走下汽车,神态严肃地迈上春江中院高高的台阶。进入大厅之后,跟随而来的检察长张业铭向其中一位中年人问一句:"要不要先到法院休息室休息一下?"

中年人摇摇头,说:"不用了,直接到法庭吧。"

在检察长张业铭的引领下,一行人走向行政审判法庭。在法庭门口,他们听到了审判长郑小泉铿锵有力的声音。

行政审判法庭内,审判长郑小泉正在宣读判决书:"……鉴于以上事实,本院认为,金城县人民政府在全县推广大棚蔬菜的过程中,不顾客观条件和农民利益,强行推广,强行种植,损害了广大农民的切身利益。与此同时,金城县人民政府未能做到依法行政,强行处罚,随意更改农村政策,属于违背国家法规的主观任意行为。根据《中华人民共和国行政诉讼法》有关规定,本院作出判决如下——"

郑小泉宣读到这里时,和两名审判员同时起立。

法庭内所有人员也都起立站好。

郑小泉继续宣读:"一,被告金城县人民政府赔偿二百二十三名原告共三百六十六亩土地两季庄稼的损失,计人民币七十二万元整;二,被告金城县人民政府赔偿原告修建蔬菜大棚费用,计人民币四十四万六千元整;三,撤销金城县人民政府加倍征收原告乡统筹、村提留的决定,加倍征收金额限期退还;四,撤销金城县人民政府对原告处以罚款的决定,限期内退还原告罚款,计人民币二十二万三千元整……春江市中级人民法院,审判长郑小泉,审判员王长生、沈宏。"

站在行政审判法庭门外的一行人听到了审判长郑小泉宣布闭庭的声音。随之,他们听到法庭内传出了雷鸣般热烈的掌声。

在旁听席发出的经久不息的掌声中,审判长郑小泉走下审判席,来到王玉和面前,说:"王县长,本案审理已经结束,我们向你当庭送达判决书。"

两名审判员同时走向李长明,向他送达判决书。

王玉和接过郑小泉当庭送达的判决书,说:"郑法官,你站在台上这么一宣布,我金城县政府一百多万就眼看着跑了!你可是不当家不知道柴米贵,不做买卖不知道牛毛税啊!"

郑小泉:"你要是不服本判决,可向上一级人民法院提出上诉。"

王玉和说:"你可当心,哪天我要在金城吃不上饭了,我可到你家门口去蹲着。"

郑小泉冷冷一笑,说:"王县长,我可不愿把你这话听成是一种威胁。"

王玉和也敷衍般笑笑说:"开句玩笑,开句玩笑。你在台上数落我半天,我还不能开你句玩笑?"说着,接过郑小泉递上来的钢笔,在送达文件上签字。郑小泉接过钢笔,说一声:"再见。"转身走出法庭。

王玉和看看旁听席上的众人,又面对仍旧坐在原告席上的李长明说:"李长明,法院管着判案,县政府管着赔钱,走吧,有话咱回金城去说,金城才是咱的老家!"

王玉和说着,和被告席位的几个人走出法庭。

李长明坐着不动,愣愣地看着王玉和的背影。旁听席上的众人纷纷起身,来到律师面前。有农民问:"咱这官司是不是打赢了?"

律师笑着说:"没打赢,你们鼓什么掌?"

又有农民问:"那县政府听不听法院的?能赔咱钱吗?"

律师拿起那份判决书,说:"大家看清楚,这不是一张纸,这是法律判决!天大地大不如法大,一切由法律说了算!"

李长明缓缓站起身来,说:"也不知咋回事,官司打赢了,我反倒有些怕他。"

李长明说出这句话,众人的目光都一下集中到他的身上。

走出法庭,走在前面的王玉和突然发现不远处迎面站着一行人正等待他走来。在横站成一排的人们中间,他看到了神情忧郁的检察长张业铭。他的脚步稍稍停留一下,随即,便装作若无其事地向前走去。

横站成一排的人截断了王玉和的去路。检察长张业铭赶紧向那位中年人介绍:"这位就是金城县人民政府王玉和同志。"

王玉和看着张业铭问:"这是……"

那位中年人走上前,说:"我们是省纪委联合调查组的,我们要找你审查有关情况,请跟我们走吧。"

王玉和看着中年人一脸严肃的表情,问一句:"对不起,我没听清楚,什么调查组?"

中年人说:"省纪委、监察厅和省人民检察院组成的联合调查组。"

此时此刻,走出法庭的农民也来到王玉和身后。农民们好奇地看着眼前的一切。

王玉和提高嗓门,问张业铭:"张检察长,这究竟怎么回事?"

张业铭说:"这是省委派来的联合调查组,我只是协助调查组的同志工作。"

王玉和:"我有什么好调查的!我不去,我还得赶回金城,下午还要主持大会!"

张业铭严肃地说一句:"王玉和同志,请你遵守规定,配合调查组的工作。"

中年人说:"主持大会的事,你先不要管了!走吧。"

几个人走上前,把王玉和拥在中间,向前走去。王玉和的随从在身后喊一声:"王县长,你的包!"

王玉和还未来得及说什么,一个年轻人走上前,说:"把他的包交给我吧。"

王玉和的随从人员颤抖着把包递给那位年轻人。

众多的农民跟在身后,走过长长的走廊。

跟随而来的众多农民站在法院大楼前高高的台阶上,看着王玉和被簇拥在几个人中间,走上了停在楼前的面包车。轿车在前,面包车在后,两辆车一前一后很快驶离了法院大楼。

人们似乎预感到什么,但没有人说话,众人的视线只是盯着汽车越来越远的背影。突然有人喊一声:"你们听,警笛!"

在汽车渐行渐远的背影中,有隐约的警笛声传来。

律师看一眼李长明,笑笑,说:"李长明,其实你什么都不用怕。"

又有人喊一声:"院长来了!"

众人回过头来,看见陈默雷和郑小泉正走出法院大厅。人们纷纷走上前,把陈默雷和郑小泉围起来。陈默雷握住李长明的手,说:"李长明,你老母亲怎么样?"

李长明用两只手攥住陈默雷的手,说:"陈院长,谢谢你!"

陈默雷笑笑,说:"谢我干什么?我问你娘怎么样了?"

李长明激动万分地说:"看见了!俺娘的眼睛好了!俺娘一直想来看看你,看看你这大恩人到底是个啥模样。"

郑小泉插话说:"你回家跟大娘说,看景不如听景,听景不如想景。真让大娘看我们院长一眼,大娘肯定会说,就长这样啊？真让人失望，一般人啥模样你也长了个啥模样！"

众人听到这里，都哈哈大笑起来。

4

一条通往山间别墅的道路。茂林修竹，曲径通幽。市委书记孙志的轿车停在一个岔路口，秘书唐学风坐在汽车的副驾驶座上，静静地等待着什么。

空旷的环境中，鸟儿啁啾，溪水淙淙，竹叶随风翻响，衬托出一份特别的寂静。

一会儿之后，一辆轿车顺蜿蜒的山路驶来。唐学风看到汽车越驶越近，打开车门，走下了汽车。

唐学风站在轿车前，等待那辆汽车驶近。车停下，车上走下检察长张业铭。张业铭站在车门前，愣愣地看着唐学风。唐学风说一句："跟我走吧。"

两人各自上车。两辆轿车在岔路口右拐弯，一前一后驶向茂林修竹的深处。

两车轿车很快来到掩映在绿荫之中的一群豪华、精致的别墅前。唐学风和张业铭各自下车，走进一座别墅。不一会儿，唐学风和张业铭又匆匆从别墅中走出。张业铭问一句："孙书记会不会另找地方？"

唐学风的目光在别墅门前四处搜寻着，说："不会，孙书记不会走远。"

突然，张业铭用手一指前方，说道："你看，那是不是孙书记？"

唐学风顺张业铭手势望去，在远处山坡上的一个凉亭内，他看到了市委书记孙志的背影。孙志背向别墅，坐在凉亭内的石凳上。从远处望去，孙志的背影在郁郁葱葱之中显得黯然、孤零。

孙志坐在凉亭内的石凳上，望着远处的云舒云卷和一抹夕阳。

唐学风和张业铭来到凉亭内，站在孙志面前。唐学风说一句："孙书记，张检察长过来了。"

孙志没有理会他们，只是远望那一抹夕阳在天空渲染出的一片猩红。

唐学风给张业铭递一个眼色，两人只好站定在那里，耐心地等待。

孙志凝视远方的夕阳，半天说一句："小唐，你到房间里等我。"

唐学风听见这话，闪身离去。张业铭一个人站在孙志面前，神态极不自然。

孙志半天又说一句："张检察长，你怎么不说话？"

张业铭愣怔片刻，说："我……我想知道孙书记找我来有什么指示？"

孙志仍然不看张业铭，说："我找你来，是想听你跟我说，我没什么指示。"

张业铭说："孙书记要让我说什么？"

孙志把脸转向张业铭，表情一下子变得严肃起来："说实话！我听够了那些大话、空话，你在宣传车喇叭里说的那些话，我一句也不想听！"

张业铭的鼻尖上沁出了细密的汗珠。他揩拭一下，说："孙书记，你是不是指省委调查组审查王玉和的事？"

孙志的目光盯住了张业铭，问："你告诉我，王玉和到底有什么事？有多大的事？"

张业铭："孙书记，这事我也说不清楚。你知道，我这检察长只是协助调查组做一点外围工作，究竟发生了什么事情，我真的一无所知。你是市委书记，我如果向你隐瞒，那还不等于是欺骗组织！"

孙志听到这里，一气之下站起来，说："张业铭，你又在提着个高音喇叭跟我讲话!我现在一听见这个喇叭就七窍生烟,气不打一处来!你敢说王玉和的事情你一无所知?如果你真的是一无所知,你这个检察长就是聋子耳朵瞎摆设!可你不是个瞎摆设,你很清楚自己的位置,更清楚自己手中的权力。我问你,你到底扣押了多少份对王玉和的检举材料?你为王玉和捂住了多少,盖住了多少,挡住了多少?如果你不捂,不盖,不挡,春江市的问题春江市自己还能够解决,正是你自作聪明,胆大妄为,才招来了省委调查组,招来了今天这种被动局面!"

张业铭听到这里,急忙争辩道:"孙书记,你这么说,这责任我可承担不起。王玉和即使出了问题,那也是王玉和自身的问题。我是三十多年的老党员,怎么可能没有明辨是非的能力?我如果收到检举王玉和的材料,为他包庇,为他遮掩,那不是丧失了起码的党性!人民检察院的形象工程是我提出来的,坚持党性原则,秉公执法办案是第一条,事实上,春江市人民检察院……"

孙志听到这里,打断张业铭的话,说:"你把你的高音喇叭放下好不好!"

张业铭停下来,长叹一口气,转换一种口吻,说:"也许,很多人都以为我跟王玉和曾经是战友,这些年也偶尔有些走动,所以,就认为我跟王玉和怎么样了。孙书记,假如你听到这种传言,那也是不实之词,是污蔑。春江市干部关系错综复杂,人心隔肚皮,什么谣言都可能产生。如果真有人把这话说到你当面,我都能想象得出那人是谁,是怎么编造的!"

孙志问:"你说吧,是谁?怎么编造的?"

张业铭长叹一口气,没再吱声。

孙志说:"张业铭,你最大的错误就在于把自己想象得太聪明。同事不如你聪明,上级不如你聪明,一级又一级组织也不如你聪明。可你别忘了,机关算尽太聪明,反误了卿卿性命！我不知道你跟王玉和之间做了什么交易，做了多大的交易，但有一点可以肯定，这交易你们做了！不做这笔交易，省委调查组就不会对春江市兵临城下！"

张业铭："孙书记，我跟王玉和会有什么交易？"

孙志："会有什么交易？今天王玉和被省委调查组隔离审查，而前天你送给我的《检察通报》还把王玉和列为廉政典型，你告诉我，这是为什么？"

张业铭开始讷讷无言。

孙志："没有什么交易，王玉和为什么在我跟前拼命为你当上检察长游说？你坐上检察长这把交椅，就成了王玉和的保护伞，就完成了你跟王玉和的交易，对不对？"

张业铭听到这里，脸色阴沉下来，不说话。

孙志问："你怎么不说话了？"

张业铭说："孙书记，没有你的同意，我张业铭恐怕当不上检察长！"

孙志："这是我最大的失误！"

张业铭听到这里，反倒不再紧张，说："如果说这是失误，那么，你孙书记听从了王玉和的游说，让我当上检察长，也是你跟王玉和之间的一种交易？"

孙志听到这句话一时语塞。

张业铭看看孙志的表情，便说："孙书记，我这么说，你别生气。这中间没有什么交易，你堂堂正正做人，我们也跟着你堂堂正正做人。我理解，王玉和被省委调查组审查了，你心情不好。可王玉和的事情就是王玉和的事情，一人有罪一人当，决不能把无辜的人都牵扯进去，城门失火，不能殃及池鱼。过去咱还出了个大贪官周士杰呢，可周士杰也没有影响咱们春江市干部队伍的整体形象。"

孙志沉吟片刻，说："张业铭，我情绪不好，有些话可能说过头了。但有一条，如果你是一个合格的检察长，省委调查组就不会来到春江！现在想来，在这个问题上，杨铁如当初对你的评价一点不错。至于你说，我跟王玉和之间有没有交易，我会向省委调查组说清楚；你跟王玉和之间有没有手脚，你自己心里明白。"

孙志说完，扭头走出凉亭，走向蜿蜒的山路。

孙志走出一段距离，张业铭又在背后喊住了他："孙书记！"

孙志站住，回过头来。

张业铭站在凉亭前说："不管合格不合格，既然我现在是检察长，我想以检察长的直觉向你禀报，这次，不是民主生活会，也不是批评与自我批评，是省纪委、监察厅、省检察院的联合调查组。"

孙志问："你什么意思？"

张业铭："我们应该有自己的策略。"

孙志目不转睛地看着张业铭，半天迸出一句："你低估了我这个市委书记，我还有起码的底线！"

孙志说完，沿着蜿蜒的道路向前走去。

张业铭一下坐在凉亭前的台阶上，看着孙志的背影融入到远天夕阳之中⋯⋯

5

下起了雨。张业铭在下雨的夜晚步履匆匆地走进省委调查组下榻的宾馆。由于走得急切，进门时脚下有一个小小的磕绊。他走进门厅，稳住神，开始擦拭头发上和公文包上的雨水。

一名工作人员走上前，问："请问，你找谁？"

张业铭："我是春江市人民检察院检察长，我想找一下调查组的冯组长。"

工作人员看完张业铭的证件后，说一句："你稍等。"

张业铭站在宾馆大厅，看着工作人员转身走去。在等待的时刻，他从西服口袋里掏出一把小木梳子，把被雨淋过的头发梳理得一丝不苟。

片刻之后，工作人员走来，对张业铭说："请吧。"

张业铭跟着工作人员走向宾馆的房间。

省委调查组的冯组长已在门口迎候。张业铭与冯组长握手，说："冯组长，这么晚了，还没休息？"

冯组长与张业铭握手，说："这么晚，又下着雨，你怎么过来了？"

张业铭在沙发上坐下来，说："我过来看看调查组还有什么事情需要协助。"

冯组长也坐下来，说："需要的时候，我会及时通知你。"说着，递给张业铭一支烟，"来，抽支烟。"

张业铭摆手说："不抽，不抽。"

冯组长："我印象中你抽烟。"

张业铭："戒了！我在市检察院下了道禁烟令，我带头。我就怕干咱们这一行的，烟酒一沾，政策放宽。"

冯组长笑着，点上烟，说："哪有这么严重！"

张业铭："我是防患于未然。我到检察院时间不长，凡事都提着个心，吊着个胆，格外小心。"

冯组长："是啊，干这一行，小心点好。"

张业铭问："王玉和的问题有没有结果？"

冯组长弹弹烟灰，说："审查嘛，总得有个过程。"

张业铭这时从公文包里拿出一摞信件，说："冯组长，我这么晚来，还有个情况想跟调查组汇报。说实在的，来还是不来，我斗争了很长时间。你也知道，检察院虽然有自己的司法权力，可在任何一个地方，权大于法的问题仍然很严重地存在。有时候，要党性可能就保不住官位，要官位可能就会丧失党性。我也脱不了俗，思想上瞻前顾后，也有为个人考虑的成分。但最终我还是来了，也没有叫车，我自己步行过来的。这是我这几天和前些日子收到的一些举报材料，你看看吧。"

张业铭把一摞信件递给冯组长。

冯组长接过来，看了一眼，问："什么内容？"

张业铭："检举王玉和跟市委书记孙志之间的有关问题。"

夜深人静，天上仍在淅淅沥沥地下着小雨。杨铁如擎一把雨伞，走在湿漉漉的小街道上。小街道行人稀少，杨铁如在低头行走中，忽然听到有人喊他："杨铁如！"

杨铁如顺声望去，忽然看见小街道另一侧与他相对而行的市委书记孙志。

孙志也擎着一把雨伞，站在街道上的一洼积水里。

杨铁如走过去，说："孙书记，怎么是你？"

孙志："我也没想到，出来走走就碰上你了。"

杨铁如："下着雨，你怎么一个人步行出来？"

孙志笑笑，说："我怎么就不能一个人步行出来？我还能一天到晚除了在会上就是在车上？这么好的雨，我也想出来走走。"

杨铁如没说什么，跟着笑笑。

孙志又说："你也是，说离开市委大院你就离开了，想见你一面，还真不容易呢！我听说，你办了一家律师事务所？"

杨铁如："刚开始，还没多大作为。"

孙志："你想有多大作为，我心里清楚。是不是你心里一直跟我过不去？"

杨铁如："我自己在找自己的位置，应该说，一切都是自愿的。"

孙志叹出一口气，说："有些事情，往往超出人们的想象。其实，我是真心实意想把你留在身边，给我做一个得力助手；没想到，我不但没把你留住，反倒把你从市委大院撵跑了。我有我的思考，你有你的性格，现在看来，性格的力量真是无敌。"

杨铁如："其实，我所做的一切都是为了重回法庭。"

孙志："你这么迷恋它。你跟我说说，法庭的魅力究竟是什么？"

杨铁如摇摇头，说："我说不出来。"

孙志："为什么？"

杨铁如："大音若稀，大象无形，大美无言。"

孙志点点头，说："难得你有这种境界。可惜呀，我这一辈子也在找自己的位置，却一直找不到你这种境界。没你这种境界，有时候就难免雾里看花，水中望月，云里雾里，亦真亦幻。"说到这里，他叹口气说："铁如，自己要好好保重，你还早着呢，还有时间。"说完，孙志便移动脚步，擎着雨伞向前走去。

杨铁如站在原地没动。他一直望着孙志的背影走到街道的尽头，然后消失……

6

市委常委会正在进行，孙志坐在会议室主持人位置，说："在今天常委会结束之前，我有必要把省委刘自强书记的意见再重复一遍。春江市的工作不能耽搁，春江市的局面不能乱！无论出现什么情况，这两条原则必须坚持，这也是我对常委会所有同志提出的期望和要求。在省委调查组驻春江期间，要做到项目不停，程序不乱，该洽谈洽谈，该谈判谈判，车轮照常跑，机器照常转，会照常开，歌照常唱！"

大礼堂内，大幕遮起的舞台上，市委机关干部正排成整齐队形，进行着最后的排练。身着统一演出服装的机关干部引吭高歌：

……
我们唱着东方红
当家做主站起来
我们讲着春天的故事
改革开放富起来
……

歌声落下之后,合唱队前的指挥对众人说:"这是咱们最后一遍排练了,一会儿大幕拉开,咱们是第一个出场。大家要振作精神,情绪再饱满一点,就像市委孙书记所要求的,咱们市委机关代表队要拿歌咏比赛第一名。大家说,有没有信心?"

众人齐声回答:"有!"

指挥对合唱队前排中间的一名合唱队员说:"第一排中间要给孙书记让出一个位置。"

站在中间的合唱队员问:"孙书记那么忙,能来吗?"

指挥:"孙书记说来,一定能来!"

大礼堂外,市委书记孙志的轿车驶来。秘书唐学风下车拉开后车门,孙志走下汽车。礼堂前,有几个人赶紧迎上前,一名机关干部说:"孙书记,比赛马上就要开始,你是第一个出场,都在等你了。"

孙志看看自己的衣服,说:"登台唱歌,我这身衣服合适吗?"

机关干部说:"只要你能来,穿什么衣服都合适。"

孙志刚刚走进大厅,秘书唐学风从一边跑出,说:"孙书记,有人找你。"

孙志皱皱眉头:"歌咏比赛马上就要开始。"

唐学风为难地说:"你先来一下吧。"

孙志跟随秘书唐学风来到礼堂休息室。休息室门口早已有人迎候，休息室内坐着五六个人。迎候在休息室门口的是省委调查组的冯组长，他对孙志说："孙书记，进来谈吧。"

孙志刚走进休息室，冯组长便向孙志介绍坐在沙发上的一名干部："这是省纪委林副书记。"

省纪委林副书记站起身，没有与孙志握手，直接说："孙志同志，经省纪律检查委员会报请省委批准，省纪委要求你在规定时间、规定地点向组织交待有关问题，请你配合我们的工作。"

孙志的表情一下子变得僵硬、滞重。许久，他问一句："什么时候？"

林副书记："现在就跟我们走吧。"

孙志闭上眼睛，缓缓坐到沙发上，说："让我坐一会儿。"

冯组长走出休息室，对站在门前的几个人说："你们的歌咏比赛照常进行，可以开始了。"

秘书唐学风问一句："孙书记还参加不参加？"

冯组长："不参加了。"

秘书唐学风手中的公文包啪的一声掉在地上。

大幕徐徐拉开，市委机关干部合唱队以整齐的阵形、昂扬的精神面貌展现在人们面前。在整齐的阵形中，第一排中间位置明显地空缺了市委书记孙志。

随着指挥的手势，乐队的前奏曲响起。

孙志和省纪委、省委调查组的人一起走出大礼堂，走上停在大礼堂门口的汽车。

在汽车启动的一瞬间，孙志从车窗口听到了大礼堂内传来的抒情歌声：

总想对你表白

我的心情是多么豪迈
总想对你倾诉
我对生活是多么热爱
……

　　汽车远离了大礼堂。坐在车内的孙志目光呆滞。歌声隐约地从背后传来，他知道，他将远离朝夕相处的市委机关干部，远离市委机关干部那整齐嘹亮而又抒情动人的歌声……

二十

- 难道法治的目的就是出一个判一个，出十个判十个？开法院不是做买卖，顾客越多就生意越好！
- 这个时代就这样，出手大方，出口响亮，我有什么办法！

1

太阳已经升起很高，依然躺在床上睡觉的杨铁如被床头上的电话铃声吵醒。他睁开惺忪的双眼，起身仰靠在床头上接听电话："喂！是我，对，还没起床。是啊，我也觉得奇怪，过去是怎么睡也睡不着，现在是怎么睡也睡不够。谁知道因为什么？岁月无情，人生易老呗！"

正在办公室跟杨铁如通电话的陈默雷，听到杨铁如在电话中传出的感慨，笑了笑，说："别发感慨了，你现在还不到发感慨的时候。有件事我跟你说，你肯定想睡也睡不着了。你听我说，省委联合调查组在春江市的调查结果让你我意想不到。目前，王玉和因贪污、受贿、挪用公款、侵吞农民资金，已经被批准逮捕。以王玉和为突破口，市、县两级干部已有十几人受到了不同程度的牵连，市委书记孙志也染指腐败行为，已经移送司法机关。谁也没想到事情会有这么严重！这消息让我坐立不安。我相信，你听到这消息后，蒙头大睡的好日子也该到头了。是不是这样？"

陈默雷听到对方没有声音，便问一句："你怎么不说话？"

杨铁如仰靠在床头上,对着话筒,许久说一句:"对不起,我想抽支烟。"

杨铁如起身下床,拿过烟,点上一支,对着话筒说:"默雷,我很难过。真的,听你刚才这么一说,我现在的心情比任何时候都糟糕。周士杰枪毙了才几天?一下子,又冒出十几个!周士杰在刑场倒下的时候,我在他身体旁边长长地舒出了一口气。我以为这一枪让一个过程结束了,在很长一段时间内,这个过程将不再重复。可时间不长,这个过程又回来了,而且比周士杰还厉害,一下子就十几个人。默雷,你说法治法治,法治来、法治去我们到底有多少骄傲的资本?难道法治的目的就是出一个判一个,出十个判十个?开法院不是做买卖,顾客越多就生意越好!假如法院的被告席上,永远见不到周士杰,也见不到王玉和和你说的这十几个人,我们一天到晚挂在嘴边的法治二字才算真正有意义。所以,听到这消息,我心里一下子被堵住了。包括孙志,前几天我还见过他,他原本能当好一个市委书记,可现在,真想不到会这样……"

杨铁如对着话筒说着,烟灰在烟头上留下了长长的一截。

手持电话的陈默雷在杨铁如的话语面前,表情变得更加凝重。他嘘一口气,对着话筒说道:"铁如,我理解你的心情。任何人在这样残酷的现实面前,心情都不可能轻松起来。你刚才说的是法治理想,而理想必须通过过程中的努力来完成。也许倾其一生,我们能走的,就是这个漫长的过程。我现在考虑的是,用不了多长时间,这个案子将会移交到法院,春江中院又将面临一次重大而艰巨的审判。你要是能在身边,跟我共同承担这次审判,我也许就不会有这么大的压力了。"

杨铁如对着话筒,苦笑一声,说:"不可能了!好比在足球场上,我已经被裁判的红牌罚下,再也不能入场了。所以我脾气变得很坏，乃至于老婆、孩子都跟我有敌对情绪。有什么办法？心志之苦，筋骨之劳，体肤之饿，该领教的我都领教了，可始终看不到天降大任于斯人。我一切的一切都是为了追求公平，可公平却老是对我闭着眼睛。真想不通这玩笑是谁开的，到底是怎么开起来的！"

陈默雷对着话筒，长长地叹出一口气，说："铁如，有些事在电话里探讨不清楚，留着以后慢慢说吧。但有一点，你得瞪起眼来，睡觉解决不了问题。要是连你自己都不相信公平了，还谈什么孜孜以求？好吧，先说到这儿，我挂了。"

陈默雷缓缓地扣上了电话。

响起了敲门声，陈默雷站起身来，说道："请进。"

林子涵来到了陈默雷办公室。陈默雷指着桌子上的电话机，说："我刚跟杨铁如通过电话。"

林子涵说："我知道你为什么找我。"

陈默雷惊奇地问："你怎么知道？"

林子涵："老百姓都开始传了，大街上很多人都知道春江市出了这么大的事！"

陈默雷摇摇头，坐到桌前，说："真是好事不出门，坏事传千里，这样的事情总是不胫而走。坐下吧。"

林子涵在陈默雷的办公桌对面坐下。

陈默雷："你肯定意识到了，我们将面临一次艰巨的审判。"

林子涵看着陈默雷，轻轻地摇了摇头。

陈默雷："怎么，我说的不对？"

林子涵："任何审判都是正常的审判，不应该有艰巨与轻松之分。审判者无论面对的对象是谁，市委书记也好，平民百姓也好，心中不应有波澜，目光也不应有倾斜。因为法律是铁定的，谁在它面前都是同等的地位，所以，法官也必须用同等的眼光去看待他们。在法国学习时，我跟着的那位老师叫格雷斯，我无数次旁听过他的庭审。不管是达官显要,还是底层贫民,他坐在审判席上的表情、口吻、语气,乃至于习惯性动作,都始终如一。真正的法官应该有这样的心态,什么样的审判都是同样的审判,心如止水,波澜不惊。"

陈默雷听到这里,点了点头,说:"要是有人问,我们的审判改革到底取得了什么样的成果?我可以这样回答,你林子涵就是成果之一。"

林子涵不好意思地笑笑,说:"我算什么成果!历来优秀的法官都是这样,无论中国的,还是外国的。其实,杨铁如过去坐在审判席上,跟我刚才的描述一模一样。"

2

随着门铃的响起,杨铁如打开家门时,两簇鲜花呈现在他的眼前。鲜花挡住了他的视线,直到咯咯的笑声响起,杨铁如才看到躲在鲜花背后的两个笑逐颜开的女孩,是那两个曾在梦巴黎服装超市遭受污辱的女孩。

杨铁如把两名女孩让进屋。女孩的鲜花一直高举着,一个女孩说道:"杨律师,你怎么不接过去?"

杨铁如接过鲜花说:"干吗呀,给我送这么多花?"

一名女孩说:"谢谢你帮我们打赢了官司。"

另一名女孩说:"没有你,我们可就绝望了!"

捧着鲜花的杨铁如,极其不自然地说:"什么我帮你们打赢的,这官司就该你们赢!这官司你们要赢不了,法院干脆关门算了!"

一名女孩说:"这官司以前我们也打过,怎么就没打赢呢?"

杨铁如一时不知如何回答。他看看怀抱中的鲜花,说:"你看,还没人给我送过花,我真的不知道该搁哪儿,总不能老抱着吧?"

两名性格活泼的女孩开始在屋里寻找家什。她们找来一个花瓶，接过杨铁如怀抱中的鲜花，安置在花瓶之中。

杨铁如招呼她们落座，两名女孩高兴地坐下来。花瓶就摆放在茶几中央，鲜艳的花朵让整个家庭顿生温馨。

一名女孩说："杨律师，我们还担心你不在家，又去帮人打官司了呢！"

杨铁如苦笑一下，说："我这律师刚刚上任，哪有那么多官司等着让我去打！社会上不都在说，现在的律师比案子还多吗？包括你们俩，如果不是我上赶着找到你们，这官司也轮不上我来帮你们打！"

一名女孩说："律师是够多的，可真正的好律师却没有你说的那么多。"

另一名女孩说："杨律师，别愁没案子。你没听说，咱春江市出了一大批腐败分子吗？往后，还不知道再出多少呢！你就在家等着，你不找他，他肯定来找你。"

杨铁如苦笑一下，说："还一大批腐败分子，一大批是多少？"

说话的女孩瞪大了眼睛，说："你没听见大街上的警笛一天到晚都在响？听人家说，咱春江市的大小机关，头头脑脑，一听见警笛响，一个个吓得双腿发抖，都站不住了！"

杨铁如好奇地看着这名女孩，说："听你这话，好像你恨不能人人都成了贪污犯。"

女孩振振有辞地说："人人都成贪污犯，那是不可能的！老百姓就是想贪污、受贿，上哪儿贪污去？谁给你送啊？当贪污犯也要有资格，并不是人人都能当。再说，抓出来的腐败分子越多，老百姓就越解恨，你这当律师的生意也就红火起来了。一举两得，多好的事啊！所以，只要听见警笛一响，大街上的老百姓都很高兴，就差拍巴掌了！"

杨铁如听罢这番话，点上一支烟，吐出一口烟雾，缓缓地说："你们还年轻，有些道理似是而非，还不是太明白。

要想让老百姓真正高兴，最好是腐败分子越来越少，警笛最好不响，人最好不抓，因为没的可抓。当然，我说这话不太现实，但老百姓盼望的是，腐败分子越抓越少，而不是越抓越多。我举个例子，好比癌症，高明的手术应该把肿瘤连根除掉，这样，病人才能康复；如果手术做得不好，不高明，肿瘤就有可能扩散，一个变成三个、五个，最后扩散到全身，这样，病人很快就会死亡。律师也一样，他的愿望也不是盼着案子越来越多，多得顾客盈门，无处下脚。越是优秀的律师，他越是盼望着最终没有案子，彻底失业。明白了吗？"

两名女孩互相看看，显然没听明白。

杨铁如笑笑，说："没明白。我知道你们要问，案子没了，失业了，你吃什么？"

一名女孩问："是啊，吃什么呢？"

杨铁如说："吃什么不行，为什么非要吃案子！生存嘛，总归是一桩简单的事。"

另一名女孩问："杨律师，我还有个问题搞不懂。你为我们辩护，因为我们受了冤枉，受了侮辱，我们是好人，我们无辜；可要是那些腐败分子有一天真找到你，让你去给他们辩护，你怎么去给那些腐败分子辩护？他们可是坏人！"

杨铁如听到这里，笑笑说："看来你们打了这场官司，打出点法律感觉来了。该怎么说呢？我只能这样简单回答，在法律面前，人人都享有辩护的权利。无论好人还是坏人，在法庭上，在律师眼里，不是要给他们作出道德评价，而是要给他们作出事实评价。只有事实的认定与区分，没有道德的判断和分析。"

两名女孩懵懵懂懂地交换眼神，然后，一名女孩从包里掏出一个信封，说："听不懂就听不懂吧，反正我们今后再也不招惹官司了。"她把信封推到杨铁如面前，说："杨律师，帮我们打官司的钱你一定得收下。我们都打听了，人家说,天下没有免费的午餐,也没有不要钱的律师。"

杨铁如拿起眼前的信封,掂了掂,然后重新推回到女孩面前,说:"我说过,我不收钱。"

两名女孩执意再把钱推回到杨铁如面前,嚷着说:"不行,你一定得收下。我们都打听好了。"

杨铁如拿起那个信封,对两名女孩说:"你们跟谁打听的,回头再去告诉他,现在,天底下出了一个不要你们钱的律师,那就是我,本人!"

两名女孩在杨铁如坚决的态度面前不知所措。

3

崭新的奥迪轿车行驶在郊外的路上。张业铭坐在轿车内脸色沉郁,一言不发。忽然,他听到司机身上的传呼机鸣叫起来。张业铭警觉地问一句:"谁的传呼?"

司机看一眼传呼机说:"没事,家里的,不用回。"

张业铭极不满意地嘟哝一句:"不是告诉你,让你把呼机和手机都关掉嘛!"

司机说一句:"我忘了。"随即关掉呼机。

张业铭把头扭向窗外。窗外是一片山丘和田野风光,倏忽闪过的民舍村居显得凋敝、破落,呈现出一幅尚在贫穷之中的景象。张业铭看着窗外的景物,不由得对司机慨叹道:"不知不觉走到这儿来了!你知道吧,我从小就生在这个穷地方,一呆就是二十年。当年要不是当兵出去,我一辈子可能就呆在这儿了。为了当兵,还给乡里的人送了一百个鸡蛋。到如今我都心疼那一百个鸡蛋,一家老小从鸡屁股里抠着攒着,连抠加攒用了大半年工夫。"

司机问一句:"张检,咱们再怎么走?"

张业铭:"既然来了,往右拐吧。"

汽车往右拐进了一条土坡路。汽车开始颠簸摇晃,晃晃悠悠艰难地前行。走了一会儿,张业铭说:"停车。"

司机把车停了下来。张业铭打开车门,对司机说:"你在这儿吧。"

司机下车,说:"我陪你去。"

张业铭厉声说一句:"让你在这儿,你就在这儿!"

司机看着张业铭顺着不远处一条几近荒芜的山路走了上去。

司机重新上车,看着张业铭越走越远的身影,掏出了手机,开始拨号。

张业铭来到山坡上的一座坟前,默默地站立。有山风吹来,撩乱他的头发。他站立许久,蹲下来,抚摸着坟头上的土,自言自语道:"爹,娘,今天不是清明节,不是上坟的日子,我也不知怎么着,走着走着就出了城,走到你二老坟前来了。我没带什么东西,就空着手来的,你二老不会骂我吧?"

张业铭说到这里,突然想起什么,从衣兜里掏出一张百元钞票,说:"你二老看看这张钞票吧,活着的时候,你们根本没见过它是啥模样。咱家穷,一毛钱攥手里,你们也恨不能攥出油来。从小你们就告诉我,钱这东西,爹有娘有不如自己有,自己有还得手攥着。现如今你们看见了,我手里一攥就是一百块。我把这张钞票给二老送过去,你们也睁开眼看看,看看啥是一百块钱……"

张业铭说着,掏出打火机,点燃了那张百元钞票。

钞票在坟前燃烧。张业铭看着那金钱的火焰,突然又从衣兜里掏出一小摞百元钞票,一张又一张地送到了燃烧的火焰上。他边烧边说:"爹,娘,我把兜里的钱都掏出来了。活着的时候,你们没见过这么多钱,这回,你二老在那边大大方方花一次钱吧……"

钞票很快就燃烧完毕,化为灰烬。在山风的吹拂下,灰烬开始飘扬起来，飘飘洒洒地落在张业铭的发梢、肩头……

山风激荡，远处传来了牧羊人的逍遥放歌。

不远处的坡地里，一群白羊点染着碧绿的山野。年老的放羊人怡然自得地躺在坡地里，眼望蓝天白云，细眯起眼睛，吟唱着当地的民谣。

张业铭漫无目的地走，不知不觉间来到了老人身旁。老人没有看到有人来到，自顾自地吟唱着他的小调。张业铭在老人身旁坐下，看到老人唱完一个段落，顺手拿起酒葫芦，喝一口，有滋有味地咂巴着嘴。

张业铭掏出烟，递给老人一支，说："老人家，抽支烟吧。"

老人这才发现身边有人，一骨碌从地上爬起，说："哟，只顾得看天上的云彩，没看见脚跟前来了个贵人。"

张业铭给老人递上烟，点燃，说："听你老人家唱歌，看你老人家喝酒，挺自在啊！"

老人咳嗽一嗓子，说："庄户人，晒着太阳看云彩，唱着小曲放个羊，自在！"

张业铭："你老在这儿呆了一辈子？"

老人："啊，七十六了，耳不聋，眼不花，不唱个小曲嗓子还老痒。"

张业铭沉吟片刻，说："年轻时，你就没想着出去过？"

老人："出去干啥？"

张业铭吐出一口烟，想了想，说："出去可以挣钱。"

老人："挣钱又干啥？"

张业铭："挣了钱再挣，直到挣了大钱，大得数不过来。"

老人："钱都挣得数不过来了，再去干啥？"

张业铭："到老了，你就一点心事都没有了，那时候也可以晒着太阳唱个小曲，那不更自在？"

老人："我不就在这儿晒着太阳唱小曲嘛！绕那么大个

圈子，费那么大个劲，到头再转回来，有啥意思？人哪，就活一个自在，不想三不想四，了无牵挂。暖烘烘地晒着，懒洋洋地唱着，咂巴一口小酒，看着你来了他走了，羊还是那些羊，一只都不少，这是多大的自在！钱有啥好挣的？钱那东西，一催命，二折寿，让人坐不住躺不下，趔趔趄趄往前爬。太阳晒一天，我老汉就明白一天，谁想找不自在，谁就去奔大钱！"

老人说到最后，张业铭起身悄然离开。老人转身看看张业铭离去的身影，回过头来，吮一口酒葫芦，咂巴着嘴说："没悟透啊，没悟透！"

老人把酒葫芦抱在怀里，又仰面朝天躺下，口中的小曲又吟唱而出……

张业铭在牧羊老人的小曲声中，跟跟跄跄朝山下走。脚下一不小心，一块石头差点把他绊倒。惊魂甫定的张业铭刚刚站直身子，突然看到山下停车的地方一下子又多出了几辆汽车。

那辆醒目的面包车让他判断出，这是省委调查组的工作用车。

顺眼再一望去，眼前的山脚下，省委调查组的冯组长正带领几个人匆匆向山坡上走来。张业铭静静地看着来人。来人渐渐接近时，他缓缓从衣兜里掏出了一把手枪。

距离不远的几个人显然看到站在山坡上的张业铭掏出了手枪。冯组长喊一声："张业铭，你要干什么？"

张业铭冷冷地喊一声："你们一来我就知道，王玉和那王八羔子全跟你们说了！"

冯组长让几个人站住，喊道："你把枪放下！"

张业铭的表情开始有些歇斯底里。他喊道："你们告诉我，我一个穷孩子凭什么不能有钱？凭什么富的越来越富，我有了钱你们就要来找我？"

冯组长站在原地，喊道："张业铭，你冷静一点，把枪放下！"

站在山坡上的张业铭喊道："王玉和，你是个王八蛋！下辈子我还跟你搭伙计，整死你我都不让你知道是谁整死的！把你整死，还得让你抱着我喊爹！"

"砰"的一声枪响，张业铭饮弹倒地。

山野中一下子寂静下来。在寂静的山坡中，山风把牧羊老人的吟唱传送过来，那曲调是那样的放松，那样的逍遥，那样的无拘无束……

4

春江市大礼堂内，正在召开全市党员干部大会。省委书记刘自强坐在主席台上，铿锵有力地讲话："同志们，春江市发生的这起严重的经济犯罪案件，涉及层面之高，范围之广，网络之复杂，可以说让省委感到震惊，也让全省上下，让春江市八百万人民感到震惊！市委书记卷进来了，纪委负责人卷进来了，司法系统的执法人员也夹杂其中，为虎作伥！据初步查明，涉案人员染指腐败行为的涉案资金就高达两千多万元。两千多万元哪，同志们！这个数字可以让多少下岗工人获得生活保障，让多少贫困农民走出困境，又可以让多少失学儿童重返学堂！老百姓有句俗话，叫吃饭穿衣量家当。我现在就想问一句，你究竟何德何能，有什么本钱，有什么资格，敢把这么大的数字中饱私囊！你这草莽之腹、五尺皮囊，又如何担当得起两千多万的国家财产！你敢向人民伸手，人民必然也要向你伸出双手！善有善报，恶有恶报；不是不报，时候不到；时候一到，立刻就报！"

会场上爆发出雷鸣般的掌声。

陈默雷坐在会场前排聚精会神地听着，在沉思中有力地鼓掌。

省委书记刘自强继续讲话:"手莫伸,伸手必被捉。不管你伸出的这只手多么巧妙,多么具有欺骗性。发生在春江市的这起案件,暴露出一个问题,值得我们沉思。很多人打着全心全意为人民服务的旗号,打着改革开放的旗号,打着走市场经济的旗号,看起来,口号振聋发聩,行动天衣无缝;而在背后,却拉大旗作虎皮,上下其手,狐假虎威,用大旗作为掩护,用口号遮人耳目,假人民大众、国计民生之名,济一己之利、欲壑难填之私!他们以为,如此而来,即可蒙混过关,大功告成。他们恰恰看错了我们的党和人民!这是什么样的政党,什么样的人民?这是用小米加步枪把日本鬼子赶出中国,把八百万国民党军队赶出大陆的政党和人民!我们经历了历史上的惊涛骇浪,不可能识不破你这点可笑的双簧、幼稚的面具、愚蠢的把戏!"

会场上再次爆发出雷鸣般的掌声。

5

火车站候车大厅内人来人往,异常拥挤。林子涵匆匆来到大厅,在嘈杂的人群中寻找着方正的身影。乘向不同车次的旅客正走向不同的检票口,林子涵在几个检票口来回穿梭,在掠过眼前的陌生的旅客中,没有看到方正的身影。

夹杂在人流中的方正正走向一个检票口,在掏出车票的一瞬间,突然听到候车大厅的广播喇叭里传出播音员的声音:"现在广播找人,有位叫方正的旅客请注意,候车大厅有位林女士在电梯口等你。"

广播喇叭里播音员的声音一连重复了几遍。

走向检票口的方正一下子变得犹豫起来。就在检票员接过车票进行检票之际,方正一把从检票员手中夺过车票,逆着长长的拥挤的人流,向着候车大厅跑步而去。

在熙熙攘攘的人流之中,方正一眼就看见站在滚动电梯前的林子涵。他思忖片刻,跑向滚动电梯。他在电梯上拨开众人,三步并作两步,跑下电梯,来到林子涵面前。他在喘息未定之中,对着目光仍在四处寻找的林子涵说:"你怎么又过来了?"

林子涵看见了站在面前的方正,说:"为什么不在电话里告诉我?我想知道你去哪儿!"

方正:"用不了多长时间,我就回来。"

林子涵再问一句:"那你为什么关掉手机?"

方正尴尬一笑,说:"我忘带了。"

此时此刻,林子涵的目光变得有些咄咄逼人。她又问:"方正,你实话告诉我,你为什么要离开春江?你这么神秘,这么慌张,到底要去哪里?"

方正叹口气,低下头,没有回答。

林子涵:"是不是春江市一下抓出这么多人,王玉和抓了,孙志也抓了,你跟他们有什么牵连?"

方正的目光回避开林子涵,转向别处。

林子涵用力拽一把方正,把他的目光拉回,问:"你回答我,是,还是不是?"

方正说一句:"我是个生意人,我不愿参与无聊的政治!"

林子涵呆呆地看着方正,许久,说出一句:"你这么回答,我明白了你为什么要躲避春江。"

方正看看手表,说:"对不起,快到时间了,我得走了。到时候,我会跟你联系。"说完,他扭头踏上电梯,随滚动电梯徐徐上升。

站在电梯口的林子涵愣愣地看着方正的背影越升越高,越升越远。只是一瞬间,她飞快地踏上电梯,拨开众人,口中不断地说着:"对不起,请让一让!对不起!"

她几乎是小跑着、跳跃着来到电梯尽头,在通向检票口的路上,追上了方正。

她冲着方正的背影喊:"方正,如果真是这样,你走不掉的,你走到哪儿也是徒劳!"

方正看看追赶而来的林子涵,稍稍犹豫,继而还是大踏步向前走去。林子涵迈着匆忙的脚步与他比肩而行,边走边说:"方正,你不用回避。我有预感,我预感到你这次出走跟这件事有关。"

方正:"他们是掌握权力的人,我是做生意的人,我跟他们会有什么关系?"

林子涵:"可我曾看到孙志毕恭毕敬地请你我吃饭!如果不是因为你,我怎么可能坐到市委书记的餐桌上?"

方正:"吃饭能说明什么问题?围在一起吃饭的人比比皆是!"

林子涵:"可他为什么要专门请你?"

方正:"因为我们是朋友!朋友在一起为什么不能吃饭?"

在你来我往的话语之间,两人已经来到旅客稀少的检票口。广播喇叭在不断重复着本次列车将要开车的消息。方正站住,对林子涵说:"回去吧,事情不像你想象的那样,我跟他们没有瓜葛,他们是他们,我是我。"

方正说完,径直走向检票员,检票之后,走向站内。

林子涵站在检票口愣怔了一瞬间,随即,便不顾检票员的阻拦,冲进检票口。

冲进检票口的林子涵,在通向站台的长廊内,又高喊一声:"方正!"

方正没想到林子涵会冲进检票口。他站住,回头看林子涵一眼,又匆匆向前走去。林子涵急急追赶,她边跑边说:"方正,你不是个小商小贩,引车卖浆。我知道,你志向很大,不靠小伎俩过日子。越是这样,遇到什么事情,你越应该心中有数,正确处理。"

方正仍然没有停下脚步,说:"我跟你说过,我跟他们

决不会一样。"

　　林子涵："既然如此，你为什么还要往外走？"

　　方正："我不想让这些事扰乱我的心情，更不想有人找我的麻烦！"

　　林子涵显得更加急切："你告诉我，你到底做了什么？"

　　方正和林子涵两人已走出长廊，下台阶走向站台。林子涵在台阶上冲着沉默的方正喊一声："你怎么不说话？现在，不是别人在问你，是我在问你！我，林子涵！"

　　方正在台阶上停下脚步，说："子涵，别瞎猜了，我不想难为你。既然他们是掌权者，我需要他们的权力为我的生意亮起绿灯，你说，除了我掏出自己腰包去豢养他们，我还能做什么？"

　　林子涵听到这里，看着眼前的方正没说话。

　　站台上响起了火车将要启动的哨音。

　　方正悲哀地摇摇头，说："我知道你会鄙视我，我走了。"

　　方正迈下台阶，走上站台。在将要走到列车前时，他听到背后又传来林子涵的声音："你回来！"

　　方正停下脚步，看着站在台阶上的林子涵。

　　林子涵说："方正，你别走，我不想一个人生活下去，再也不想了……这些日子，我一直以为我找到了生活中的另一半，你别让我失望，别让我相信找不到，永远都找不到……"

　　林子涵话音落下，火车一声鸣笛，开始启动。长长的车厢从方正身边缓缓掠过，林子涵用期待的目光盯着方正和他身后长长的无休无止的列车。

　　列车驶出站台。空旷的站台上只站着孤零零的方正。

　　林子涵在台阶上缓缓坐下，双手抱住了头。

　　方正在站台上久久地看着林子涵，然后走过来，坐在林子涵身边的台阶上。看到林子涵双手抱头、沉浸在痛苦之中的模样,他说:"我也没想到,自己掏钱,也会买来麻烦,买来罪过。其实,从一开始,我就知道我错了。可我没办法,生意要做下去,楼房要盖起来,我必须把我学过的哲学转变为生存哲学。这个理由你可能不接受,可现实生活总逼迫有些人要拿出自己的东西去作抵押!"

林子涵抬起头,目视前方反射着灯光的铁轨,问一句:"你抵押了多少?"

方正没有回答。

林子涵:"多少?我请求你给我个数字。"

方正犹豫片刻,说:"不多,前前后后,也就几十万吧。"

林子涵轻轻地摇头,说:"你不愧为有钱人。几十万,你可以信口就说,不多。"

方正:"不是我信口就说,这个时代就这样,出手大方,出口响亮,我有什么办法!"

林子涵听到这里,霍地站起来,说:"方正,你不要动不动就拿这个时代说话!这个时代没错,是你错了!如果你硬要说这个时代充满错误,时代的错误就是由你们这些错误者一手制造的!你们给时代制造了错误,反过来又拿着它为自己开脱,这是做人的一种不负责任!是天底下最大的不负责任!"

一列长长的列车呼啸而来,滔天声浪淹没了林子涵的声音。

6

陈默雷推开法庭的门,只身一人来到空空荡荡的刑事审判大法庭。他逐一打开灯光开关,灯光先是映亮了审判席,紧接着,依次照亮了公诉席、辩护席、被告席,及至旁听席被照亮时,整个大法庭内灯火通明。

陈默雷绕大法庭缓缓地走,最后,来到审判席前,在审判长席位上坐下。

他静静地望着大法庭内的各个角落。

不一会儿,林子涵来到了大法庭。她看看空空的法庭,看见陈默雷孤独地坐在审判席上,便问一句:"陈院长,你找我?"

陈默雷点点头,从审判长席位上走下。走到林子涵身边时,他指着空空的旁听席,说:"来,坐下说。"

林子涵跟随陈默雷来到旁听席上坐下。两人隔着几个坐椅,共同面对空空的法庭。

陈默雷:"方正的事情我听说了,他现在怎么样?"

林子涵:"根据他的行贿情节和自首表现,检察院让他取保候审。"

陈默雷长长地叹出一口气,问:"你见他了?"

林子涵点点头。

陈默雷看着林子涵的神情,又问:"你跟他的关系有没有确定?"

林子涵:"他觉得犯了错误,触及了法律,没法面对我。"

陈默雷又问:"你怎么想?"

林子涵沉吟片刻,说:"法律可以不原谅他的错误,爱情可以原谅。我确定了。"

林子涵说出这句话时,勇敢地把目光对准了陈默雷。陈默雷面无表情,把目光转向法庭。两人的目光再次共同投向灯火通明而又空空荡荡的大法庭。

陈默雷说:"遗憾总是充斥在各个角落,由不得人们做各种努力。按照正常的道理,移交到法院来的这桩备受关注而又错综复杂的案件理应由你来担任审判长一职,因为大家相信你,你还是刚刚任命的刑事庭庭长。可现在,因为方正的事情,你不得不回避掉这个案件的审判工作。我为此惋惜了很长时间,但是,老天总那么不遂人愿!"

林子涵听到这里,双手捧住脸面,许久没有放下来。

陈默雷说:"我知道你很难过。"

林子涵终于把双手从脸面上放下来,说:"即使这样,我也相信,未来的法庭必将还是我的法庭。"

许久,两人谁也没再说话。

最后,陈默雷站起身来,说:"子涵,你能不能猜得出,孙志指定的辩护律师是谁?"

林子涵摇摇头。

陈默雷:"杨铁如!"

林子涵的目光一下子投向陈默雷,变得十分惊讶。

陈默雷微微一笑,说:"他有指定辩护律师的权利。"

杨铁如坐在家中的沙发上,对妻子刘早春说:"我也不知道为什么,他要指定我来做他的辩护律师。我只知道,指定辩护人是他孙志享有的权利。"

刘早春说:"问题是你答应不答应做他的辩护人?他有选择的权利,你也有拒绝的权利。"

杨铁如点上一支烟,长时间地喷吐烟雾,不说话。

刘早春看着杨铁如一言不发的神情,说:"我知道你心里在想什么。作为一个新律师,你也想通过有影响的大案要案来打出自己的名声,从此以后,做一个知名律师。可你没想想,是谁让你落到今天这个地步,把一个志向远大主持法院工作的副院长弄得赋闲在家,无着无落?你过去还不就是他孙志棋盘上的一个棋子,他让你上哪儿你就上哪儿?人活一口志气,应该爱憎分明。再说,去为这样的贪官污吏辩护,你有多大胜算?如果你的辩护不能成功,那还不是画虎不成反类犬?总不能到现在这地步了,再在孙志手里栽个跟头吧?"

杨铁如:"我没说我非要担任这次辩护不可!"

刘早春:"那你为什么不痛痛快快地拒绝掉?"

杨铁如不知道该说什么,他掐灭烟头,站起身来,向门外走去。

妻子刘早春在身后追问:"你去哪儿?"

杨铁如叹出一口气,说:"接孩子。行了吧?"

杨铁如和孩子杨正大趴在江面大桥的栏杆上,看着一艘沉重的货轮鸣响汽笛,缓缓驶过大桥。客轮泛起层层涟漪,像杨铁如弥漫在胸间的层层心事。

孩子看一眼杨铁如,说一声:"爸,回家吧。"

杨铁如凝望桥下江水,不为喊声所动。

孩子好奇地看着杨铁如,问:"爸,你是不是又让人踢了一脚?"

杨铁如对孩子皱起眉头,说:"我什么时候让人踢过一脚?"

孩子笑笑,说:"你还不承认!上回,你不当法院院长的时候,你也把我领到这儿来,在这儿趴着。"

杨铁如看着桥下的江水,思索半天,说:"正大,爸爸想问你个问题。假如,按你说的,爸爸以前让人踢了一脚,踢得还很厉害,很疼;而现在,当初踢爸爸的那个人不行了,瘫在地上,腿抬不起来,走路都很困难,这时候爸爸恰恰碰上他,你说,爸爸应该还回当初他踢我那一脚呢,还是应该帮助一下这个曾经踢过我而现在却瘫在地上的人?"

孩子看着杨铁如,眨巴着一对大眼睛。

杨铁如笑着说:"这道题必须回答,等于考试。"

孩子想了半天说:"首先,你不能踢他,不能还回来。"

杨铁如好奇地问:"为什么?"

孩子:"他都站不起来了,你踢他一脚,太残酷了!再说,踢这样的人没劲。"

杨铁如:"那该不该帮助他?"

孩子："也不该。"

杨铁如："为什么？"

孩子："你帮了他，他站起来以后，再踢你一脚怎么办？你又踢不过他！"

杨铁如："那你说怎么办？"

孩子："不管他，谁爱管谁管。"

杨铁如笑着抚摸一下孩子的头，说一句："走吧，回家。"

两人沿江面大桥向前走去。孩子仍然在穷追不舍地追问："爸爸，你刚才说踢你一脚的那个人是谁啊？"

杨铁如笑笑，说："哪有那么个人！爸爸刚才是给你打个比方，出道考题，看你长没长大。"

孩子问："我长没长大？"

杨铁如："比小的时候大了，比长大的时候还小。"

孩子笑得很开心："什么呀，你这话等于没说。"

杨铁如也笑了："跟你刚才说的一样，跟我说了半天，也等于没说。"

夕阳斜照，渔舟唱晚。杨铁如和孩子杨正大的身影渐渐融合到大桥尽头的车流、人流之中。

静谧的种子酒吧，杨铁如和林子涵的啤酒杯碰在了一起。两人不约而同地喝下一大口。林子涵放下啤酒杯，看着对面的杨铁如，一声苦笑，说："同是天涯沦落人，相逢何必曾相识。多有意思，杨铁如同志和林子涵同志，春江市中级人民法院自视最高的两个法官，都面临一个共同的命运，不能出庭！现实真会拿人开玩笑，这玩笑开得水到渠成，天衣无缝。"

林子涵说完，随即又向服务生招手："啤酒！"

杨铁如点上一支烟，说："你仅仅是一次审判不能出庭，而我，出庭之日在哪儿，还没有看到呢！再说，你付出这个代价,换来了一个方正,换来了你苦苦追求的爱情;我呢?赤条条走进法院,赤条条走出法院,黑色是夜,白色是墙,伸出双手,空空荡荡。"

林子涵笑笑,说:"真是愤怒出来诗人了。"

杨铁如:"可惜呀,如今的诗人没有一个为我这样的人愤怒。"

林子涵突然问道:"你觉得,为了方正,我值吗?"

杨铁如愣愣地看了林子涵半天,说:"我是有点不明白,你们一天到晚所说的爱情到底是什么?"

"是什么?"林子涵双手托腮,沉思片刻,边想边说:"是一种磁性,相互吸引;是一种味道,相互品尝;是一种气息,相互呼吸;还是一种……还是一种战斗,互相参与,不分胜负……其实,也就一个眼神,一个手势,一句话,你不知不觉就进去了。你想逃却走不出去,想说却不知所云;你一个劲儿想找到他,找到他往往又无话可说;你有时候想恨他,一恨起来又欲盖弥彰……没有你我,没有对错,没有早晚……谁知道呢,反正我说的这一切都是爱情。"

杨铁如听完这番话,摇头叹息说:"说什么呀,语焉不详,听不懂。你刚才这番话跟我儿子说话一样,说了半天等于没说。"

林子涵笑起来,说:"爱情就是这样,说了半天等于没说。我知道你听不懂,因为你在法庭上跟你在爱人面前,永远都是一个表情。"

杨铁如说:"怪不得我家里老有战火。"

林子涵:"作为一个法官,你是优秀的;作为一个人,你可能是残缺的。从你身上,我也坚定了自己的选择,既要事业,也要生命;既要法庭,也要爱情。"

杨铁如:"你就这样拿着我做反面教材?"

林子涵:"人无完人,你也一样。"

服务生又送来两杯啤酒,端到两人面前。

杨铁如端起啤酒杯，说："法庭不沾边，生命不圆满，你说，我还剩下什么？"

林子涵也端起啤酒杯，说："你是最值得依赖的朋友！"

两人的酒杯又碰在了一起。放下酒杯时，两人都听见酒吧内响起了深情的萨克斯。吹奏萨克斯的人向林子涵摇晃着身体，似乎在鼓励着什么。

林子涵望着杨铁如，说："跳舞吧。"

杨铁如一怔，说："跳舞？多少年没这事了！再说，我现在什么心情？"

林子涵："改变一下自己好不好？谁没有心事，谁心情那么好？你总不能让自己一成不变，模式化概念化吧！"说着，她站起来，对杨铁如伸出手，说："杨律师，我郑重邀请你跳舞！"

杨铁如坐着没动，林子涵伸出的手一直没有收回。在林子涵执着的等待中，杨铁如终于站起来，牵起了林子涵的手。

其实，两人都有出色的舞姿，标准而华美。随着萨克斯音乐的推波助澜，两人在舞步中飘逸起来，旋转起来，动作大开大阖，舞姿洒脱奔放。

当两人进行过一个漂亮的旋转，杨铁如将林子涵拉动到身边时，他说一句："你必须帮我拿个主意，我到底做不做孙志的辩护律师？"

林子涵笑而不语，扯动着杨铁如进行着又一次的旋转。

杨铁如又问："我应该不应该去辩护？"

林子涵没有回答，只是跟杨铁如大幅度地旋转着舞步。

当音乐渐趋舒缓，两人对面相拥时，杨铁如再说一句："我约你出来，是想让你回答我的问题。"

林子涵："律师不应该挑选辩护对象，更不应该挑剔，无论他是谁，他做了什么。"

杨铁如："可他是孙志，他让我失去了法庭。"

林子涵:"他让你失去法庭,又给了你走向法庭的机会。如果你承认,你骨髓里面都是法律的话,你应该勇敢地站出来。公平的法律容不得斤斤计较,更容不得小肚鸡肠。"

杨铁如:"我第一次这么犹豫,辞职时我都义无反顾。"

林子涵笑了,说:"其实,你约我出来时,答案已经有了,你不会放弃这次辩护机会。"

杨铁如:"为什么?"

林子涵:"你是谁啊?你是杨铁如!"

音乐又渐渐亢奋起来。在渐渐加快的音乐节奏中,两人又开始了大开大阖的舞步动作,在大幅度的旋转之中,林子涵大声说一句:"你永远和别人不一样!"

杨铁如没听清,问一句:"你说什么?"

林子涵在舞动中高声说:"杨铁如只有一个!"

7

民事庭审判员范伯年坐在院长陈默雷的办公桌对面,一副心事重重、愁眉不展的样子。

陈默雷正在耐心地跟范伯年谈话:"老范,法院上下都知道你是咱们的老模范,连续多年,你在法院的结案率都是名列前茅。这次研究改革方案,有人也把你作为一个特例提出来,看能不能给个特殊政策。后来,我把这个建议否定了。审判制度改革是一项艰巨的工程,我们所以制定一个年龄限制,让到年龄的老同志脱离审判岗位,既是改革的需要,形势发展的需要,也是年轻人的需要。审判工作需要代代相传,形成接力,年轻人尽快走上审判岗位,会给我们的司法实践带来新的活力。所以,即使你是一个优秀的法官,一个披红戴花的法官,我也必须痛下决心,走出这一步。"

范伯年叹口气,说:"我还以为我这辈子会一头栽倒,死在法庭上呢。"

陈默雷笑笑，说："你身上这种精神，正是年轻法官应该继承的。有一点你放心，脱离了审判岗位，法庭还是你的法庭，法院永远需要你，也永远不会把你遗忘。"

范伯年缓缓起身，说："院长，你忙吧，我先回去。"

陈默雷看着范伯年缓缓走向门口，他说一句："老范，想开点。"

范伯年默默地点头，默默地走开。

陈默雷叹出一口气，刚想摸起电话，林子涵敲门走进来。

林子涵："陈院，我刚刚看到文件，郑小泉调我们刑事审判庭了？"

陈默雷："是啊，不光调刑事庭，还是春江中院历史上最年轻的副庭长。看看这个北大高材生有什么作为吧！"

林子涵说："这小子，不知道我能不能管得了他？"

陈默雷反问一句："你说呢？"

林子涵笑而未答。随即，她又说："陈院，我听说你要当一次审判长？"

陈默雷站起来，笑着说："也让你们给我打打分，看我是不是一个合格的院长？"

林子涵说："真是戏剧性的场面，你当审判长，被告是孙志，你知道辩护席上谁将坐在那里？"

陈默雷问："谁？"

林子涵："杨铁如！"

8

杨铁如来到看守所会见室，面向窗口站立。窗外是熟悉的高墙、哨兵和铁丝网，而对于此时此刻的杨铁如来说，如今的一切似乎又是那样的陌生。

一声门响，在狱警的押解下，戴着手铐的孙志来到了会见室。在进门的同时,他便看见了杨铁如的背影。杨铁如没有回头,只是背着他面向窗外。随之,在狱警的指点下,孙志坐到一张桌前。

狱警给孙志解除手铐,走出会见室。

门再次关响之后,杨铁如缓缓转过身子,面向孙志,平静地说一句:"我来了。"

孙志愣愣地看着杨铁如,没说话,许久之后,把目光转向桌面。桌面上是杨铁如的公文包和一本摊开的稿纸。

杨铁如坐到桌前,坐到孙志对面,说:"真不希望在这儿看到你。"

孙志慨叹一声,说:"天作孽,犹可恕;人作孽,不可活。"

杨铁如:"身体怎么样?"

孙志摇了摇头,又摆了摆手。

杨铁如看看孙志花白的头发,说:"身体发肤,受之于父母,无论什么情况,也得注意爱惜才是。"他看看孙志低垂着头,没有要答话的样子,便问一句:"没多少日子,你头发怎么就白了许多?"

孙志抬起头,说:"早就白了,以前遮着,上了颜色。"

杨铁如:"作为律师,我有责任保护你在法律面前应该享有的一切权利。我想,应该向你解释一下你享有权利的具体内容。"

孙志打断杨铁如的话,说:"其实,我没想请律师,也没想辩护。"

杨铁如一怔,说:"可你指名让我做你的辩护律师。"

孙志:"后来,我知道律师为我辩护,是走上法庭接受审判的正规程序。我就想,既然已经犯法,就别再破坏这个法定程序了。法庭要给我指定律师,我没同意,就想起请你来为我辩护。"

杨铁如:"你为什么想不请律师,不要辩护?"

孙志凄然一笑，说："说起来惭愧！我毕竟是党一手培养起来的干部。从一个穷学生培养成一个八百万人口的市委书记，可以说，党对我孙志恩重如山。如今，我犯了罪，已经对不起党和人民，已经是不孝之子，我还有什么脸面去跟培养我的党和人民打官司？有什么脸面到法庭辩护、开脱、逃避，争一个寸短尺长？当时我只想，既然身有罪孽，躬身听从宣判，无论给我什么惩罚，我都毫无怨言。"

杨铁如听到这里，便说："你混淆了一个重要的概念。党也好，人民也好，你的负疚之情，忏悔之情是你的个人情感，也是你的感同身受。而面对你作出惩罚的，不是别的，是法律。法律是在认定事实的基础上，对你作出公平的审判，它不会因为你伤害了对党、对人民的情感从而对你作出情感化的判决。这一点，你务必要区分清楚。作为律师，我所要进行的，也将是为你的犯罪事实真实与否提供辩护。"

孙志点点头，说："过去我常把普法、法治这些概念挂在嘴上，大会也讲，小会也讲，如今来看，自己是身陷法网之中，才知道法为何物。真不知道，像我这样的干部现在还有多少？"

杨铁如说："我还有一个问题，你为什么要指定由我来担任你的辩护律师？"

孙志看着杨铁如，说："过去，没人比你在我跟前更多地提到法律二字。你总是法律法律，以至于给我造成一种印象，你这个人，眼睛里除了法律，什么都没有，没有政治，没有社会，没有复杂的人生背景。而现在，我一下子变得一无所有了，除了法律，我什么都抓不到。在这个时候，我第一个就想到了你，甚至除了你，再也没有去想别人。"

杨铁如："你没想过我会拒绝？"

孙志："我了解你的性格，在法律上，你没有不敢碰的钉子。你可能永远不原谅我的过去，但我知道你早早晚晚会来。你毕竟在我手下工作了那么多年，我清楚什么东西能召唤你，激发你。我还相信，你要是真接受了，你会是一个全心全意的律师，不会有任何杂念。你会用尽所有气力，来成全你的全心全意。在春江市大小干部当中，你是仅有的一个极其纯粹的人，这一点，我始终这么认为，也相信没有看错。"

杨铁如："我要真的拒绝，你会怎么想？"

孙志摇摇头，说："也像是一次考验。以前你说到法律二字总是那么大公无私，那么忠诚，每一句话都掷地有声，铮铮作响，如果你要真的拒绝，我可能对以前你所说的一切打个问号，打个折扣。可我最终相信，你不会拒绝。"

杨铁如漠然一笑，说："你真不愧当了那么多年领导，这时候了，你还在考验一个人。"

孙志："不当这么多年领导，我可能也就没有今天了。"

杨铁如掏出一摞材料，说："在我即将对有关事实进行调查之前，我想先问一句，你究竟是怎样走出了这第一步？"

孙志闭上眼睛，许久之后，睁开眼，说："铁如，回答你这个问题，很难做到言简意赅。说真的，当官这些年，我一直在守着自己的道德防线。我想做一个好官，清官，这种愿望不但有，而且很强烈。我想多干点工作，多为老百姓办点事，多为春江市经济发展出把力，下基层，跑现场，没白没黑泡在办公室，这些，不是表演，都是真心实意。我这把年龄，做到市委书记，官位已经到头了，我没必要表演，表演给谁看？历史上我也多次拒绝过金钱和礼品，从过去到现在，我一直都在拒绝各式各样的女色诱惑。可怎么就走出了这第一步呢？当官就怕当长了，当大官尤其是这样。市委书记当了这些年，你再想做好，也不知不觉之间滋生了优越感。这优越感就是强权，就是垄断，就是一言堂。在春江，我只管别人，没人来管我。人、财、物，春江市大大小小的权力都集中在我手里，我咳嗽一声，都会有人传达出去。在这种情况下，错觉就产生了，就觉得春江市是自己家，人是自己的人，东西是自己的东西。别人送，觉得极其正常，就像孩子孝敬老人；往家拿，就像把家里的东西从这屋拿到那屋。你收了，你拿了，没人管，也没人问，时间一长，脑子里的弦也就崩溃，一直自律的道德也就不知跑哪儿去了。如果有人吆喝一声，约束一下，那道德可能还会跑回来；如果有人管着，有人监督着，自己也会立刻明白，春江是八百万人口的春江，不是你自己家。可没人对我吆喝，也没人给我制止。关在看守所之后，我反复想，是我孙志贪得无厌吗？好像还不能这么说。有吃有喝，家有住房，出门有车，没有什么可花钱的地方，似乎贪不起来。可怎么就经济犯罪了呢？就因为你当官，你不找钱，钱来找你，天天找，一天到晚地找，变换着花样来找你，时间一长，道德这条防线就靠不住了。道德有时候很脆弱，不知在什么时候，什么地方，它就会被击垮。"孙志说到这里，长叹一口气，说："走出第一步，是我儿子去澳大利亚上学。王玉和背着我，送给我儿子一万美金，二十万人民币。事后我知道了，开始坚决不同意。可经不住他三说两说，再加上天下父母都有舐犊之情，也就默认下来，认为他不出这笔钱，我就得出，他出我出都一样，反正都是春江的钱，只不过找个合适的理由、合适的名堂替换一下就行了。有了这第一步，就有了以后，有了今天。"

杨铁如听完孙志这一番长谈，说："我相信你说的是实话，真心话。可王玉和染指的罪行决不仅仅是你提供的数字。"

孙志："我也没想到他如此猖狂敛财。收了王玉和的钱，毕竟心里有障碍，所以，对他王玉和，我是又护着他，又防着他。既宽容他的行为，又不时地敲打他。我怕他最终惹出大乱子，一发不可收拾。可到底，他还是超出了我的预料！这也叫养虎遗患！"

杨铁如："王玉和已经另案处理，我们不在这儿谈论他。

下面，我开始就起诉书提供的有关事实向你进行调查。"

孙志："你问吧，该知道的，不该知道的，一五一十我全都告诉你。"

9

民事庭审判员范伯年来到民事审判法庭，他打开法庭内的灯光，从兜里掏出一块手绢，轻轻地擦拭着原告席和被告席上的尘土，然后，他走上审判席。他深情地抚摸着审判长的桌牌，用手绢认真地擦拭，接着，又轻轻擦拭着审判席的桌面。最后，他恋恋不舍地在审判长席位上坐下。

他的目光掠过民事审判庭各个角落。一切都是那样的熟悉，而这熟悉的一切他将从此告别。

他在审判长席位上坐了很久。

法庭的门开着，走廊上有法官走过。一名法官探头进来，看一眼一个人坐在那里的范伯年，说："老范，一个人坐在那儿干吗呢？"

范伯年笑着，起身说一声："我来看看，过来看看。"

他离开审判长席位，恋恋不舍地看着那把坐椅。脚步刚刚要迈下审判席，他突然站住，捂住胸口，不一会儿就倒了下去。

站在门口的法官急忙跑进来，喊："老范！老范！"

不一会儿，便传出急救车的呼啸……

二十一

- 不枪毙周士杰，我怕留下活口；枪毙了周士杰，我又兔死狐悲。
- 我只是没想到，一个法律工作者不仅要跟违法犯罪作斗争，还要跟强大的政治阴谋搏斗。

1

在黑暗的地下隧道里，地铁飞驰如梭。

地铁车厢里人并不多，显得空空荡荡。一排垂挂而下的吊环闲置着，随地铁飞快的行驶轻轻地晃动。杨铁如没有坐到座位上，而是双手抓住吊环，面无表情地站在那里，紧紧地盯着窗外。窗外是黑洞洞的一片，什么也看不到。地铁以飞快的速度在长长的黑暗中激烈地冲击着，切割着，碰撞着……

窗外有灯光亮起。地铁在黑暗的奔突中开始逐步减速。没用多少时间，杨铁如透过车窗，看到了地铁车站明亮的站台。

地铁停靠在站台旁，车门打开。杨铁如用力甩一把紧攥的吊环，走出地铁车厢。

身后，被杨铁如甩动的吊环大幅度地摇摆。

殡仪馆吊唁厅内哀乐响起。法官范伯年的遗像悬挂在吊唁厅迎面墙的正中央。遗像上的范伯年穿着崭新的法官制服微笑着，遗像下摆放着范伯年的骨灰盒。

哀乐声中，站立整齐的众法官向范伯年的遗像鞠躬。人人脸上都寄托着无限哀思。

　　哀乐声渐渐隐落之后，院长陈默雷来到众法官面前，用低沉的声音说："同志们，我们的好法官——民事庭审判员范伯年同志突然之间永远离开了我们。那天，他到办公室来找我，跟我谈法院改革，谈老法官离岗的问题，我当时只是跟他谈了些大而化之、冠冕堂皇的言辞；我没想到离开审判岗位会在他心里掀起那么大的情感波澜，以至于让他欲罢不能，心脏病猝发！这件悲哀的事情让我震惊，更让我警醒！我又一次感受到我们的审判岗位如此之重，它的重量就是我们法官生命的重量，灵魂的重量！"

　　陈默雷说到这里，沉默片刻，又说："并不是说，范伯年同志的不幸去世会动摇我们审判制度改革的决心，反倒是通过他在法庭倒下的一幕，我们更加看到了忠诚的法官是如何热爱法庭，热爱我们的审判事业。正是因为这份热爱，这颗炽热的赤子之心，我们更不能停下改革的步伐，更应该让我们的法庭充满朝气，充满活力，让法庭的生命之树万古长青！"

　　陈默雷说到这里时，杨铁如来到了殡仪馆吊唁厅。他胸前戴着白花，站在众法官身后。

　　陈默雷继续说："作为民事庭审判员，范伯年同志每年的结案率都在三百件以上，位居法院榜首。他不是比别人更聪明，也不是比别人具有更高深的法学知识，他是以生命为代价，以栽倒在法庭上的大无畏精神为代价，昼夜苦干，废寝忘食，才换来了这每年三百件以上的结案成果。当事人评价他公正无私，老百姓评价他平易近人，和蔼可亲。今天，在范伯年同志撒手人寰的时刻，我们应该送给他一个什么样的评价？想来想去，我们想到了老百姓敲锣打鼓给我们送来的那块牌匾。那块牌匾，我们一直收藏着，在一段时间内，我们甚至觉得对牌匾上的三个大字受之有愧。可当范伯年同志忠诚地倒在我们法庭上的一瞬间，院党组讨论决定，那块百年老榆树做成的牌匾,那牌匾上镌刻的三个大字,我们要敬献给一生奉献给法庭的范伯年同志,敬献给范伯年同志带着眷恋也带着欣慰的在天之灵!"

两名身着制服的法官将镌刻着"大法官"的牌匾恭恭敬敬地敬献在范伯年的遗像下。

"大法官"三个字在范伯年的遗像下熠熠生辉,焕发出特别的意义。

陈默雷在遗像前继续说:"生固欣然,死亦无憾;花开花落,水流不断。在范伯年同志的遗像前,在'大法官'三个字的光荣面前,我最后说一句话,我们有信心让公正的精神生生不息,让忠诚的品格薪火相传!"

陈默雷最后低沉地说一声:"解散。"

众法官沉默着,依次离开吊唁厅。

杨铁如逆众人而行,缓缓走到范伯年的遗像前,深深地鞠躬。然后,他抬起头,凝视着范伯年的遗像,凝视着遗像下镌刻着"大法官"的牌匾。

陈默雷来到杨铁如身边,说:"铁如,你来了。"

杨铁如向陈默雷微微点头,又深情地面对范伯年的遗像,说:"听说老范临走时,两只手紧紧地攥成了拳头。我相信,这个死在法庭上的人,一只手攥着的是原告,另一只手攥着的是被告。"

陈默雷说:"谁都没想到,他说走就走了,一句话都没留下。"

杨铁如缓缓转过身体,说:"走吧。"

陈默雷陪同杨铁如走在空荡荡的吊唁大厅,两人一时无语。

快要走出大厅时,陈默雷问一句:"你还好吧?"

杨铁如凄然一笑,说:"现在还好,谁知道将来会怎么样!我也许不如老范有幸,到时候,我一不知死在哪儿,二不知自己的双手能攥住什么,有没有什么可攥!"

陈默雷站住,说:"铁如,你最近怎么那么悲观?"

杨铁如也站住,说:"走进殡仪馆,一下子就感到命运无常,人生莫测。"

陈默雷看看杨铁如的神情,沉默片刻,转换一个话题,说:"我听说你接手了孙志的案子?"

杨铁如:"是啊,作为律师,我将在本案终结前与你隔绝,保持回避。"

陈默雷:"没错,我将担任本案的审判长。"

杨铁如:"你把'大法官'三个字送给了范伯年,老范的在天之灵可时时刻刻拿着这三个字来对照你。"

说到这里,两人不约而同地转身,长时间地看着范伯年的遗像以及光彩夺目的牌匾。

等陈默雷侧过头时,发现杨铁如已不在身边。陈默雷转过身,看见杨铁如已走出吊唁大厅,他步履矫健,昂首挺胸,正大踏步向前走去。

2

咣当一声,看守所监舍的门打开,狱警在门口高喊一声:"王玉和!"

关在监舍里的王玉和正趴在地上奋力地做着俯卧撑。听到狱警的叫喊,他站起来,呼哧呼哧喘着粗气,看着狱警。

狱警问一声:"你干什么?"

王玉和:"一不能工作,二不能干活,我只能在这儿做做俯卧撑。"

狱警说一句:"提审!"

王玉和极不情愿地走过来,嘟哝道:"该说的我都说了,还要提审。"

狱警掏出了手铐。王玉和看着狱警的手铐,说:"算了吧,给我个翅膀我也跑不出去。"

狱警一脸厌恶的表情，什么也没说，抓过王玉和的手，给他戴上了手铐。王玉和跟着狱警走出监舍，走向提审室。

来到提审室的王玉和面对已经坐定的两名检察官坐下，狱警给他解除了手铐，向两名检察官示意后，走出室内。

两名检察官目光炯炯地盯着王玉和，王玉和也用同样的目光盯着检察官。

一名检察官突然严厉地喝一声："站起来！"

王玉和一个激灵，从座位上站起来。站起来之后，看到两名检察官仍在定定地看着他，王玉和便故作从容地说："干吗让我站起来？党的政策是惩前毖后，治病救人，凭什么你们坐着让我站着？你们这态度，是治病还是救人？"

听王玉和这么一说，那名检察官也从座位上站起，走到王玉和面前，说："我让你站起来，我也站起来跟你说话。站着能说实话，站着说话还不腰疼！"

王玉和看看检察官的神态，却满不在乎地坐下来，说："我腰疼，我得坐着。"

检察官看到王玉和摆出的一副泼皮样，问一句："王玉和，你为什么没有勇气站着说话？"

王玉和："我腰疼。"

检察官："为什么腰疼？"

王玉和："为什么？为人民服务坐下的毛病！你抗过旱吗？你跟着农民一起往山上挑过水吗？你抗过洪吗？你跳过齐腰深的江水里一泡就是一天？你有没有连续开会二十个小时？你有没有拿着白酒当凉水喝，喝完了到厕所吐出来，再跑到谈判桌上签合同？没有吧？实话告诉你们，为人民服务到这把年纪，我王玉和身心上下全是病！别以为你们送我一副手铐，我王玉和就头上长疮，脚下流脓，不是那样！对立统一，辩证法，一分为二，这些词用到我身上恰如其分！"

检察官听罢这番话，冷冷一笑，说："王玉和，你是什么样的人，历史很快就会给你作出评价。你可能抗过旱，帮

农民挑过一担水、两担水,而回过头来,你从农民身上克扣了多少,装进了自己腰包?大旱是天灾,贪污是人祸,人祸比天灾更让老百姓受苦受难!你白天泡到江水里,晚上呢?你泡在哪儿?你泡在女人堆里!光你自己交待的,跟你有不正当关系的女人有多少个,你数过没有?亏你还说得出抗洪,在那样的危险时刻,你象征性地往江水一泡,转过头你又去寻欢作乐,这是不是事实?你签的字,画的押,白纸黑字上还有你的红手印!你想想你吃什么,老百姓吃什么?你拿着白酒当凉水喝,可你们县有的村庄老百姓连凉水都喝不上,一年到头喝咸水苦水!你是为人民服务了这么多年,还是人民为你服务了这么多年,你自己有没有搞清楚?告诉你个事实,你可能觉得并不奇怪,当我们把这副手铐送给你的时候,金城县上上下下,从县城到乡村,鞭炮响了整整一天,老百姓像过年一样庆祝!你说说,你里面又有什么辩证法?"

在检察官犀利的语锋面前,王玉和不再吱声。

检察官看看神情开始呆滞起来的王玉和,说:"你不站起来,坐着说也行。"

说完,检察官回到自己的坐椅上坐下,翻出一摞口供材料,重新面对王玉和,说:"你在三天前推翻了一桩供词,不承认在推广大棚蔬菜期间,挥霍掉了对全县部分农民的罚款,数额总计一百二十三万九千六百元整,我问你,这笔钱到哪儿去了?"

王玉和不回答。

检察官:"请回答我的问题。"

王玉和:"金城是个大县,县财政的盘子很大,一百多万元算不了什么,我记不清了。"

检察官举起一摞材料,晃动在王玉和眼前,说:"对这笔专项资金,我们检察机关进行过认真的审计调查。这一百多万元的罚款根本就没有进入县财政的账目,你说,它跑了还是飞了？"

王玉和："跑了也好，飞了也好，那是它有本事，跟我无关。"

检察官一笑，说："王玉和，即使这笔钱真长翅膀飞了，你起码也是个渎职罪。"

王玉和："渎职罪也比在我贪污数额上再加上一百多万好！"

检察官："可钱毕竟不会长翅膀，不会飞也不会跑。"说到这里，他又拿出一摞发票，说："这是在你们家找到的一本发票存根，这上面一笔一笔保留着你让人给所交罚款的乡镇开据发票的存根。尽管你把它藏得很严实，可关键时刻，它还是跳出来了。你有情有意地保留着这本发票，它终于无情地掀翻了你。"

王玉和看着那本发票愣了半天，突然疯狂般问一句："你凭什么证明这本发票在我家里？"

检察官展示出一份材料，说："搜查证明上有你家人的签字。"

王玉和的头终于低垂下去。

检察官："这笔钱到哪儿去了？"

王玉和抵赖地说："想不起来了。"

检察官出示一个女人的照片，问："这是谁？"

王玉和抬头看一眼，说："不认识。"

检察官再出示一张王玉和跟这个女人的合影照片，说："这又是什么？"

王玉和看看照片，仍然强硬地说："这有什么？我一个县长还不能跟一个普通女性照张相？她崇拜我，就照了。歌星影星也跟人照相，你们怎么不管？"

检察官最后拿出一张王玉和跟那名女人亲密搂抱、欲吻非吻的照片，说："你一个县长跟普通女性可以照这样的照片？"

这张照片终于让王玉和无话可说。

检察官："你回答，照片上这个王一娜的轿车和别墅是怎么来的？"

王玉和低声回答："她的东西你去问她，我怎么知道？"

检察官又亮出一份材料，说："她说了，在这儿！"

此时此刻的王玉和再也按捺不住，从座位上站起来，说："这个婊子，吃爷喝爷她不谢爷，到头来还把老子卖个精光！天下没有这么不要脸的贱货！"

检察官威严地站起来，呵斥一声："王玉和，现在没让你站着说话，坐下！"

王玉和情绪起伏，忿忿不平地坐下来。

检察官走过来，递给他一支烟，说："沉住气嘛，激动什么！来，抽支烟。"

检察官点上烟，说："你想想，你罚了老百姓的血汗钱到底干了些什么？"

王玉和点燃那支烟，深吸几口，情绪渐渐平息下来，说："跟你们说句题外话，天下只能相信父母，不能相信别人，尤其不能相信女人。金城县山沟里有一种毒蝎子，看不见摸不着就蜇人一下，让人致命，跟他妈女人一样。"

检察官重新坐回原处，说："题外话就不要说了，还是回到正题上来吧。"

王玉和又说："树倒猢狲散，各人上西天。我想问你，我现在到底有多少做伴的？张业铭、孙志，还有他们那些人，你们都抓了吗？"

检察官："你自己问你自己吧。"

王玉和悲鸣般叹出一口气，说："要是真有个伴，到了阴曹地府，还有个惹着玩的。要不，一个人到那边，坑谁蒙谁啊……"

孙志正在看守所会见室跟律师杨铁如交谈。

孙志说:"周士杰当时是市财政局局长,我指示周士杰给金城县批了一千万元的资金,用于发展蔬菜种植基地。周士杰在这件事上表现得相当积极,市财政当时并不宽裕,一千万还是很快打到了王玉和的账上。没多久,王玉和就给我送来十万元。我相信,周士杰拿到手的远不止这个数字。"

杨铁如问:"十万元,你有什么理由接收?"

孙志:"王玉和说,金城县种蔬菜种富了,算是奖金。我要不拿,创造效益的干部也不敢拿。分配制度如果一成不变,往后,基层干部改革创业的积极性就没有了。"

杨铁如苦笑一下,说:"改革是个筐,什么都能装!多奇妙的逻辑!"

孙志:"后来我也明白过来,王玉和的目的就是当上副市长。以前,周士杰当局长时,也反复向我推荐,说王玉和是副市长最佳人选。"

杨铁如:"我听说,曾经有个阶段,王玉和这个副市长人选已经有眉目了。"

孙志:"我心里其实也有戒备,可有些事架不住步步紧逼。集腋成裘,滴水成河,王玉和今天仨瓜,明天俩枣,我就没办法不认同这件事,这就叫迫于就范,请君入瓮。不光一个王玉和,张业铭也是如此。王玉和串通了一大批人向我游说,让张业铭当检察长,最后,我答应了。虽然张业铭当上了检察长,可我从心眼里瞧不起他。说句不负责任的话,王玉和或多或少还能呼隆出个动静,张业铭则是成事不足,败事有余。我相信,这回,他张业铭也难脱干系。"

杨铁如想了想,便说:"可以告诉你,张业铭死了。"

孙志怔怔地看着杨铁如。

杨铁如:"开枪自杀。"

孙志收回目光,沉默片刻,说:"用人腐败是腐败之首,周士杰、王玉和、张业铭,都是这样。"

杨铁如:"你跟周士杰之间还有什么事情?"

孙志："历史上，他就送给我三笔钱，每一笔都是十万，理由也都是各种名义的咨询费、管理费、策划费等等。后来，他到过澳大利亚，又送给我儿子一万美金，这件事，我也是很久以后才知道的。周士杰出事以后，我几次想到省委作出交待，可最后，事情的发展并没像我预料的那样险恶，周士杰把一切罪名都揽到了自己头上，没有让这些东西曝光。周士杰枪毙之后，我出了一身冷汗。从那声枪响开始，无论大钱小钱，哪怕是一分钱，我都坚决地拒绝了。"

杨铁如听完，收拾起桌上的记录，说："马上就要开庭了，你要做好心理准备。开庭前，如果还有什么不清楚的地方，我还会来找你，今天先到这儿吧。"

杨铁如收拾起公文包，向门口走去。

走到门口，孙志又喊住了他："铁如！"

杨铁如回过头，问："还有事吗？"

孙志站起来，说："你来跟我交谈这么多次，怎么就不问问我当初为什么把你调离春江中院？"

杨铁如想了想，说："因为此事跟本案无关。"

孙志："不枪毙周士杰，我怕留下活口；枪毙了周士杰，我又兔死狐悲。你目光太敏锐，办案太执着，如果再细究下去，我孙志可能就跟周士杰一起接受审判，而等不到今天了。我怕你，一帮人怕你，谁都怕指不定哪天落到你手里，一旦落入你手里，那将会毫无回旋余地。潜意识里，我对你有种拒绝；而背后，各色人等又一起伸出脚踩你。所以，我貌似公允开明，以听取大家意见为名，没让你当成院长，调离了法院，离开了法庭。这个谜底最终给你揭开，我心里会稍微轻松一点。事到如今，我只能说一声，我对不起你！"

杨铁如叹出一口气，说："忏悔即使像夜莺的歌唱，也是于事无补，一切都已无法挽回。我只是没想到，一个法律工作者不仅要跟违法犯罪作斗争，还要跟强大的政治阴谋搏斗。我只能说，我不具备与政治阴谋、官场风云相伴随的能力,在你们面前,我不仅是弱者,还是弱智!好在我手里还攥着法律,它支持我,养活我,让我无所畏惧。因此,不管你说了些什么,我心里仍然很单纯,我是一名受你委托的辩护律师,我会为我的委托人尽力而为!"

杨铁如说完,毅然决然地走出会见室。

狱警随之走进,给表情木讷的孙志戴上手铐。

王玉和在狱警的押解下,来到看守所监舍前。狱警咣当一声打开铁门,解除王玉和的手铐时,王玉和说一声:"别摘了,我戴着吧。"

狱警问:"又怎么了?"

王玉和说:"刚才我还在练俯卧撑,以为这条命还能保住;这会儿,够呛!你让我从现在起戴着铐子,好有个思想准备。"

狱警没有听从王玉和的话,解除手铐之后,将他拥入室内。

大铁门咣当一声关得分外刺耳。

来到监舍内的王玉和倚住墙角,坐下来,目光呆滞,一片茫然。

监舍内的众人都看着他。

他的脸上突然现出一丝狞笑,继而扭曲着面部表情,不能自已地狂笑起来。

同监舍一个犯人指着他,说:"嘿,乐了!有什么好事乐成这样?"

王玉和高高地伸出一个手指头,歇斯底里地笑着。众人莫名其妙地看着他把那个高举的手指头在笑声中晃来晃去。那个犯人跑上前,说:"干吗呀?伸个手指头想给老天戳个窟窿?"

王玉和在狞笑中说:"一千万!个、十、百、千,不吹牛,不浮夸,老子的赃款突破了一千万……好好数数吧,一张一张地数吧，一千万……"

突然之间，王玉和脸上的狞笑一下子收敛起来。他一本正经地对看着他的犯人们说："弟兄们，这两天你们碗里有肉的话，让我多吃一口吧，我王某人抱着这一千万死定了！"

3

一辆出租车驶到机场候机大厅前，杨铁如走下出租车，匆忙步入大厅。

透过候机大厅宽大的落地窗，可以看到跑道上飞机的起降。在一阵又一阵传来的轰鸣声中，邵红戴着墨镜，安静地坐在落地窗前，聆听着航班消息的播音。

抬起头时，邵红看到了正向她走来的杨铁如。她站起来，看到杨铁如从远处渐渐来到她的身旁。

邵红说一句："你不会是赶来送我吧？"

杨铁如："接到你的电话，我就往这儿赶。"

邵红微微一笑，说："有什么临别赠言不能在电话里说？"

杨铁如："你为什么非要离开这个城市？"

邵红："因为这是伤心之地，我在这儿每呆一天，都会感到身陷囹圄。"

杨铁如："可你知道，你所说的那张罗网已经彻底撕破。"

邵红："可我毕竟失去了我丈夫！如果这个城市不设置一个悬崖，周士杰就不会跌入万丈深渊。他原本不是这样的人，第一次见到他时，他是那样真诚善良，才华横溢……"

杨铁如听到这里，不知道应该如何劝解。他忽然问道："关于这张罗网，检察院没找你？"

邵红："该说的我都说了，我所知道的，我都提供了书面证词。你想想，既然是一张罗网，暗道机关还不知道有多少呢！我一个女人，又是一个死刑犯的妻子，我究竟知道多少！"

杨铁如："你所知道的，他们没有要求你出庭作证？"

邵红："我拒绝了，我只提供书面证词。"

杨铁如："为什么不能出庭？"

邵红："我不愿看到王玉和他们的嘴脸！再说，自从周士杰死后，我对法庭有一种莫名的恐惧，我永远都不想再见到法庭。"

杨铁如沉吟片刻，说："我这人，从来不会安慰别人，更不用说安慰女人。既然这个城市留不住你，我只好说一句，活着，非常不容易，无论走到哪儿，都要保重，再保重！"

邵红笑笑说："你挺会安慰人的，谢谢你！"

候机大厅的广播喇叭里传出了登机的消息，杨铁如说："别耽误了登机，走吧。"

邵红转身走去，突然又回头站住，问一句："我听说你要为孙志辩护？"

杨铁如点了点头。

邵红："为什么？"

杨铁如："因为我是律师。"

邵红："假如当初你是律师，你也会为周士杰辩护吧？"

杨铁如："我也会努力去做。"

邵红没说什么，看了看杨铁如，转身走去。

杨铁如又在背后喊住了她："邵红！"

邵红站住，回过头来。

杨铁如说一句："把墨镜摘下来吧，你会看得更清楚。"

邵红不置可否地一笑，转身朝前走去。杨铁如看着邵红的背影渐走渐远，走到安检门口时，邵红朝杨铁如的方向站住。她摘下墨镜，嫣然一笑，向杨铁如热情地招手。

4

夜晚降临。无边无际的黑夜中,春江中院的大楼有无数窗口亮起灯光。每个窗口都像一只明亮的眼睛,点缀着夜色的黑幕,构成特别的景观。

法院小会议室的茶几上、沙发上堆积着一摞又一摞卷宗。潘军右和郑小泉一边吃着大盒的方便面,一边在卷宗前细细地查阅。书记员聂小倩在临时搬来的电脑前忙碌地工作着。

郑小泉从卷宗前抬起头,问正在电脑前忙碌的聂小倩:"小倩,你不吃点?"

聂小倩边敲打键盘边说:"多少天了,天天方便面,方便倒是方便了,可就是吃不下去,吃下去接着就想吐出来。"

潘军右一边大口吃着方便面,一边随口跟一句:"我也是。"

郑小泉看看潘军右的吃相,说:"人家聂小倩说什么,你也跟着说什么,你也太跟形势了!瞧瞧你那副吃相,跟狼似的,还你也是!"

潘军右放下饭盒,说:"你这副庭长刚上任没几天,就开始耍官腔了?你还说我跟狼似的,就是狼,一天到晚顿顿都是方便面,也保不住回头就跑,宁可饿死。"

郑小泉故意把方便面呼噜呼噜吃得很响,一边咀嚼一边嘟哝着:"那你就饿死吧。你以为你饿死了,陈院长也给你送一块'大法官'的牌匾?没门!你要真饿死了,我就在你坟头上立块碑,写上这么一行字:此人饿死系天生不吃好粮食,切望大家引以为戒,知足长乐,吃饱就行。"

潘军右听到这里,笑着端起方便面,说:"冲你这句话,我也不能饿死。我还想等你死后我给你立块碑呢,上面也写上一句话:此人为方便面而生,为方便面而死,切望大家引以为戒,该海鲜海鲜,该羊肉羊肉,该麻辣烫就麻辣烫。"

聂小倩听到这里,站起来,笑着说:"等你们两个人都永垂不朽了,我来给你们立块碑,上面也写上一句话:此二人系一天到晚耍贫嘴而死,切望大家引以为戒,少说无用话,多做实际事。"

郑小泉边吃边说:"有聂小倩同志给我隆重立碑,我郑小泉庭长死而无憾。"

潘军右突然问一句:"哎,小倩,你离婚离婚,离得怎么样了?"

聂小倩叹口气,说:"早晚的事,我就不相信我一个公民争取不到自己的自由。"

潘军右:"真是不可思议,咱本身就是干法院的,打个小官司都这么不容易,别说人家老百姓了。怪不得社会上对咱们法院有这么多传言!"

郑小泉收拾起饭盒,说:"感叹有什么用?要想当个好法官,从现在开始,干活!"

潘军右也收拾起饭盒,对聂小倩说:"小倩,别老想自己的事了,咱们的郑副庭长发布了上任以来的第一道命令,干活吧!"

郑小泉拿起一摞卷宗看着,突然问坐回电脑前的聂小倩:"小倩,真离了婚,你打算怎么办?"

聂小倩扔过一句:"你说怎么办?"

郑小泉摇摇头,说:"现在还不行,等孙志这案子了结了,我会认真想想该怎么办。"

捧起卷宗的潘军右故意咳嗽一声,说:"郑小泉同志,请注意领导干部的形象!"

郑小泉边看卷宗边说:"领导干部也是人,咱们陈默雷院长每次加班都忘不了给老婆打电话请假。"

话语间,陈默雷走了进来,进门就问一句:"说我什么呢?"

郑小泉站起来说:"我们几个人,背后从来不说领导好话。"

陈默雷笑着,面向门外,说:"请进来吧。"

进门的是一位学者模样的中年人,后面还跟着穿戴整齐的民工李长明。学者落落大方,李长明无比拘谨。郑小泉、潘军右、聂小倩都站了起来。郑小泉问一句:"李长明,你怎么过来了?"

李长明讷讷无语。

陈默雷介绍说:"关于孙志这桩案子,院党组请示省高院和市人大常委会同意,决定邀请两名人民陪审员与我们一起共同审判。经过认真选择,我们特别邀请了市人大代表孔繁西教授和基层农民代表李长明同志作为本案的人民陪审员。从今天开始,他们将参加我们合议庭的有关工作。"随即,他又向两名人民陪审员介绍说:"这是咱们本案的合议庭成员,我是审判长,这是审判员郑小泉、潘军右。"他指指站在电脑一侧的聂小倩说:"这位是咱们的书记员聂小倩。"

众人纷纷点头,互致问候。

陈默雷招呼众人说:"都坐下吧。"

众人都坐下来。

陈默雷指着一摞摞卷宗对两位人民陪审员说:"这桩案子比较复杂,光卷宗就堆了这么多。开庭日期已经迫近,看来,咱们免不了要挑灯夜战。"

郑小泉笑着插话说:"还免不了天天吃方便面。"

陈默雷:"是啊,大家都很辛苦。合议庭的同志已经连续熬了二十多个夜晚。"随即,他又对郑小泉说:"小泉,你把案子的基本情况跟咱们特邀的陪审员介绍一下。"

月光如水,和风习习。在高层建筑宽大的平台上,林子涵凭栏远眺,俯瞰着城市的璀璨夜景和万家灯火。

方正坐在圆桌前一把坐椅上,看着林子涵的背影,俯下身,双手掩面。

许久之后,林子涵转过身来。看看方正的神态,她走过来,坐到方正的对面,然后,轻轻说一句:"方正,抬起头来。"

方正双手掩面,摇了摇头。

林子涵伸出手,抚摸着方正,说:"我不愿看到你这副模样。抬起头,让我看着你,好吗?"

方正终于抬起头,他没敢与林子涵对视,而是喝掉了圆桌上摆放的一杯白开水。

林子涵:"你是不是觉得我不该把你留下?"

方正:"我只是觉得我不该把你留下。"

林子涵轻柔地问一句:"为什么?"

方正:"不知道哪一天,我就会接受审判。你坐在审判席上,我坐在被告席上,两者之间的距离实在是太遥远了。"

林子涵:"你说的距离是职业上的距离。可现在,我跟你面对面坐在一起,职业已经暂时走远,只剩下我自己。"

方正:"也许我不该放弃哲学,该去获得一个博士学位。"

林子涵:"可你盖起了这么高的大楼。社会需要哲学,也需要大楼。"

方正:"这些天我总在想,我这个学哲学的人丢掉了最不该丢掉的东西。我真的把这个时代看错了,总以为黄钟毁弃,瓦釜雷鸣,很多东西都在接二连三地崩溃,所以,我就开始投降,向那些人捧出了自己精神的贞操。"

林子涵:"你要有勇气站到法庭上作证,这贞操还能找回来。再说,贞操其实是一个封建概念,在法语中,这个词往往解释为开始。"

方正:"可我让你离开了法庭!我知道,离开法庭,对你来说意味着什么。"

林子涵听到这里,沉默了半天,喃喃自语说道:"To be or not to be……谁也没办法,此事古难全……"说到这里,她调整坐椅,不再面对方正,而是看着月明星稀的无限苍穹。

方正:"我知道,你心里一点都不平静,你今晚所说的一切都是为了安慰我。"

林子涵沉默无语。无限苍穹像一个巨大的谜底,闪烁着神秘的星光。

方正:"你为什么不说你恨我?"

林子涵的眼睛里渐渐涌出泪水。

方正站起身,站到林子涵背后,说:"你要是捶胸顿足骂我一顿,我心里可能会好受一点。我不怕受审判,我就怕连累你,伤害你。我见不得你受委屈,不用说这么大的委屈,哪怕只有一丁点……"

林子涵的两行热泪滚落脸颊,她哽咽着说一句:"你别说了。"

方正双手抚住林子涵的肩头,半天说一句:"子涵,你哭了?"

林子涵的泪水汩汩而下,她突然回头抱住方正,哭着说道:"别说了,你什么也别说了……"她紧紧抱住方正,将头深深地掩埋进方正的怀抱。

第一次听到了林子涵的哭声!林子涵在方正的怀抱里爆发出饱含委屈、历尽沧桑的淋漓酣畅的哭声……

5

刑事审判大法庭内座无虚席,秩序井然。

大法庭的公诉席上坐着三位检察官,辩护席上坐着律师杨铁如。杨铁如从桌前的一摞材料中抬起头,面无表情,神态镇定。

随着一声"起立"的喊声，大法庭内走进了陈默雷、郑小泉、潘军右以及人民陪审员孔繁西教授和农民代表李长明。陈默雷坐到审判长席位，两名人民陪审员分别坐在审判员郑小泉和潘军右两侧。农民李长明换上了崭新整齐的衣服坐在庄严的审判席上，表情虽不乏拘束，但坐姿挺拔端正。

审判长陈默雷宣布："传被告人孙志到庭！"

旁听席上的众人有小小的骚动。后排的听众甚至站起身，引颈而望。在人们的观注之中，孙志在两名法警的押解下从通道走向被告席。

站在被告席上的孙志被法警解除了手铐。

陈默雷说一句："请坐下。"

面无表情的孙志坐到了被告席上。

陈默雷面对孙志说："被告人孙志，春江市人民检察院以贪污、受贿罪向春江市中级人民法院依法对你提起公诉。本院依法组成合议庭进行公开审理，合议庭成员由我——陈默雷担任审判长，法官郑小泉、潘军右担任审判员，市人大代表、春江大学教授孔繁西同志和农民代表李长明同志担任人民陪审员，对以上合议庭的人员组成，你是否有提请回避的建议？"

孙志回答："没有。"

陈默雷继续面对孙志说："作为被告，在法庭审理过程中，你享有调取新的证据的权利；享有申请新的证人到庭作证的权利；也享有对原有证据重新鉴定、勘验和检查的权利；还享有要求辩护人辩护及自我辩护的权利。对以上你所享有的诸项权利，你听清楚没有？"

孙志回答："清楚。"

陈默雷宣布："现在开庭。首先请公诉人宣读公诉意见。"

空旷的法院大厅内，林子涵在巨大的獬豸壁画前来来回回地徘徊。

办公室主任宋修从楼梯上走下,看到站在獬豸壁画前孤独的林子涵,走上前,便说:"子涵,一、一个人在这儿干、干吗?"

林子涵面对宋修不置可否地笑笑,说:"没,没干什么。"

宋修叹出一口气,朝大法庭方向瞥去一眼,说:"别、别一人站这儿了,要不,到、到我办公室坐坐,咱、咱们好好聊聊。"

林子涵强作笑容,说:"不用了。"

说完,林子涵离开法院大厅,走向楼梯。宋修望着她的背影,再一次摇头叹息。

林子涵站在刑事庭办公室面对景色依旧的窗外风景。

电话铃响起,长时间地响着,林子涵没有去接。铃声执着地响着,林子涵终于接听了电话:"喂,我是林子涵。谁?赵清华?"林子涵的神情浮现出一片惊奇,她镇定一下,然后说:"清华,谢谢你给我打来电话。"

话筒里传来赵清华的声音:"你听着,三十年河东,三十年河西。我打电话是请你转告杨铁如,虽然他打赢了官司,可这是一桩典型的人情案,关系案。我向省高院告了,也向北京告了,他杨铁如不要以为自己有什么了不起,有他难看的时候!如果他要问谁在背后做他的文章,请你直言不讳地告诉他,我,赵清华!"

对方的电话说到这里旋即扣死。

林子涵"喂"、"喂"了两声,话筒里却传出嘟嘟嘟的声响。

林子涵愣愣怔怔地拿着话筒,复杂的神情莫可名状。

刑事审判大法庭内,杨铁如从辩护席上站起,开始发表辩护意见:"尊敬的审判长、合议庭成员,作为被告人孙志的辩护律师，我的心情无比沉重。坐在被告席上的孙志，毕竟曾是拥有八百万人口的春江市委书记，作为一个受党培养多年的地市级一把手，本应模范遵守党的纪律和国家法律，率先垂范，以身作则，而现在，通过公诉人的公诉材料，我们可以看到，他已蜕变为一个侵犯国家财产的经济犯罪嫌疑人，这样的反差的确令人痛心。我相信坐在旁听席上的听众跟我的心情一样，充满了愤怒，也充满了憎恨。作为律师，我同意公诉人意见中的大部分指控，但是，法律的本质是在证据充分的基础上对事实进行公正的辨析和确认，我所以为被告提出辩护，也是想通过事实的进一步辨析，对公诉人提出的几处犯罪事实提出异议，从而要求法庭对公诉人指控的被告索贿金额共计人民币一百五十六万元整的数字进行重新认定。

"第一，据公诉人指控，王玉和向被告行贿前后计五次，折合人民币六十七万四千元的情节，与事实存有出入。前三次我提不出什么异议，但一九九九年四月和二〇〇〇年二月王玉和以金城县人民政府名义送给被告儿子孙伟的二十万元人民币和十万元人民币不能算作被告的受贿行为。其理由是，被告的儿子孙伟从澳大利亚奥克兰公司为金城县人民政府引进了六种稀有蔬菜温室培育技术，该技术在金城县得到了一定范围的推广，取得了一定的经济效益。我这里有来自金城县科委和农业局的有关证明材料，证实该项技术确实在金城县得到了有效推广。因此，这前后两次共计三十万元人民币的支付应该看做是正常的经济回报，而不能指控为是行贿。也许，我们可以从金钱的支付途径和数额是否恰当上找出破绽，但事实的性质不能发生改变。况且，这两笔资金的支付，是金城县人民政府与被告儿子孙伟的单独往来，作为被告，对此事概不了解。我想特别提请法庭注意的是，不能因为王玉和前三次对被告是纯粹的受贿行为，就以惯性推理的方式一概类推。不同的事实应该有不同的认定，也应该有

不同的区分和鉴别。

"第二，公诉人提出，在被告担任市委书记期间，因扶持金城县推广大棚蔬菜种植，从市财政划拨一千万元作为扶持基金，十个月之后，王玉和以金城县人民政府的名义送给被告十万元人民币，由此，公诉人指控这十万元属于贪污行为。在此，我不同意公诉人的此项指控。其中的内在逻辑是，划拨金城县人民政府一千万元扶持资金，不是一种假公济私的个人行为。作为市委书记，被告有决策的权力，况且，此项决策得到了市委常委会和市长办公会的通过，程序是合法的。当然，这一千万是否包含了决策的失误，这可另当别论，不在本案涉及范围。关键的事实是，被告对金城县一千万元的批复，没有贪污的动机，也没有索贿的任何表现。被告所接受的十万元人民币是金城县人民政府作为效益回报相送的。据我调查，在金城县推广蔬菜种植取得一定效益之后，金城县人民政府专门出台政策，奖励有关县、乡镇和村领导，人数达百人以上。百人以上的经济回报，可以不加追究，被告所受的十万元却指控为贪污事实，这在逻辑上难以讲通。当然，十万元的回报多了还是少了，这是争论的焦点，但我们目前并没有找到决策者应该在经济效益中所获奖励数额的法规依据。当然，我也知道，在金城县推广大棚蔬菜过程中，有些乡镇、村庄不但没有获取效益，而且农民损失惨重。但这点，不是被告作为决策者的初衷，是金城县人民政府的行政过失，此项事实也不应涉及到本案范围中来。

"第三，公诉人指控的方正房地产开发公司为获得征地批文，曾先后向被告行贿十八万元整。我同意公诉人对第一笔行贿金额十万元的指控，可方正公司在获得批文之后，对被告的八万元行贿指控与事实存有出入。因为行贿罪名的确立必须以行贿者获得利益为前提，在获得批文之后，方正公司与被告之间已不存在利益关系。据方正公司总经理方正提供的证词,从批文诞生到大楼崛起,前后历时四年时间,期间,因为被告对该项工程的关注,两者之间有常来常往的关系,这种关系可以理解为朋友之间的友谊。在这样的关系界定中,方正公司为被告提供的吃、住、旅行以及礼品等诸项费用累计人民币八万元,不应解释为受贿行为,因为方正公司再也没有从被告人身上获得其他的利益。

"最后,我想向法庭提供这样一个事实。并不是说,被告人接受了不该接受的资金就心安理得,反倒是,被告人的灵魂始终在受着这些金钱的折磨。为此,被告曾在春江市贫困地区专门资助了四十名上不起学的孩子,以每个孩子年度学费四百元计算,三年下来,被告共支付孩子上学费用四万八千元之多。这个行为可以理解为善良之举,也可以理解为内心负疚的赎罪之举。我知道,道德概念不能作为法理依据,但如果从赎罪意义上解释,也可以成为减缓罪行的理由。我把这一事实提供给法庭,提请法庭予以考虑。

"同公诉人和旁听席上的观众一样,我对腐败行为同样嫉恶如仇。但是,作为一名律师,在庄严而公正的法庭上,我更愿为维护事实、辨析事实而努力,这正是我担任此次辩护的全部理由。谢谢法庭!"

6

夜晚,法院小会议室内,合议庭成员正在就庭审结果进行讨论。

陈默雷面前堆积着一摞高高的方便面饭盒,他把饭盒往一边推了推,说:"有一点,我需要再次申明,杨铁如虽然曾是春江中院的副院长,但现在,无论在法庭,还是在咱们合议庭,他只是一名普通的辩护人,他的辩护意见和任何律师的辩护意见应该一视同仁。"

潘军右说:"我不同意辩护意见中将王玉和对孙志的行

贿由五次认定为三次。从动机上来说，如果孙志不是市委书记，不掌握权力，王玉和决不会以县政府的名义两次提供给孙志的儿子孙伟总计三十万元人民币。公诉人有证据表明，孙伟从澳大利亚引进的技术在金城推广仅仅是开始，在没有效益的前提下支付三十万元，不应视为合理的经济回报，应该认定为投靠权力，买通权力的行贿受贿行为。至于孙志是否知晓，属于主观效果，而行贿受贿本身是毋庸置疑的客观事实。"

郑小泉："这里有两个概念需要区分。第一，孙志的儿子孙伟不属于国家工作人员，引进技术收取回报有其合理合法性，至于数额是否恰当，效益如何，正如辩护人所讲，这不在本案涉及范围；但这三十万元又不能仅仅看作合理的经济回报，其中又包含着王玉和买通权力的个人目的，因此，这个三十万元的认定应该视为混合型资金，有合理部分，也有行贿部分。第二，我不同意辩护人以孙志不知此事为理由进行的开脱。既然这笔钱的行贿部分是冲着孙志来的，即使孙志不知此事，钱毕竟进入了他直系亲属的腰包，作为直系亲属不可能不在孙志面前为王玉和大作赞誉之词，客观上，行贿人的行贿目的已经实现。重要的是，如果孙志完全不知此事，需要证据来说服，而现在，辩护人难以提供有力的证据。"

陈默雷听到这里，说："法庭需要鉴别的，正是这笔混合型资金中合理的部分应该占有多大比例？因此，法庭应该从引进技术的全部过程和国家有关法规中抓紧予以确认。"随之，他又问坐在身边的陪审员孔繁西教授："孔教授，你怎样认为？"

孔繁西教授说："我在法律上当然不比你们专业，但我认为经济活动中的正常行为应该加以保护，比如孙伟引进的技术。但这项技术引进究竟有多大的经济效益含量应该量化、明确。另外，为发展经济，有些地区出台了一些地区性法规，比如许多奖励激励措施，在我们法治尚不健全的情况下，尤其在经济转轨时期，这些地方性法规应该得到尊重。"

陈默雷点点头，又问李长明："李长明，你呢？"

李长明腼腆地摇摇头，说："俺不懂，不懂，听就是了。"

陈默雷："你是人民陪审员，不懂法律，也可以谈谈感受。"

李长明憋红了脸，半天说道："俺觉得，只要给俺农民致了富，他拿多少俺都不心疼……俺，俺就怕，有人打着个幌子，往自己腰包里装。"

陈默雷郑重地点点头，说："讲得很好，我们就希望听到你真实的感觉。"他抬腕看看手表，说："哟，又十二点了。大家辛苦一下吧，咱们还得接着往下讨论。"

深夜，杨铁如仍坐在客厅里不停地抽烟，紧盯着摊在茶几上的一摞材料。

妻子刘早春披衣出来，打断了杨铁如的沉思，说："还不睡啊，几点了？"

杨铁如抬头看看刘早春，说："睡不着啊，明天还要出庭。"

刘早春坐到了杨铁如身边，叹息着说："一个孙志，又把你折磨成这模样。你看看，这些天下来，你瘦了多少？"

杨铁如转过身来，面向妻子，说："我瘦了？"

刘早春摸一把杨铁如的颧骨，说："你摸摸自己的颧骨，长哪儿了？"

杨铁如摸摸自己的颧骨，自嘲般地说："瘦了就瘦了吧，有钱难买老来瘦！"

刘早春轻轻推搡杨铁如一把，说："净胡说！才啥时候，就说自己老了。"

杨铁如："早春，你是不知道，我每天都扳着手指头在数,一天,又一天,数着数着,就有种老之将至的感觉。有时候自己想:天底下谁像我杨铁如活得这么累?心累不说,胳膊腿也开始觉着累了。想起这些,我就盼着,赶紧老了吧,老了也就死了这份心了,什么也不想了。真到老了那天,咱们正大也长大了,出门离家走了,那时候,我专门陪你,把这些年欠你的、赊你的、委屈你的那些东西全都补回来。"

这番话让刘早春不自觉地揽住了杨铁如的肩膀,说:"我可不希望你老。"

杨铁如也揽住刘早春说:"少年夫妻老吵架,老来夫妻才无价。你要是不希望我老,你可能还得忍着我。"

刘早春深情地抚摸着杨铁如,说:"忍就忍吧,我认命。"

杨铁如躺倒在刘早春的膝盖上,在沙发上伸开腿,说:"我真是累了。"

刘早春:"那就睡吧。"

杨铁如叹出一口气,说:"天快亮了,天一亮,就得开庭!"

7

刑事审判大法庭内,作为证人的方正出现在证人席上。公诉人正站在公诉席向方正提问:"请你向法庭证明,你对被告人孙志行贿的资金总额是多少?"

方正:"我已经写在证词当中,累计金额是十八万元左右。"

公诉人:"你第一次,送钱的方式是什么?"

方正:"我动了一番脑子,送给他一套《莎士比亚全集》,这套书总共十一卷,我把十万元人民币夹在书里,每页夹一张百元钞票。"

公诉人:"被告有没有推辞?"

方正:"没有,一个月以后,我拿到了批文。"

公诉人:"以后的八万元呢?"

方正:"我提供了他全家旅行欧洲的全部费用,还有部分礼品。另外,我无偿给他在大酒店提供了多次免费套房和个人宴会,总计金额大概八万多元。"

公诉人面向审判长陈默雷:"我的提问完了。"

陈默雷面向杨铁如:"辩护人有什么问题需要提问?"

杨铁如站起来,面向证人席上的方正,说:"请问,你当初在那套《莎士比亚全集》中塞进十万元钞票的目的是什么?"

方正:"获得批文。"

杨铁如:"获得批文之后,你还要求被告人为你的商业活动提供了什么便利?"

方正:"几乎没有。"

杨铁如:"请准确回答,有,还是没有?"

方正想了想,说:"没有。"

杨铁如:"那你为什么还要给被告家人无偿提供欧洲旅游的费用,以及礼品、宴会和套房?"

方正没有说话。

杨铁如:"请你回答我的问题。"

方正:"说句心里话,我是一个很要强的人,不甘人后,不甘人下。我所以给他提供某些费用,真实的想法是,他有权力,我有金钱,谁都不比谁矮一头。就像在互相展示,互相比试。久而久之,在长期的交往中,就形成了一种关系。"

杨铁如:"请问,你们之间,形成了一种什么关系?"

方正:"我获得了他的尊重,我们有了平等的交往。"

杨铁如:"我再问一句,在这种平等的交往中,你有没有利用被告人的权力完成了自己的商业目的?"

方正:"没有。"

杨铁如:"谢谢,我的提问完了。"

方正走出刑事审判大法庭,来到法院大厅时,看见林子涵正站在獬豸壁画前,远远地望着她。

他来到林子涵面前。两个人互相看着。

方正:"该说的我都说了。"

林子涵:"进来以后你可能才知道,这座大楼容不得一句谎言。"

方正:"我不但说了真话,而且,把心里话也说出来了。"

林子涵:"你先回去吧。"

方正:"检察院告诉我,可能对我免于刑事起诉。"

林子涵:"可审判是免不了的。"

方正一怔:"怎么了?"

林子涵:"你回家等着吧,我来审判。"

方正:"那好吧,我等着你的判决。"

方正转身走出法院大厅。站在壁画前的林子涵一直望着方正的背影,看着他走下高高的台阶,直至消失。

大法庭内,激烈的法庭辩论正在进行。

杨铁如站在辩护席上,正慷慨陈词:"我们清清楚楚地听到了证人的回答,自从拿到了批文之后,证人跟被告之间已经没有了利益关系。之后发生的事情是一种金钱与权力互相争夺社会地位、互相证明生存价值的较量。这既是一种生存较量,又是一种心理较量。它根本没有物化成现实利益,也没能造成国家财产的损失。它已经抽象出来,抽象成一种价值观念。因此,我坚持认为这八万元不能强加为被告的索贿受贿行为。"

公诉人起而辩论:"辩护人忽略了一个重要的事实,如果说方正以正常交往的方式来支付这八万元旅游费、礼品费、宴会费的话，他为什么不向其他人提供同样的费用？正因为被告是掌握大权的市委书记，他才会如此出手阔绰。也许这中间还没有什么直接利益产生，但潜在的获取长远利益的目的仍然存在。公诉人想提请法庭注意，不能因为直接的利益还没有凸现出来，就忽视掉这种行为将会给国家造成损失的可能性。"

　　杨铁如再次站起："法律需要证据，不允许推断和猜测。十万元获取了一个批文，这是证据，铁证如山。可在这十万元之后，那笔八万元的费用并没有跟权力达成另一笔交易。未来会怎样，不属于今天的法庭任务。同时，我还想这样来回答公诉人的提问，为什么方正不向其他人提供这笔费用？是的，方正想要做的，是要在权力面前赢得自尊，换取平等地位，而在春江市八百万人口之中，被告是权力的最高者，他只有在被告面前赢得自尊才会完成他的心理动机。不能因为被告曾经是市委书记，就把他的罪行做无限的想象。肉体无辜，行为有罪；官位无辜，渎职有罪。因此，本人最后仍然坚持自己的意见，这八万元不属于受贿行为。"

　　公诉人没有再进行又一轮次的辩护。

　　陈默雷对被告席上的孙志说："对这项指控，被告人有什么辩护？"

　　孙志："我讲三句话。第一句，我不辩护。因为我愧对法庭，愧对所有人，羞愧难当，无言以对。第二句，我不懂法，实在是不懂。公诉人的指控和辩护人的意见我都洗耳恭听，感触良深。我这样的人要再把这个市委书记当下去，将会后患无穷。第三句话，我相信法庭，相信法院。无论给我怎样的判决，都将是公平的，是我应该得到和接受的……"

　　陈默雷在孙志讲完之后，宣布："本案将继续审理，现在休庭！"

8

杨铁如走出法院大楼时,天色已经黑下来。他走下法院高高的台阶,回头仰望一下灯火通明的法院大楼,然后大步流星向前走去。

他行走在夜色降临的春江大街上。他甚至充满兴趣地看着大街上熟悉的仿佛又是陌生的一切。他在长长的行走中,靠近了远方的一个公共汽车站。

突然,杨铁如身边有辆轿车停下来。他驻足一看,陈默雷正坐在驾驶座上望着他。

他继续前行,陈默雷却将车停下,在背后喊住了他:"铁如!"

杨铁如站住,看着陈默雷走近。

杨铁如:"可不是我找你,是你把我喊住的。"

陈默雷:"我不得不把你喊住。"

杨铁如:"你可别忘了你是审判长。"

陈默雷:"我没忘,我还是法院院长呢!"

杨铁如:"一看你板着个脸,就没什么好事!"

陈默雷:"铁如,我不得不告诉你,让你有个思想准备,这次出庭辩护,可能是你律师生涯中最后的一次了。"

杨铁如怔怔地望着一脸严肃的陈默雷。

陈默雷:"我刚刚接到最高人民法院的通知,为防止关系案和人情案的发生,通知要求,曾在本地人民法院工作过的法官不能够再以律师的身份出庭辩护。"

杨铁如愣怔了半天没说话。许久以后,他大声说:"你坐在法庭上瞪着眼全都看见了,我杨铁如什么时候办过人情案、关系案?看见你的轿车从我身边走过,我想躲都躲不及!"

陈默雷:"最高人民法院不是冲你杨铁如才下的通知。"

杨铁如:"可我杨铁如一下子又裹进去了!"

陈默雷沉吟片刻,说:"铁如,放下律师职业,并不意味着什么。我已经向市委和省有关部门郑重推荐你重回司法岗位。"

杨铁如沉默了半天,摇了摇头,说:"你以为你是谁?你以为我又是谁?"他深深地叹出一口气,说:"该来的都来吧,我到底要看看,我杨铁如这辈子还会遇到什么。"

杨铁如说完冲陈默雷摆摆手,说:"你走吧,你跟我站在一块儿,又是人情案。"

陈默雷:"沉住气,铁如,一定得沉住气,还早着呢!走吧,我捎你一程,我家老爷子病了好多天,我正好赶过去看看。"

杨铁如摇摇头,独自朝前走去。

陈默雷的车又开到杨铁如身边,他减速向杨铁如鸣笛,杨铁如没有看他,只是摆了摆手。

陈默雷的轿车向前开去。杨铁如来到公共汽车站牌下,倚靠着站牌立柱,点上了一支烟。

街上人来人往,没人看见倚在站牌立柱上的杨铁如一脸忧患,一脸无奈。

那两个给杨铁如送花的女孩一路嬉笑着走来。路经站牌前时,突然看到了倚在立柱上的杨铁如。女孩惊讶地喊:"杨律师,怎么在这儿碰上你了?"

杨铁如看看两个女孩,苦笑一下,说:"刚刚从法庭出来。"

一名女孩说:"我们在电视直播里看见你了,你太酷了,像周润发。"

另一名女孩说:"根本不是,像梁朝伟。"

杨铁如扔掉烟头,说:"想看的话,你们就再看一次电视吧,这是我最后一次出庭。"

两个女孩诧异地互相对视。这时,一辆公共汽车驶来。

车门打开,杨铁如说声"再见",抬腿迈上公共汽车。

公共汽车上空荡荡的,杨铁如选择了最后一排坐椅坐下。

他仰靠在最后一排坐椅上,随空荡荡的公共汽车晃晃悠悠地前行。

两名女孩站在公共汽车站牌下议论。

"杨律师怎么了,他情绪不对啊?"

"肯定是官司没打赢!他就不应该为腐败分子辩护!"

两名女孩看着缓缓前行的公共汽车越驶越远,越驶越远……

9

陈默雷来到父亲家门前,还没进门,就听到了室内传出的京胡声。

他走进家门,一眼就看见了正在拉京胡的父亲。他惊奇地问:"爸,你不是病了吗?"

老人停下手中的京胡,说:"你不来,我这病就不能好?"

陈默雷坐下,说:"你也知道,我忙着一桩大案子,实在是抽不出空来。"

老人:"忠孝不能两全,这点道理我懂!我这个儿子能啊,当那么大的院长!"

陈默雷坐在那儿没说话。

老人看着陈默雷,说:"电视我看了,敢把市委书记弄到法庭上,我老头服气!"

陈默雷不语。

老人:"那孙志得判个什么结果?"

陈默雷仍沉默无语。

老人慨叹一句:"也是花白头发的人了,何苦来哉!"说着,他看了看陈默雷的神态,说:"你怎么不说话?有啥心事?"

陈默雷站起来,笑了笑说:"爸,你拉你的胡琴吧。"说到这儿,他突然又说一句:"爸,要不这样,你拉琴,我唱一段?"

老人:"唱啥?"

陈默雷挽上袖子,清清嗓子,说:"《赤桑镇》。"

老人看着陈默雷,半天没有拉动胡琴。

陈默雷:"爸,怎么了?"

老人终于笑起来,开始操琴。琴声中,陈默雷亮开嗓子,唱起了京剧《赤桑镇》中包龙图的著名唱段:

> 自幼儿蒙嫂娘训教抚养
> 金石言永不忘铭记心房
> 前辈的忠良臣人人敬仰
> 哪有个徇私情卖法贪赃
> 到如今我坐开封国法执掌
> 杀赃官除恶霸伸雪冤枉
> 未正人先正己人己一样
> 责己宽责人严怎算得国家栋梁
> 小包勉犯王法岂能轻放
> 弟若徇私上欺君下压民
> 败坏纪纲我难对嫂娘
> ……

这是自古以来流传至今的黄钟大吕,这是中华血脉正义和无私的汹涌澎湃,这是情感的升华,这是精神的宣言……嘹亮的唱腔回荡在茫茫夜空,回荡在天地之间,回荡在春江市祥和宁静的万家灯火之中……